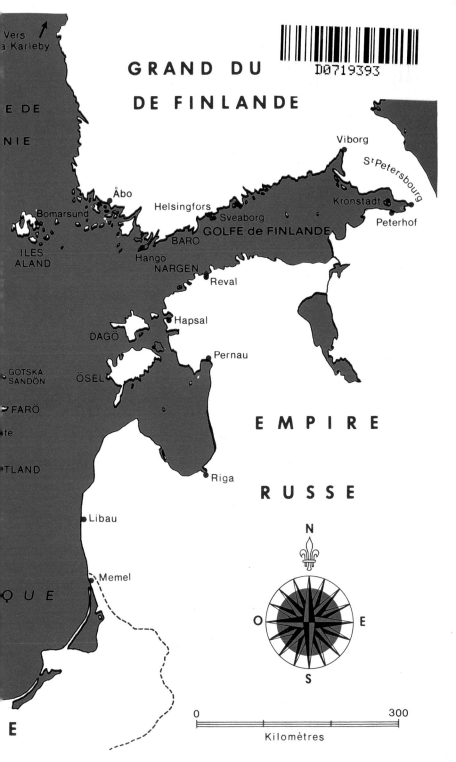

LA FORTERESSE

DU MEME AUTEUR

AUX PRESSES DE LA CITE :

MADELEINE.

Catherine GAVIN

LA FORTERESSE

ROMAN

Abrégé par l'auteur

PRESSES DE LA CITÉ
PARIS

Le titre original de cet ouvrage est

THE FORTRESS

Traduit de l'anglais par Renée TESNIERE.

© Presses de la Cité et C. Gavin 1966.
Tous droits réservés pour tous pays y compris l'U.R.S.S.
et les Pays Scandinaves.
Reproduction et traduction même partielles, interdites.

CHAPITRE PREMIER

LE PRISONNIER

IL FUT PRESENTE AU magistrat après la tombée de la nuit, alors que tombait sur Gothenburg une neige épaisse, fondante. Dans la salle du tribunal, les bancs les plus proches des poêles de fonte pansus étaient peuplés de désœuvrés, entrés là pour se mettre à l'abri du mauvais temps, et bien des yeux curieux virent traîner à la barre le prisonnier, menottes aux poignets, encadré de deux gendarmes du guet.

Le juge l'examina : haute taille, cheveux d'un blond roux, longue redingote bleue, trempée, déchirée, poings meurtris. Tout en se grattant le nez du bout de sa plume d'oie, il observait les yeux vagues du prisonnier qui erraient à travers la salle, du portrait officiel d'Oscar 1er, roi de Suède et de Norvège, aux bougies groupées sur la table, devant lui. L'acte d'accusation étalé entre ces bougies disait : « Etat d'ivresse manifeste. Voies de fait contre le Guet dans l'exercice de ses fonctions »... C'était là un chef d'accusation presque courant, à Gothenburg, depuis que la grande émigration vers les Etats-Unis avait commencé d'échapper à tout contrôle. Cette fois-ci, à en juger par le linge taché de sang qui entourait la tête du prisonnier et par son visage meurtri et tuméfié, le juge avait l'impression que le guet avait rendu coup pour coup.

— Comprenez-vous le suédois ? demanda-t-il pour commencer.

Le prisonnier secoua sa tête bandée.

LA FORTERESSE

— L'allemand ?
— Non.
Le magistrat s'enquit alors, en un anglais circonspect :
— Quel est votre nom ?
— Mon... nom ?
— Oui : votre prénom et votre nom de famille. Comment vous appelez-vous ?
— Je m'appelle John Brand Endicott.
— Votre nationalité ?
— Citoyen américain.

La plume interrompit son mouvement. Le magistrat jeta un coup d'œil sur une note adjointe à l'acte d'accusation : « Brick *Girdleness*, acte de nationalité britannique. Propriétaires : Tarras et Cie, Aberdeen »,

Il posa une nouvelle question :
— Citoyen américain *de naissance* ?
— Oui.
— Lieu de naissance ?
— Portland, Maine.
— Etat civil ?
— Officier marinier.
— Si j'entends encore des rires, fit le magistrat à l'adresse du public, je fais évacuer la salle. Prisonnier à la barre ! Je vais répéter ma question sous une autre forme. Etes-vous marié ou célibataire ?

Les yeux au regard brumeux se fermèrent. Le grand Américain chancela en avant, si bien que seules le retenaient les menottes. Du fond de la salle, une voix cria soudain :
— Monsieur le juge ! Le prisonnier n'est pas en état de comparaître !

Brand Endicott reprit connaissance dans une pièce exiguë, un peu moins sordide que la cage d'où on l'avait sorti pour le traîner devant le magistrat. La petite fenêtre, placée très haut dans le mur, était garnie de barreaux et il entendait un gardien faire les cent pas dans le couloir dallé, mais on l'avait étendu sur une couchette, on l'avait même gratifié d'un oreiller grossier et d'une couverture et la lumière de la bougie révélait un cruchon sur la table de bois blanc. Tout près de sa couchette se trouvait un

6

LE PRISONNIER

escabeau de bois à trois pieds ; un homme en manteau gris y était assis.

Brand se redressa sur un coude. Son corps tout entier était douloureux et il ressentait des élancements dans la tête, mais sa vision s'était éclaircie : il voyait nettement l'homme près de lui, depuis le bas de son manteau de fin drap gris à col d'astrakan jusqu'aux mèches d'un blond argenté soigneusement lissées sur le crâne chauve. A première vue lui furent antipathiques le long nez inquisiteur et le demi-sourire qui étirait les lèvres minces de l'inconnu.

— Vous revenez à vous, à ce que je vois, capitaine Endicott. J'en suis heureux, dit l'homme d'une voix posée. Comment vous sentez-vous, à présent ?

— Ça va, fit Brand.

D'un geste instinctif, il porta la main à sa nuque, pour regarder ensuite ses doigts, mouillés et rouges de sang.

— Le bandage a glissé, expliqua l'inconnu. Le médecin de la police vous fera une nouvelle visite demain matin. En attendant, si vous le permettez, je vais vous arranger cela dans la mesure de mes moyens.

Il sortit de sa poche un mouchoir de batiste immaculé et le plia habilement. Ses mains eurent une relative douceur pour l'attacher autour de la tête de Brand, mais il sentit l'Américain tressaillir à son contact et il sourit en baissant les yeux sur le sang coagulé qui maculait les cheveux blond roux. « Le comte Erik t'a bien marqué, l'ami yankee » pensa-t-il.

— Pareil au bon Samaritain, j'ai apporté d'autres réconfortants, reprit-il à voix haute. Voulez-vous boire un peu de brännvin ? »

— De l'alcool ? N'importe lequel, dit le prisonnier.

Il tendit la main vers la louche en écorce de bouleau que son visiteur venait d'emplir à ras bord au pichet. Le ruissellement des brûlantes gorgées soulagea son gosier desséché ; il toussa et vida la louche d'un trait.

— Dieu ! Ça va mieux, dit-il en regardant autour de lui. Suis-je en prison ?

— Certes non, capitaine Endicott. Vous avez perdu connaissance au cours de votre interrogatoire préliminaire et j'ai pris sur moi de signaler au magistrat que, de toute évidence, vous n'étiez pas en état de comparaître. On vous a alors remis, pour la nuit, en détention préventive. Vous vous trouvez toujours au quartier général du guet, sur la grand-place, expliqua avec une grande précision le bon Samaritain. On vous ramènera demain devant le juge.

Le prisonnier ferma les yeux et prit une longue et pénible inspiration. L'autre l'examinait attentivement « Tu es un solide gaillard, pensait-il, mais à qui ressembles-tu ? A ta fugitive de mère ? Au père yankee que nous n'avons jamais vu ? Ou bien au vieux John Tarras ? Oui, je crois, du côté du front et des yeux ; mais pas assez, heureusement, pour te mettre dans les bonnes grâces de Mme Isabella. »

Sans aucun doute, c'était un visage yankee qu'il avait sous les yeux : joues creuses, nez et menton vigoureusement modelés, crâne dont la forme trahissait l'ascendance européenne, bouche ferme qui, non moins évidemment, venait d'ancêtres américains. Ce n'était plus un visage inconscient, comme il l'était quand on avait ramené le prisonnier du tribunal. Derrière le front contracté, la mémoire et l'inquiétude luttaient contre les séquelles d'un choc violent. Voyant cela, l'homme qui guettait s'était préparé aux paroles que prononça le prisonnier, sitôt ouverts ses yeux gris.

— Qu'est devenue la jeune fille ?

— Quelle jeune fille ? capitaine Endicott.

— La jeune fille que j'ai prise à bord à Marstrand. Leur a-t-elle échappé ?

— Je ne comprends pas ce que vous voulez dire. Echappé à qui ?

— Vous me comprenez fort bien, riposta l'Américain.

Ses traits contractés le vieillissaient, lui donnaient un air de méfiance.

— Sinon, reprit-il, vous ne seriez pas ici. Mon second lui-même, un peu plus tôt, n'a pas eu accès jusqu'à moi. Vous, oui. Je suppose que c'est à cause de la jeune fille. Qui diable êtes-vous donc ?

— Je m'appelle Sven Svensson, capitaine Endicott. Je suis un marchand de Gothenburg, j'ai de nombreuses activités, et je représente, entre autres, en Suède, la firme Tarras & Cie.

— Ah, c'est donc vous, M. Svensson ? Je crois, par conséquent, que c'est à vous qu'il appartient de me faire sortir d'ici au plus vite. Je dois faire voile demain vers Fredrikshaven.

L'agent sourit, de son mince sourire.

— Cela dépendra du juge, dit-il. Malheureusement, vous avez enfreint les lois suédoises et vous n'êtes pas encore autorisé à partir pour le Danemark.

— Je ne sais toujours pas de quoi l'on m'accuse.

— État d'ivresse manifeste sur le quai de Pierre, aux premières heures de l'après-midi. Rixe avec des permissionnaires de la frégate suédoise *Eugénie* et attaque contre le guet, alors qu'il tentait de rétablir l'ordre. D'après ce que m'a dit le greffier du tribunal, c'est ainsi que sera formulée l'accusation.

— Et dès que je me trouverai devant le juge, affirma l'Américain, je réduirai cette accusation à néant.

M. Svensson, après un coup d'œil au visage meurtri, mais résolu, fronça les sourcils.

— Au nom du ciel, pourquoi n'avoir pas envoyé un message à mon bureau dès que vous avez accosté ? questionna-t-il. Vous aviez déjà un jour de retard... Et Mme Tarras, votre honorable grand-mère, exige de ses navires une ponctualité absolue.

— Mme Tarras ne me demanderait tout de même pas d'échouer le *Girdleness* sur les brisants, histoire de justifier sa réputation de ponctualité.

— Vous avez dû avoir une ample pratique des côtes hérissées d'écueils, quand vous naviguiez avec votre père ?

— Dans le Maine, on nous apprend à rester au port par temps de brouillard. J'ai été surpris à deux heures de Strömstad et j'ai décidé de jeter l'ancre pour la nuit à l'île de Marstrand. Je ne cours pas de risques inutiles, quand je commande un navire.

— Ah, vraiment ? fit M. Svensson. Je pense, moi, que vous avez pris un risque plus grand que vous ne l'imaginez en laissant certaine jeune fille et le vieil homme qui l'accompagnait monter à bord à Marstrand. Votre second m'a dit qu'il vous avait fortement conseillé de n'en rien faire.

— Vous avez vu West ? Quand ça ?

— Quand il s'est présenté à mon bureau, comme il le devait, pour me signaler votre arrivée et m'apprendre que vous aviez des démêlés avec la police.

— Et *lui,* savait-il ce qu'était devenue la jeune fille ? L'autre l'observait avec attention.

— M. West, dit-il, m'a seulement déclaré qu'elle avait disparu aussitôt que vous avez accosté à Gothenburg. La police ne sait rien de son arrivée et ignore tout du lieu où elle peut se trouver. En ce qui les concerne, c'est comme si elle n'existait pas.

— Elle n'a donc jamais été enlevée sur le quai de Pierre, protesta Brand, par la bande de truands qui m'a fendu le crâne et m'a écrasé le visage à coups de pieds quand j'étais à terre ? Je n'étais pas ivre et ce n'étaient pas des permissionnaires de l'*Eugénie* ! C'étaient des civils, tous vêtus de même, d'espèces de costumes gris avec des guêtres de cuir. Que je sois damné s'il y avait un seul marin dans la bande !

— Croyez-vous pouvoir reconnaître l'un de ces hommes ? demanda M. Svensson d'une voix suave.

— Il y en avait un que je reconnaîtrais n'importe où ! s'écria Brand, saisi d'une rage soudaine. Le diable roux qui l'a fait monter de force en voiture ! Et elle aussi le connaissait, monsieur. Elle a crié « Erik ! » dès qu'elle l'a vu sur le quai. Elle a voulu fuir, mais elle a glissé dans la neige et elle est tombée... oh, Dieu !

Il enfouit dans ses mains son visage meurtri et Svensson l'entendit murmurer quelque chose comme « ils étaient trop nombreux pour moi ».

M. Svensson soupira.

— Voyons, dit-il, en ma qualité d'agent de Tarras & Cie depuis bon nombre d'années, permettez-moi de me faire clairement entendre sur un point précis. Vous avez pris à bord cette femme et ce vieillard, bien que le *Girdleness* n'eût jamais emmené de passagers, parce qu'ils étaient pressés d'arriver à Gothenburg. Pourquoi avez-vous jugé bon de laisser à votre second le soin de surveiller le déchargement de la cargaison, pour accompagner à terre ces deux personnes ?

— Parce qu'ils avaient manqué le bateau anglais, répondit Brand avec patience. Le brouillard était encore dense, ce matin, et il était près de midi quand j'ai pu quitter Marstrand. L'*Orlando* est parti de Gothenburg à l'heure dite. J'ai pensé que je devais pour le moins accompagner miss Larsson et son oncle jusqu'à une respectable...

— Larson ! interrompit le bon Samaritain. Est-ce là le nom qu'elle vous a donné ?

— Oui : miss Anna Larsson.

— Et ils avaient l'intention d'aller jusqu'à Hull par le vapeur à aubes ?

— Il le fallait bien, dit Brand d'un ton bref. Puisqu'ils voulaient émigrer aux Etats-Unis.

— Quelle petite aventurière! fit M. Svensson entre ses dents. Et comme elle a su vous berner, jeune homme! Allons, j'ignore quels sont les projets de cette dame, mais je mettrais ma tête à couper qu'ils n'ont rien à voir avec l'émigration, que ce soit aux Etats-Unis ou ailleurs. A l'heure qu'il est, ajouta-t-il en faisant mine de consulter sa montre, elle est de retour saine et sauve dans une confortable demeure, sous la protection de ses amis.

— Cet Erik, questionna Brand, c'est son mari?

— Son mari? Non, mais il voudrait bien l'être.

— Répéterez-vous tout ceci au juge, monsieur?

— Moi? dit l'agent. Informer le tribunal de l'identité de cette dame et de celle de ses amis, quand des témoins cités par la police peuvent jurer qu'une rixe s'est déroulée, alors que je me trouvais dans mon propre bureau, à un demi-mille de là? Je ferais beaucoup pour Mme Isabella Tarras, et j'étais prêt à faire de mon mieux pour son petit-fils américain, mais là, vous m'en demandez trop... vraiment trop.

— Alors, je citerai des témoins de l'*Eugénie*. Que le guet fasse comparaître les permissionnaires avec lesquels je me suis battu...

— Par malheur, coupa M. Svensson, la situation internationale s'est à ce point détériorée que l'amiral Virgin a reçu l'ordre, ce soir, de faire voile sans délai vers Karlskrona.

— C'est bien commode, remarqua Brand, le visage farouche.

Puis, après un effort visible pour rassembler ses esprits, il ajouta :

— Quelle situation internationale?

— Vous ne vous rendez donc pas compte que la France et l'Angleterre sont sur le point de déclarer la guerre à la Russie?

— Il y a deux semaines que je suis en mer et ce n'est pas en Norvège que j'ai pu lire les journaux.

— Mais vous êtes bien arrivé à Londres avant Noël, n'est-ce pas, et vous avez passé quelque temps chez votre oncle? Vous avez certainement appris — tout le monde, dans ses bureaux, devait s'en rendre compte — que les Anglais brûlaient du désir de se battre?

11

— Je sais que les Russes ont écrasé la flotte turque quelque part en mer Noire. Mais c'est fichtrement loin de Karlskrona !

— C'est tout à fait exact, fit l'autre, sarcastique. Et la victoire russe à Sinope aurait très bien pu signifier une totale défaite de la Turquie. Mais les Anglais et les Français sont alors entrés dans le jeu. Ils ne tenaient pas à voir des troupes russes sur le Danube. Votre oncle Tarras a bien dû aborder la question avec vous ?

— Je l'en ai entendu parler avec ses relations d'affaires. Mais je ne... je n'ai pas fait...

— Que voulez-vous dire ?

— Je ne pensais pas qu'une guerre avec la Russie me concernât le moins du monde.

— Vous trouverez à Gothenburg bien des sympathisants avec ce point de vue, dit M. Svensson, d'un ton caustique.

Il se retourna vers le pichet pour remplir la louche en écorce de bouleau.

— Il vous faudrait quelque chose à manger, avec ça, dit-il. Vous allez l'avoir. En attendant... buvez !

Brand avala encore une lampée de brännvin. A la flamme vacillante de la bougie, son visage était empourpré.

— Et maintenant, pour votre bien, reprit la voix persuasive, tâchez de m'écouter. Si vous voulez que je vous aide, il faut que nous convenions de ce que vous devrez dire au juge, demain matin.

— Deux mots suffiront. Non coupable !

M. Svensson tira son escabeau plus près de Brand.

— Certes, la guerre qui menace peut ne concerner en rien un citoyen américain, dit-il. Mais, si vous ne tenez pas à faire mettre sur la liste noire de la moitié des ports de la Baltique les navires de la Tarras Line, il ne faut pas vous compromettre avec les représentants diplomatiques russes en Suède. Vous ne devez raconter nulle part, ni au tribunal ni ailleurs, l'histoire de la jeune fille que vous avez eu la sottise de faire monter à votre bord à Marstrand. Elle est sujet russe et c'est la promise d'un officier russe.

— Elle m'a dit qu'elle était Finlandaise, protesta Brand.

— Vous savez certainement que la Finlande est un grand-duché russe ? Son père est un haut fonctionnaire du gouvernement, à Saint-Pétersbourg.

12

— Et elle ne s'appelle pas Anna Larsson ?

— Non. Je ne suis pas autorisé à vous révéler son véritable nom.

— Pas autorisé, hein ? fit Brand, lentement. De qui dépendez-vous donc ? De ses ravisseurs ?

C'était là un coup auquel Svensson ne s'était pas attendu, de la part d'un blessé encore étourdi. Il tressaillit, hésita ; au même instant, Brand jeta une main en avant et l'agrippa par le devant du manteau garni de fourrure.

— Son nom, par le diable !

— Elle s'appelle Alexandra Gyllenlöve. Et je vous conseille, ajouta le Suédois qui tentait de reprendre son sang-froid, de l'oublier le plus vite possible...

— Le vieux qui l'accompagnait... c'est un Russe, lui aussi ?

— Non, certes non. C'est un vieux dévoyé, nommé Larsson — et lui, c'est bien son nom — qui vit du côté de Kungälv, près du fleuve. C'est un ancien domestique, chassé par la famille de la jeune fille, et j'espère bien le voir demain au pilori.

Brand essayait de fixer son regard sur le visage courroucé.

— Vous avez tout arrangé d'avance, hein ? dit-il. Que voulez-vous que je fasse ? Que je plaide coupable pour ivresse manifeste et pour toutes les autres charges fabriquées de toutes pièces ?

— Oui, capitaine Endicott, dit l'agent. C'est le moyen le plus rapide de vous tirer d'embarras. Plaidez coupable, payez l'amende et vous serez remis en liberté. Libre de faire voile vers Fredrikshavn et la mer du Nord, qui est, vous pouvez m'en croire, le meilleur champ d'action pour des bâtiments anglais, quand la guerre menace.

— J'aimerais mieux comprendre, fit Brand d'une voix rauque. Tous ces bruits de guerre... Je devrais faire tenir un message au consul américain.

— En qualité de compatriote en détresse ? Le capitaine américain d'un bâtiment anglais pourrait présenter un problème intéressant en droit international. Malheureusement, le consul est en congé à Washington. Allons, monsieur ! si vous voulez suivre mon conseil, l'affaire sera si vite terminée que vous n'aurez aucun besoin de l'aide consulaire.

— Je l'espère, dit Brand d'un ton morne.

La tête lui tournait, sous cette grêle de paroles, il ne trouvait plus d'objection à formuler. A peine s'il releva la tête au cliquetis des clés et à la rude voix du geôlier :

— Voilà à boire et à manger pour le prisonnier. Et je vous demande pardon, M. Svensson, mais il est temps que vous partiez. On va fermer pour la nuit.

Brand entendit tinter du fer-blanc sur la table. Le geôlier ramassa le pichet d'alcool et la bougie et attendit que M. Svensson eût agrafé le col de fourrure de son manteau.

— Capitaine Endicott ?

— Oui ?

Brand, qui avait de nouveau peine à fixer son regard, le ramena vers les traits tendus du Suédois.

— Quel âge avez-vous, si je puis me permettre ? Vingt-trois ans ? Vingt-quatre ?

— Bientôt vingt-quatre.

— Ah, fit M. Svensson. L'âge où l'on est chevaleresque.

Avec un coup d'œil vers le gardien qui bâillait, il reprit à voix contenue :

— Avez-vous songé à ce qu'il adviendra de la réputation de cette dame, si l'on vient à apprendre qu'elle a passé une nuit sur le *Girdleness*, en tête à tête avec vous ? Rappelez-vous : c'est là, pour vous, une raison supplémentaire de plaider coupable. Par égard pour Anna Larsson !

Brand se retrouva seul dans la cellule de détention préventive. Un long moment, il demeura assis sans bouger, laissant ses yeux s'accoutumer à l'obscurité, percée par un unique rayon du nouvel éclairage au gaz de Gothenburg, qui filtrait entre les barreaux de la fenêtre. Il ressentait dans la tête une souffrance quasiment intolérable. Son esprit engourdi se débattait parmi les avertissements mystérieux de Sven Svensson, à propos de la guerre russe et de la jeune fille russe.

— *La Finlande est ma patrie !*

Il entendait la jeune voix fière qui avait résonné dans la cabine exiguë du *Girdleness*. Mais voilà qu'à présent, il s'agissait d'une prétendue Russe, d'une aventurière qui lui aurait menti au sujet de son nom et de ses projets ; et, ce soir, elle était de retour dans une maison confortable tandis que, à cause d'elle, il languissait en prison.

Il se rappela que, malgré tout ce qu'avait pu dire

LE PRISONNIER

Svensson, ce n'était pas de son plein gré qu'elle était retournée dans cette maison. Elle avait tenté de fuir celui qui s'appelait Erik ; elle avait glissé, elle était tombée dans la neige.

Péniblement, en s'aidant de l'escabeau comme d'une béquille, Brand se traîna jusqu'à la table et tâtonna à la recherche de la gamelle d'eau. Sa main heurta une assiettée de tranches de pain de seigle, tartinées d'un fromage fort, et il la repoussa avec dégoût ; mais il y avait aussi une mesure d'un litre remplie d'eau et, quand il se fut rincé la bouche et qu'il eut craché par terre de l'eau mêlée de sang, il vida la mesure jusqu'à la dernière goutte. Puis il posa sa tête sur ses bras croisés, conscient à moitié, vagabondant à moitié au long du labyrinthe de la fièvre, jusqu'au moment où sonna, quelque part en ville, l'horloge d'une église.

Le son l'arracha à sa stupeur, le ramena à la réalité. Il chercha sa montre dans son gousset et s'aperçut qu'elle avait disparu. Disparu aussi le portefeuille bien garni qu'il avait pris dans son bureau, avant de quitter le *Girdleness* avec la jeune fille de Marstrand.

Cette découverte le fit bondir, prêt à protester. Il était encore trop abasourdi pour se rendre compte que ses effets personnels lui avaient été confisqués lors de son arrestation : celle-ci ne lui avait laissé d'autre souvenir que celui de sa lutte contre les policiers. Mais il conservait tout juste assez de raison pour se dire qu'il avait très bien pu, par mesure de sécurité, une fois à terre, placer son argent dans la poche intérieure de sa redingote bleue. Les doigts tremblants, il entreprit de fouiller la doublure déchirée.

Le portefeuille n'y était pas. Ce qu'il découvrit, juste au-dessous de l'emmanchure, c'était un objet métallique. Il dut ôter la redingote, en serrant les dents contre la souffrance qui lui déchirait les côtes et l'épaule, avant de pouvoir détacher la broche, qu'on avait dû épingler, alors que le vêtement était accroché derrière la porte de sa cabine, à bord du *Girdleness*. Quand il éleva le bijou vers le rayon de lumière du réverbère, il vit qu'il était en or massif, fait de trois feuilles disposées en triangle sur une seule tige d'or et de diamants, avec un petit diamant posé, comme une goutte de rosée, à la pointe de chaque feuille. La broche pouvait fort bien être ancienne, elle avait certainement une grande valeur : c'était le genre de cadeau de noces qu'eût pu faire un Viking à sa jeune épousée. Brand Endicott comprit, en la tournant et en la retournant entre ses doigts, que c'était le présent d'adieu de la jeune fille de Marstrand.

Lorsque commencèrent les rêves, qui semblaient traverser en traînée de brume son sommeil, il louvoyait vers le Sud sur le *Girdleness* et le brouillard s'épaississait lentement pour masquer les dangers de la côte sous le vent. Ce brouillard, qui se congelait sur les brisants rouges de Bohuslän, finissait par s'identifier avec le froid qui le paralysait lui-même ; par intervalles, des éclairs le transperçaient, produits soit par la douleur qui lui taraudait le crâne, soit par le feu du phare de Saint-Erik, qui montrait la route vers le port de Marstrand. Puis ce fut une autre lueur, la flamme d'un feu de bois ; avec elle, vinrent le son d'un accordéon et le martèlement de pieds chaussés de bottes en peau de phoque : un équipage de pêcheurs norvégiens se lançait en cahotant dans une danse avec des filles aux rires déchaînés, qui portaient des bonnets jaunes, et des tabliers fleuris aux tons criards. Toujours dans le rêve, la flamme en fer de lance d'une unique bougie éclairait le visage d'un vieil homme qui faisait boire Brand et, dans un mélange de suédois et de bas allemand, ponctué de quelques mots d'anglais, lui posait des questions sur son bateau et sa destination. Puis cette lueur-là se brouilla, s'éteignit, elle aussi, et revint sous la forme de la chaude lumière de la lampe à pétrole accrochée au plafond, dans la chambre de l'arrière, sur le *Girdleness*.

Brand était assis à son bureau, une carte du Kattegat étalée devant lui. La claire-voie était bien fermée. Fermées aussi les portes qui donnaient accès aux cadres des deux officiers, chacun juste assez vaste pour une couchette et un coffre. Le poêle était bourré de charbon et la fumée de la pipe en terre du second épaississait l'atmosphère. M. West en personne était installé dans un fauteuil rembourré de crin, de l'autre côté du bureau du capitaine ; il avait près de lui un pot de thé fort et une tasse de porcelaine ; à la main, une bible ouverte.

Brand faisait office de subrécargue en même temps que de commandant du brick marchand et transportait, pour le compte d'un importateur de Gothenburg, un envoi de fertilisant de premier choix en provenance de la Compagnie Chaulière d'Aberdeen. Ce n'était pas la première fois qu'il revoyait les chiffres, mais il les vérifia de nouveau avec soin : pour son premier voyage vers la Suède et le Danemark, il tenait à se distinguer. En ce début de 1854, alors que les chemins de fer commençaient à couvrir l'Europe Occidentale et le Nord, les occasions abondaient pour un jeune Américain qui avait à soutenir la réputation de Tarras & Cie, la firme qui, depuis plus d'un siècle, apportait les marchandises anglaises à tous les ports de la mer du Nord et de la Baltique.

Le second posa enfin sa bible et se leva, en bâillant à se décrocher la mâchoire.

— Voilà que ça tourne encore à la gelée, à ce que je crois, dit-il. Ecoutez donc les bottes, comme elles sonnent sur la digue !

— Quelqu'un s'est attardé dehors, dit Brand.

Il était près de minuit et, depuis longtemps, les cris et les rires qui venaient de l'auberge de Marstrand s'étaient éteints. Dans le silence nocturne qui enveloppait l'île, on pouvait, même de l'intérieur de la cabine, entendre un bruit de pas sur la pierre. Un appel étouffé monta du quai.

— Un ivrogne qui cherche son bateau, fit M. West en reniflant avec mépris.

Il entrebâilla la porte de la cabine pour écouter.

— Ohé, du *Girdleness !*

Ils entendirent le cri plus nettement, et la réponse de l'homme de quart au mouillage. Sur quoi, le second se précipita vers le pont tandis que Brand, avec un juron, se baissait pour ramasser les papiers qu'avait éparpillés le brusque courant d'air glacé. Le vent froid se précipitait dans la cabine et le capitaine entendit s'élever la voix de M. West.

— Vous vous êtes trompés d'adresse, c'est moi qui vous le dis. Nous ne prenons pas de passagers, ni pour Gothenburg ni pour nulle part.

— Qu'est-ce qui se passe, monsieur ? cria Brand.

— Deux paysans, à ce qu'il semble, qui veulent aller à Gothenburg. Ce qu'il y a de curieux, — le second marqua un temps d'arrêt — c'est que la petite parle anglais.

A grandes enjambées, Brand gagna la lisse et regarda en bas. Quand il s'était présenté devant ce port harenguier

17

en pleine activité, où la moitié des bâtiments voguant dans le Kattegat semblaient avoir cherché refuge pour la nuit, le capitaine du port lui avait assigné un poste à l'extrémité du mouillage la plus éloignée des maisons de Marstrand, là où se terminait le quai de Pierre, où commençaient les rochers et les buissons dépouillés de leurs feuilles autour de la baie de Saint-Erik. Le feu de mouillage, dans le hauban de misaine, tremblotait sur les stalactites qui pendaient sous les rochers et sur les bouquets de boules-de-neige encore accrochés aux branches dénudées.

— Levez votre lanterne, voulez-vous ? dit-il à l'homme de quart.

L'homme obéit et, en bas, les taches blanches des visages se précisèrent. Brand reconnut le vieil homme qui lui avait offert à boire au début de la soirée, il semblait avoir posé à ses pieds un tas de bagages ; une femme, en grand manteau à capuchon, se tenait à ses côtés.

— L'un de vous parle-t-il anglais ? cria Brand.

— Oui, moi !

C'était la femme qui avait répondu. Son visage était très pâle et le vent de la nuit avait chassé en travers de son front une mèche de cheveux blonds.

— S'il vous plaît, voudriez-vous nous emmener jusqu'à Gothenburg ? Nous avons de l'argent pour payer le passage. Nous allons aux Etats-Unis.

— Nous n'avons rien à bord pour loger des passagers, dit Brand. Vous feriez mieux de rentrer chez vous et d'attendre, demain, le passage du bateau de Strömstad.

— Nous n'habitons pas Marstrand, dit la jeune fille, dont la voix se brisa. Je vous en prie, monsieur ! Demain, si c'est possible, nous devons continuer jusqu'à Hull.

— A votre place, cap'taine, je ne m'en occuperais pas, fit le second à mi-voix.

— Vous les laisseriez mourir de froid, hein ? répliqua Brand. Vos lectures de la Bible ne vous ont vraiment pas servi à grand-chose... Je ne promets pas de vous emmener, mais vous pouvez monter à bord, cria-t-il à la jeune fille. Faites attention en grimpant à l'échelle.

Il n'y avait ni garde-fou ni corde pour se retenir et le long manteau de la jeune fille la gênait pour monter. Brand la reçut dans ses bras quand elle trébucha en arrivant sur le pont glissant. Il sentit toute la fraîcheur de

18

LE PRISONNIER

Marstrand dans la saine odeur de ses cheveux et de la joue froide qui, un bref instant, effleura la sienne.

— Je m'excuse pour cette odeur de tabac, dit-il en la faisant entrer dans la cabine.

Il n'avait que trop conscience de la puanteur dont la cargaison d'engrais imprégnait le *Girdleness* de la poupe à la proue. Il comprit tout de suite qu'elle n'était pas de ces filles grossières qu'il avait vues à la taverne, mais qu'elle était accoutumée aux manières de bonne compagnie, quand elle dit avec courtoisie :

— Il fait si bon, on est si bien, ici... Je vous suis très reconnaissante !

Elle claquait des dents.

Brand se saisit de la bouilloire qui chantonnait sur le poêle.

— Un grog... j'espère que vous pouvez boire un grog au rhum ? Où êtes-vous donc allée pour être à moitié gelée ?

— Etes-vous Anglais, monsieur ?

— Je suis Américain. Capitaine Endicott, à votre service.

— Mais le bateau est anglais ?

— Oui, le bateau est anglais. Asseyez-vous dans le grand fauteuil et permettez-moi de vous débarrasser de votre manteau.

Elle lui obéit avec un petit soupir de bien-être.

— Je craignais que mon... oncle vous eût mal compris, à l'auberge. Il parle très peu l'anglais, dit-elle d'un ton d'excuse.

On entendait le second brailler contre le vieux, et le bruit de paquets qu'on laissait choir sur le pont.

— Nous tenions absolument à voyager sur un bateau anglais.

Brand déboucha la bouteille de rhum et se mit à préparer le grog. Il s'était écarté aussi loin que le permettait l'exiguïté de la cabine pour permettre à la lumière de la lampe suspendue au plafond d'éclairer en plein la jeune fille. Elle était très jeune, moins de vingt ans, peut-être ; à présent qu'elle avait enlevé le manteau à capuchon, il pouvait se rendre compte qu'elle était ravissante, avec ses yeux gris foncé et ses cheveux blonds qui s'échappaient d'un bonnet jaune pareil à celui des filles de Marstrand, pour tomber sur le petit châle croisé sur ses épaules. La

19

jupe campagnarde en laine rouge était assez courte pour montrer les bas bleus à côtes ; sa main, quand elle ôta la grossière mitaine pour prendre le verre, était la blanche main d'une dame.

— Vous allez vraiment nous aider, n'est-ce pas ? demanda-t-elle d'un ton pressant.

A ce moment, le second, manifestement indigné, poussa le vieillard dans la cabine, ce qui dispensa Brand de répondre.

— Je vous dois bien un verre, dit-il au nouveau venu, d'un air peu aimable. Tenez, buvez ça et dites-moi donc pourquoi vous ne m'avez pas demandé franchement de vous prendre à bord, quand vous m'avez fait des avances, à l'auberge ?

L'homme baissa la tête et marmonna quelque chose en suédois ; la jeune fille prit la parole.

— En réalité, oncle Carl ne vous comprenait pas très bien, monsieur le capitaine. Il cherchait seulement à savoir s'il y avait au port un navire anglais...

— Vous auriez pu le savoir autrement, intervint le second d'un ton agressif. A condition, bien sûr, que vous soyez du pays.

— Oh non, dit-elle fièrement. La Finlande est ma patrie ! Mon oncle et moi, nous sommes arrivés aujourd'hui d'Arvidsvik ; nous espérions aller directement jusqu'à Gothenburg... mais le brouillard est tombé.

— Vous n'avez pas pensé à aller par la route jusqu'à Gothenburg ? demanda le second, sceptique.

— Il y a d'énormes congères sur la route du fleuve, dit-elle.

— Bien, intervint Brand. Vous avez donc pris le ferry pour venir du continent. Et ensuite ?

— J'ai trouvé un endroit où me mettre à l'abri près de la forteresse, pendant que mon oncle partait à... votre recherche.

— Quelle forteresse ?

— On l'appelle le fort de Carlsten, monsieur le capitaine, expliqua-t-elle avec patience. C'est une ruine, une relique des anciennes guerres.

Brand eut un rire gêné. Il avait peine à détacher le regard du visage de la jeune fille, qui, maintenant, se colorait, et des lèvres qui modelaient les mots anglais avec une telle précision.

— Eh bien, dit-il, nous ne pouvons guère vous laisser regagner une forteresse en ruine pour y passer la nuit. Le plus ennuyeux, c'est que nous n'avons rien pour loger des passagers, ainsi que vous pouvez le constater. De jour, et par beau temps, vous auriez pu rester sur le pont jusqu'à Gothenburg : la traversée n'est pas longue ; mais je n'ai pas l'intention de partir avant que le brouillard soit levé, c'est-à-dire, au plus tôt, aux premières lueurs de l'aube, mais peut-être plus tard. Je suppose que votre intention est de passer en Angleterre sur le vapeur à aubes de la Wilson Line ?

— Oui, l'*Orlando*.

— Je ne puis vous garantir que nous serons à Gothenburg avant son départ. C'est à midi, n'est-ce pas, M. West ? la Wilson Line a des horaires très stricts, à ce qu'on m'a dit.

— Ouais, ma fille, vous avez compté au plus juste, pour sûr, fit le second, avec une aigre satisfaction.

Il était malaisé de savoir si l'un ou l'autre des étrangers l'avait compris : le vieux se contenta d'ôter son bonnet en peau de phoque pour se gratter la tête, tandis que la jeune fille répétait :

— Nous avons de quoi payer notre passage, monsieur le capitaine... de quoi payer généreusement.

Elle sortit des plis de sa jupe une petite bourse de cuir qu'elle tendit à Brand.

— Rangez-moi ça, dit-il rudement. Si je vous emmène, cela ne vous coûtera rien, mais (la vue de la bourse lui avait rappelé quelque chose)... que ferons-nous de vos bagages ? Je ne peux guère mettre vos affaires dans la cale.

— Vous feriez mieux d'y jeter d'abord un coup d'œil, cap'taine, fit le second.

Brand le suivit sur le pont à contrecœur. Le brouillard, remarqua-t-il avec regret, s'épaississait de plus en plus, depuis la légère amélioration de la soirée, et, dans le froid pénétrant, l'Ecossais et lui se distinguaient vaguement, silhouettes à peine éclairées par le feu de mouillage. A sa lueur, Brand aperçut un tout petit tas de bagages : deux sacs de tapisserie, pleins à craquer sous leurs courroies, et quelque chose qui avait l'air d'un nécessaire de toilette pour dame, en maroquin.

West entraîna Brand à l'écart du rouf.

— Si ça n'est pas des bagages d'émigrants, qu'est-ce qu'il vous faut ? fit-il d'un ton méprisant. Pas besoin de déplacer la cargaison d'engrais pour si peu, cap'taine !

— Est-ce là tout ce qu'ils ont ? Il n'y a plus rien sur le quai ?

— Pas même un panier de provisions.

— Ce n'est pas grand-chose, pour aller jusqu'en Amérique.

— L'Amérique ! Allons donc, cap'taine, vous ne croyez tout de même pas à leurs boniments ? Ils sont pressés de quitter Marstrand, ça, c'est sûr, mais c'est bien la seule parole de vérité qu'ils aient prononcée depuis que vous les avez laissés monter à bord.

— Ils veulent tout de même prendre l'*Orlando*, non ?

— A ce qu'ils prétendent. Ils pensent pouvoir vous faire prendre des vessies pour des lanternes... cap'taine.

Dans l'obscurité, Brand fronça les sourcils. Il avait beau être crédule, il n'était pas un imbécile et ses visiteurs nocturnes n'avaient pas fourni de motifs convaincants à leur pressant désir de monter à bord du *Girdleness*. Mais le ton du second lui déplaisait et il ne pouvait absolument pas croire que cette jeune fille aux traits délicats, au franc regard gris, fût moins honnête qu'elle ne le paraissait.

— Vous pensez qu'ils nous racontent des histoires, hein ? demanda-t-il.

— Je pense qu'ils fuient la justice, répondit le second d'un ton sinistre. Et laissez-moi vous dire, cap'taine, après trente-sept ans passés au service de la *Tarras Line* — trente-huit à la Saint-Martin — qu'à mon avis, les patrons n'approuveraient pas ce que vous faites.

Cette phrase pompeuse, dogmatique comme l'étaient toutes les déclarations de M. West, eut le don d'exaspérer Brand. Il sentait le jeu des préséances dont il avait eu nettement conscience à Aberdeen. « Les patrons »... le mot désignait sa grand-mère, naturellement ; c'était elle, la Tarras qui avait de l'importance. Son aimable fils, à Londres, était tout ce qu'il y avait de plus « & Cie ». Quant à son petit-fils américain, longtemps ignoré, traité avec faveur seulement depuis peu, elle s'attendait qu'il se conduisît convenablement et suivît les avis éclairés d'un second expérimenté et fidèle.

— Par le diable, monsieur, s'écria-t-il dans une brusque explosion de rage, vous parlez comme un imbécile ! Il ramassa le nécessaire de cuir sur le pont verglacé et retourna à la cabine.

— Ça va bien, dit-il à la jeune fille, vous pouvez passer la nuit à bord et je vous emmènerai demain matin jusqu'à Gothenburg. Si votre oncle ne voit pas d'inconvénient à dormir sur un tas de voiles, on pourra l'installer à l'avant et je vous laisserai mon cadre.

Avec vivacité, elle se tourna vers le vieil homme et lui dit quelques mots en suédois ; il approuva d'un signe de tête. Elle regarda alors Brand en rougissant et lui dit :

— Mais vous, monsieur le capitaine ? Comment allez-vous faire ?

— Je serai très bien dans le fauteuil, répondit Brand. Ne vous mettez pas en souci pour moi ! Une chose, seulement, que je dois vous demander ; vos noms et votre destination. Vous comprenez, je suis obligé de noter ce genre de détails dans le livre de bord.

Les yeux de la jeune fille s'agrandirent et Brand entendit le second, tout près de lui, reprendre longuement son souffle. Mais, après une imperceptible hésitation, elle parla :

— Je m'appelle Anna Larsson. Le nom de mon oncle est Carl Larsson.

— Merci, miss Larsson. Et où allez-vous... dans le territoire du Minnesota ?

Cette fois, l'hésitation fut plus nette.

— Au Minnesota ? Oh non, je ne crois pas... Nous avons des amis à New York.

— Parfait, dit le capitaine Endicott. Je vais inscrire cela. M. West, veillez à ce qu'on installe M. Larsson à l'avant. Ne vous inquiétez pas pour votre nièce, monsieur ; elle est en sûreté... pour le moment.

Il ne savait trop ce qui l'avait poussé à ajouter ces derniers mots : le regard anxieux, peut-être, que jeta le vieux vers Anna Larsson, tandis que M. West le poussait rudement hors de la cabine. La jeune fille était encore toute

23

rougissante quand elle prit des mains de Brand, avec un mot de remerciement, le nécessaire de toilette.

— Je suis confuse de vous causer tant d'embarras, monsieur.

— Je souhaiterais seulement pouvoir vous offrir un logement plus confortable. Mais le cadre est propre et vous n'aurez pas longtemps à vous en accommoder. Au fait, la porte a un verrou et le second couche dans l'autre cadre.

Tout en parlant, il ouvrit la porte et Anna Larsson jeta un coup d'œil sur la couchette, couverte d'une cotonnade nid d'abeille, le pot à eau de porcelaine et le seau de toilette, la redingote bleue accrochée, avec le costume civil de Brand, à une rangée de patères. Elle regarda le commandant du *Girdleness,* vêtu d'un épais jersey de marin et d'un caban, large silhouette, impressionnante même, entre elle et la lanterne, et dit :

— Du fond du cœur, je vous remercie.

— J'espère que vous pourrez dormir un peu, miss Larsson. En tout cas, vous n'aurez pas froid. J'entretiendrai le feu toute la nuit.

— Et vous partirez à l'aube, capitaine Endicott ?

— Allons, allons, je ne promets rien ! Si le brouillard se lève avant le jour, oui ; mais, même si vous manquez le vapeur de la Wilson Line, il y a d'autres départs pour Hull, de Gothenburg. L'essentiel, c'est la date à laquelle vous comptez partir de Liverpool.

— De *Liverpool* ?

— C'est de là que partent les vapeurs pour New York, précisa Brand avec quelque ironie. Pensiez-vous que ce fût de Hull ?

Anna Larsson le dévisageait sans rien dire. Brand reprit :

— C'est une décision fort importante, que celle d'émigrer, miss Larsson. Peut-être, de toute façon, devriez-vous vous arrêter quelques jours à Gothenburg, ne serait-ce que pour y réfléchir ? Si vous me permettez cette remarque, il ne semble pas que vous ayez fait des préparatifs bien complets pour aller jusqu'en Amérique.

— Je veux quitter Gothenburg le plus vite possible !

— De la même manière que vous quittez Marstrand ?

Pas un instant, la jeune fille n'avait détaché son regard du visage de Brand. Comme si elle puisait une confiance nouvelle dans sa mâchoire carrée, dans ses yeux clairs, elle dit :

— Je sais ce que vous pensez, capitaine Endicott. Je tiens à vous affirmer que ni Carl... ni mon oncle ni moi, n'avons fait quoi que ce soit de répréhensible. Nous avons décidé de quitter le Nord et voulons partir au plus vite, voilà tout.

— Et vous regrettez de quitter la Finlande ? De partir si loin ?

Les larmes, alors, lui vinrent aux yeux et Brand l'entendit murmurer :

— Je le regrette beaucoup.

Les mots lui allèrent droit au cœur. Il fit un pas vers elle. Elle était grande, pour une femme, et, quand il lui mit une main sous le menton pour lui relever le visage, leurs lèvres se trouvèrent toutes proches.

— Vous ne vouliez pas vous faire voir à l'auberge de Marstrand, ce soir, dit-il. Vous vous êtes arrangée pour gagner le Sud à bord d'un navire étranger. Avez-vous quelque ennui dont je puisse vous aider à sortir ?

Doucement, Anna Larsson repoussa sa main et secoua la tête.

— Mais vous fuyez, n'est-ce pas, quelqu'un ou quelque chose ?... N'ayez pas peur de me le dire. J'ai de la sympathie à revendre pour les fuyards : ma propre mère s'est échappée de son pensionnat pour épouser mon père, dont le bateau faisait escale à Bristol, il y a vingt-cinq ans !

Le ravissant visage, marqué de larmes, s'éclaira d'un sourire.

— Je vous garantis qu'il n'est pas question d'enlèvement, dit-elle d'un air espiègle. Vous ne pensez pas que, Carl et moi, nous partions en voyage de noces, non ?

— Non, dit Brand avec un rire bref. Mais je tiens à m'assurer que vous savez, l'un et l'autre, à quoi vous vous exposez. Prenez une nuit pour y réfléchir et n'oubliez pas : une fois à Gothenburg, je ne vous abandonnerai pas. Je ferai de mon mieux pour veiller à ce que vous partiez dans les meilleures conditions.

— Je n'en doute pas.

Elle glissa sa main dans celle de Brand ; ses doigts étaient crispés et s'accrochaient aux siens. D'instinct et,

25

bien que ce geste ne lui fût pas habituel, Brand Endicott porta, tout naturellement, cette main à ses lèvres. L'instant d'après, elle avait disparu à l'intérieur du cadre propre et nu, le verrou était tiré et le silence total d'une nuit d'hiver retombait sur Marstrand.

Au matin, quand le médecin de la police, pressé et distrait, entra dans la cellule de détention préventive, il trouva le prisonnier fiévreux, mais conscient, prêt à se présenter devant le juge et à plaider coupable.

CHAPITRE II

LA MOLLY-O

— AU REVOIR, MONSIEUR le capitaine, dit le gardien d'un ton sarcastique. A votre prochaine visite à Gothenburg, nous verrons à vous accommoder plus confortablement, là-bas, sur la colline du moulin. Des cellules individuelles et un accueil cordial de la part du guet.

Brand Endicott accepta la raillerie sans mot dire. Il avait suffisamment vu, au long des dix jours passés dans la salle commune de la prison centrale, ce qu'une trop prompte riposte pouvait coûter à un prisonnier, et il n'était pas encore sorti de cet endroit immonde, bien qu'il sentît se presser sur ses talons la demi-douzaine d'épouvantails qui devaient être relâchés en même temps que lui. On lui rendit ses affaires personnelles et il signa un reçu. Deux des vagabonds avaient un peu d'argent à récupérer, mais la plupart étaient sans un sou. Le triste petit groupe atteignit la cour de la prison au bruit des assiettes et des cuillers de fer-blanc qui sonnaient en cadence contre les barreaux de la cage surpeuplée.

Les portes de fer furent ouvertes par deux geôliers et, dans une aube venteuse du début de mars, Brand revit le monde libre. La prison était flanquée de quelques autres bâtisses à demi abandonnées : l'asile, le sémaphore et les postes de garde, érigés sur le quai Neuf de Gothenburg au cours du siècle écoulé et, à l'abri de l'une de ces constructions, des hommes et des femmes, serrés les uns contre les autres, attendaient ; quelques femmes pleuraient en regardant les prisonniers franchir un à un les grilles. Sven Svensson, le bon Samaritain, n'était pas parmi eux. Pourtant, un petit homme en pardessus râpé s'avança, avec un signe de tête familier, quand le gardien chef cria : « Endicott, Johan ! Libéré. »

— Bien le bonjour, M. Endicott, fit le petit homme. J'ai un message pour vous, de la part de Tarras & Cie, à Aberdeen !

— Venez-vous des bureaux de M. Svensson ? demanda Brand.

— Je suis son homme de confiance, monsieur. Il m'a chargé de vous remettre cette lettre, qui lui est parvenue hier, avec ses compliments et... ses regrets. Une chambre est retenue pour vous au Göta Källare et, selon les instructions, nous vous avons pris une cabine de bateau.

— Donnez-moi ça, que diable !

Brand arracha les feuillets des mains de l'homme. C'était une lettre à l'ancienne mode, sans enveloppe, adressée « à M. J.B. Endicott, aux bons soins de M. Sven Svensson. » On avait brisé le cachet de cire rouge.

Brand déchiffra les premiers mots blessants. « Conduite honteuse... prison suédoise... relevé de votre commandement... » Il fourra les feuillets tout au fond de son manteau.

— Vous pouvez décommander la chambre et la cabine, dit-il. Désormais, je déciderai moi-même de ce que je dois faire.

— Mais, M. Endicott ! J'ai là une voiture qui attend pour vous conduire en ville. C'est trop loin pour que vous y alliez à pied, je vous assure. Voyons, monsieur ! Que vais-je dire à M. Svensson... ?

— Dites-lui donc d'aller au diable, répliqua Brand.

Il s'éloigna à l'aveuglette de l'asile, marchant à longues enjambées qui l'amenèrent bientôt dans les terres incultes au-dessus du quai Neuf, là où aucun véhicule ne pouvait le suivre. Seuls le retinrent de prendre le pas de course les regards curieux de quelques enfants aux cheveux filasse, qui jouaient auprès d'anciennes cabanes de pêcheurs. Il avait le sentiment humiliant qu'ils savaient d'où il sortait.

Une fois loin des maisons, pataugeant dans des flaques

de neige à demi fondue, Brand fit halte et se retourna vers la prison. Sur la route qui partait des grilles, il aperçut l'homme de confiance de M. Svensson : il retournait lentement vers la ville dans la voiture qu'on avait jugée suffisante pour un prisonnier libéré — une chaise de poste délabrée, tirée par une vieille haridelle. Assuré qu'on n'allait pas le poursuivre, Brand se mit en quête d'une roche plate et, le dos tourné à la prison, face à la Göta, il s'assit pour lire la lettre de sa grand-mère.

« John Endicott ! débutait-elle sans autre formule, « Le retour du *Girdleness* à Aberdeen, sous le commandement de M. West, m'a très péniblement surprise et j'ai été plus bouleversée encore en apprenant, par un message de M. Svensson, votre conduite honteuse et la peine que vous êtes en train de purger dans une prison suédoise. Vous avez jeté le déshonneur sur le nom de Tarras, respecté à Gothenburg depuis 1717, et vous vous êtes montré indigne de la confiance que je plaçais en vous. Apprenez que vous êtes dès maintenant relevé du commandement du *Girdleness* et qu'aucun service en mer ne vous sera confié avant que vous n'ayez accompli dans nos bureaux de Londres un long stage d'épreuve. Nous mandons à M. Svensson de retenir pour vous une cabine sur le vapeur danois *Prinsesse Louise,* qui fait escale à Gothenburg le 5 mars, et l'on vous attendra à votre arrivée à Gravesend. Que vous fassiez tous vos efforts pour racheter votre réputation par votre application et votre bonne conduite à terre, tel est le vœu le plus cher de

Votre grand-mère attristée
Isabella Tarras. »

Il faisait un froid cuisant, sur ce rocher au-dessus de la rivière. Au bout d'un moment, Brand prit conscience que ce froid venait en grande partie de la lettre chargée de réprobation qu'il tenait à la main — une réprobation tellement plus absolue qu'il ne s'y attendait. Il avait été certain, dès qu'il avait plaidé coupable, sous l'inculpation d'ivresse et de voies de fait, et qu'il avait entendu le juge le condamner, pour l'exemple, à dix jours de prison, que sa grand-mère serait furieuse. A mesure que se dissipaient les effets de la rossée qu'il avait subie, il s'était mis à craindre, qu'à Aberdeen, Svensson et, sans doute aussi, le second, ne présentassent sous le jour le plus défavorable ce qui s'était passé. Il s'était malgré tout attendu à plus de justice de la part d'Isabella Tarras. L'affection qu'un jeune homme orphelin — son père était mort récemment — était en droit d'attendre d'une grand-mère avait brillé par son absence durant la semaine qu'il avait passée sous le toit de celle-ci ; mais Brand avait été vivement impressionné par l'intelligence de la vieille dame et jamais il n'eût supposé qu'elle le condamnerait sans entendre ce qu'il avait à dire pour sa défense. Sur le seul témoignagne de deux hommes, sans même être au fait de toutes les circonstances, elle l'avait dégradé de son commandement du *Girdleness* pour lui attribuer un tabouret dans un bureau londonien.

Ses mains glacées eurent quelque peine à replier les feuillets rigides. En les remettant bord à bord, Brand s'aperçut que l'autocrate de la Tarras Line avait cédé, en quelques lignes tracées sur la première feuille, à la faiblesse bien féminine du post-scriptum.

« Si le travail de bureau à Londres n'est pas de votre goût, lut-il, vous découvrirez que la Royal Navy demande des recrues ; la guerre contre la Russie pourra vous remettre sur le chemin de l'honneur. »

La vieille est devenue folle, se dit-il sans ambages. Je m'engagerai comme simple matelot sur n'importe quel vieux sabot plutôt que de sauter en mesure aux coups de garcette d'un maître d'équipage anglais ! Elle doit avoir envie de me voir mourir au champ d'honneur, comme ses fils... Il se rappelait ce que lui avait dit son oncle, un soir où ils se trouvaient seuls dans la biliothèque, à Camberwell :

— J'espère, jeune homme, que tu feras ton chemin dans la compagnie. Si tu te montres bon marin, bon capitaine, ce sera une grande satisfaction pour ta grand-mère. Tu sais que mes deux frères étaient officiers de la Royal Navy. Ce pauvre Jack est tombé à la bataille de Navarin, et Harry à la prise d'Aden, en trente-neuf ; au lieu de verser des larmes sur leur sort, ma mère a transformé sa douleur en orgueil et... je pense qu'on peut dire : en patriotisme. D'après elle, servir dans la Royal Navy est la vocation la plus haute que puisse avoir un homme. J'avais

vingt-cinq ans, lors de la mort de Harry, et elle avait
perdu tout espoir de faire de moi un marin de haute mer... »
Ses oncles étaient pour Brand, à présent, deux silhouettes anonymes, deux portraits encadrés de noir en signe de
deuil, accrochés de chaque côté d'une cheminée de marbre,
dans la lugubre demeure d'Aberdeen. Les jeunes officiers
de marine de Navarin et d'Aden, transformés en héros par
l'adoration de leur mère, n'étaient même plus des hommes
pour la génération suivante. Elle voudrait peut-être, moi
aussi, me transformer en un petit portrait encadré de noir,
pensa Brand. Merci beaucoup, grand-maman. Je préfère
rester en vie.

Il n'irait pas faire la guerre et il ne se laisserait pas
rapatrier à Londres comme un gosse délinquant, avant
d'avoir tiré vengeance de la rossée qu'il avait subie dans
la neige piétinée du quai de Pierre et, peut-être aussi,
avant d'avoir tiré le long nez de ce donneur de bons
conseils qu'était M. Sven Svensson. Mais il faudrait attendre, avant de se mettre en quête d'un homme aux cheveux roux nommé Erik et de rendre visite aux bureaux de
l'agent ; il avait plus important à faire avant ça. Il devait
rendre la broche aux feuilles d'or à la jeune fille qu'il
nommait toujours en pensée Anna Larsson.

Bien qu'il eût contraint Svensson à lui révéler son véritable nom, Brand l'avait oublié dans la fièvre ; il n'en
avait retenu qu'une partie : *Alexandra,* en même temps
que cet unique indice que le vieil homme « vivait du côté
de Kungälv, près du fleuve ». En prison, il avait acquis
quelques notions rudimentaires de suédois — d'autant plus
vite qu'il s'était aperçu que le langage ressemblait plus ou
moins au dialecte parlé par l'équipage du *Girdleness* — et
l'un des prisonniers lui avait dit que Kungälv n'était pas
bien loin de là. S'il pouvait retrouver le vieux Larsson et
le faire parler, Brand était convaincu qu'un homme bien
décidé ne tarderait pas à découvrir où l'on avait emmené
la jeune fille. Le mot « on » englobait naturellement pour
lui non seulement les ravisseurs mais Svensson, le juge,
Mme Tarras et tous les puissants, les malins qui pensaient
pouvoir se payer la tête d'un marin américain mal au
courant de leurs façons européennes.

La première chose à faire, c'était de se procurer de
quoi manger et de quoi s'habiller pour entreprendre ensuite son voyage. Tout en réfléchissant qu'il avait gran-

31

dement assez d'argent sur lui, Brand dégringola au long de la pente rocailleuse jusqu'au quai Neuf ; il avait déjà couvert près d'un kilomètre en direction de la ville quand la pensée lui vint que Mme Tarras, cette femme d'affaires avisée, tout en le reniant, avait omis d'annuler la généreuse lettre de crédit qu'elle lui avait remise avant son départ d'Aberdeen. Avec les fonds dont elle lui permettait de disposer en n'importe quel lieu de Suède ou de Norvège, il pourrait suivre la jeune femme à travers tout le pays et même jusqu'en Finlande. Ou bien en Russie.

Deux heures plus tard, propre et reposé, après une visite aux bains de vapeur de la Rotunda et chez le barbier, vêtu de linge frais et d'un respectable costume sombre — facile à trouver, pour un Américain aussi grand que lui, dans un pays peuplé d'hommes de haute taille —, il reposait sa tasse avec un soupir de satisfaction. Le carrelet tout frais pêché, l'omelette aux rognons, la corbeille de petits pains variés, les biscuits aux quatre épices et le café mêlé de crème fraîche avaient fait honneur à la réputation de la salle à manger de l'hôtel Garni, et il venait d'envoyer le garçon lui chercher un journal anglais. Brand coupa le bout d'un bon cigare. Il sentait s'apaiser sa colère et son humiliation et renaître quelque peu sa confiance en l'existence.

— Vous avez demandé le *Times,* monsieur ?

Brand leva la tête en reconnaissant avec plaisir l'accent américain. L'homme qui lisait des journaux étrangers à la table voisine lui adressa un sourire aimable.

— Si vous pouvez m'en prêter un pendant quelques instants...

— Prenez-les donc tous, je vous en prie, fit l'inconnu. Venez vous asseoir à ma table et regardez-les tout à loisir ! Le plus récent date d'une bonne semaine et il ne contient rien que je n'aie déjà lu ou entendu dire ailleurs.

— Cela me va parfaitement, dit Brand, laconique. J'étais en mer.

Il prit la chaise qu'on lui indiquait, ramassa un journal et dévisagea longuement l'homme qui lui faisait face. Celui-ci avait une bonne figure d'Irlandais, nez retroussé, longue lèvre supérieure, et portait une épaisse vareuse haut boutonnée sous le menton. La casquette bleue, posée de biais sur des cheveux noirs et frisés, lui donnait l'air d'un vrai marin.

32

LA MOLLY-O

— Ah oui, en mer ? fit-il avec un large sourire. Vous venez peut-être de New York ?

— De Portland, dans l'Etat du Maine, répondit Brand, souriant lui-même pour la première fois depuis dix jours. Je croyais pouvoir me faire passer pour Suédois, dans mon beau costume gothenburgeois.

— Dès votre entrée, je vous ai reconnu pour Américain, dit l'autre. Votre démarche vous a trahi ! Moi, je suis de Boston, je m'appelle Ryan.

Il tendit la main à Brand.

— Joe Ryan, propriétaire et capitaine de la *Molly-O*, en provenance de Stockholm. Heureux de vous connaître, monsieur.

— Charmé de la rencontre, capitaine Ryan. Je me nomme Brand Endicott.

— Vous ne seriez pas le capitaine du *Girdleness ?* demanda Ryan, impulsivement.

— L'ex-capitaine du *Girdleness,* précisa péniblement Brand, à travers l'aigreur de la rancune qui lui montait aux lèvres. Je ne voudrais pas interrompre votre lecture, capitaine Ryan.

— Attendez donc.

Joe Ryan tendit la main par-dessus la table et attrapa Brand par le bras. Le jeune homme repoussait déjà sa chaise, tout prêt à rejeter la main amicale pour quitter la place, mais Ryan dit vivement, d'un ton pressant :

— Ne me jugez pas indiscret, capitaine, mais je suis arrivé hier du Danemark et, la veille au soir, à Fredrikshavn, on parlait beaucoup d'un capitaine de la Tarras Line à qui l'on avait joué un sale tour à Gothenburg. Quand vous m'avez dit votre nom, je me suis rappelé cette histoire, voilà tout.

Il vit la colère qui brûlait dans les yeux gris de Brand et il admira son sang-froid quand le jeune homme répéta :

— Un sale tour ? De la part du juge, voulez-vous dire ? Non, je ne pense pas qu'on puisse en vouloir au juge. Il avait décidé de faire un exemple parmi « ces Américains braillards et tapageurs » — ce sont ses propres paroles. Je suppose que la malchance a voulu que ce soit sur moi qu'il tombe.

— Il chantera une autre chanson d'ici quelques semaines, si je ne me trompe, dit Joe Ryan d'un air sagace. Les Américains sont mal vus à Gothenburg depuis le début de l'émigration, partie à cause des nouvelles désastreuses reçues des premiers émigrés, partie à cause des histoires de corruption, ou pires, qui courent sur le compte des agents maritimes. Non pas que tout ça arrête les braves culs-terreux qui veulent partir. Il y a en ce moment, à Gothenburg, un millier d'émigrants, ce qui fera battre à cette année le record de l'émigration de Suède.

Brand approuva d'un signe.

— Qui avez-vous rencontré, à Fredrikshavn ? demanda-t-il d'un ton bourru. Quelqu'un du *Girdleness* ?

Les yeux sombres du Bostonien se posèrent avec sympathie sur les traits crispés de Brand.

— Non, d'un navire-frère. Le *Rubislaw*.

— A destination d'Aarhus et de Kiel, dit Brand. L'histoire ne va pas tarder à faire du bruit dans tous les ports de la Baltique.

— Je n'en jurerais pas, répondit Joe Ryan, l'air bizarre. Depuis quelques jours, on a un autre sujet de conversation, dans les tavernes. Nous nous attendons à un feu d'artifice dans la Baltique dès que les glaces auront disparu.

— Oh, Dieu ! C'est donc vrai ? L'Angleterre a-t-elle déclaré la guerre à la Russie ?

— Pas encore, mais le tsar a rappelé son ambassadeur à Londres et, naturellement, les Alliés ont enjoint à leurs représentants à Saint-Pétersbourg de rentrer chez eux. C'est généralement le signal des hostilités.

— Quels alliés... l'Angleterre et la Turquie ?

— L'Angleterre et la France.

— Que diable les Français viennent-ils faire là-dedans ?

Ryan haussa les épaules.

— Leur nouvel empereur a la folie de *la gloire*. A partir du moment où le tsar veut des prêtres grecs pour garder les Lieux Saints, Napoléon III se croit obligé d'exiger des catholiques romains, histoire de montrer qu'il vaut bien Nicolas. Par ailleurs, les journaux disent qu'il est aussi inquiet que les Anglais de voir arriver des Russes sur le Danube.

— Mais alors, pourquoi ne pas se battre sur le Danube ? Pourquoi lancer une guerre sur deux fronts en attaquant dans la Baltique ?

— Les Alliés envoient des troupes sur le Danube, soyez-en sûr. La Garde a quitté Londres voilà dix jours

34

et je pense que c'est pour cela que les journaux et le courrier en provenance d'Angleterre ont du retard. Le Gouvernement doit réquisitionner tous les bâtiments disponibles pour acheminer les soldats vers l'Est avant le printemps. Mais la rumeur publique — pour autant que j'aie pu le savoir au Danemark — réclame à cor et à cri une attaque contre la capitale. On veut capturer le tsar, mort ou vif, dans son Palais d'Hiver à Saint-Pétersbourg et un vieux matamore nommé Napier doit commander l'escadre qui est censée obtenir ce triomphe. L'amiral Napier a juré qu'il jetterait l'ancre à Kronstadt ou bien au ciel, ce qui vous donne une idée assez précise de son propre état d'esprit...

— La forteresse de Kronstadt étant inexpugnable...

— A ce qu'on dit.

— Ils devront donc attaquer Saint-Pétersbourg de la terre ?

— S'ils le peuvent.

— Quelle satanée sottise !

Brand n'en dit pas davantage. Il revoyait par la pensée ces cartes marines de la Baltique qu'il avait si consciencieusement étudiées dans la cabine du *Girdleness*. Il revoyait la haute mer, à l'est de la Suède, les glaces hivernales dans tout le golfe de Finlande et, au nord du soixante-deuxième degré de latitude, dans le golfe de Bothnie, ainsi que les côtes de Finlande et d'Esthonie par lesquelles une armée d'invasion pourrait passer pour marcher contre la capitale russe. Si lui, Brand Endicott, voulait retrouver une jeune fille en Finlande, il lui faudrait faire vite, à moins qu'il ne tînt à se faire prendre par l'invasion britannique de la patrie de cette jeune fille.

Joe Ryan se méprit sur la signification de son silence.

— Une guerre contre la Russie ne change rien à rien pour des gens comme vous et moi, dit-il. Nous sommes citoyens américains. Et la Suède et la Norvège constitueront le refuge le plus sûr de toute la Baltique. Les Suédois en ont par-dessus la tête de combattre les Russes avec les Anglais. C'est ce qui leur a valu de perdre la Finlande, il y a cinquante ans. Cette fois-ci, ils resteront neutres. Ce qui signifie que, pour un armateur américain, même un homme qui n'a qu'un commerce modeste, comme moi, un blocus britannique de la Baltique pourrait être fort profitable.

— Vous êtes donc dans l'affrètement ? demanda Brand.

— Oui, mais pas sur la même échelle que la Tarras Line, expliqua le capitaine Ryan. Je transporte des marchandises toutes les fois et partout où je peux en trouver et, de temps en temps, j'achète et je vends pour mon propre compte. Aimeriez-vous jeter un coup d'œil sur la *Molly-O* ? Elle est amarrée au quai Packhus, à moins de cinq minutes d'ici, et nous serions heureux de vous accueillir à bord.

— Je vous suis très obligé de votre invitation, capitaine Ryan. J'aimerais l'accepter, mais j'ai un déplacement à faire, hors la ville, et je ne sais trop à quelle distance. Connaîtriez-vous, par hasard, un endroit du nom de Kungälv ?

— Kungälv ? Ce n'est pas un port d'escale, mais... oui, le nom me dit quelque chose...

— Sur un fleuve, la Göta, sans doute, précisa Brand.

— Non, maintenant, j'y suis, c'est sur la Nordre, non loin de la mer. Marstrand est le port le plus proche de Kungälv.

— Ce doit être ça, fit Brand, en soupirant longuement à ses souvenirs.

— Et Kungälv se trouve sur la grand-route qui mène en Norvège, acheva Ryan. Je vais demander au garçon les horaires des chaises de poste.

Le garçon qui servait le café et les liqueurs s'approcha sur un signe et le capitaine Ryan, qui parlait le suédois couramment, lui posa quelques questions, cependant que Brand pensait au port de Marstrand et à un visage de jeune fille, surpris par la lueur d'une lanterne, sur un fond de stalactites de glace et de boules-de-neige.

— Vous êtes en veine, dit Joe Ryan quand le vieux serveur, après un salut, se fut éloigné de son pas traînant. La chaise part pour Christiania à midi. Ce qui est une bénédiction, car le courrier ne part vers le nord que deux fois par semaine et Kungälv est à douze milles d'ici, à ce qu'il dit. Des milles anglais, pas suédois ! Le seul ennui, c'est que la chaise part de la rive de Hisingen, de sorte qu'il vous faudra tenir compte du temps nécessaire pour traverser par le ferry.

— Parfait, dit Brand. J'aimerais parler suédois aussi bien que vous.

— Ça va bientôt faire quinze ans que je suis en Suède,

voyez-vous. Ma pauvre défunte femme était Suédoise et nous avons ramené notre petite Molly à Stockholm alors qu'elle n'avait qu'un an. J'ai eu le temps d'apprendre la langue.

— Avez-vous baptisé votre navire du nom de votre fille, capitaine ?

— Pour ça, oui... La *Molly-O,* et je donne à ma fille le titre de second.

Joe assura solidement sa casquette bleue sur ses cheveux frisés.

— Ecoutez, capitaine... à présent que vous avez précisé votre horaire, vous pouvez bien prendre une heure pour m'accompagner jusqu'au quai Packhus. Venez à bord, ma Mary vous fera une tasse de café... elle sera émerveillée de rencontrer un Américain, elle qui m'embête sans cesse pour que je lui parle de Boston...

— C'est hors de question, fit Brand d'une voix rauque. Voyons, si vous avez bien entendu mon histoire, vous savez d'où je sors. Vous ne pouvez désirer que je fasse la connaissance d'une jeune fille de seize ans, votre fille, qui plus est, le jour même où je... où je sors de...

— Ça va bien, mon brave !

La voix de Joe Ryan était aussi pressante qu'au moment où Brand avait, pour la première fois, décliné son identité.

— Ne prenez donc pas les choses tellement à cœur. Tout ça est derrière vous maintenant, de quelque manière que ce soit arrivé. Enfilez votre manteau et mettez ce beau bonnet en peau de phoque avec lequel le garçon tourne autour de vous, et venez voir un vrai caboteur et le plus charmant petit second qui soit, entre le Jutland et le cap de Hangö !

Il fallut plus de cinq minutes pour atteindre le quai Packhus : les rues, aux alentours du quai de Pierre et du bureau des douanes, étaient encombrées d'émigrants, dont bon nombre écoutaient les exhortations d'un pasteur luthérien, juché sur une estrade entre les quais, ses cheveux blancs volant au vent ; d'autres assiégeaient les bureaux d'agents qui avaient promis de les faire partir rapidement pour les Etats-Unis.

37

— Pauvres diables, fit Brand, et Joe haussa les épaules.

— Ils auront oublié tout ça après six mois dans le Minnesota, dit-il.

La *Molly-O*, que son propriétaire désigna d'un geste fier, était un petit bateau de commerce de moins de cent tonneaux, qui paraissait bien petit en regard des deux cent trente-cinq tonneaux du *Girdleness*. Brand l'examina avec une prudente réserve. Les deux marins suédois qui flânaient sur le pont et crachaient dans l'eau ne semblaient pas avoir été tenus bien serré dans l'accomplissement de leurs tâches : les parties peintes et polies étaient loin d'étinceler, les queues-de-rat des cordages étaient mal faites, les manœuvres mal lovées. Le pavillon étoilé, qui distinguait la *Molly-O* de tous les autres navires amarrés au quai Packhus, était bien déteint. Cependant, le capitaine Ryan rayonnait en faisant monter à bord son visiteur. Il appela d'une voix forte :

— Mary !

— Un instant, père ! répondit une jeune voix fraîche qui venait de la cambuse.

— Dépêche-toi, mignonne ! Nous avons de la visite !

— Oh, mon Dieu !

La jeune fille qui parut à la porte de la cambuse portait les mains à ses cheveux pour délivrer ses boucles brunes, pareilles à celles de Joe, du ruban qui les retenait ; elle secoua également son tablier de calicot pour en faire tomber de la farine. Il y en avait aussi au bout de son nez et son charmant visage était aussi rougissant que si miss Mary Ryan s'était fait rôtir elle-même au four de sa cambuse. Après le premier sursaut de consternation à la vue d'un inconnu, elle reprit assez d'empire sur elle-même pour oublier son apparence et fit à Brand sa révérence d'écolière, comme s'ils s'étaient trouvés dans un salon plutôt que sur le pont mal calfaté d'un caboteur de la Baltique.

— Est-ce là le monsieur qui vient pour le fret, père ? demanda-t-elle, les présentations faites.

— Il ne s'est même pas montré, le bandit, fit Joe avec bonne humeur. J'ai perdu une heure à l'attendre. Ou plutôt, non, je ne l'ai pas perdue, puisque j'ai lié connaissance avec un compatriote. Le capitaine Endicott est originaire du Maine, ma chérie.

LA MOLLY-O

— Un Américain! s'écria-t-elle avec vivacité. Vous êtes doublement le bienvenu, monsieur. Venez par ici, je vous prie.

Brand la suivit dans la cabine de la *Molly-O*. Elle était plus exiguë encore que celle du *Girdleness,* mais sans bureau encombrant. Molly, fit remarquer fièrement son père, avait fait fixer au mur une planche abattante qui servait de table ou d'écritoire et l'armoire aux cartes comportait des tiroirs supplémentaires pour le courrier. Au lieu d'un fauteuil massif, on voyait des tabourets garnis de coussins de toile aux vives couleurs, pareils à ceux qui transformaient les coffres en divans. Sur l'un de ceux-ci, un chat roux sommeillait. Une guitare ornée de rubans bleu et or, aux couleurs suédoises, s'appuyait à une petite bibliothèque. Plusieurs romans aux titres dorés se mêlaient aux manuels de navigation et un pot de crocus jaunes partageait l'étagère du haut avec une corbeille d'osier débordante de soies à broder aux tons éclatants.

— Coquet, hein, capitaine Endicott? fit Joe avec orgueil.

— C'est la cabine la plus élégante que j'aie jamais visitée, monsieur.

— Allons, Bernadotte, vieux fainéant de chat, va-t'en de là! s'écria Mary Ryan. Capitaine Endicott, asseyez-vous donc. Je viens de sortir des biscuits du four et le café est prêt. Vous en boirez bien une tasse avec nous, n'est-ce pas?

Quelques minutes plus tard, Mary Ryan apportait café et biscuits; mais elle avait trouvé le temps d'ôter la farine de son nez, de retirer son tablier et de mettre autour de son cou un mouchoir de soie bleu assorti à ses yeux. Elle était de petite taille, avec un teint coloré, et, perchée sur un tabouret, attentive à verser le café tandis que le chat roux ronronnait à ses pieds, elle était aussi éclatante qu'un oiseau des tropiques qui eût battu des ailes autour du mât terni de la *Molly-O.* Cependant, passé son premier élan d'hospitalité, elle devint une hôtesse silencieuse: tout en veillant à remplir les lourdes tasses, elle semblait satisfaite d'écouter les hommes discuter des tarifs de fret et de la perspective d'un printemps précoce. Brand, enfin, se tourna vers elle pour demander poliment:

— Naviguez-vous avec le capitaine Ryan par tous les temps, miss Mary ?

— Non, pas en plein hiver, monsieur. A cette époque, il me force à rester chez nous, à Stockholm. Mais, cette année, je suis en mer depuis le début de février, n'est-ce pas, père ? J'ai fait le voyage de Copenhague, je suis allée ensuite jusqu'au Jutland et, dès que les glaces auront disparu du golfe de Botnie, nous pousserons au nord jusqu'à Sundsvall. Nous allons généralement à Sundsvall deux fois par an.

Elle parlait d'un petit air entendu que Brand trouva drôle et charmant.

— Je vois que vous avez acquis une connaissance très complète de la Baltique, mademoiselle, dit-il gravement.

Et son père, en tirant affectueusement sur les boucles de la jeune fille, intervint :

— Elle connaît, en tout cas, tous les ports et tous les mouillages entre Gothenburg et Stockholm — plus que vous n'en trouverez indiqués sur la plupart des cartes marines ; et, bien qu'elle n'ait jamais appris ni à nager ni à manier un dinghy, je lui ai enseigné un peu de navigation et vous seriez surpris de voir à quelle vitesse cette gamine avale tout.

— J'irais plus vite encore si tu ne t'arrêtais pas toujours pour me faire chanter, protesta Mary.

— Pourquoi pas ? Ne veux-tu pas poursuivre ton entraînement ? La grande ambition de Molly, c'est de devenir une nouvelle Jenny Lind, expliqua-t-il.

Brand se mit à rire. Ce genre de tendre escarmouche était nouveau pour lui.

— J'ai l'impression que vous vous entendez bien, dit-il. Plus comme frère et sœur que comme père et fille, si je puis me permettre cette remarque.

— Il adore ça, fit Mary Ryan. Elle demanda :

— Votre famille habite-t-elle l'Amérique, capitaine Endicott ?

C'est ainsi que Brand se retrouva en train de lui conter l'histoire de la jolie, de la délicate Fanny Tarras, que ses parents gardaient avec une affection jalouse et qui s'était sauvée, à dix-sept ans, avec le beau marin yankee ; elle avait été heureuse avec lui pendant dix ans, jusqu'au jour où la consumption l'avait tuée dans la belle maison de South Street où la bonne tante de son mari, miss Betsy Brand, prenait soin de la malade et de son petit garçon quand le capitaine Endicott était en mer.

L'attention que lui accordaient les deux Ryan et, plus particulièrement, l'air profondément absorbé de Mary, le poussèrent à donner plus de détails sur sa vie et sur son passé qu'il n'eût cru possible de le faire dans une conversation avec des étrangers, d'autant qu'il se défiait, après ses récentes expériences, de tout ce que pouvait dire un inconnu. Quand Brand en vint à parler de la mort de sa mère, il eût été prêt à jurer qu'il y avait des larmes dans les yeux de Mary Ryan.

— Comme j'aimerais voir Portland et toutes les îles boisées de la baie, dit-elle enfin. Ce doit être une ville magnifique.

— Nous irons quand je te remmènerai à Boston, promit son père.

— *Quand !* fit-elle, avec son rire joyeux, tout en se levant pour desservir la petite table. Quand les colporteurs de la mer auront fait fortune ?

Brand se leva, en jetant à Joe Ryan un regard interrogateur.

— C'est ainsi que nous nous appelons, à bord de la *Molly-O,* dit le capitaine. Les colporteurs de la mer. Nous faisons un commerce bien modeste, comme je vous l'ai dit ; nous achetons et vendons d'un port à l'autre. C'est ainsi, par exemple, qu'à Copenhague, j'ai risqué l'achat de quelques machines à coudre. Mais je ne compte pas là-dessus pour m'enrichir avant le plein été, quand Molly que voici en enseignera le maniement aux femmes, dans les foires de campagne.

— Vous savez aussi faire ça, miss Mary ? demanda Brand, stupéfait.

— Oh, je fais des démonstrations pour quantités de nos marchandises dans les foires de villages, dit-elle. Pour commencer, je joue et je chante un peu pour attirer les gens — elle montrait la guitare — comme le faisait maman. C'est maman qui m'a appris. Mais ce que j'aime surtout, c'est quand j'ai de jolies choses à vendre, comme des assiettes de porcelaine ou des cuillers d'argent venues du Danemark ; pas des machines à coudre ! Parfois, je dispose les assiettes comme si nous allions donner un dîner et je mets des bouquets de fleurs dans les vases. Alors, tous les gens des fermes viennent voir...

41

— Je pense que c'est surtout vous qu'ils viennent voir, miss Mary, dit Brand.

Elle lui adressa un regard d'invite souriante qui n'avait plus rien d'enfantin. Quelque chose, dans son regard de biais, dans les douces lèvres, humides, entrouvertes, rappela à Brand la fille de pêcheur qui avait été sa première maîtresse, l'été de ses seize ans. Mary Ryan possédait ce même épiderme lumineux, qui gardait, même en hiver, l'or de l'été et du vent de la mer.

Joe Ryan continuait à taquiner sa fille.

— Tu devrais m'être reconnaissante de ne pas te faire faire la démonstration de l'outillage agricole que j'ai à bord en ce moment. Tu t'en tireras mieux avec une machine à coudre qu'avec une faux...

— De l'outillage agricole ! dit Brand. Est-ce là votre chargement actuel ?

— Oui. Vous aimeriez y jeter un coup d'œil ?

— Très volontiers. Après quoi, il faudra que j'aille prendre le ferry. La chaise de poste partira probablement à l'heure dite.

— Mais vous ne restez donc pas à dîner, capitaine ? s'écria Mary.

Brand la remercia en souriant.

— Je n'ai déjà que trop abusé de votre bonté.

— Ne reviendrez-vous pas nous voir une autre fois ? insista-t-elle. Nous sommes là jusqu'à demain, plus longtemps peut-être. Quand prenez-vous la mer ?

Brand surprit du coin de l'œil le signe de tête presque imperceptible de Joe Ryan.

— Ça dépend, dit-il. J'attends mes ordres, pour l'instant. Miss Mary, je ne saurais vous dire à quel point j'ai été heureux de votre hospitalité. J'espère avoir l'honneur de vous rencontrer de nouveau.

Brand releva le col de son manteau neuf et attendit avec intérêt tandis que l'un des marins levait les panneaux. Il était curieux de voir la cale de la *Molly-O*. A la lueur de la lanterne, elle ne révéla aucune trace de contrebande. Les outils, fixés aux parois, étaient enveloppés de toile à sac sous laquelle Brand reconnaissait les formes familières de faux, de bêches et de socs.

— Et voilà, grommela Joe, quand ils se retrouvèrent sur le pont balayé par le vent. Si Herr Elmgren avait tenu le rendez-vous que nous avions, ce matin, au Garni, je pourrais maintenant transporter de la grosse machinerie. Quatre charrues pour un détaillant de Halmstad ; exactement ce qu'il me faut pour le ballast... et pour l'argent.

— J'espère alors que vous ferez l'affaire, dit Brand. Halmstad. Est-ce là votre prochaine escale ?

— Si Elmgren et Compagnie ne sont pas prêts à accepter mes conditions aujourd'hui, ils le seront d'ici quelques semaines, expliqua Joe. Quand la guerre va éclater, c'est ça — avec un geste du pouce vers le pavillon — qui sera l'objet le plus précieux sur la *Molly-O*. Un citoyen américain, naviguant sous cette bonne vieille bannière étoilée, se verra courir après par tous les armateurs, dès que le gouvernement suédois aura fermé les ports aux belligérants. Et la mesure sera valable pour *tous* les belligérants, vous pouvez m'en croire !

— Comment se fait-il que vous battiez pavillon américain sur un bâtiment de Stockholm, capitaine Ryan ?

— La *Molly-O* — elle s'appelait alors la *Susan Quimby* — avait une immatriculation américaine quand je l'ai achetée à Amsterdam et, en ma qualité de citoyen américain, je n'ai eu aucun ennui pour le transfert. A présent, question pour question, et ne vous fâchez pas. Est-ce vrai ce qu'on disait là-bas, au Danemark : Mme Tarras, la propriétaire de la Tarras Line, est votre grand-mère ?

— C'est vrai.

— Alors, à votre place, je rentrerais à Aberdeen le plus vite possible.

— Non, à ma place, certainement pas, dit Brand, l'air dur.

Joe Ryan l'évalua du regard. Un homme dans toute l'acception du terme, six pieds de haut, tout en os et en muscles, un visage qui était beau sans le froncement de sourcils, un magnétisme auquel, de toute évidence, Mary avait réagi... à son avis, Brand Endicott n'avait pas de souci à se faire !

— Fiston, dit-il, si quelque chose s'est détraqué, vous n'aurez aucun mal à réparer les dégâts. La vieille dame ne pourra pas vous résister quand elle vous verra entrer dans ses bureaux : aucune vieille dame n'en serait capable. Et pas beaucoup de jeunes non plus.

— Il se trouve que je vais peut-être partir dans la direction opposée, fit Brand froidement. Quel est le chemin le plus rapide pour gagner la Finlande ?

— Par le canal de la Göta jusqu'à Stockholm et vous traversez pour Abo par le vapeur du courrier, répondit Joe automatiquement. Mais... bon Dieu, c'est un rude voyage, à cette époque de l'année !

— Il se peut que je n'aie pas besoin d'y aller, tout dépend... de ma visite à Kungälv, c'est-à-dire.

— Eh bien, si vous changez d'avis et si vous voulez aller à Malmö, je peux vous prendre à bord. Ça ne sera pas luxueux mais ça peut se faire ; n'hésitez donc pas, si ça vous fait plaisir. Je suis sûr que la *Molly-O* vous mènerait dans le Sud aussi vite que n'importe quel autre voilier, étant donné les bouleversements qu'ont subis les compagnies régulières.

— Capitaine Ryan, dit Brand, je m'en souviendrai. Et je ne saurais assez vous remercier pour votre bienveillance de ce matin. Elle m'a fait grand bien.

— Et surtout, si vous venez à Stockholm, dit Joe qui le suivait jusqu'à la passerelle, n'oubliez pas de venir nous voir. Numéro 3, passage Bollhus ! Si vous ne vous rappelez pas l'adresse, c'est juste à côté du Palais royal et n'importe qui vous montrera la maison des Américains. Au revoir ! Et bonne chance !

— Au revoir, capitaine Endicott !

Mary Ryan s'était avancée jusqu'à la porte de la cabine pour lui faire des signes d'adieu. Brand répondit au geste du père et de la fille et se dirigea vers le ponton du ferry. Il se sentait mieux et plus confiant qu'il ne l'avait été depuis dix jours. Il jeta, par-dessus l'épaule, un regard vers la *Molly-O,* où la bannière étoilée pendait tristement sous la neige qui tombait de plus en plus épaisse. Ce serait facile de faire demi-tour dès maintenant, d'accepter l'offre de Joe de l'emmener jusqu'à Malmö. Il pouvait continuer jusqu'à Stockholm avec les Ryan, acheter et vendre dans les petits ports, écouter cette jolie fille chanter en s'accompagnant à la guitare dans la petite cabine si gaie. De toute façon, rien ne l'obligeait à aller en Finlande.

Il se rendait compte qu'il se trouvait à un important tournant de sa vie : continuer ou faire demi-tour à présent donnerait une forme à son destin pour les années à venir.

Il n'hésita pas longtemps. Quand le ferryboat arriva lentement de Hisingen, Brand Endicott se trouvait parmi les passagers qui l'attendaient. Il était prêt pour la route de Kungälv et pour tout ce que le sort y tenait en réserve pour lui.

CHAPITRE III

NIKITA

L E PRINTEMPS, CETTE
année-là, fut précoce sur le golfe de Finlande. Dès la
mi-mars, les courants circulaient vigoureusement sous les
plaines de glace qui s'étendaient de Kronstadt vers l'ouest,
jusqu'à la pointe de Hangö, et les abondantes chutes de
neige n'étaient plus que rafales intermittentes. En quelques endroits abrités, au long de la côte sud de la Finlande, les épicéas secouaient leur fardeau de neige et la
sève courait de nouveau dans les aulnes.

Avec les premiers signes du printemps, des hommes
apparurent sur les deux rives du golfe. Piétinant la neige
salie, ils pénétrèrent en Finlande et, dirigés de Saint-Pétersbourg vers le sud et vers l'ouest, ils furent déployés
en Estonie pour renforcer les garnisons de Pernau et de
Reval. Ils portaient les calots plats et les longs manteaux
gris de l'armée russe ; avec eux, s'avançaient les chevaux
de remonte de la cavalerie, les cuisines roulantes, les canons et les chariots de munitions. Ils représentaient la
première ligne de défense du tsar contre une invasion
venue de l'ouest — l'ours hibernant déployait ses griffes.

A Helsingfors, capitale du grand-duché de Finlande,
on augmenta considérablement la garnison russe, en mars
1854. Il y avait à cela une raison particulière : celle qui
faisait chanter le Te Deum à la Nicholas Kirk, flotter les
drapeaux sur les édifices publics et organiser des réjouis-

46

sances par les édiles. Nicolas 1er, empereur de Toutes les Russies et grand-duc de Finlande, était venu rendre visite à Helsingfors, avec ses fils, ses ministres et ses généraux, et il fallait bien un millier de soldats supplémentaires pour assurer la sécurité du tsar.

Par un matin de mars, où le pâle soleil s'obscurcissait de nuages annonciateurs de neige, qui pesaient de nouveau sur la ville, la garde fut déployée jusqu'au port sud, où les brise-glace gardaient ouvert en permanence un chenal entre Helsingfors et la forteresse de Sveaborg. Le *Kavia,* petit bateau à aubes qui transportait normalement les passagers entre la forteresse et la place du marché, reçut l'ordre de ne pas quitter Helsingfors et nul bâtiment n'eut le droit d'appareiller de l'une ou l'autre des îles habitées qui jalonnaient le port. A leur place, les patrouilleurs de la marine russe assuraient la police de la baie. Le bruit de leurs rames étouffé par la brume, ils allaient et venaient dans les étroits chenaux qui séparaient les différents éléments du grand complexe de Sveaborg, aux écoutes du moindre bruit, venu de la terre ou de l'eau, qu'auraient pu produire les ennemis de la Russie.

Depuis une centaine d'années, on considérait Sveaborg comme le Gibraltar du Nord. Alors que Gibraltar s'érigeait sur un seul rocher, Sveaborg était construit sur cinq îles que reliaient entre elles le granit de leurs fondations et la pierre des demi-lunes et des bastions, défenses extérieures de Helsingfors et l'arme offensive essentielle du golfe. Sveaborg était la clef que tout envahisseur devait tourner avant de pouvoir forcer la serrure de Kronstadt et ouvrir la porte de Saint-Pétersbourg.

Sur la plus méridionale et la plus redoutablement fortifiée des cinq îles, Gustafssvärd, on avait concentré, pour la visite du tsar, un grand nombre de soldats et de canons. On chanta le Te Deum dans l'église grecque orthodoxe de Svärto et l'aigle russe bicéphale flottait sur la citadelle de Vargön. De l'autre côté du détroit, les régiments étaient sous les armes sur Backholm et Skanslandet et, à une heure, on tira une salve royale à l'ouverture de la Porte Royale, sur Gustafssvärd, pour le départ de l'empereur. Nicolas descendit les marches basses en granit avec un salut à peine esquissé à l'adresse du gouverneur ; il ramena sa pelisse sur ses épaules et, en silence, prit sa place à l'arrière de la barque impériale. En silence, les rameurs se courbèrent sur les avirons, doublèrent le cap, passèrent au large de la forteresse et se dirigèrent vers Helsingfors.

La ville se dressait au-dessus des glaces en débâcle et de l'eau vert-de-gris du port, à peine effleurée par le pâle soleil qui perçait les nuages. Le grand-duc Alexandre se pencha pour faire compliment au tsar de l'élégance de sa capitale finlandaise. Il n'obtint qu'un bref signe de tête. Le grand-duc, jetant vers son père un coup d'œil inquiet, se demanda si ces yeux aux lourdes paupières voyaient réellement la beauté d'Helsingfors ou bien si le regard du tsar était là-bas, très loin, avec ses soldats, dans les plaines du Danube. Chaque coup de rame les rapprochait du plus magnifique bord de mer de toute l'Europe, avec l'ambassade de Suède, le Palais impérial : l'harmonie de chaque façade néo-classique se diversifiait grâce à l'emploi subtil du granit clair ou foncé, du badigeon terre cuite ou du stucage crème. Carl Ludwig Engel, architecte du nouvel Helsingfors, avait placé son chef-d'œuvre en retrait de la mer, sur la largeur de la place du marché, et l'avait couronné de la coupole bleue semée d'étoiles de la Nicholas Kirk ; il était mort avant son achèvement. L'immense cathédrale blanche, qui s'élançait vers le ciel comme le triomphe du témoignage chrétien, ne tarda pas à être cachée, aux yeux des passagers de la barque russe, par les rangs de cosaques en ordre de parade, qui attendaient au long du quai pour protéger l'arrivée du tsar.

L'incertaine lumière du soleil hivernal s'éteignit en moins d'une heure. Dès trois heures, les volets métalliques étaient refermés sur les fenêtres du charmant petit palais qui abritait les empereurs de Russie, quand ils venaient à Helsingfors en leur qualité de grands-ducs de Finlande ; on avait tiré les rideaux de satin dans le salon où Nicolas 1er donnait sa réception. Il ne subsistait maintenant aucun doute sur ce que contemplait le tsar : ses yeux suivaient ce qui se déroulait bien loin de là et son regard balayait sans les voir les invités qui passaient et repassaient avec gêne devant son trône.

Ses invités finlandais étaient, aujourd'hui, exceptionnellement agités. Ils devinaient, comprit Nicolas, furieux, une nouvelle qui demeurait encore le secret d'une minorité de Russes.

Peut-être avait-ce été une erreur de remettre le déjeuner prévu ce jour au palais du Sénat. Certes, Nicolas avait su qu'on serait froissé, qu'on échafauderait des suppositions, mais de cela, il se moquait. Dans la matinée, après avoir reçu en audience l'envoyé diplomatique britannique qui avait formulé son message avec une froide politesse, le seul désir du tsar avait été de traverser la baie, pour se rendre à la forteresse de Sveaborg. Pour se donner à lui-même l'assurance que le colossal barrage maritime, dressé sur le chemin de Saint-Pétersbourg, demeurait, comme toujours depuis qu'il était passé entre les mains des Russes, inexpugnable.

Avant une heure, à présent, il allait retrouver son conseil privé. C'était le nom donné pour la forme au groupe d'hommes qui avaient pour fonction de témoigner leur approbation aux décisions de l'autocrate. Il leur dirait, aussi brièvement que possible, quelle sorte de réponse il avait faite au gouvernement de la reine Victoria et à ce parvenu d'empereur des Français. C'était une réplique percutante. Elle ferait un excellent effet sur les Finlandais.

Seulement, bien sûr, ils sauraient, et le monde entier ne tarderait pas à l'apprendre également, que, pour la première fois en cinquante ans, la Russie avait été mise au défi par deux puissances occidentales et que les plans dressés par le tsar pour pénétrer plus avant encore en Europe Centrale avaient été déjoués. Nicolas 1er mordit sa lèvre exsangue et crispa les doigts sur les aigles sculptés du trône.

A travers les suaves harmonies de l'orchestre à cordes, il perçut un rire de femme.

— Qui est la dame capable de trouver quelque amusement dans cette ennuyeuse réception ? grinça-t-il à l'adresse de son entourage.

Et le grand-duc Alexandre, qui avait si souvent joué le rôle de conciliateur en Finlande, répondit vivement :

— C'est madame Karamsine, Sire.

— Aurora Karlovna ? Je n'avais pas la moindre idée qu'elle fût à Helsingfors.

Pour la première fois de la journée, le tsar sourit et corrigea son attitude rigide, pour mieux voir la bienheureuse créature qui avait ri au cours d'une réception impériale.

Aurora Karamsine, constata-t-il, était toujours aussi

belle. Presque aussi belle, la quarantaine passée, qu'à l'époque où elle avait fait ses débuts dans la société moscovite, jolie provinciale d'Helsingfors dont l'habile sœur connaissait tous les gens bien placés. Plus belle, certes, qu'aux pénibles jours de son bref premier mariage avec Paul Demidov, le Crésus des mines de l'Oural. Mariée une première fois pour une fortune fabuleuse ; mariée une seconde fois par amour ; dotée d'un fils séduisant, d'un palais à Saint-Pétersbourg et jouissant de l'amitié de toute la famille impériale... telle était la réussite de celle qui avait été la ravissante Aurora Stjernvall et qui, depuis vingt ans, était devenue presque une légende pour les gens simples d'Helsingfors.

— Je crois, dit le tsar à son fils, que je serais disposé à dire un mot à madame Karamsine !

Il se leva, en faisant signe aux musiciens de continuer à jouer. Une fois debout, sa déchéance physique vous sautait aux yeux. Près de quarante ans s'étaient écoulés, depuis l'époque de Waterloo, alors qu'à Paris on surnommait Nicolas et son frère Michael « les lumières du Nord », et le jeune et svelte colonel de 1815 s'était épaissi, alourdi. Sanglé, l'estomac remonté par un corset, il exhibait une poitrine horriblement bombée sous les décorations, tandis qu'il se dirigeait, à travers le salon, vers Aurora Karamsine.

La foule des invités s'ouvrit respectueusement pour lui livrer passage. Certains de ceux qui étaient là, jaloux de son immense fortune et de ses innombrables bonnes œuvres, avaient naguère répandu le bruit qu'Aurora Karamsine était la maîtresse du tsar ; d'autres prétendaient que le tsarévitch, tout comme son père, avait été son amant. Ils étaient heureux, à présent, de la regarder attendre fièrement le salut impérial : elle était le porte-bonheur d'Helsingfors, aussi belle qu'une rose épanouie.

Dans cette assemblée de Finlandais, Aurora était la seule femme à porter la classique tenue de cour russe. Le morne regard du tsar approuva la robe de satin blanc brodé d'or, la traîne de velours qui tombait d'une épaule et le *kokösnik* de diamants monté sur un long voile de blonde qui coiffait les cheveux lisses et noirs de madame Karamsine. Elle portait quatre rangs de perles égales et, sur une fine chaîne d'or de l'Oural, l'inestimable solitaire connu sous le nom de diamant Sancy, qui avait représenté le cadeau de noces de son premier mari, Paul Demidov.

— Voici un plaisir inattendu, Aurora Karlovna, dit la voix rauque du tsar. L'impératrice m'avait dit que vous aviez l'intention de vous rendre à Spa.

— Un peu plus tard dans la saison, Sire, répondit madame Karamsine en se relevant avec grâce après sa révérence. J'espère que Sa Majesté Impériale se porte bien ?

— Pas assez bien pour venir à Helsingfors, à mon vif regret. Et vous ? Habitez-vous votre maison de Träskända, ou êtes-vous descendue chez votre beau-père, à Hagasund ?

— Je suis à Hagasund, Sire, pour l'heureux événement de votre visite. Ma filleule m'y tient pour l'instant compagnie. Puis-je avoir l'honneur de la rappeler à votre bienveillante attention... Alexandra Gyllenlöve.

La jeune fille que Brand Endicott avait connue sous le nom d'Anna Larsson se tenait à un pas en arrière d'Aurora Karamsine, vêtue de satin blanc, elle aussi, mais sans la classique magnificence de son aînée et, très certainement, sans l'évident désir de plaire d'Aurora. Ses cheveux blonds se relevaient sous un *kokösnik* de perles et elle tenait haut la tête en s'avançant pour faire sa révérence au tsar. Elle avait conscience des regards et des sourires des plus jeunes parmi les grands-ducs, à la vue de la jeune fille qui s'était sauvée pour ne pas épouser Boris Apraxine ; elle sentait la détermination, sous les doigts légers d'Aurora posés sur son poignet ; elle voyait le joli sourire pensif, la tête couronnée de joyaux doucement inclinée, tout ce qui constituait la séduction étudiée d'Aurora pour l'autocrate. Mais Nicolas fronça les sourcils et dit avec irritation :

— Aha ! La fugitive ! Ainsi, vous avez pris en charge Alexandra Ivanovna, madame ? La place qui lui convient est auprès de son père. Sa maison, à Saint-Pétersbourg, lui est ouverte ; vous feriez mieux de l'y renvoyer sans retard.

— Est-ce un ordre, Sire ? dit Alexandra.

Mais déjà le tsar avait tourné les talons ; les paroles audacieuses de la jeune fille furent couvertes par le « Chut, Alix ! » scandalisé d'Aurora et les premières mesures du « Bojé Zara Chrani », le nouvel hymne national russe. Nicolas 1er se dirigeait maintenant vers ses appartements privés et, avec la foule qui commençait à refluer, les deux femmes furent entraînées jusqu'au vestibule où des valets impériaux leur apportèrent leurs pelisses.

De l'autre côté de la cour, un officier des gardes du corps finlandais, son bonnet d'astrakan gris incliné avec désinvolture sur l'oreille, les attendait pour les aider à monter dans la troïka de madame Karamsine.

— Nous n'attendons pas grand-papa ?

Le fils unique d'Aurora, l'enfant de son premier mariage, était descendu en courant du balcon de la salle du trône, où quelques jeunes gens avaient, avec l'autorisation du tsar, assisté à la réception, et avait rejoint les dames à la grille.

— Non, Paul. Il y a réunion du conseil privé, dit madame Karamsine.

Le jeune garçon de seize ans retrouva ses bonnes manières et aida Alexandra à disposer les plis de sa large jupe dans le traîneau capitonné de fourrures.

Ce genre de véhicule était rare sur la place du marché. Helsingfors n'était encore qu'une petite ville, qui avait moins de quarante ans dans sa forme moderne, et la plupart des invités du tsar pouvaient aisément regagner à pied leurs demeures, situées dans le voisinage immédiat. Tous devaient subir l'examen des cavaliers cosaques, qui arpentaient de long en large la place du marché, et l'inspection rigoureuse des officiers de garde à la barrière qu'on avait dressée pour maintenir le public dans les limites des jardins de l'esplanade.

— Que s'est-il passé, Alix ? s'écria Paul Demidov. Que t'a dit Sa Majesté ?

— Nikita a l'intention de m'envoyer en Sibérie, répondit irrévérencieusement Alexandra.

Ils étaient juste à la hauteur de la barrière qu'on levait pour laisser passer la troïka et sa voix claire résonna dans l'air froid jusqu'aux oreilles des citoyens pressés les uns contre les autres au long de l'esplanade nord.

— Alix, tais-toi ! Au nom du ciel, es-tu donc devenue folle ? s'exclama madame Karamsine.

Elle se pencha en avant pour ordonner au cocher, d'un ton pressant.

— Jakob ! Traverse jusqu'à la rue Alexandre et fais-nous sortir de cette foule !

L'homme répondit d'un signe de tête, fit claquer son fouet et la troïka vira sur la droite. Ils ne tardèrent pas à se retrouver dans la longue artère principale, où des lampes étaient déjà allumées dans les petites boutiques aux devantures de bois ; bientôt, ils sortiraient de la ville.

Alexandra se retourna et vit que madame Karamsine pressait contre ses paupières un mouchoir de dentelle.

— Aurora, je t'en prie, ne pleure pas, dit-elle. Personne ne devrait plus verser de larmes, voyons, sur ce que je fais ou ce que je dis !

— Ma chérie, tu es tellement imprudente, et la réception a été une telle déception...

— Tu te sentiras mieux sitôt rentrée.

Les yeux brillants et malicieux de l'adolescent allaient d'une femme à l'autre. Si Alexandra devait avoir des ennuis plus graves, il en serait ravi d'autant. Il la savait mal en cour avec les grandes personnes et, fort de cette assurance, il avait tenté de l'embrasser l'avant-veille au soir, mais il n'avait récolté qu'une paire de gifles. Furtivement, sous la couverture de zibeline, il pressa son genou contre celui de la jeune fille, en contemplant le profil impassible, tourné vers la rue, sans le moindre signe d'émotion. Il y avait plus de refus dans ce visage indifférent que dans une douzaine de soufflets. Boudeur, Paul Demidov se résigna à l'attente.

La troïka n'eut pas longtemps à suivre la route d'Abo avant d'arriver à la villa Hagasund. Par cette fin d'après-midi glacial, elle semblait vide et froide mais, dès qu'on entendit les clochettes de la troïka, des lumières s'allumèrent dans les pièces du rez-de-chaussée et la porte d'entrée s'ouvrit toute grande.

Alix suivit madame Karamsine à l'intérieur avec un soupir de soulagement. Pour elle, depuis l'enfance, Hagasund était comme un second foyer et, depuis deux semaines, il lui était également un refuge, vers lequel elle était d'autant plus heureuse de revenir que l'heure pénible de la réception du tsar appartenait maintenant au passé. Elle oublia la salle du trône et son étiquette inflexible dès qu'elle entra dans le charmant vestibule, où des tapis aux vives couleurs, tissés à la main, étaient jetés sur le dallage de pierre grise, où de hauts vases de porcelaine, pleins de tulipes et de narcisses de serre, étaient posés sur les consoles.

— Paul, mon chéri, dit madame Karamsine à son fils. Ton précepteur t'attend, j'en suis convaincue.

LA FORTERESSE

— Je croyais que j'avais congé, aujourd'hui.

Mais le jeune homme, nonchalamment, se dirigea vers ses appartements tandis que sa mère, écartant d'un geste la servante qui se disposait à la suivre, montait avec Alexandra l'escalier ciré pour gagner la chambre qui lui était réservée en permanence. Bien que madame Karamsine fût la maîtresse d'une fabuleuse demeure sur la Morskaïa et possédât, à Träskända, une maison finlandaise chère à son cœur, il lui plaisait d'occuper l'une des chambres les plus petites et les plus simples d'Hagasund, sous le toit du beau-père qui avait été bon pour elle depuis son enfance.

Alix y voyait de l'affectation, malgré son affection et son admiration pour sa marraine ; aujourd'hui même, en dépit de leurs relations tendues à se rompre, elle se trouvait capable d'apprécier la juvénile beauté de cette femme de quarante-cinq ans. Aurora ne cherchait pas à paraître jeune, n'était son aimable refus de se laisser appeler « marraine » ou « tante Aurora » par la jeune fille qui n'avait pas la moitié de son âge. Elle était jeune, simplement, souple et vivante ; ses cheveux sombres n'avaient pas un fil blanc et la coloration de son charmant visage était naturelle. Alexandra, qui l'observait attentivement, surprit le rapide regard qu'elle jeta au portrait de son mari, installé à la place d'honneur sur un petit chevalet près de son lit. Le colonel Karamsine qui avait rejoint le front du Danube, était représenté sous l'aspect de l'officier russe typique, la main glissée sous les boutons de son uniforme en un geste beaucoup plus napoléonien qu'il n'en avait jamais adopté, hors de l'atelier du peintre. C'était un être aimable et sans énergie. Alix ne lui avait jamais entendu exprimer un point de vue catégorique, une opinion positive, mais elle savait que sa marraine l'adorait et elle était suffisamment perspicace pour comprendre que c'était grâce à l'amour de Karamsine qu'Aurora restait jeune, belle et généreuse.

— Si tu ne veux pas que Verna vienne t'aider, dit-elle, laisse-moi le faire.

Elle se mit à l'œuvre pour dégrafer de l'épaule d'Aurora Karamsine la traîne de cour et pour détacher le flot blond du *kokösnik* orné de pierres précieuses. Aurora ôta elle-même le diadème de sa tête et s'assit avec grâce près de la table basse chargée de fleurs et de livres de dévotion.

54

NIKITA

— Assieds-toi, Alexandra, ma chérie, dit-elle doucement. J'ai à te parler.

La jeune fille n'obéit pas immédiatement. Elle était allée jusqu'à la fenêtre et contemplait, par-delà la neige, les eaux sombres de l'anse de Tölo, presque invisibles, maintenant, dans le crépuscule. Aurora vit les doigts d'une main se crisper sur les plis de la robe de satin blanc et remarqua avec un peu d'appréhension la ligne butée de la mâchoire. Puis, d'un geste inattendu, Alix arracha son diadème de perles et le jeta sur la courtepointe de soie bleue du lit de madame Karamsine.

— Et voilà! dit-elle. Je pense que je ne remettrai jamais ça.. Je vais demander à oncle Carl de le garder dans son coffre et, plus tard, j'en ferai cadeau à la petite fille de Kristina.

— Voyons, Alix chérie, il ne faut pas parler comme si c'était la fin du monde, sous prétexte que le tsar s'est montré un peu rude cet après-midi!

— Cette insulte en public, tu appelles ça être « un peu rude » ? Aurora, tu sais très bien que je me moque comme d'une guigne de ce que Nikita peut me dire à *moi*. Mais il s'est montré grossier envers toi aussi et c'est bien ce que je craignais quand je t'ai suppliée de ne pas m'emmener à cette horrible réception. Oh, je sais bien que ça ne durera pas! Il t'aime bien trop, ils t'aiment tous, mais tu te rends certainement compte qu'il m'est désormais impossible de reparaître à la Cour.

— Les Apraxine ont dû monter le tsar contre toi, dit Aurora. Vraiment, la princesse Apraxine s'est conduite d'une manière abominable! Ses commérages ont transformé en un scandale à la mesure de Saint-Pétersbourg une sotte escapade de jeune fille qu'on aurait pu facilement étouffer. Je vais écrire à Katia Karamsine et lui demander d'amener la tsarine à intercéder pour toi auprès de Sa Majesté.

— Crois-tu donc que Nikita écoute quelquefois la tsarine ? Moi pas!

— Alix, je t'en prie, n'appelle pas le tsar « Nikita » !

L'aînée des deux femmes considérait la plus jeune d'un air d'exaspération. Si juvénile, en sa robe blanche toute simple, si fragile d'aspect, avec ses traits délicats et ses cheveux d'or pâle, et, en même temps, si difficile à gouverner, pour les mains les plus tendres!

— Que vais-je faire de toi ? demanda-t-elle. A t'entendre, tout le monde a tort, sauf toi. Et vraiment, ma chérie, tu es tout de même quelque peu à blâmer pour cette sotte affaire de Gothenburg.

La jeune fille dit gravement :

— Je suis toute prête à en assumer la responsabilité.

— Vois-tu, quand ta tante Kitty t'a amenée chez moi le mois dernier, je trouvais sincèrement que c'était elle qui s'était montrée ridicule en te faisant quitter précipitamment la Suède. Pauvre chérie !

— Non, Aurora, ne lui donne pas du « pauvre chérie » ! Ce n'est pas bien à toi de te moquer de la pauvre tante Kitty. Elle a été si terriblement bouleversée, quand je me suis enfuie de Karinlund.

— Mais, continua Aurora, à présent que je sais quel parti la famille Apraxine tire de cette fugue, je commence à comprendre le point de vue de ta tante Kitty. Après tout, il y a d'autres moyens de rompre des fiançailles que celui que tu as choisi ! Boris représentait un plus beau parti que je n'en avais jamais espéré pour toi, mais ni ton père ni moi ne t'aurions forcée à l'épouser si ton cœur s'y refusait. Pourquoi ne pas t'être confiée à nous ? Pourquoi t'être enfuie pour t'embarquer sous un faux nom et te faire tirer de ce mauvais pas par Erik Kruse, justement lui ? Erik Kruse, qui a fait en sorte que tout le monde sache que tu avais passé une nuit à bord d'un bateau étranger, seule avec tous ces hommes, si bien que Boris n'a eu d'autre recours que de rompre lui-même les fiançailles...

— Non, Aurora !

Elle vit la jeune fille rougir furieusement et refouler un sanglot en se mordant les lèvres.

— Alix, regrettes-tu Boris Apraxine ? Veux-tu que je le fasse venir à Helsingfors ? Je suis convaincue qu'il viendrait volontiers, si seulement sa mère...

— Je ne veux plus jamais revoir le capitaine Apraxine.

— Y a-t-il un autre homme ? Ma chérie, ce n'est pas possible, après tout ce que nous avons appris sur son compte, que tu te sois éprise d'Erik Kruse !

— Je le déteste et tu le sais bien !

— Mais alors, pourquoi rougis-tu ? Est-il arrivé quelque chose, à bord de ce bateau ?

— Il n'est rien arrivé... Je n'y ai trouvé que bonté et protection.

— Alors, pourquoi te conduire en collégienne amoureuse ?

— Aurora, je t'en prie, cesse de me gronder !

— Je ne te gronde pas, j'essaie de découvrir la vérité. Y a-t-il vraiment quelqu'un que tu préfères à Boris ? Quelqu'un que tu as connu en Suède ? Alix, dis-le-moi. Tu sais bien que je ferai tout pour t'aider, si c'est en mon pouvoir.

Silence.

— Est-ce ce jeune Mannerheim ? Il te témoignait beaucoup de prévenances, l'été dernier, à Träskända.

— Carl-Robert ? C'est encore un enfant.

— Il n'a guère qu'un an de moins que toi, ma chérie...

Et, un peu tard, Alexandra se rappela que sa marraine était de six ans l'aînée d'Andrei Karamsine.

— Il ne venait que pour parler de l'avenir de la Finlande, dit-elle vivement.

— Ces sornettes d'étudiants, fit madame Karamsine avec dédain. Mais après tout, Carl-Robert n'est ton cousin qu'au second degré. Cela pourrait être une très bonne chose pour l'un comme pour l'autre.

— Je vois que le fiasco Apraxine ne t'a pas guérie de ta vocation de marieuse.

Aurora sourit.

— Si seulement ton père avait accompagné le tsar, dit-elle.

— Père est beaucoup trop intelligent pour risquer le genre d'affront que nous avons subi, toi et moi, cet après-midi. Par ailleurs, rien au monde ne lui ferait quitter madame Ourov pour venir à Helsingfors.

— Qu'en penseraient les Mannerheim, je me le demande, poursuivit Aurora sans se soucier de l'interruption. En rentrant à Saint-Pétersbourg, nous pourrions nous arrêter à Viborg et rendre visite au père du jeune homme.

Alexandra avait surmonté sa faiblesse. Sa voix ne contenait plus la moindre trace de larmes quand elle déclara :

— Une fois pour toutes, je n'ai pas l'intention de rentrer à Saint-Pétersbourg.

— Tu as entendu ce qu'a dit le tsar, non ?

— Je refuse à Nikita le droit de me faire rentrer en Russie.

— Alix, *tu ne dois pas* appeler Sa Majesté « Nikita » !

— C'est ainsi que l'appelait ton vieil ami Pouchkine, avant sa mort. Nikita ! Nikita-la-godiche ! Cet homme a une bonne demi-douzaine de surnoms, en Finlande. Sais-tu, par hasard, comment on l'appelle en Sibérie ?

— C'est ton empereur, Alexandra.

— Certainement pas.

— Très bien : ton grand-duc, si tu préfères. Mais, je t'en prie, ne fais pas de mélodrame, ne joue pas les Finlandaises, surtout pas en ce moment !

— Et pourquoi pas *en ce moment* particulier ?

— Parce que le tsar est dévoré d'inquiétude à cause de la guerre avec la Turquie. Comme nous tous.

— Et pourquoi Nikita se tracasserait-il pour quelques Turcs morts, ou même quelques Russes morts ? Il a déjà pas mal de cadavres sur la conscience.

— Alexandra !

— Songe aux hommes qu'il a massacrés pour obtenir le pouvoir. Songe à la conspiration de décembre ! Si Nikita, alors, a accédé au trône, c'est en pataugeant dans le sang des Russes.

— Cela se passait il y a près de trente ans, tu n'étais pas née, on ne pensait pas même à toi.

— Qu'est-ce que cela fait ? Nikita vivait, lui, et il est toujours le tsar de Russie ! Ryléyév est mort, comme ses camarades, comme les régiments massacrés sur la place Isaac, parce qu'ils préféraient pour empereur Constantin à Nicolas. Combien d'autres ont été envoyés dans les mines de Sibérie ? Combien sont encore détenus dans la forteresse Pierre-et-Paul à cause de ce qui s'est passé en décembre 1825 ?

— Ce sont là des propos séditieux ; tais-toi, Alexandra !

— As-tu donc peur qu'il y ait des espions à la villa Hagasund ?

La supposition semblait plausible, car madame Karamsine sursauta en entendant frapper discrètement à la porte et Alix elle-même jeta un coup d'œil inquiet par-dessus son épaule quand cette porte s'ouvrit. Mais ce fut seulement le maître de maison qui entra, son vieux visage au teint rose tiré par le froid.

— Toutes deux ensemble et encore à vos bavardages, mes chéries ? dit-il. Je vous croyais en train de prendre quelque repos, après la réception impériale.

— Nous ne vous attendions guère si tôt, père.

La belle-fille du sénateur se leva pour venir poser une main affectueuse sur son bras.

— La réunion du conseil privé a dû être fort brève.

— Brève, mais très grave. Voulez-vous venir toutes les deux au salon, je vous prie ?

La pièce voisine, dans laquelle le vieux gentilhomme les fit cérémonieusement passer, ne faisait pas partie des grands appartements de Hagasund ; c'était un aimable salon familial, meublé par Biedermeier, orné sur tous les murs des portraits de défunts Stjernvall, Willebrand et Mannerheim. On trouvait dans un coin une harpe, et de petites tables disposées pour le tric-trac ou les dominos, tandis qu'au centre de la pièce une table ronde, portant un surtout garni de narcisses blancs, était couverte d'albums d'aquarelles et de fusains. Sans demander aux jeunes femmes de s'asseoir, le sénateur Walleen vint se placer près de cette table et leur dit gravement qu'il avait de très mauvaises nouvelles à leur apprendre.

— Venant du conseil privé ? Oh, quelles sont-elles, père chéri ? demanda instamment Aurora.

— Hier soir, dit le vieillard, un officier anglais, le capitaine Blackwood, est arrivé à Helsingfors. C'était un envoyé du gouvernement britannique, qui apportait au tsar un message d'une grande importance. Il avait voyagé par terre de Königsberg à Saint-Pétersbourg et il était venu de la capitale jusqu'ici sous escorte. De sorte qu'il est assez inexplicable qu'on ne l'ait pas immédiatement amené à Sa Majesté, au lieu de le laisser se rendre à l'Hôtel de la Société, aussi tranquillement que s'il avait été chez lui, à Londres.

— Mais que contenait ce message, oncle Carl ? demanda Alix.

— J'arrive au message, dit-il d'un ton chagrin.

La jeune fille comprit qu'il y avait là quelque détail de protocole : il déplorait sans doute que le Sénat finlandais n'eût pas été informé de l'audience accordée par le tsar au messager, avant ou après qu'elle se fût déroulée, à huit heures du matin.

— Tout ce que nous savions, c'est que le déjeuner

offert par le Sénat devait être remis à demain. Bien plus tard, après la réception, on nous a informés que le gouvernement britannique avait adressé un ultimatum au tsar. La lettre qu'apportait le capitaine Blackwood n'était rien moins que l'ordre donné à la Russie de retirer toutes ses troupes des principautés danubiennes avant le trente avril. D'ici six semaines, exactement.

— Il n'y consentira jamais! s'écria Aurora Karamsine.

— Sa Majesté refuse même de répondre à un tel ultimatum. L'envoyé britannique avait pour instructions d'attendre six jours, afin de donner au tsar le temps de réfléchir à sa réponse. Il s'est vu immédiatement informer que le tsar de Toutes les Russies dédaignait de parlementer avec les Anglais sous la menace d'une guerre.

— Les Anglais vont donc se battre contre les Russes? murmura Alexandra.

— L'Angleterre déclarera certainement la guerre dès le retour à Londres du capitaine Blackwood.

— Et la France?

— L'empereur Napoléon III a adressé un ultimatum identique.

— Mais que peuvent bien faire les puissances occidentales? Andrei va-t-il être en danger, père? demanda la femme du colonel Karamsine.

— J'espère que non, ma chérie. De toute manière, il faudra des mois avant que l'Angleterre et la France puissent débarquer des troupes par mer à l'embouchure du Danube. Et il faudra bien qu'elles utilisent la voie maritime par la Méditerranée : il serait tout à fait inconcevable que l'empereur d'Autriche les autorise à traverser la Hongrie.

— Surtout pas s'il sait ce qu'est la reconnaissance, fit Alix avec un haussement d'épaules. Après tout, il n'y a seulement que quelques années que Nikita a aidé l'empereur François-Joseph à mater la rébellion de Budapest, en se servant de canons et de baïonnettes contre des étudiants armés de bâtons...

— Le front du Danube sera de moindre importance, coupa Walleen. Le principal théâtre de guerre sera la Baltique. Oui, Aurora, ma pauvre enfant, nous n'y pouvons rien! Une imposante escadre britannique attend l'heure d'appareiller dans la mer du Nord ; les Français suivront et, dès la débâcle des glaces, nous pouvons nous attendre à voir les ennemis de la Russie se montrer au large de la pointe de Hangö.

— Et la Finlande sera libérée ! s'écria Alix Gyllenlöve.

Le sénateur posa sur elle un regard incrédule.

— Libérée de qui ? demanda-t-il. Libérée de quoi ?

— De Nikita et de la tyrannie de la Russie.

— Alix, tu parles comme une sotte, dit Walleen, plus durement qu'il ne lui avait jamais parlé. La Finlande sera un champ de bataille. Nous serons pris, écrasés entre deux ennemis, comme nous l'avons été il y a cinquante ans. J'ai connu la dernière guerre, comme des milliers d'autres Finlandais, et crois-moi, c'est *nous* qui avons le plus souffert ! *C'est notre* pays qui a été ravagé — non la Russie ni la Suède — et, si les Anglais envahissent le grand-duché et attaquent les Russes sur notre sol, je te le dis, la Finlande sera de nouveau détruite !

— Et si les régiments finlandais refusent de se battre ? demanda Alexandra. S'ils jugent le moment venu de se soulever pour l'indépendance ?

— L'indépendance ? Epargne-moi ces sornettes nationalistes ! C'est la guerre, Alix ! La guerre, pas de la littérature. Ça n'a rien à voir avec la poésie qui vous faisait rêvasser, le petit Mannerheim et toi, l'été dernier, à Träskända...

— Comme vous nous encouragiez à le faire, ripostat-elle. C'est *vous* qui nous avez fait lire le *Kalevala* et étudier la langue finnoise...

— Et c'était bien joli de vous voir vous faire mutuellement la lecture, et parler de Vainamöinen et de la manière dont Lemminkäinen laboura le champ de serpents. Mais ce n'était que de la poésie, enfant, cela n'avait rien de commun avec la Finlande d'aujourd'hui. Ni avec la Finlande de demain, quand les Anglais viendront...

— Ce seront donc les Anglais qui laboureront le champ de serpents.

— Alix, réfléchis un peu à ce que tu dis, intervint Aurora. C'est mal, c'est sot, et ce n'est pas très gentil de ta part de discuter avec père.

— Mais la Finlande est mon pays, à moi aussi ! jeta Alix. Oncle Carl, je vous en prie, ne vous mettez pas en colère ! Rappelez-vous : vous êtes de ceux qui nous disaient sans cesse que les jeunes doivent apprendre à penser par eux-mêmes. Ne nous en veuillez pas si vous n'approuvez pas notre pensée !

Le silence pénible qui suivit fut interrompu par l'entrée timide d'une servante.

— S'il vous plaît, madame...

— Verna, nous ne voulons pas être dérangés...

— Madame, un monsieur étranger a demandé à voir Mam'zelle Alix. Il attend au salon.

— Le bijoutier français de la rue Alexandre, qui vient pour mettre au point l'emballage des cadeaux de mariage, fit Aurora. J'avais oublié que nous avions pris rendez-vous avec lui pour aujourd'hui. Mieux vaut que tu le voies, chérie, mais ne décide rien trop hâtivement : rien ne presse, pour renvoyer les bijoux Apraxine. Et débarrasse-toi de lui rapidement, surtout ! Nos invités vont commencer à arriver dans une demi-heure.

— Très bien, dit Alexandra.

Elle était heureuse de quitter la pièce avant que des remarques plus graves eussent été échangées et l'on pouvait toujours compter sur Aurora pour faire dévier la conversation. En fermant la porte, Alix entendit la douce voix plaintive commencer :

— Vous ne pensez pas que nous devrions remettre la réception, père chéri ?

Ses lèvres eurent un sourire contraint. Ni la crainte d'une guerre ni le danger n'étaient susceptibles d'intervenir entre Aurora Karamsine et n'importe quelle occasion mondaine, ne fût-ce qu'une réunion d'hommes mûrs, comme la paisible soirée qui devait se dérouler à la villa Hagasund. Aurora allait se reposer une demi-heure, remettre en ordre ses bijoux et sa magnifique chevelure brune et faire ensuite son entrée, prête à charmer tout le monde.

Alix, à vingt ans, n'éprouvait pas le besoin de se reposer. L'expression de sa haine à l'égard du tsar et de son pays, la nouvelle de l'ultimatum britannique avaient fait circuler dans ses veines un courant d'énergie. Elle eût aimé, à présent, mettre son manteau et ses bottes fourrées pour se glisser hors de la maison, descendre rapidement jusqu'à la route d'Abo dans les ornières profondes laissées dans la neige par les traîneaux et regagner la ville. Elle eût aimé rôder sur la place du marché, autour des grilles du palais impérial, en pensant à l'autocrate qui y résidait et aux *ukases* qui tombaient de sa plume tandis qu'il signait les ordres qui allaient faire savoir à toute l'imposante machinerie de l'empire que la Grande-Bretagne avait lancé un défi au tsar. Ce fut avec impatience qu'elle vit un rai de lumière sous la porte du salon. Dans cet état d'excitation, la seule idée de régler avec le bijoutier de la rue Alexandre le retour de ses cadeaux de mariage lui faisait horreur.

Cependant, l'homme avait fait pas mal de chemin dans la neige ; il fallait le recevoir. Elle se raidit pour en finir le plus vite possible avec cette corvée. Tout devait être retourné, et tout de suite, quoi qu'en pût dire Aurora ! Alix effleura le collier de perles, sur sa gorge. Celles-ci, du moins, lui appartenaient, c'était l'un des rares objets de valeur qu'elle possédât. Elle ouvrit la porte et vit... Brand Endicott.

Les domestiques, qui n'avaient pas bien saisi le nom étranger de Brand, avaient hésité à introduire un monsieur aussi grand et témoignant d'une telle assurance dans la petite pièce qu'on réservait d'ordinaire aux fournisseurs et aux messagers. On avait mené Brand directement au salon, assez vaste pour qu'on l'appelât la salle des banquets de la villa Hagasund : une longue table y était déjà drapée de damas blanc et ornée de fleurs de serre, pour les invités attendus. Les rideaux de soie, tirés sur les trois hautes fenêtres, empêchaient de contempler le lugubre paysage de l'anse, mais on n'avait pas encore allumé les lampes, sur les consoles dorées, entre les fenêtres, et les angles de la grande salle restaient dans l'ombre. Alix traversa la flaque de lumière, sous le lustre, et s'avança vers Brand pareille à quelque nébuleux esprit de la neige.

Puis il sentit dans la sienne la main de la jeune fille, de chair et d'os, et il s'inclina avec des paroles insignifiantes :

— Je suis votre serviteur, miss Larsson ! J'espère que vous êtes en bonne santé ?

— Capitaine Endicott !

Il vit qu'il lui avait donné un choc, en la prenant ainsi totalement par surprise. Mais elle eut assez de dignité pour continuer, après une imperceptible hésitation :

— Je suis très heureuse de vous revoir. J'ai pensé bien des fois à vous. Puisque vous avez trouvé votre chemin jusqu'ici, vous devez savoir que je ne m'appelle pas Anna Larsson. Je suis Alix Gyllenlöve.

— Je le sais, en effet, et je dois vous demander pardon d'une bien mauvaise plaisanterie. En ce qui me concerne, vous pouvez bien vous donner tous les noms qu'il vous plaira. Je ne suis venu en Finlande que pour m'enquérir de vous et m'assurer par moi-même que vous étiez saine et sauve et parmi des amis.

— Je ne comprends pas, dit-elle. Comment avez-vous su où me trouver ? Le *Girdleness* est-il à Abo ?

— Pour ce que j'en sais, le *Girdleness* pourrait tout aussi bien être au fond de la mer, dit Brand, brutalement.

C'était ainsi qu'il avait décidé de lui parler : il voulait la mettre dans son tort, lui faire comprendre ce qu'il lui en avait coûté de prendre sa défense. Mais déjà, il faiblissait sous le charme de sa présence et de la séduction qu'il se rappelait si bien. Elle paraissait tout autre, avec ses cheveux blonds relevés très haut et son cou nu, sur lequel le rang de perles — simple collier, pour Brand — se voyait à peine contre une peau si blanche ; mais c'était toujours la jeune fille de Marstrand et du quai de Pierre et Brand Endicott n'avait pas plus le courage de lui en vouloir de sa mésaventure qu'il n'avait eu celui de la laisser, en cette nuit de février, passer les heures qui les séparaient de l'aube au pied de la forteresse de l'île. Il reprit, plus calmement :

— J'ai retrouvé votre ami Carl Larsson, là-bas, à Kungälv, et nous avons eu une conversation. Enfin... conversation... ce n'est peut-être pas le mot juste : nous avons tout bonnement fait de notre mieux avec les quelques mots que nous avions en commun, mais il m'a dit que vous étiez chez madame Karamsine, à Helsingfors. A mon arrivée d'Abo par la chaise de poste, aujourd'hui, il m'a été très facile d'apprendre qu'elle résidait à la villa Hagasund.

— Oui, bien sûr, tout le monde le sait... Comment va Carl ?

Parmi les réponses qu'il avait préparées pour ce genre de question, il y avait celle-ci :

— La journée qu'il a passée au pilori, à Gothenburg, ne lui a rien valu !

Mais, le regard plongé dans les yeux gris suppliants, il ne put l'articuler. Il dit :

— Très bien, et il vous envoie ses respects, comme toujours ; du moins est-ce ce que j'ai cru comprendre. Mais

64

notre conversation, si l'on peut dire, a été fréquemment interrompue. Une espèce de grosse souillon est restée presque tout le temps dans la même pièce que nous, et elle ne cessait de lui dire de se taire. Svea, il l'appelait.

— C'est la bru de Carl. Il la déteste. C'est Svea qui a dit à Erik Kruse où nous étions, cette nuit-là.

— J'aimerais en savoir davantage sur Erik Kruse.

— C'est lui qui... qui m'a ramenée de Gothenburg à Karinlund.

— Et qui m'a fait arrêter et jeter en prison le lendemain.

— Voulez-vous dire que vous avez été *en prison ?*

— Pendant dix jours.

— Mais... c'est la chose la plus affreuse qui puisse arriver à n'importe qui ! Oh, capitaine Endicott, comment pourrais-je vous demander de me pardonner ?

— Vous pardonner, à vous ? C'est à moi que je ne peux pardonner, pour n'avoir pas pris meilleur soin de vous. J'aurais dû vous garder à bord, vous faire passer au Danemark ou même en Ecosse, plutôt que de vous laisser tomber entre les mains de cet homme. Au moins, vous a-t-il traitée convenablement ? Vous a-t-il ramenée directement à la dame de Karinlund ?

— Carl vous a parlé de tante Kitty ?

— Je ne pouvais pas tout comprendre de ce qu'il disait, vous savez.

Alix soupira.

— Vous méritez bien de connaître la vérité sur nous tous. Mais je vous en prie, expliquez-moi d'abord ce que vous vouliez dire, en parlant de votre bateau ? Est-il possible que vous n'en soyez plus le capitaine ?

— J'ai été relevé de mon commandement pour avoir été jeté en prison, lui dit Brand d'un air sombre.

Alix retint son souffle.

— Mais c'est monstrueux ! Vous n'aviez rien fait de mal !

— J'avais même été payé pour ce que j'avais fait.

Il avait la broche dans sa poche. Il avait eu l'intention de la lui rendre avec élégance, mais le petit discours amer était sorti malgré lui. Il eut un remords en voyant qu'il l'avait profondément bouleversée.

— Je veux vous remercier du fond du cœur de m'avoir donné ceci, dit-il en mettant dans sa main glacée les lour-

65

3

des feuilles d'or sur leur tige de diamants. Vous savez certainement qu'il m'est impossible de conserver un objet d'une telle valeur. Je vous demande, je vous prie, de le reprendre.

Elle leva les yeux vers lui ; ils révélaient le trouble profond, l'esprit partagé que Brand commençait déjà à reconnaître en Alix Gyllenlöve.

— Je savais bien que ce cadeau ne convenait pas à un homme, dit-elle. Mais vous refusiez de me laisser payer notre passage et je n'avais pas grand-chose d'autre à donner. J'ai pensé que vous aimeriez peut-être avoir ma broche comme porte-bonheur... pour la donner un jour à celle que vous aimez.

— Voulez-vous me la garder jusqu'à ce que j'aie trouvé cette femme-là ?

— Si vous le voulez.

Alix tournait et retournait entre ses doigts la broche d'or et les gouttes de rosée en diamants étincelaient à la lumière des bougies.

— Quand vous m'avez vue à Marstrand, dit-elle tout à trac, je me sauvais de chez ma tante, la comtesse Kruse : c'est le vieux manoir des Gyllenlöve, là où vivaient mes ancêtres, il y a deux cents ans, avant de quitter la Suède pour s'établir en Finlande.

Brand hocha la tête.

— Tante Kitty est la seconde épouse du comte Kruse. De son premier mariage, il avait un fils, Erik, qui a été élevé en Prusse, dans la famille de sa mère. C'était une Fräulein Müller, elle venait d'une riche famille d'armateurs de Lübeck.

— Mais, à présent, il habite Karinlund ?

— Erik ? Il est officier dans les gardes du corps suédois, détaché au Troisième District militaire, à Gothenburg. Sa belle-mère — Tante Kitty — l'aime beaucoup. Il est à Karinlund toutes les fois qu'il peut obtenir une permission.

— Il espère devenir un jour le seigneur du manoir ?

Elle dit avec amertume :

— S'il en était ainsi, tous les métayers jusqu'au dernier émigreraient aux Etats-Unis ! Ils le détestent pour les grands airs qu'il se donne. Et il y a eu, l'an dernier, un scandale terrible à propos d'une jeune paysanne qui s'est noyée dans la Nordre après avoir été séduite par lui. Mais les fermiers ont une consolation : le domaine est substitué au profit de mon père. De là, naturellement, les assiduités d'Erik auprès de moi.

— Est-il sans fortune ?

— Oh non ! Sa famille prussienne est extrêmement riche. Il trouve élégant de faire partie des gardes et il pose à l'héritier de Karinlund, mais, en vérité, il a des intérêts dans la compagnie des Mülier de Lübeck. Il a persuadé tante Kitty d'investir quelque argent dans certaines de ses combinaisons et elle le prend pour un homme d'affaires merveilleux.

— Etait-ce pour échapper aux attentions du capitaine Kruse que vous vous sauviez, avec un vieux domestique pour garde du corps ?

— Un domestique qu'Erik a fait chasser du manoir par tante Kitty, soit dit en passant. Non, ce n'était pas à Erik Kruse que je cherchais à échapper. Je voulais rompre des fiançailles que j'avais contractées ... en Russie.

— Vous aviez changé d'avis, à propos du monsieur en question ?

— Mon avis, c'était celui de ma marraine et de mon père. Mais quand je suis allée passer la Noël en Suède, quand j'ai pu aller où me semblait — à travers bois jusqu'à Kungälv et, très souvent, par bateau jusqu'à Marstrand, avec Carl, — quand j'ai senti le vent libre qui soufflait de l'Ouest, alors, je... alors, je...

L'Américain contemplait avec compassion les lèvres tremblantes. Aller où bon lui semblait avait toujours été l'idée qu'il se faisait lui-même de la liberté. Mais, récemment, il avait connu la prison ; il comprenait vaguement que cette jeune fille était une captive.

— Vous êtes donc revenue chez madame Karamsine, dit-il lentement. Va-t-elle vous faire changer d'avis une fois encore ?

— Elle aimerait renouer mes fiançailles avec le capitaine Apraxine. Mais — regardez son portrait — madame Karamsine est trop bonne, trop douce pour contraindre quiconque.

Le portrait qu'elle désignait, peint l'année précédente par Pérignon, de Saint-Pétersbourg, était accroché au mur resté dans la pénombre, au-dessus du piano à queue. Brand devina des yeux bleus, un nuage de cheveux noirs, des rangs de perles sur une gorge blanche et une impression de draperies, de dentelles et de fleurs.

— Quelle ravissante créature ! dit-il impulsivement.

— Que c'est délicieux d'entendre dire de telles choses sur son propre compte !

Aurora Karamsine avait parlé du seuil. Elle était souriante et gracieuse quand Brand et Alix se retournèrent vers elle. Alix présenta vivement : « Le capitaine Endicott, mon sauveur de Marstrand. »

— Les servantes m'annonçaient qu'un monsieur étranger était là, dit Aurora en tendant la main à Brand. Mais vous n'êtes pas un étranger ici, monsieur ! Nous vous sommes tous reconnaissants de la bonté que vous avez témoignée à Alyssa Ivanovna.

Mais pourquoi m'a-t-elle désignée par mon nom russe ? Il y avait un soupçon de rancune, sous l'émotion qui agitait le cœur d'Alexandra, tandis que le salon, brillamment illuminé, maintenant, se remplissait rapidement des invités du sénateur Walleen et que commençait la réception. Alyssa Ivanovna : c'était ainsi qu'on la nommait à Saint-Pétersbourg, cela ne convenait pas du tout à Helsingfors.

Mais en circulant parmi les invités, Alix remarqua avec quelle habileté Aurora manœuvrait l'assemblée, en cette soirée difficile de l'ultimatum britannique. Elle mêlait adroitement les Finlandais de Saint-Pétersbourg à ces messieurs d'Helsingfors, membres de l'Union Artistique et de la Société Littéraire qui soutenaient le nationalisme naissant du grand-duché ; elle faisait en sorte d'éloigner les deux partis des sujets de polémique, tout en présentant l'hôte américain à tous ceux qui pouvaient s'entretenir avec lui en anglais. Alix trouva que Brand Endicott, lui aussi, s'en tirait fort bien. Elle l'entendit répondre bravement à un sénateur qui voulait connaître l'attitude de l'Amérique en face de la guerre russe ; et elle se sentit fière de voir et d'entendre le capitaine au jersey et au rude caban avoir si belle allure et parler aussi bien dans l'univers complexe où il l'avait suivie. Elle allait le libérer du sénateur et le présenter à l'une des rares femmes présentes quand elle entendit le majordome annoncer :

— Le capitaine Erik Kruse.

Avec un sursaut d'étonnement, Alix jeta un coup d'œil vers Brand. Elle vit qu'il avait entendu le nom, bien que le domestique n'eût pas parlé très fort, et que les invités fussent peu nombreux à regarder vers la porte. Le sénateur Walleen, un peu sourd et soucieux, n'avait certainement pas entendu annoncer le nouvel arrivant. Ce fut madame Karamsine, seule, qui s'élança vers Kruse, avant qu'il pût pénétrer dans la salle, et l'intercepta sur le seuil.

— Bonsoir, capitaine Kruse, dit-elle d'un ton glacial. Voudriez-vous avoir la bonté de venir par ici ?

Alix était à ses côtés, et Brand un pas en arrière, quand madame Karamsine fit entrer le capitaine Kruse dans le petit salon où le vieux sénateur avait parlé aux deux femmes de la guerre imminente. Là, dans la lumière de la lampe, Brand put, pour la première fois, examiner son adversaire du quai de Pierre, tandis qu'Alexandra le retenait d'une main posée sur son bras et que l'officier suédois les regardait tous de sous ses paupières mi-closes.

Kruse était en tenue de soirée classique et il la portait fort bien, car le noir et le blanc convenaient à ses cheveux roux, à son teint pâle, et il avait le maintien d'un soldat. Pour l'instant, il était visiblement surpris par la rapide intervention de madame Karamsine qui l'avait éloigné du reste de la compagnie. Il se mordit la lèvre.

— J'espère, madame, que ma visite ne vous dérange pas. Je souhaitais simplement vous présenter mes hommages, ainsi qu'au sénateur Walleen, et, naturellement, prendre des nouvelles de ma charmante cousine, Alexandra.

— Le sénateur et moi sommes occupés, ce soir, dit Aurora. Mlle Gyllenlöve vous remercie de votre sollicitude.

— Quel vent mauvais vous amène en Finlande, Erik ? demanda Alix.

Il se retourna vers elle avec vivacité.

— Je suis en permission, Alix. Je me rends en Russie pour une chasse à l'ours. Quand rentrez-vous à Saint-Pétersbourg ?

— Et quand pourrai-je vous dire un mot en tête à tête ? intervint Brand.

Madame Karamsine se retourna brusquement.

— Capitaine Endicott ! Je n'avais pas la moindre idée... Je... Nous avons à discuter de questions de famille.

— Pardonnez-moi, madame, dit Brand. J'étais fort désireux de rencontrer de nouveau le capitaine Kruse. Notre

69

dernière rencontre s'est déroulée sur le quai de Pierre, à Gothenburg...

— Vraiment ? fit Kruse, avec un sourire. Etes-vous l'homme que j'ai vu emmener pour s'être chamaillé avec le guet, alors que moi-même et mes camarades officiers nous escortions Mlle Gyllenlöve jusque chez elle ?

— M'être chamaillé avec le *guet* ! fit Brand. M'être battu avec *vous*, voulez-vous dire ! Quand voulez-vous me rencontrer, monsieur, et où ?

— Je suis l'hôte du palais impérial, dit Erik Kruse. Croyez-vous avoir la possibilité d'y obtenir vos entrées ?

Brand fit un pas en avant. Dans le visage moqueur qu'il avait devant lui, il voyait personnifiées toute sa malchance, toute sa rancœur. Il avait sur le bout de la langue le mot « poltron ! », qu'il eût fait suivre d'un coup de poing. Mais madame Karamsine s'avança entre eux, avec l'assurance de qui est accoutumé aux querelles russes d'après souper, et dit tranquillement :

— Vous avez créé assez d'ennuis à Alix, capitaine Kruse. Il n'y aura plus de scandale tant qu'elle sera sous ma garde. Capitaine Endicott, je vous sais homme d'honneur ; prouvez-le en retournant au salon avec Mlle Gyllenlöve, pour m'y attendre. On ne laisse jamais un invité quitter cette maison sans lui avoir offert quelque chose ; mon fils Paul fera donc fonction d'hôte pour le capitaine Kruse.

... N'est-elle pas habile ? souffla Alix, quand ils se retrouvèrent dans le salon plein de monde. Emmener Erik à la salle d'étude... le plus bel affront qu'elle pouvait lui infliger...

— Deux fois trop habile pour moi, fit Brand, l'air sombre. Cela signifie que Kruse m'échappe une fois encore, voilà tout.

— Vous échappe ?

— Oui. Mais je le retrouverai à Helsingfors...

— Oh, je vous en prie, je vous en prie, n'allez pas le poursuivre et me créer, *à moi,* d'autres désagréments !

Brand la regarda et le voile sanglant se leva de ses yeux. Elle avait raison, naturellement : il ne pouvait faire scandale à la villa Hagasund et elle avait eu déjà assez d'ennuis.

— Il faut que je vous parle de tout cela, dit-il.

— Demain... il y aura une autre soirée et je sais que le sénateur va vous inviter à revenir...

— Non, pas dans une pareille foule ! Ne puis-je vous voir, ici ou ailleurs, mais seule ?

Ils étaient seuls, à présent, comme s'ils se retrouvaient dans la cabine du *Girdleness*, malgré les invités du sénateur qui circulaient autour d'eux, allant au buffet pour en revenir avec des assiettes bien garnies, malgré les domestiques qui apportaient d'autres bouteilles de champagne. Alix dit, d'une voix assourdie par le bruit de la réception :

— Demain a lieu le déjeuner offert par le Sénat au tsar. Je pourrai m'échapper pendant qu'ils se prépareront à s'y rendre et vous retrouver en ville. Connaissez-vous la Pierre de l'impératrice, sur la place du marché ?

— Je la trouverai.

— Soyez-y vers onze heures. Voici Aurora !

Madame Karamsine entrait, seule. Elle parla à un certain nombre d'invités avant d'apercevoir Brand et Alix.

— As-tu laissé Erik dans la salle d'étude ? demanda la jeune fille avec un rire nerveux.

— Le capitaine Kruse est parti presque aussitôt, Alix, ma chérie, dit tranquillement Aurora. Il s'est rappelé un autre rendez-vous.

Brand, lui aussi, était disposé à partir sans délai. Mais ses adieux cérémonieux prirent un certain temps, ceux qu'il fit à Alix se prolongèrent et les domestiques se montrèrent curieusement lents à retrouver son manteau et ses galoches. Quand, enfin, il quitta la maison, la neige tombait. Il scruta, d'un côté et de l'autre, la route qui menait d'Abo à Helsingfors. Toutes les traces laissées par les patins des traîneaux avaient été effacées ; il n'y avait aucun signe, entre la villa Hagasund et la ville, du passage d'Erik Kruse.

CHAPITRE IV

UN INCONNU A LA RESCOUSSE

EN PRENANT CONSCIENCE de la lumière qui lui tombait en plein visage, Brand se crut de retour dans la cellule de détention préventive, à Gothenburg, quand Sven Svensson se penchait vers lui et que la flamme de la bougie vacillait sur la table. Il poussa un soupir et serra ses poings sur ses yeux, mais une main brutale le secoua par l'épaule, une voix prononça son nom et il se rendit compte qu'il était couché dans son lit d'hôtel, à Helsingfors.

— Qu'est-ce qui se passe ? D'où diable sortez-vous ? demanda-t-il.

Ses yeux étaient aveuglés par la lumière d'une grosse lanterne. Il saisit la main qui tenait celle-ci, écartant ainsi la lumière. Trois hommes se trouvaient dans sa chambre, deux près du lit, un autre sur le seuil. Quand le troisième parla, Brand reconnut la voix du gardien de nuit.

— M. Endicott, ce sont les officiers de la Sûreté russe. Ils désirent vous questionner.

— En pleine nuit ?

— C'est le matin, monsieur. Vous avez bien dormi.

— J'avais fermé ma porte à clé. Vous avez dû vous servir d'un passe-partout.

— C'est le règlement, monsieur, fit l'employé, craintivement. Je vous en prie, ne faites pas de difficultés.

Brand avait trouvé sa montre, sous son oreiller.

UN INCONNU A LA RESCOUSSE

— Il n'est que cinq heures moins dix, dit-il. Pourquoi diable ne peuvent-ils poser leurs questions à une heure raisonnable ?

— M. Endicott... commença le Russe qui tenait la lanterne.

— Laissez-moi m'habiller un peu, voulez-vous ? interrompit Brand en le repoussant.

Il sortit du lit ; la chambre était glaciale. Il enfila son pantalon, boucla sa ceinture et referma la fenêtre. Tandis que l'employé, tout heureux, se glissait dans le couloir, Brand tira les rideaux et alluma les bougies sur la table de toilette. Cette nouvelle source lumineuse réduisit l'effet brutal de la lanterne et lui permit de mieux voir les Russes. C'étaient des hommes de haute taille, vêtus de lourds manteaux qui paraissaient de coupe civile et n'en avaient pas moins une allure militaire ; leurs faces inexpressives étaient surmontées de bonnets de fourrure, sans insigne. L'homme qui tenait la lanterne devait être le chef, à en juger selon les apparences. Il la posa, déplia quelques papiers qu'il tenait dans sa main libre et attira une chaise devant la table à écrire de Brand aussi froidement que s'il se trouvait dans un bureau de ministère.

— Voyons, monsieur, commença-t-il, en un anglais lent, mais correct, êtes-vous disposé à m'accorder votre attention ?

Brand se laissa aller dans l'unique fauteuil de la chambre et répondit négligemment :

— Allez-y.

L'autre consulta ses papiers.

— Vous vous êtes inscrit à cet hôtel sous le nom de M. Endicott. Quand êtes-vous arrivé à Helsingfors ?

— Hier après-midi.

— Pourquoi n'avez-vous pas remis votre passeport à l'hôtelier ?

— Je n'ai pas de passeport.

Les Russes tinrent un conciliabule à voix basse, le second penché sur la chaise du premier.

— Par où avez-vous pénétré dans le grand duché de Finlande ?

— Abo, je suppose.

— Vous *supposez* ? De quel port avez-vous fait la traversée jusqu'à Abo ?

— Stockholm.

— Directement ?

— Par le paquebot-poste, via les Iles Aaland.

— Quel paquebot ?

— *L'Eckerö.*

— Ah ! Vous êtes passé ensuite par Degerby ?

— Oui.

— Etes-vous descendu à terre ?

— Certainement. J'ai passé la nuit à l'auberge du village.

— Savez-vous que les îles sont sous la domination du tsar ?

— Je n'y avais pas pensé.

— Les îles Aaland font partie intégrante du grand-duché de Finlande. Avez-vous montré votre passeport, à l'auberge de Degerby ?

— Je n'ai pas de passeport, dit patiemment Brand.

— Vous rendez-vous compte que c'est une faute grave, de la part d'un Anglais, que d'entrer sans laissez-passer en territoire russe ?

— C'est bien possible. Mais il se trouve que je suis citoyen américain.

Nouveau conciliabule à voix basse. Puis :

— Quand êtes-vous arrivé à Abo ?

— Il y a deux jours. C'est-à-dire trois, maintenant.

— Avez-vous montré votre passeport à l'hôtelier d'Abo ?

— On ne me l'a pas demandé.

— Tiens ! Vous reconnaissez maintenant avoir un passeport !

— Attendez, voulez-vous, dit Brand.

La veille au soir, il était plus las qu'il ne voulait se l'avouer et, à l'entrée des officiers de la Sûreté, il dormait profondément. Mais il était bien éveillé, maintenant, et son esprit alerte était en garde contre les questions répétées, les tentatives délibérées pour le confondre.

— Je n'ai pas reconnu que je possédais un passeport, dit-il. Si on ne me l'a pas demandé, à Abo, c'est que je ne suis descendu dans aucun hôtel. Je suis parti immédiatement pour Helsingfors en chaise de poste. J'ai apposé ma signature dans les registres de tous les relais, ainsi, m'avait-on dit, que la loi l'exigeait, mais je suis bien incapable de vous montrer un passeport parce que je suis citoyen américain et que personne ne m'a averti qu'il me faudrait

74

un bout de papier pour prouver que j'avais le droit d'aller où bon me semblait en Europe.

— Vous prétendez ne pas être Anglais ?

— Je vous répète que je suis Américain.

— Pouvez-vous me montrer une preuve quelconque de votre nationalité ?

Brand s'était attendu à cette question. Il se leva pour prendre son portefeuille sous son oreiller. Il contenait la lettre de crédit de Tarras & Cie, qui pouvait faire croire qu'il était toujours au service d'une firme commerciale britannique, mais aussi le brevet de capitaine au long cours qu'il avait obtenu aux Etats-Unis. Il sortit vivement celui-ci du portefeuille, qu'il fourra, avec la lettre de crédit, dans sa poche-revolver, et tendit le certificat aux Russes. Il vit que cela leur faisait grosse impression.

— Vous voyez, dit-il, je suis Américain. Mon pays n'est pas en guerre avec le vôtre et il est peu probable qu'il le soit jamais. Et si l'on met en doute mes droits de citoyen, je suis tout prêt à porter l'affaire devant notre ambassadeur à Saint-Pétersbourg.

L'homme qui l'interrogeait, après avoir échangé quelques mots avec son collègue, se fit plus conciliant.

— Nous acceptons votre déclaration selon laquelle vous êtes Américain, M. Endicott. Mais vous comprendrez certainement que tous les étrangers résidant à Helsingfors soient soumis à une surveillance particulière durant la visite de Sa Majesté Impériale. En ce qui vous concerne, nous désirons savoir ce qui vous a amené en Finlande à ce moment précis ?

— Affaires privées.

— Soyez plus explicite, je vous prie.

— Cela concerne le sénateur Walleen, dit Brand, mû par une soudaine inspiration. Je serai, ce soir, à la réception qu'il donne à la villa Hagasund.

Cette déclaration eut pour conséquence un conciliabule plus prolongé encore, au cours duquel Brand entendit à plusieurs reprises murmurer le mot *tsarévitch*. Finalement, l'officier prit parmi ses documents une feuille blanche et trempa une plume dans l'encrier de l'hôtel.

— Fort bien, dit-il. Je suis tout disposé à vous remettre un permis de sortie qui vous donnera la possibilité de séjourner à Helsingfors jusqu'à demain. Pour le faire renouveler, vous devrez vous adresser au commissariat de police principal. Ce permis devra être timbré par tous les maîtres de poste que vous trouverez sur votre route et laissé au bureau des douanes d'Abo avant votre départ. Est-ce bien clair ?

— Je pense que oui, dit Brand.

Il ne fit pas le moindre geste pour prendre le papier et se contenta d'un petit signe de tête lassé à l'adresse des deux Russes qui s'inclinèrent brièvement avant de sortir. Alors, d'un bond, il fut à la fenêtre et éteignit les bougies avant de soulever le lourd rideau de reps pour jeter un coup d'œil dans la rue. Il était maintenant cinq heures et demie et il faisait encore nuit noire, mais on allumait des lampes parmi les bâtiments du port et le palais impérial, qu'il voyait en diagonale de l'autre côté de la place, était illuminé. La porte ouverte de son hôtel éclairait une file de soldats qui attendaient, l'arme au pied, soufflant sur leurs doigts et battant la semelle dans la neige. Les deux officiers de la sûreté sortirent de l'hôtel. Les hommes se mirent au garde-à-vous, se rangèrent derrière eux et s'éloignèrent au pas cadencé vers la ville. Brand laissa retomber le rideau ; il lui était venu à l'esprit que c'était exactement, par le nombre, l'escorte qui convenait pour conduire jusqu'au poste de garde un prisonnier réfractaire. Il se demanda si c'était à Erik Kruse qu'il devait cette visite des officiers de la Sûreté.

Bien avant l'heure fixée par Alexandra Gyllenlöve, il était sur la place du marché. Il faisait terriblement froid et le jour n'était pas propice à la flânerie, mais il ne se sentait plus à son aise, à l'hôtel : il avait l'impression d'être sous surveillance et il avait envie de se perdre parmi les gens ordinaires de la ville. Ils se trouvaient par centaines sur la place du marché, en bien plus grand nombre que les revendeurs russes, en blouses criardes et pantalons d'un blanc sale, dont les petites voitures s'alignaient sur le pourtour du marché. Les véritables boutiques en plein vent étaient installées, rangées après rangées, devant la Pierre de l'impératrice, bien en évidence au beau milieu de la place : c'était un haut obélisque de granit, surmonté de l'aigle russe, qui commémorait, ainsi que le disait l'inscription, la première visite en Finlande de l'actuelle tsarine. Brand parcourut les allées entre les éventaires. Il contempla le port Sud, rouvert à la circulation normale, et la ligne basse, irrégulière des îles qu'on distinguait à moins de quatre kilomètres ; un batelier lui dit qu'il s'agissait de la forteresse de Sveaborg.

Il vit qu'au bas de l'esplanade se trouvait un petit marché aux fleurs où semblait se concentrer toute la couleur d'Helsingfors. Là, les boutiques en plein vent prenaient la forme de petites boîtes hautes sur pattes, munies de vitrines derrière lesquelles des bougies allumées protégeaient les fleurs du froid. Sous le ciel gris et les arbres dépouillés de l'esplanade, les minuscules points lumineux, brouillés par les dessins du givre sur les vitres, dotaient d'un charme particulier et touchant les pauvres pots de crocus et de perce-neige et les tulipes, les narcisses, plus coûteux, qu'on vendait par deux ou par trois à la fois. Brand contemplait ce spectacle avec intérêt et sa sympathie allait croissant. Les Finlandaises qui rentraient chez elles avec quelques légumes d'hiver et un peu de poisson à bas prix dans leurs paniers tressés étaient de toute évidence très pauvres, et fagotées avec leurs vêtements ouatinés et leurs mouchoirs de tête imprimés. Pourtant, le sentiment du beau était si fort en elles que, ne restât-il dans leur bourse qu'un demi-kopeck, elles ne demandaient qu'à le dépenser pour une seule fleur — rien qu'une — afin de rapporter le printemps dans une pièce assombrie par l'hiver.

Un Finlandais avait des freezias à vendre. C'étaient là les fleurs les plus chères et bien peu de gens lui en achetaient ; Brand remarqua tout particulièrement le large visage jovial de l'homme et le mot aimable qu'il adressait même à ceux qui secouaient la tête et ne lui achetaient rien. Il était grand, très blond, d'un type plus fréquent dans l'ouest de la Finlande qu'ici, à Helsingfors — le genre de beauté d'Alexandra, en plus rude, plus masculin. — Brand venait de faire cette comparaison quand il aperçut Alix Gyllenlöve elle-même.

Elle se dirigeait à pas rapides vers la Pierre de l'impératrice, si bien qu'il dut se hâter pour la rattraper. Son expression soudain heureuse quand elle le vit, si différente du visage abasourdi qu'elle lui avait montré lors de leur rencontre à la villa, était si émouvante que Brand faillit l'embrasser sur place, dans ce décor peu romantique d'étalages de pommes de terre. Alexandra portait un long man-

teau et un grand capuchon de renard, allant de l'ivoire
au roux et qui lui emboîtait si bien la tête qu'on ne voyait
plus une seule mèche de ses cheveux blonds : un cadre
bien barbare, pour un visage aussi délicat. Elle glissa une
main confiante sous le bras que lui offrait Brand et
se laissa guider par lui à travers la foule jusqu'au ras des
jardins de l'esplanade.

— Où voulez-vous aller ? demanda-t-il. Il semble qu'on
déguste du café et des gâteaux dans ce petit restaurant.
Me serait-il permis de vous y emmener ?

— Oh... je ne crois pas.

Alice examinait le petit café Kapelli, au bas de l'esplanade.

— Tant de gens vont se rassembler là pour voir passer
le tsar. Ne croyez-vous pas plutôt que nous pourrions faire
une courte promenade en traîneau, peut-être sur la route
qui longe la baie ?

— Une promenade aussi longue que vous voudrez, dit
Brand.

Il jeta autour de lui un regard impatient, à la recherche d'un traîneau.

— Ma femme de chambre nous accompagnera, naturellement. Anna, viens ici !

Une petite personne trapue, que Brand avait à peine
remarquée, s'avança pour faire une courte révérence à
l'Américain. Il baissa les yeux vers un visage hâlé aux pommettes saillantes, avec des dents irrégulières et de profondes
orbites, qui eût pu appartenir à une femme de n'importe
quel âge. Anna portait un vêtement court d'étoffe noire
et un petit bonnet de tissu écarlate. Plusieurs fichus, attachés par une broche en cuivre, ajoutaient encore à son
aspect bizarre.

— Anna est originaire de Laponie, dit Alix, mais elle
a appris le suédois et le parle fort bien.

— *Goddag,* Anna, dit Brand.

La femme sourit et inclina la tête.

— Vous parlez couramment le suédois, maintenant, remarqua Alix avec un sérieux affecté.

Brand se mit à rire et pressa la main de la jeune fille
contre lui. C'était merveilleux de voir sur son visage cet
air rieur et espiègle qui lui rappelait ce moment, sur le
Girdleness, où elle lui avait demandé s'il croyait qu'elle
s'était fait enlever par le vieux Carl. Tout heureux, il l'aida

à monter dans le traîneau qui se rangeait au long du trottoir et tendit ensuite la main à la femme lapone qui s'assit en face d'eux, le dos aux chevaux.

— Je sais maintenant ce que vous avez fait, quand vous vous êtes enfuie à Marstrand, dit Brand, tandis qu'ils laissaient derrière eux la place du marché. Vous avez emprunté votre nom à Anna et à Carl.

Alix sourit sans le contredire.

— Pauvre Anna Larsson, elle n'était pas destinée à vivre bien longtemps.

— Pour l'amour du ciel, ne dites pas cela !

— Pourquoi pas ? Seriez-vous superstitieux ?

— J'ai connu pas mal de marins qui l'étaient.

— Et qui avaient peur de prendre à leur bord des Lapons et des Finlandais.

— Nous ne sommes pas en mer, pour l'instant. Tenez, voici mon hôtel.

— Je le connais, naturellement. C'est là que se donnent les bals et les grands déjeuners, maintenant que tout le monde, à Helsingfors, est si riche et si important. Vous y êtes bien ?

— Je m'y trouvais bien jusqu'aux environs de cinq heures, ce matin, où j'ai eu deux visiteurs inattendus.

Il vit toute la joie se retirer du visage d'Alexandra. Elle demanda, d'un simple mouvement des lèvres : « Des Russes ? Un interrogatoire ? » et, quand il hocha affirmativement la tête, indiqua d'un signe le cocher, tassé sur son siège comme un paquet de chiffons surmonté d'un bonnet de caracul mangé aux mites.

— Retournez-vous et admirez cette vue d'Helsingfors, dit-elle tout haut. On prétend que, d'ici, le bord de mer offre un spectacle particulièrement remarquable.

— C'est une ville magnifique, acquiesça Brand. Seriez-vous née ici, par hasard ?

— Je suis née à Ekenäs, à l'époque où mon frère faisait partie du gouvernement de la province de Nyland. Mais j'ai fréquenté ici l'école de miss Harring et, plusieurs hivers de suite, nous avons loué une maison sur l'esplanade Nord... Voici la colline d'Ulrikasborg, avec l'observatoire au sommet.

— Pourquoi cet homme s'arrête-t-il ? s'exclama Brand en voyant le cocher immobiliser le traîneau.

— Nous ne pouvons dépasser l'établissement de bains

du Brunnsparken. L'armée russe établit un nouvel emplacement de canons juste de l'autre côté de la pointe.

C'est alors que, sans s'en rendre compte, Brand Endicott fit son premier pas vers une guerre à laquelle il n'avait encore jamais vraiment cru, en tant que réalité. On l'annonçait depuis si longtemps et il en avait maintenant si souvent discuté avec des inconnus rencontrés par hasard, qu'une guerre entre la Russie et l'Occident commençait à lui apparaître comme un phantasme. Mais « l'emplacement de canons juste de l'autre côté de la pointe »... Voilà qui était bien réel. Il demanda à Alix, d'un ton aussi prosaïque que le sien :

— Trouvez-vous qu'il fasse trop froid pour une promenade dans le parc ?

— Bien sûr que non.

Elle dit quelques mots à sa femme de chambre et au cocher et descendit, avec l'aide de Brand. Les pentes du parc étaient couvertes de neige mais on avait presque complètement déblayé l'une des allées les plus larges ainsi que quelques chemins plus étroits qui menaient, à travers les sapins et les bouleaux, aux grilles de belles maisons neuves, volets clos, silencieuses au milieu de leurs jardins glacés.

— Je me rappelle encore le temps où toute cette colline était couverte d'églantiers, avant que les gens de Saint-Pétersbourg n'eussent songé à construire ici leurs villas d'été, dit Alix. « La Petite Russie »... ce serait un nom approprié pour le Brunnsparken, à présent !... Parlez-moi de vos visiteurs de l'aube.

Il lui conta l'aventure, tandis qu'ils montaient lentement l'allée. Il n'y avait là personne qui pût les entendre et aucun autre bruit ne leur parvenait que des échos affaiblis venus du chantier russe, où l'on brûlait tout ce qui occupait la terre gelée pour construire le nouvel emplacement d'artillerie. Quand Brand eut achevé son histoire, Alix dit d'un ton convaincu :

— Ces hommes venaient du *Tretié Otdelenié* — le Troisième Bureau, qui fait partie du service secret de la police, dirigé par le comte Orlov. Ils n'ont pas demandé à voir vos bagages ?

— Non.

— Il est probable qu'en ce moment-même, ils sont à l'hôtel, en train de les mettre sens dessus dessous.

80

UN INCONNU A LA RESCOUSSE

— Il n'y a pas grand-chose à mettre sens dessus dessous.

— Pas de livres ?... Tant mieux, dit Alix en voyant l'Américain secouer la tête. Le T.O. reçoit directement ses ordres de Nikita et Nikita a tout à la fois horreur et peur des livres et des idées... C'est adroit de votre part d'avoir dit aux hommes du T.O. que vous veniez voir le sénateur Walleen.

— J'étais un peu inquiet à ce propos. Mais le sénateur s'est montré hier très aimable à mon égard et il m'a vraiment invité à revenir ce soir... J'ai couru ma chance, en espérant que ça marcherait.

— Vous vous êtes montré très adroit, répéta-t-elle. Oncle Carl est intimement lié avec le grand-duc Alexandre et chacun, au Troisième Bureau, tient à rester dans les bonnes grâces du futur tsar.

— Le grand-duc sera-t-il ce soir à la réception du sénateur Walleen ?

— A Dieu ne plaise ! dit-elle en souriant. La villa n'est pas assez vaste pour contenir ses gardes du corps. Mais la police secrète veillera pour voir si *vous,* vous y êtes, et, si vous n'y êtes pas...

— A vous entendre, tout cela est très dangereux.

— Il est dangereux. Beaucoup plus que ne le croit ce cher sénateur. C'est ce que je désire vous expliquer et pourquoi j'ai pensé que nous devions nous voir ce matin. Vous avez déjà eu une fois des ennuis à cause de moi et vous pourriez en avoir de plus graves, à moins que vous ne compreniez le point de vue d'oncle Carl et celui des hommes que vous rencontrerez chez lui. Ce sont des hommes *honnêtes,* tous, je vous prie d'en être convaincu ! Mais tous, le sénateur et ses amis, sont des hommes âgés. Du temps de leur jeunesse, après la dernière guerre, ils ont cru honnêtement qu'ils choisissaient la solution la meilleure, dans l'intérêt de la Finlande, en acceptant de servir les Russes. Et il est exact qu'au temps du tsar Alexandre, on a pu espérer un instant que la Russie honorerait le traité en nous donnant une diète — un parlement — à nous. Mais, maintenant, il est vieux, il a peur de l'avenir, tout comme Nikita a peur depuis 1848, depuis que sept révolutions se sont déroulées en Europe continentale. Ils ont peur des étudiants de l'université, de tous les jeunes gens ; ils ont peur d'un empereur libéral, comme Napo-

léon III ; ils ont terriblement peur de tout changement.
Ils se refusent à croire ce que nous autres, jeunes, savons
tous : que l'empire russe tout entier est couvert d'un réseau d'espionnage et que Nikita règne par l'emprisonnement et par la torture, depuis la mer Noire jusqu'au détroit de Behring !

Alix s'arrêta net au beau milieu de l'allée et sa main
gantée se crispa sur le bras de Brand qui baissa les yeux
vers elle. L'image qu'elle lui présentait était précisément
celle qu'il s'était déjà faite de l'Europe : une arène de combats de coqs, où de petites nations étaient éternellement
déchirées par des révolutions ou bien en train de s'em-
poigner les unes les autres, à moins qu'elles ne s'apla-
tissent devant quelque tyran, comme le Lion britannique
ou l'Ours russe.

C'était une image détestable et, pourtant, l'honnêteté,
la sincérité de la jeune fille ne faisaient aucun doute. Une
conviction profonde s'inscrivait sur ce jeune visage, avec
ses yeux gris orageux et cette bouche sévère qu'il avait
envie de sentir fondre sous ses baisers.

— Vous haïssez vraiment les Russes, n'est-ce pas ? demanda-t-il lentement.

— Oui.

— Est-ce à cause de l'homme auquel vous étiez fiancée avant de changer d'avis ?

— Oh ! vous êtes aussi méchant qu'Aurora Karamsine !
s'écria Alix, furieuse.

Elle lui retira sa main et s'écarta de lui, si près des
sapins qui bordaient l'allée qu'une légère averse de neige
tomba des branches, derrière sa tête, et blanchit l'ivoire
de la fourrure autour de son visage.

— Pourquoi voulez-vous ramener ce qu'on ressent... ce
qu'on ressent à l'égard de sa patrie à... une simple question de personnes ? Non, ce n'est pas à cause de Boris
Apraxine que je hais la Russie ! C'est parce que je hais
la Russie que je n'ai pu supporter l'idée de l'épouser ! J'ai
passé un an à Saint-Pétersbourg, avant d'aller retrouver
tante Kitty à Karinlund. C'est alors que j'ai commencé
à me rendre compte que je ne pouvais me condamner à
passer ma vie entière en Russie. Oui, c'était ainsi que
j'envisageais la chose : une condamnation... Capitaine Endicott, la nuit dernière, je suis restée éveillée pendant des

heures, en pensant que vous étiez allé en prison à cause de moi...

— Non, pas à cause de vous : à cause d'Erik Kruse. Et il me revaudra cela un de ces jours.

Une lueur passa dans ses yeux.

— Vous aussi, vous pouvez haïr ? J'en suis heureuse. Eh bien, quand vous penserez à la prison, pensez à moi. Si je devais retourner en Russie, je retournerais dans un pays où ma propre patrie n'a aucune valeur, un pays qui a réduit la Pologne à l'esclavage, qui a détruit la liberté en Hongrie, aussi complètement que la liberté de pensée et de parole a été détruite en Russie. Pour moi, ce serait la prison... rien d'autre.

— La prison, alors que vous reviendriez chez votre père ? A ce qu'on m'a dit, c'est un fonctionnaire au service des Russes.

— Quiconque vous a dit cela a menti ! cria-t-elle farouchement. Il représente à Saint-Pétersbourg les intérêts finlandais. Il est devenu, il y a un peu plus d'un an, l'adjoint personnel du comte Armfelt, le ministre-secrétaire d'Etat pour la Finlande.

— Et, depuis lors, votre foyer est à Saint-Pétersbourg ? insista Brand.

— L'appartement de mon père, sur la Nevsky Prospekt ? Oui, je suppose que ça peut passer pour un foyer. En fait, j'ai passé beaucoup de temps en compagnie de madame Karamsine. Et j'ai trop d'affection pour Aurora pour lui dire que cette... horreur de la vie russe — la vie quotidienne russe — m'est venue pendant que je vivais chez elle. Aurora elle-même est bonne et honnête. Toute son existence s'est édifiée sur ses attaches avec la Russie, mais du moins utilise-t-elle sa fortune et son influence pour faire du bien aux autres, tandis que ses amies de Saint-Pétersbourg ne pensent qu'à leurs toilettes, à leurs bijoux et ignorent la misère qui s'étale à leurs propres portes. Cette vie m'étoufferait... je ne puis y retourner.

— Mais alors, qu'avez-vous l'intention de faire ? questionna Brand Endicott. Vous remettre en route vers les Etats-Unis ?

— Je suppose que je méritais cette raillerie de votre part, dit Alix très pâle. Vous saviez très bien que nous n'étions pas des émigrants.

— Oui, je l'ai su dès le début, répondit doucement Brand. Mais vous aviez certainement l'intention de vous rendre en Angleterre. Et ensuite ?

— Je pensais aller retrouver ma sœur aînée, qui habite Londres. Son mari fait partie de la légation suédoise, là-bas. Mais je n'étais pas sûre... Kristina n'est pas très bien depuis la naissance de sa petite fille et mon beau-frère est un homme froid, dépourvu de toute sympathie... Pourtant, il me semblait que l'aventure valait la peine d'être tentée... à ce moment-là.

Alexandra releva la tête d'un air de défi.

— Erik Kruse m'a rendu grand service en m'empêchant de partir, dit-elle. Ainsi, je serai dans mon pays quand la guerre commencera. Je serai là, pour prendre part à la lutte de la Finlande !

— Ecoutez, Alexandra, commença Brand.

Mais il s'arrêta. C'était la première fois qu'il l'appelait par son prénom, et en d'extraordinaires circonstances — un peu comme s'il discutait avec un homme.

— Pensez-vous vraiment que les Finlandais vont se joindre aux Anglais pour lutter contre les Russes ? Je ne sais pas grand-chose de ce qui s'est passé en Pologne ou en Hongrie, mais croyez-vous honnêtement que votre patrie souffre d'être devenue un grand-duché russe ? Je ne suis en Finlande que depuis trois jours. J'ai vu la police secrète en action et elle m'a traité beaucoup mieux que le guet à Gothenburg. Sur ma foi, je n'ai vu nulle part de signes de cruauté ou d'oppression ! Ce que j'ai vu, ce sont de bonnes routes, de belles fermes, des maisons et des magasins bien bâtis, une magnifique ville moderne et un pays en paix. Si vous aimiez vraiment la Finlande, vous prieriez pour que la guerre ne se déclare jamais...

— Pourquoi ?

— Parce qu'il est plus facile de déclarer une guerre que de l'arrêter.

— Voilà que je crois entendre les invités d'hier soir, à Hagasund, dit-elle d'un ton irrité. Ils se lamentaient tous : « Malheur à la Finlande ! Souvenez-vous de la Grande Colère qui s'est abattue sur nous quand la Suède a défié la Russie ! Faisons des compromis, montrons-nous conciliants, vivons en paix !... » Voilà ce que disent les vieux. Est-il donc si difficile, pour un Américain, de comprendre que la jeunesse d'une nation peut être prête à se battre pour son indépendance... comme vous l'avez fait vous-mêmes ?

Il ne pouvait guère lui dire que l'indépendance américaine était pour lui un avantage qui allait de soi, un avantage pour lequel on s'était battu, qu'on avait conquis, bien avant son temps et qui, dans son esprit, s'associait tout particulièrement à une gravure de *Washington traversant la Delaware,* accrochée dans le salon de la vieille demeure des Brand, à Portland.

— Tout cela s'est passé il y a quatre-vingts ans, dit-il.

— Votre hier est notre aujourd'hui, répliqua Alix Gyllenlöve. Oh, capitaine Endicott, vous ne pouvez imaginer à quel point je vous envie !

— Parce que je suis Américain ?

— Parce que vous êtes un homme. Vous pouvez prendre part à cette guerre, vous pouvez vous joindre aux Anglais pour combattre les Russes... pas moi.

Brand ouvrait de grands yeux.

— Mais vous êtes féroces, vous autres, les dames européennes, dit-il. Ma grand-mère voulait me voir m'engager dans la Marine britannique, et voilà que vous...

— La Marine ! reprit-elle avec exultation. Mais oui, bien sûr, la Royal Navy... l'escadre qui doit, à ce qu'on dit, entrer en mer Baltique. Oh, si seulement j'étais un homme ! Oh, que vienne le jour où la flotte britannique apparaîtra au large de Sveaborg !

Brand se retourna pour regarder vers la haute mer. Par-delà les rochers qui bordaient la corniche, les eaux de la baie s'étendaient, immenses et désertes ; la glace s'y brisait en formes étranges, en cercles concentriques pareils aux pétales de nénuphars gelés, qui venaient tournoyer contre les petites îles proches de la terre. La forteresse, vers laquelle Alix tendait le bras, n'était qu'en partie visible, mais on distinguait nettement l'arsenal sur Svartö Ouest et la coupole de l'église grecque orthodoxe se détachait de l'ensemble des casernes, sur la grande Svartö Est.

— Sont-ce là les forts ? demanda Brand. Je les avais vus tout à l'heure, depuis la place du marché.

— C'est Sveaborg.

— Pourrait-on l'enlever ? On dit que Kronstadt ne sera jamais pris.

— Dieu seul le sait, fit Alix avec amertume. Il y a

85

cinquante ans, c'est par traîtrise que les Russes ont pris Sveaborg.

— Ils doivent y maintenir une garnison considérable, dit Brand.

Dans son champ de vision, les îles fortifiées paraissaient trembler à travers la brume qui descendait sur l'eau. Dans la lumière grise, il vit luire dans les casemates lointaines des canons gigantesques.

— Quatre mille hommes, pour le moins. Et des condamnés, extraits de la prison Lubianka pour accomplir ici leur peine de travaux forcés, à bâtir pour le tsar de nouveaux bastions et des emplacements d'artillerie. La cruauté, l'oppression ! Si vous n'en avez pas encore été témoin en Finlande, vous les trouverez dans chaque cellule, dans chaque tunnel de la Gustafssvärd.

— La Gustafssvärd en fait partie ?

— C'est la partie la plus fortifiée. La *Kustaanmiekka :* avec la Porte Royale, par où entre le tsar, où les grandes paroles sont inscrites de chaque côté... Les mots que j'ai appris, étant écolière, chez miss Harring et que je sais par cœur...

— Dites-les moi.

Il la voyait parvenue à un état de surexcitation dont il se sentait peu à peu gagné, malgré lui.

— Que dit la Porte Royale, Alexandra ?

— Je ne sais si je pourrai le transposer en anglais... Comment dites-vous « ceux de la vie future ? »

— De l'autre monde ?

— Non : ceux de demain, ceux qui viendront après nous ?

— La génération suivante. La postérité.

— Voilà. Maintenant, je peux le dire.

Alexandra croisa les mains comme une écolière et commença :

— « *C'est ici que le roi Fredrik a posé la première pierre en l'an 1748. Et le roi Gustaf a posé la dernière. Sveaborg a été construite avec la mer d'un côté, la terre de l'autre... ce qui lui donne la maîtrise à la fois sur terre et sur mer...* »

La suite vint plus lentement et la voix de la jeune fille se fit plus basse :

— « *Hors du désert des îles Vargarskiar fut édifiée la*

forteresse de Sveaborg... Postérité ! Tiens fermement ton propre sol... et ne fais pas confiance à l'aide de l'inconnu. »

— C'est très beau, dit Brand. « Tiens fermement ton propre sol... » Ça me plaît. Mais...

— Mais quoi ?

— Qui étaient le roi Fredrik et le roi Gustaf ? Des rois suédois ?

— Oui. Quand Ehrensvärd a bâti Sveaborg, la Finlande était une province suédoise...

— Ainsi, au début, la forteresse faisait partie des défenses suédoises et, maintenant, c'est la Russie qu'elle défend ?

— Un jour, c'est à *Suomi,* la Finlande, qu'elle appartiendra, et rien qu'à elle. Vous verrez ! jeta Alix.

Et elle porta ses mains jointes à sa gorge douloureuse.

— Pensez-vous que la Finlande appellera un inconnu à la rescousse avant que vienne ce jour ? demanda Brand.

Elle le dévisageait sans comprendre.

— Ne voyez-vous pas, reprit-il, que vous ne pouvez jouer sur les deux tableaux ? Vous ne pouvez répéter avec un tel orgueil « ne fais pas confiance à l'inconnu » et, en même temps, demander à un Américain d'aller prendre part à un conflit qui ne le regarde pas. Si vous demandez de l'aide, vous devez, en échange, accorder votre confiance.

— Si je ne vous faisais pas confiance, serais-je ici, seule avec vous ?

— Si je ne vous aimais pas, vous aurais-je suivie jusqu'à Helsingfors ?

Il fit un pas vers elle. Les branches des sapins frémirent et, de nouveau, la tempête de neige en miniature secoua ses cristaux sur eux deux. Soudain, Alix se retrouva dans ses bras et ses lèvres, sous celles de Brand, étaient plus froides que la neige.

— Ma chérie, vous savez, n'est-ce pas, que je suis amoureux de vous ?

Elle soupira et remua dans son étreinte et Brand eut l'impression qu'au travers du lourd manteau qu'elle portait, elle devait sentir les battements désordonnés de son cœur. Il embrassait avec acharnement ses lèvres froides.

— Vous n'avez jamais aimé Apraxine, dit-il, bouleversé.

— Comment pouvez-vous... savoir ?

Mais il ne répondit pas. Il luttait contre le désir d'arracher la pelisse de ses épaules pour presser ce corps mince toujours plus étroitement contre lui. Les lèvres d'Alix, si ignorantes de baisers, s'animaient sous les siennes et il dut reprendre haleine pour murmurer :

— Venez avec moi, Alix ! Ne retournez pas à Saint-Pétersbourg ! Marions-nous et venez avec moi à Londres dès maintenant !

Elle s'arracha à ses bras. Ses yeux, élargis et fixes, étaient presque noirs : ses pupilles s'étaient dilatées au point que l'iris ne laissait plus voir qu'un étroit cercle de gris.

— Non ! cria-t-elle avec violence. Je me suis sauvée une fois déjà et j'ai eu tout loisir de le regretter. Cette fois-ci, je ne m'engagerai pas à la légère, même à vous... Vous... si vous m'aimez vraiment, vous vous engagerez dans la lutte contre la Russie...

— Vous en faites une condition absolue ? demanda-t-il d'une voix rauque.

— *Il le faut,* Brand. C'est ma conviction la plus profonde...

— Oh, Dieu, dit-il, si seulement j'entrevoyais une juste cause... rien qu'une bonne raison...

— Demeurez donc à Helsingfors, s'*ils* veulent bien vous le permettre, conseilla-t-elle avec un regard étrange. Il se peut que vous trouviez votre juste cause plus vite que vous ne le croyez.

Elle s'éloigna, les sourcils froncés, au long du sentier. Son manteau, aux épaules, était mouillé de neige. Brand marchait près d'elle. Ils ne tardèrent pas à se retrouver devant l'établissement de bains fermé et le cocher se mit en devoir de retirer la couverture qu'il avait jetée sur le dos de son vieux cheval. La Lapone s'avança silencieusement ; ses yeux bridés allaient et venaient de la jeune fille à l'Américain.

— Quelle heure est-il ? demanda Alix d'un ton normal, dès que le traîneau eut repris le chemin de la ville.

— Un peu plus de midi, si ma montre est juste.

— Nous devrions avoir le temps de traverser la place avant que le cortège du tsar ne s'ébranle. Vous savez qu'aujourd'hui, il déjeune au Sénat.

UN INCONNU A LA RESCOUSSE

— Vous me permettrez, j'espère, de vous raccompagner jusqu'à la villa Hagasund ?
— Merci.

Alix faisait appel à toutes les ressources de son éducation mondaine, à toute l'expérience qu'elle avait acquise, dans l'art de la conversation polie, au cours des simples soirées d'Helsingfors et dans les salons parfumés et surchauffés de Saint-Pétersbourg. Elle se sentait les lèvres brûlantes et se savait les joues fiévreuses, mais elle se contraignait à échanger des remarques insignifiantes avec l'homme auquel, si peu de temps auparavant, elle avait si profondément ouvert son cœur. Son refus avait fait naître en lui colère et chagrin : elle s'en rendait compte à ses brèves réponses, quand elle lui signalait certains points du paysage, comme les îles de Klippan et de Bleckholm, les batteries russes de Stora Rentan, et ainsi de suite. Alexandra prit une conscience nouvelle de son pouvoir sur Brand en voyant son visage sévère se détendre peu à peu et ses yeux s'attarder de nouveau sur son visage. Il dit enfin :

— Vous me permettez quand même de venir ce soir à la villa ?
— Je compte sur votre présence.
— Merci. Je... il faut me pardonner, Alix. J'ai parlé trop tôt et je vous ai surprise. Je vous demande pardon.

Pour toute réponse, elle lui effleura la main de ses doigts. Il ne chercha pas à les retenir entre les siens mais, au bout d'un moment, il demanda doucement :

— A propos de cette autre question. Nous ne sommes pas absolument certains qu'il y aura une guerre...
— A mon avis, elle est inévitable.
— Je ne voudrais pas que vous me preniez pour un poltron.

Avant qu'Alix pût répondre, le traîneau s'arrêta de nouveau : le cocher avait si brusquement bloqué le frein qu'Alix se trouva projetée dans les bras de la Lapone, tandis que Brand avait peine à rester assis. Le cheval avait dû faire halte à quelques mètres d'une barrière peinte en rouge, comme les poteaux indicateurs russes sur les routes de Finlande, que l'on venait d'abaisser brusquement, en travers de la route côtière, de l'extrémité de l'esplanade Sud aux marches du port, à l'angle de la place du marché.

— Nous arrivons trop tard, dit Alix, en reprenant son aplomb, cependant que sa servante, avec un rire étouffé, redressait sa petite *hilkka* écarlate. Les rues vont rester fermées à la circulation jusqu'à ce que le tsar soit passé.

Tout négoce avait manifestement été interrompu, sur la place du marché, avant l'heure réglementaire de midi : les petites voitures avaient disparu et toutes les boutiques en plein vent avaient été démontées en temps voulu pour permettre le nettoyage minutieux des pavés. La Pierre de l'impératrice se dressait maintenant, solitaire, au centre d'un espace vide, et l'on pouvait voir nettement la ligne pure des édifices d'Engel. Seul, le petit marché aux fleurs, avec la flamme de ses bougies dans les serres miniature, demeurait tel qu'il était au début de la journée. Un détachement de cavalerie émergea des casernes, derrière le Palais impérial, traversa la place au petit trot et tourna à droite dans la rue de l'Union.

— Les Gardes du Corps finlandais, soupira Alexandra. Ils seront passés en revue par le tsar dans la cour du Sénat. Chaque homme recevra un rouble, une livre de poisson et une ration de brännvin en l'honneur de cette occasion.

— Qui sont ces gars en uniformes bleu pâle ?

Brand s'était mis debout pour mieux voir.

— La police russe. Oncle Carl prétend que le général Dubbelt a envoyé cinq cents hommes à Helsingfors pour la visite du tsar.

— Et le tsar ? Sera-t-il à cheval ?

— C'est possible. A Saint-Pétersbourg, il ne s'y risquerait pas. Ici, peut-être. On nous juge paisibles et d'humeur affable.

Le regard de Brand quitta le visage méprisant de la jeune fille pour se reporter sur la foule qui regardait avec tant d'intérêt, derrière les barrières rouges et les rangs de la police vêtue de bleu. C'était une foule bien silencieuse. On put entendre le tintement des harnais, quand les cosaques, à leur tour, parurent à l'angle du Palais impérial. Alix se mit debout dans le traîneau, à côté de Brand.

— Voici Nikita, dit-elle.

Bien qu'il y eût toute la largeur de la place du marché entre le palais et la barrière abaissée en travers du quai, ils virent le tsar franchir les portes, au son des fi-

90

fres et des trompettes, et enfourcher le superbe étalon que les valets d'écurie lui amenaient. L'uniforme cosaque, qu'il avait choisi de porter pour la circonstance, allait bien à sa haute taille. Les basques du long manteau retombaient harmonieusement sur ses bottes à l'écuyère et les bandoulières croisées sur la poitrine mettaient en valeur ses larges épaules. Sur son bonnet d'astrakan, le scintillement du diamant qui ornait l'aigrette répondit à l'éclair des épées haut levées de son escorte. Un officier aboya un ordre, les cosaques se mirent en branle et les grands-ducs, à cheval, vinrent prendre leur place derrière le tsar.

— Voici Alexandre Nicolaievich, l'ami d'oncle Carl, dit Alix. Le plus jeune, c'est le grand-duc Constantin. On dit qu'il va être nommé amiral de la flotte russe de la Baltique.

Mais Brand avait les yeux fixés sur le tsar, tandis que l'autocrate traversait la place au trot, entre la Pierre de l'impératrice et l'ambassade de Suède.

— Je suppose qu'aujourd'hui le destin de l'Europe est entre les mains de cet homme.

Il exprimait tout haut sa pensée.

— *Brand !*

Alexandra l'attrapa par le bras. Sur la gauche de la place, du milieu des éventaires de fleurs, une femme s'était glissée entre les policiers, sous la barrière et courait comme un lièvre vers le tsar.

Elle levait très haut au-dessus de sa tête sa main gauche, doigts largement écartés, pour bien montrer qu'elle était vide. Dans sa main droite, elle agitait une feuille de papier, une pétition, peut-être, tout en criant d'une voix haletante « *Majestät !* »

Elle ne put aller jusqu'au tsar. Le cosaque l'arrêta dans sa course et la renversa sur les pavés du plat de son épée. Elle se redressa sur les genoux, la tête ruisselante de sang, et tenta de se remettre debout, cependant que le tsar, qui n'avait pas daigné jeter un regard vers elle, passait le coin de la place et s'éloignait en direction du Sénat. Deux hommes, descendus de leurs montures, suffirent pour la maîtriser, sans utiliser leurs armes, rien qu'en lui portant des coups violents sur l'oreille et la mâchoire ; ils se mirent en devoir d'attacher les mains de la malheureuse créature à l'étrier d'un cheval, pour la traîner vers la prison.

LA FORTERESSE

Un homme, surgi du milieu du marché aux fleurs, força les barrières, tandis que la police cherchait à réprimer les cris et l'agitation de la foule. Brand le reconnut aussitôt : c'était le grand Finlandais qu'il avait vu vendre des freezias au début de la matinée. L'homme courut comme un fou vers la femme inerte et parvint même à lui détacher les mains. Mais les deux cosaques qui avaient capturé la femme tombèrent sur lui et tous s'écroulèrent en une masse confuse d'uniformes russes violemment chamarrés et de pauvres vêtements finlandais, cependant que les officiers cosaques lançaient des ordres et que l'arrière-garde venait former un cordon compact autour les deux grands-ducs. Des coups de feu éclatèrent : la police commençait à tirer au-dessus de la foule.

Les hommes et les femmes, en troupe serrée longèrent vivement les deux esplanades et s'essaimèrent à travers les jardins, cependant qu'un détachement à cheval fonçait dans le marché aux fleurs, renversait les éventaires, et laissait derrière lui un monceau de verre cassé et de narcisses piétinés. Quelques personnes gisaient sur les pavés, gémissantes : elles avaient été atteintes par le sabot d'un cheval ou le knout d'un cosaque. Il y avait aussi ceux qui s'en tiraient sans dommage et s'accrochaient encore aux barrières pour suivre avec horreur, comme le faisait Brand Endicott, le drame qui se jouait au centre de la place.

Délibérément, on était en train de tuer le marchand de fleurs à coups de pied. Un coup de pistolet ou de couteau eût été moins inhumain que cet impitoyable acharnement des deux cosaques qu'il avait malmenés, et des quatre autres qui étaient accourus pour leur prêter main-forte, sur cet homme qui s'était précipité au secours de la femme au risque de perdre la vie. Le choc des pieds bottés dominait les cris, la rumeur confuse. Les hurlements de l'homme s'affaiblirent, ne furent plus que des gémissements. Il était à peine reconnaissable quand deux des Russes attrapèrent son corps par un bras et une jambe et le traînèrent vers le port, sa joue engluée de sang frottant le sol.

— Les cochons ! Les immondes cochons ! Assassins !

Brand parlait d'une voix pâteuse qui le surprit lui-même. Il mesura la distance qui le séparait de la barrière. Ils se rapprochaient, maintenant, il n'y avait guère que neuf à dix mètres entre lui et le groupe horrible ; il avait la main sur la portière, prêt à bondir. Mais la main d'Alexandra se referma sur son poignet et il l'entendit murmurer :

— *Non,* Brand! Ils vous tueraient aussi! Rappelez-vous : cela ne vous concerne pas!

— Ils me tueraient *aussi,* répéta-t-il sans comprendre.

Mais il vit qu'elle disait vrai : l'homme était mort. Quand les Russes lancèrent leur victime du haut des marches du port, la tête ballottait sur des vertèbres brisées et il ne restait plus de vie dans le corps qui frappa l'eau avec une telle violence que les oiseaux de mer s'envolèrent des glaçons avec des cris d'épouvante. Le cadavre s'enfonça lentement sous les détritus du marché.

— A présent, vous avez été témoin de la cruauté et de l'oppression, dit Alix, les lèvres exsangues. A présent, vous savez comment le tsar gouverne en Finlande!

CHAPITRE V

LA TREVE D'OR

LA STATUE DE GUSTAF III,
érigée à l'endroit précis où le roi de Suède débarqua
après sa grande victoire sur les Russes à Svensksund, en
1790, montait majestueusement au-dessus des quais de
Stockholm quand le paquebot-poste finlandais regagna le
port. Sur la pente, derrière la statue, la masse granitique
du palais royal paraissait soudée aux toits de la vieille
ville et aux clochers des grandes églises luthériennes en
un solide bloc d'indifférence à la guerre imminente.

Brand Endicott, son petit sac de voyage à la main,
fut le premier des quelques passagers de l'*Eckerö* à débarquer. L'heure était mal choisie pour arriver à Stockholm car, en fin d'après-midi, les gens à la mode étaient
en train de dîner et il demeura un moment hésitant, sur
le quai, tourné vers le pont du Nord, à se remémorer
le peu qu'il connaissait de la ville. J'espère que les colporteurs de la mer sont de retour, pensa-t-il.

Le Troisième Bureau ne l'avait pas autorisé à prolonger son séjour à Helsingfors. Bien que Nicolas 1er eût
quitté la ville le lendemain de l'incident survenu sur la
place du marché, tous les étrangers demeuraient suspects,
après ce qu'on appelait, dans les milieux officiels, « le
lâche attentat contre la vie du tsar » et plusieurs personnes
avaient, sans autre forme de procès, été expulsées du grand-

duché. Brand n'en faisait pas partie, mais, après avoir
atteint Abo, il avait été retardé d'une fçon inadmissible :
les autorités du port prétendaient que son permis de sortie
n'était pas en règle et l'avaient retenu en ville pendant
plusieurs jours. Les Russes étaient nerveux, maintenant :
de Saint-Pétersbourg affluaient les ordres commandant de
mettre le grand-duché sur le pied de guerre et l'on avait
appris, par les agents russes en pays occidentaux, que la
reine Victoria en personne, à bord du yacht royal *Fairy,*
avait accompagné jusqu'en haute mer la flotte britannique
de la Baltique. Une foule innombrable, postée sur les falaises anglaises depuis Spithead jusqu'à Douvres, avait
acclamé l'escadre de l'amiral Napier qui était entrée en
mer du Nord, à force de vapeur et de voiles, pendant
que Brand Endicott attendait, à Abo, d'embarquer sur le
paquebot-poste.
   Il avait naturellement promis à Alix Gyllenlöve de se
joindre à la lutte contre la Russie. Cette décision était
inévitable depuis qu'il l'avait tenue entre ses bras, sous
les arbres chargés de neige du Brunnsparken, et l'horrible scène de la place du marché n'avait fait que renforcer la promesse qu'il lui avait faite, le soir même, au
cours d'une réception à la villa Hagasund, dans la foule
des invités. En échange, Alix lui avait promis de lui donner de ses nouvelles par l'intermédiaire de Joe Ryan, à
Stockholm. C'étaient là des promesses hâtives, qu'avait couvertes le bruit d'une conversation entre trois messieurs barbus qui, avec une sublime indifférence pour les menaces
de guerre, s'entretenaient du mouvement Fennoman ; des
promesses échangées sous le regard inquisiteur du jeune
Paul Demidov. Ils se firent ensuite leurs adieux et toute
lumière s'éteignit pour Brand Endicott ; si elle se rallu-
mait jamais, ce serait grâce à ses propres efforts... avec
le concours aussi, naturellement, du tsar de Russie, de
l'empereur des Français, de tous ceux qui avaient pris
la responsabilité de jouer avec les vies et le bonheur des
humains.
   En attendant, il était transi de froid, après des heures
passées en plein air, sur le pont de l'*Eckerö*, en face, une
taverne lui proposait le réconfort immédiat d'un grog au
rhum bien chaud et le moyen de savoir comment se rendre passage Bolhus. Il se dirigea vers la « Baltica », comme l'indiquait son enseigne. Devant la porte se pres-

sait une foule considérable et un vacarme assourdissant venait de l'intérieur.

— Que se passe-t-il ? demanda Brand à l'un des badauds.

Il parlait maintenant à peu près couramment le suédois : en Finlande, il n'avait pas eu le choix — il fallait qu'il apprenne la langue ou renonce à toute communication ; plusieurs voix répondirent à sa question d'un ton surexcité :

— Des marins anglais ! Qui recrutent !

— Seigneur ! fit Brand. Napier est donc dans la Baltique ?

Sur ce point les opinions des badauds, à la porte de la taverne, étaient divisées. Certains grommelèrent :

— A Vingäsand.

Tandis que d'autres affirmaient :

— A Kiel !

Mais un vieux capitaine hollandais, dont la barbe carrée, d'un blond grisonnant, hérissait un visage à l'expression désapprobatrice, répondit poliment :

— Il y a un bâtiment de la Marine anglaise à Stockholm, monsieur. Il est ancré à l'Ecluse pour faire du charbon. Quelques-uns de ses matelots font le tour des tavernes ; c'est, peut-être, simplement pour s'amuser.

— Laissez-moi passer, voulez-vous ?

Brand se fraya un chemin et pénétra dans la taverne. Il vit tout de suite que, si les deux Anglais étaient dans la Baltique, ce n'était pas, en tout cas, pour leur amusement. Debout dos au comptoir, leurs chopes d'étain à la main, ils ne se tenaient pas précisément sur la défensive mais ils laissaient errer un regard méfiant sur une foule manifestement hostile. Il y avait là de nombreux Suédois, presque autant de Hollandais et de Prussiens et trois ou quatre hommes à moitié ivres de brännvin, qui étaient de toute évidence Anglais. Tandis que Brand jouait des coudes pour arriver jusqu'au comptoir, l'un d'eux criait :

— C'est du racolage ! Vous n'avez pas le droit de venir ici persécuter d'honnêtes marins... !

— On n'est pas là pour vous forcer ni vous persécuter, dit le plus grand des deux hommes adossés au comptoir.

Il portait un chapeau plat en toile cirée noire, garni de rubans, et une courte veste bleue ; sur sa manche, Brand aperçut un insigne.

— Tout ce que vous m'avez entendu dire, et je le ré-pète, c'est que celui qui a envie de s'enrôler dans la Marine et de s'attaquer aux Russes n'a qu'à se rendre au bureau des douanes, au bout du quai, aux quatre coups du premier petit quart. Il sera transporté gratuitement à bord du navire à vapeur de Sa Majesté, le *Lightning*. Il touchera une solde...

— Transporté ou déporté ?

Le terme, qui rappelait des sentences impitoyables et les bateaux de forçats australiens, lui fut hurlé à la figure par le petit groupe d'ivrognes qui avait déjà crié : « Du racolage ! ». Les Prussiens ricanèrent. Le tenancier de la « Baltica » se pencha par-dessus son comptoir pour protester.

— Messieurs ! Vous allez attirer le guet !

— Vous en faites pas, patron, on s'en va...

— Un instant, intervint Brand Endicott. Vous recrutez pour la Royal Navy, n'est-ce pas ? Pour servir sur le *Lightning,* c'est bien ça ?

L'Anglais le jaugea de ses yeux d'un bleu dur, sapé comme un monsieur, les vêtements un peu fatigués, l'accent nasal du Yankee de l'Est, mains de marin ; l'air de pouvoir se rendre utile en cas de bagarre.

— Le *Lightning* ou le *Duke,* qu'est-ce que ça fait, mon vieux ? dit-il. Si le cœur t'en dit de servir dans la Navy, on veillera à ce que ça marche. Je m'appelle Billings, quartier-maître. Pourquoi ne viendrais-tu pas à la Taverne Franziskaner, avec Martin, que voilà, et moi ? On pourrait ensuite aller tous ensemble au bureau des douanes.

Mais Brand se dégagea de la main qui cherchait à l'agripper.

— Vous avez bien dit quatre coups ? J'ai quelques lettres a écrire et des adieux à faire à des amis, avant de partir.

— Voilà le guet, Billings ! s'écria l'autre marin.

— Ça va bien, on s'en va. N'oublie pas de te montrer, camarade !

— C'est du racolage ! Du racolage !

Les Anglais sortirent au milieu d'un vacarme étourdissant. Brand entendit les pas cadencés du guet frappant le pavé — un bruit qui lui rappelait certain matin de neige, en février, à Gothenburg — et commanda en hâte

97

4

à boire. Il emporta son verre à une table près de la fenêtre et, par-dessus le rideau, jeta un coup d'œil vers les quais. Il n'y avait pas eu rencontre entre le guet et les gars du *Lightning* : il vit les deux matelots s'éloigner tranquillement, en direction, sans doute, de la taverne Franziskaner, où ils répéteraient leur petit discours. La foule amassée devant la « Baltica » commençait à se disperser. Il appela d'un signe le serveur et demanda de quoi écrire.

Quant aux raisons qui avaient bien pu détacher l'un des navires de Sa Majesté de l'escadre de l'amiral Napier, il ne pouvait que les supposer ; ce qui comptait, c'est qu'il venait de trouver d'emblée l'occasion de tenir la promesse qu'il avait faite à Alexandra. Six heures au bureau des douanes... Cela lui laissait plus de deux heures pour voir les Ryan et pour se livrer à certaines recherches dont l'idée lui était venue en apprenant, par Alexandra, qu'Erik Kruse avait de la famille en Prusse. Après quoi, par un acte de volonté, il écarterait toute l'affaire de sa pensée, afin d'avoir toute liberté d'action pendant les mois, les années peut-être, à venir. Cette horloge, accrochée au mur de la taverne, entre les chromolithographies du roi Oscar et de la reine Josefina, marquait, par son tictac, les dernières minutes de l'indépendance de Brand Endicott.

Brand secoua sa tête d'un blond roux et ramena son attention sur les feuilles de méchant papier à lettres. Il n'avait jamais encore écrit une lettre d'amour et la taverne « Baltica », avec ses relents de bière et d'alcool et le vacarme de ceux qui en étaient encore à protester contre le racolage, n'était pas l'endroit indiqué pour tenter un premier essai. Le message de Brand à Alix fut bref et, quand il eut signé son nom, il se trouva en face d'un problème : écrire celui de la jeune fille. Il avait la vague impression que tous les membres de sa famille portaient des titres nobiliaires. Sa tante, il le savait, était la comtesse Kruse et il avait entendu parler de son père comme du comte Gyllenlöve. Mme Karamsine semblait être une simple bourgeoise, mais son fils était le prince Paul Demidov et sa belle-sœur, il le lui avait entendu dire, la princesse Mathilde Bonaparte. Tout cela était fort embarrassant pour un jeune citoyen du Maine et participait de cette hypocrisie européenne qu'il méprisait. Brand finit par résoudre son problème en écrivant carrément : « Miss Alexandra Gyllenlöve, Hagasund, par Helsingfors ». Et il commença tout aussitôt une lettre destinée à Mme Tarras, à Aberdeen.

Mary Ryan avait en permanence une glace posée de biais dans l'embrasure, profonde de soixante centimètres, de la fenêtre du salon, afin d'apporter un peu de lumière et d'intérêt dans une pièce très vieille et très sombre. Le passage Bolhus était une étroite ruelle entre de hautes demeures du XVIIe siècle, jadis maisons de ville de la noblesse suédoise et qui gardaient encore un certain air de distinction ; mais il était indiscutablement triste et, même fin mars, le soleil y jetait à peine un rayon. L'hôtel particulier qu'habitaient les Ryan était divisé en appartements depuis plus d'un siècle mais on voyait encore, au-dessus de la porte, un blason un peu effacé, où des têtes de Vikings, érodées par le temps, soutenaient un écu écartelé ; quant au heurtoir et aux gonds, ils étaient en fer forgé artistement travaillé. L'appartement des Ryan était au rez-de-chaussée ; on y entrait par la première porte qui s'ouvrait dans un long vestibule voûté en pierre et, de la fenêtre du salon, on ne voyait que le mur sombre de la maison d'en face. Mary avait donc installé une glace, parmi les plantes vertes qu'elle faisait grimper le long des vitres ; au cours des quelques mois écoulés depuis son seizième anniversaire, la glace avait reflété plus d'un visage séduisant : les officiers de service au palais n'avaient pas tardé à remarquer qu'on voyait quelquefois (mais pas toujours, ce qui n'en était que plus séduisant) une très jolie fille, dans le passage Bolhus. Depuis que la *Molly-O* était rentrée de Gothenburg, Mary vivait dans l'espoir qu'un beau jour la glace lui montrerait le séduisant Américain qui n'était pas revenu pour faire route avec eux jusqu'à Malmö. Ce jour-là, quand elle vit, en levant les yeux de son ouvrage, passer la haute silhouette, son cœur sauta de joie dans sa poitrine ; elle eut tout juste le temps de se glisser dans sa chambre, pour nouer un nouveau ruban rose et attacher un collier de perles de verre vertes avant que les coups ne soient frappés à la porte. Brand vit devant lui un visage illuminé d'un sourire de bienvenue et une petite main tiède lui fit descendre trois marches pour entrer dans la salle commune. Mary cria joyeusement :

— Père, viens voir qui nous rend visite ! Le capitaine Endicott !

Joe, qui écrivait au fond de la pièce, se leva d'un bond en clamant :

— Brand Endicott, si ça n'est pas une heureuse chance ! Nous parlions de vous pas plus tard qu'hier soir : nous nous demandions ce que vous étiez devenu. Qu'avez-vous fait depuis que vous avez quitté le quai Packhus ?

— Helsingfors aller et retour, capitaine ; qu'est-ce que vous en dites ? fit Brand, en serrant chaleureusement la main que lui tendait Joe.

— Ce que j'en dis ? Que c'était de la folie d'entrer en territoire russe, si vous voyagiez seul. Et, à vous voir, je dois avoir raison. Vous avez maigri, mon garçon. Je suis content que vous arriviez à temps pour partager nos harengs et nos pommes de terre. Mary, mets la bouteille carrée sur la table et cesse de tripoter tes boucles.

— Non : aujourd'hui, c'est vous qui serez mes invités, dit Brand. J'ai l'intention de vous emmener dans le meilleur restaurant de la ville. Ça vous plairait, miss Mary ?

— Oh, oui, répondit-elle, toute pétillante de joie.

Les colporteurs de la mer avaient navigué des semaines durant et dîner dans un restaurant de Stockholm ne pouvait que ravir une jeune fille qui n'aimait rien tant qu'écouter de la musique et recueillir les regards admiratifs des hommes, les regards évaluateurs des autres femmes. Elle fut heureuse de constater que son père ne protestait pas ; il répéta seulement avec bonne humeur l'ordre d'apporter sans tarder la bouteille d'alcool et elle courut jusqu'à l'arrière-cuisine pour dire à Sofie, leur vieille servante, de ne plus peler de pommes de terre et de rincer les plus beaux verres en l'honneur de leur hôte. Puis Mary disposa de minces tranches de fromage et d'anguille fumée sur du pain bis, mit le tout sur un plateau avec les verres étincelants, et revint dans la salle commune juste à temps pour entendre son père dire :

— Je pensais bien qu'il y avait quelque chose comme ça dans l'air quand vous m'avez demandé le plus court chemin pour aller en Finlande !

Il glissait une enveloppe dans la poche intérieure de sa veste.

— Et voici un bref et tendre message pour ma grand-mère, dit Brand avec un sourire.

Il tendait une autre lettre et Joe se mit à rire.

— Pas bête, de rester en bons termes avec la vieille dame. Alors, Molly !

Elle prit dans le buffet, à l'extrémité la plus sombre

100

de la pièce, le coffret d'acajou qui contenait trois bou-
teilles et le posa sur la table basse, entre les deux hommes.
Joe versa de l'alcool pour Brand et pour lui et servit à
Mary un doigt de xérès.

— Skäl, fit Brand en se laissant aller dans son fauteuil.
On est vraiment bien, ici, miss Mary. Grâce à vous, cette
pièce est aussi agréable que la cabine de la *Molly-O.*

A ces mots, le cœur de Mary Ryan, si avide d'expérience, se donna tout entier à Brand. Elle avait durement
besogné, pour transformer cette pièce basse et sombre, avec
les marches irrégulières qui la desservaient aux deux extrémités, en un endroit lumineux, avec des tapis au crochet
de couleurs vives sur le parquet de bois ciré, et une lampe
à pétrole accrochée très bas sur son support de cuivre,
de manière à créer une petite flaque de lumière et de gaieté
autour de la table où ils étaient assis. Le long des murs,
à hauteur des yeux, elle avait accroché des bandes de toile
ornées de scènes bibliques, le genre de « peinture à l'aiguille » que faisaient les paysannes de la précédente génération. Ce genre d'ornements était banni des salons de Stockholm, mais Mary Ryan aimait bien leurs tons traditionnels, citron, bleu et ocre et elle regarda en souriant l'œil
amusé de Brand se promener de la reine de Saba, habillée
à la mode de 1820 et arrivant en carrosse à la porte d'un
manoir suédois dont le seigneur était Salomon dans toute
sa gloire, aux Noces de Cana, fêtées par de blonds campagnards assis aux longues tables d'une ferme dalécarlienne.

— On rentrera après le dîner, petite, dit Joe. A présent,
va vite mettre ta cape.

Elle eût aimé voir le regard de Brand Endicott lui dire :
« Ne soyez pas trop longue ! » Mais il se contenta de se
lever poliment, quand elle posa son verre et, avant même
qu'elle eût atteint la porte de sa chambre, il se tournait
vers son père pour le questionner d'un ton pressant. Mary
n'éprouva aucun scrupule à laisser la porte entrouverte.
Sa chambre était, elle aussi, desservie par quelques marches, et donnait directement sur la salle commune, aussi,
assise devant sa glace pour dénouer le ruban de ses cheveux, ne perdit-elle pas un mot de la conversation.

— ... Le *Lightning,* trois canons, capitaine Bartholomew Sulivan. »

C'était la voix de son père.

— J'ai été jeter un coup d'œil sur le bâtiment, quand

il est entré dans le bassin de l'Ecluse, reprit Joe. Et la moitié de Stockholm a dû en faire autant, je crois bien.

— Un rude chemin, depuis le Danemark, pour faire du charbon, remarqua Brand.

— Faire du charbon ? N'allez pas croire ça ! Le capitaine Sulivan est descendu à terre à midi, aujourd'hui, et s'est fait conduire à l'ambassade britannique, en disant qu'il cherchait des pilotes. Vous pouvez parier votre dernier dollar qu'il apportait des ordres aux diplomates, afin d'entraîner la Suède dans la guerre aux côtés de la Grande-Bretagne.

— Des pilotes ? Tiens !

Mary se désintéressa de leur conversation. D'un doigt humide, elle lissa l'arc sombre de ses sourcils. Inutile de se pincer les joues : elles avaient toute la fraîcheur voulue et ses lèvres étaient pourpres. Elle tendit la main vers sa boîte à gants, sous la jupe pailletée d'une poupée qui venait du parc d'attractions de Gröna Lund, où son père l'emmenait parfois, les soirs d'été. Deux ou trois autres babioles qui venaient, elles aussi, de Gröna Lund, se cachaient au fond de sa boîte à gants, mais Joe ne les avait jamais vues ; il ignorait même tout des visites au cours desquelles elle en était entrée en possession. Elle passa un petit chapeau plat, noir, en peau de phoque, et le manchon assorti ; ils étaient loin d'être neufs : ils lui venaient de l'une de ses riches cousines de la rue de la Reine ; mais, avec son goût pour la couleur, Mary avait posé une aile d'oiseau rouge sur le chapeau effronté, qui lui allait mieux qu'il n'était jamais allé à la blonde et grasse Marta. Elle lut dans les yeux de Brand toute l'admiration qu'elle souhaitait y voir, quand elle entra dans la salle et dit en souriant :

— Je suis prête !

Joe eut beau soulever des objections devant cette dépense excessive, il fut décidé qu'ils dîneraient dans l'un des célèbres restaurants de la vieille ville : la Trêve d'Or. L'endroit n'était pas très éloigné et Mary dansait presque de joie, en descendant la rue, un bras passé sous celui de son père, l'autre sous celui de Brand, tandis que son manchon de phoque dansait au bout de sa cordelière.

— Si nous dînions à la cave ? demanda-t-elle.

Ils venaient d'entrer dans la vieille auberge où quelques

LA TREVE D'OR

dîneurs étaient déjà assis dans la salle du rez-de-chaussée aux panneaux de bois.

— Ça suffit, miss Molly ! fit Joe, d'un ton d'autorité. Tu devrais t'estimer déjà bien heureuse d'être là. Laisse la cave tranquille... Il y a souvent du tapage, en bas, lorsque la soirée est avancée, ajouta-t-il à l'adresse de Brand. Ce n'est pas un endroit pour une jeune fille.

— Ici, tout est vraiment très paisible, fit Brand, tandis qu'on les conduisait à une table. Est-ce de là que vient le nom de l'auberge ?

— La Trêve d'Or... C'est ce que le roi Gustaf III a donné à la Suède, après avoir battu les Russes, expliqua Mary. Et il n'y a pas de tapage, à la cave, père : elle est célèbre, c'est là que chantait Bellman !

— Laisse donc Brand faire le menu, ma chérie.

Mary se tut. On disposait sur leur table une nappe damassée empesée et de beaux verres de cristal, et le serveur donnait son avis sur le choix des vins. Elle se contenta de contempler le portrait accroché au-dessus de la cheminée où brûlaient des bûches de sapin, tout en se remémorant sa passion puérile pour l'homme représenté dans le cadre doré.

C'était une excellente copie du célèbre portrait, par Krafft, de Carl Michael Bellman, poète national de la Suède, qui venait boire et chanter ses propres œuvres, dans la cave de la Trêve d'Or, soixante ans plus tôt, à l'âge d'or de Gustaf III. Du visage peint, son regard revint à Brand Endicott. Ses cheveux étaient plus sombres que ceux du poète, les méplats de son visage plus accentués, plus aigus, et elle ne l'imaginait guère en train de chanter en s'accompagnant à la mandoline. Mais elle pouvait, et de façon fort précise, imaginer ses baisers et les caresses de ces mains brunes, elle l'entendait murmurer, en la quittant « *Mary, au revoir, ma chérie...* »

Cependant, il dégustait paisiblement son dîner tout en veillant à ce que ses hôtes ne manquent de rien. Joe était en grande forme : ses histoires de marin devenaient plus extraordinaires avec chaque verre de vin et il faisait honneur au menu choisi par un homme affamé : à l'oxtail avait succédé un plat de soles grillées, aux soles une couple de canetons rôtis, aux canetons du fromage, que Mary refusa. Elle refusa également le cognac, sans même un mot de son père, mais poussa des cris de joie à la vue du cy-

103

gne en sucre filé, apparu en même temps que la cafetière, et qui portait, entre ses ailes sculptées, un chargement de fruits confits et de fondants.

— Oh, Brand, comme c'est joli ! s'écria-t-elle.

L'Américain ne parut pas l'entendre. Sourcils froncés, il contemplait son verre, et la pointe d'audace qu'avait risquée Mary en l'appelant par son prénom tomba à plat. Quand Brand prit enfin la parole, ce fut pour s'adresser au père de la jeune fille.

— Joe, vous êtes un homme bien informé. Vous voyez, vous entendez à peu près tout ce qui se passe sur les quais de Stockholm, n'est-ce pas ?

— Quand je suis au port, oui.

— Connaîtriez-vous, par hasard, une firme d'importateurs et exportateurs prussiens, les Müller de Lübeck ?

— Müller et Fils, de Lübeck, corrigea Joe. Bien sûr, je les connais. Leur trois-mâts barque, la *Lorelei*, est présentement à l'ancre à Slussen.

— Avez-vous idée de l'identité de leurs agents à Stockholm ?

— Lindgrens, je crois. Je pourrais me renseigner.

— S'il vous plaît. Et, par la même occasion, tâchez de savoir si la maison Lindgrens a quelque chose à voir avec un négociant de Gothenburg nommé Sven Svensson.

La lèvre longue et très irlandaise de Joe Ryan, se fronça pour émettre un petit sifflement étonné.

— L'agent de Tarras & Cie ? fit-il. Est-ce en rapport avec votre... dernière visite à Gothenburg ?

Brand sourit.

— Disons que ça concerne la Tarras Line, si vous voulez. Je suis très désireux d'en connaître plus long sur M. Svensson et de savoir au juste pourquoi il voulait tant empêcher le petit-fils de Mme Tarras d'en apprendre davantage sur ses autres activités. Celles-ci, d'ailleurs, Joe, vont peut-être bien plus loin qu'une simple association avec les agents locaux de Müller. L'un de ces Müller a un neveu dans les Gardes du Corps suédois, en garnison, jusqu'à ces tout derniers temps, à Gothenburg. Il semble que ce neveu ait des intérêts dans la société et je veux découvrir si lui et Svensson n'auraient pas quelque entreprise commune.

— Comment s'appelle-t-il ? demanda Joe.

— Le capitaine Erik Kruse.

104

— Le capitaine Kruse ! s'écria Mary.

Elle s'empourpra et les deux hommes la regardèrent avec surprise.

— Vous connaissez le capitaine Kruse, miss Mary ?

— Je... je l'ai rencontré une fois, par hasard.

— Où ça, Mary ? questionna Joe d'un ton sévère.

Mais la jeune fille s'était reprise. Pour rien au monde, elle n'eût dit, même à un père aussi indulgent que l'était Joe Ryan, combien de fois elle avait vu Erik Kruse ni où avait eu lieu leur dernière rencontre. Cela s'était passé au parc d'attractions de Gröna Lund, où des jeunes filles aussi avides de plaisir qu'elle-même étaient toujours prêtes à patiner ou à danser tout l'après-midi avec de beaux officiers.

— Il vient chez ma tante, répondit-elle d'un ton uni. Ma cousine Birgitta a fait sa connaissance lors d'une réception à l'ambassade de Russie.

— Tu ne m'en as pas parlé.

— Père, Birgitta va à tant de réceptions et invite tant de gens que je ne me rappelle pas toujours leurs noms.

— Des réceptions intimes, oui. Mais je ne savais pas que les petites Engström étaient reçues à l'ambassade de Russie.

Joe parlait d'un ton soucieux.

— A votre place, miss Mary, j'éviterais de fréquenter le capitaine Kruse. Ce n'est pas le genre d'homme qui convienne à une jeune fille.

— Tu entends, Mary ? appuya Joe Ryan. Je ne veux pas qu'à ton âge tu te commettes avec des officiers, et je le dirai à la tante Engström et à tes cousines. Plus tôt nous reprendrons la mer et mieux ça vaudra, peut-être.

Des larmes de colère montèrent aux yeux de Mary. Brand la prenait donc pour une enfant, à qui l'on donne du sucre filé et que l'on morigène ! Le pis, c'est qu'après sa mise en garde, il avait eu le bon goût de ne plus la regarder, de faire mine de ne pas voir ses larmes : il demanda au serveur d'apporter deux autres cognacs en même temps que l'addition et se tourna ensuite vers le père de Mary.

— Joe, je sais que c'est beaucoup vous demander. Mais je paierai généreusement tous les renseignements concernant Svensson, Kruse et leurs affaires, si vous voulez bien m'établir un rapport détaillé et me l'envoyer dès que je pourrai vous dire où me joindre.

— Vous n'avez pas l'intention de quitter déjà Stockholm ?

— Immédiatement, dit Brand. Dans une demi-heure environ... Voyez-vous, le *Lightning* enrôle des marins, en même temps que des pilotes, pour la flotte. Et j'ai décidé de rallier la Royal Navy.

— Brand, vous êtes fou !

C'est la folie de cette décision qu'ils invoquèrent surtout : ils avancèrent tous les arguments raisonnables que Brand avait déjà formulés pour lui-même, tandis qu'il réglait l'addition, vidait son verre et leur présentait ses excuses : il devait les quitter sans tarder et les laisser rentrer seuls.

— Je pensais que vous alliez rentrer avec nous, dit Mary.

Elle avait oublié sa rancune et ses lèvres tremblaient, tandis qu'elle levait les yeux vers lui.

— Je suis heureux d'avoir vu votre foyer terrien, dit Brand doucement. Quand la guerre sera terminée, nous irons de nouveau dîner à la Trêve d'Or, tous les trois, et vous me chanterez la chanson promise, miss Mary... si vous n'êtes pas devenue cantatrice d'opéra, d'ici là !

— Eh bien, dit le père de Mary, un peu déconcerté, voilà une fin bien mélancolique pour un agréable après-midi. Dites-moi, voulez-vous que je vous accompagne jusqu'au bureau des douanes ?

— Mieux vaut me laisser, Joe. Il faut que vous rameniez Mary et je dois faire diligence. Rappelez-vous, je compte sur vous.

— Vous le pouvez.

Le joyeux visage irlandais de Joe était plus résolu que Brand ne l'avait jamais vu. Il palpa son manteau.

— Je n'oublierai pas la lettre à votre amoureuse.

— Vous avez donc une amoureuse, Brand ?

La jeune voix de Mary vibrait d'une jalousie aiguë. Elle regarda le lent sourire qui éclairait le visage las de Brand.

— Elle ne l'est pas encore, dit-il. Mais j'espère qu'elle le sera bientôt.

LA TREVE D'OR

Le crépuscule tombait à peine quand ils étaient entrés à la Trêve d'Or. Quand Brand sortit de l'auberge, il faisait tout à fait nuit ; il tourna tout de suite à gauche et suivit d'un pas rapide l'étroite ruelle qui devait le ramener au port. Une unique lampe à pétrole, suspendue à une chaîne entre deux maisons, éclairait le passage au sol boueux, mais on avait installé le nouvel éclairage au gaz au long du port et il reconnut sans peine le bureau des douanes. En voyant la foule qui stationnait tout au long du quai, Brand crut tout d'abord que Billings et Martin avaient mené l'opération de recrutement la plus réussie depuis que le racolage pour la Royal Navy avait pris fin, une quarantaine d'années plus tôt. Puis il vit les deux Anglais, debout aux côtés d'un jeune officier en pantalon de treillis blanc, portant redingote et casquette bleue à visière, et, devant eux, alignées sur les pavés, trois recrues, pas plus ; la foule des badauds les considérait dans un silence à peine troublé par le bruit des respirations et des piétinements.

— Voilà le Yankee, monsieur ! s'écria le quartier-maître en apercevant Brand.

— Est-ce tout ? demanda l'officier d'un ton irrité. Voyons, mes braves. L'un de vous est-il sujet suédois ou norvégien ? *Schweden, Sverige, Norge ?* Non ? Et il est bien entendu que vous vous êtes portés volontaires pour le service actif et que vous montez à bord du navire à vapeur de Sa Majesté, le *Lightning,* de votre propre volonté ?

Brand acquiesça d'un signe. Deux des quatre volontaires, n'ayant apparemment pas compris la question, y répondirent par de larges sourires. Le quatrième, visage de gamin vieillot, ratatiné, se toucha le front du doigt en disant respectueusement : « Oui, capitaine. »

L'officier parut satisfait. Des coups de sifflet retentirent et un canot de la marine sortit de l'obscurité pour accoster l'appontement du bureau des douanes ; un aspirant se tenait à l'arrière et cinq matelots en chemise bleue à carreaux étaient aux avirons. On embarqua les volontaires, les hommes du *Lightning* suivirent, les avirons plongèrent dans l'eau au commandement. Au moment où le canot commençait à glisser sur les eaux noires du lac

107

Saltsjön, un cri hésitant monta des derniers rangs de la foule. Brand eut l'impression très nette qu'on avait crié : « Racolage ! »

— Le Vieux est encore à terre, dit le vieux gamin à Brand, du coin des lèvres.

La réprimande automatique du lieutenant : « Silence, là-bas ! » empêcha l'Américain de répondre. Brand, cependant, ressentit une sorte de joie, l'impression de revenir à son propre milieu, tandis qu'il gravissait, en s'accrochant aux tire-vieille, l'échelle de voliges et passait sur le pont par la coupée.

— Saluez les officiers.

Tel fut le premier ordre donné aux volontaires. Brand ôta son bonnet de phoque et le garda à la main, cependant que l'officier qui les avait escortés faisait son rapport au premier lieutenant, sur la minuscule dunette du *Lightning*. La cloche sonna un coup pour le dernier petit quart, tandis que les hommes qui se trouvaient dans le passavant dévisageaient les nouvelles recrues à la lueur des lanternes. Ils travaillaient encore à nettoyer le pont après cette journée tout entière passée à faire du charbon.

— Faites passer la voix au maître d'équipage !

L'ordre mettait fin à la conférence qui s'était tenue à voix basse sur la dunette. L'homme qui y répondit était plus âgé, plus hargneux que ses camarades, Martin et Billings ; ce fut avec un air de rancœur évident qu'il conduisit les recrues à l'arrière, jusqu'au poste des aspirants, après leur avoir fait descendre l'échelle de la grande écoutille. Il y faisait remarquablement chaud, car, si le *Lightning* ne possédait pas de carré des officiers, le capitaine Sulivan se faisait un point d'honneur de veiller au confort de ses subordonnés. Deux de ceux-ci, l'air un peu surpris, sortirent lorsque les volontaires en groupe désordonné firent leur entrée. Le regard perçant du vieux gamin parcourut la pièce ; les deux plus jeunes recrues se trémoussaient et murmuraient : le maître d'équipage les rappela sévèrement à l'ordre. Le premier lieutenant ne les fit pas attendre longtemps. Il entra d'un pas alerte, suivi du commis du bord, et s'assit à la grande table, recouverte d'un tapis vert.

— Voyons, mes braves, dit le premier lieutenant, d'après ce que m'a dit M. Bullock, vous vous êtes tous

108

LA TREVE D'OR

engagés à Stockholm et vous n'êtes pas soumis à la juridiction suédoise.

Les deux jeunes gens sourirent, de leur sourire niais, et le vieux gamin déclara :

— Je suis de Londres, monsieur.

— Fort bien, nous allons commencer par vous. Vous comprenez, en l'absence du capitaine Sulivan, je vais me contenter de noter vos noms et vos références ; votre inscription dans la Royal Navy suivra plus tard. Est-ce clair ?

— Oui, monsieur.

— Votre nom ? demanda le lieutenant.

— Kedge, monsieur. David Kedge.

— Vous avez déjà servi dans la marine, je pense ?

— J'ai fait mon temps à la mer, monsieur. J'étais matelot sur la vieille *Imperieuse*. Matelot de deuxième classe, monsieur. J'ai touché ma solde et j'ai été démobilisé tout ce qu'il y a de régulièrement à Pompey, ça va bientôt faire trois ans.

— Quel âge avez-vous, Kedge ?

— Quarante ans, monsieur.

— Ajoutez-en quinze, M. Cooke. C'est bon, Kedge. Vous serez peut-être bien accueilli à bord de l'*Impérieuse,* nous verrons ça en arrivant dans la baie de Kioge. Il vaut mieux que vous sachiez, mes braves, que le *Lightning* a son équipage au complet et que vous serez affectés à d'autres bateaux quand nous retrouverons la flotte. Votre solde, jusqu'au 31 décembre de l'année en cours, vous sera payée par le trésorier-payeur du bateau sur lequel vous serez.

— Faites excuse, monsieur...

— Oui, Kedge ?

— Est-ce qu'on n'a pas droit aux indemnités de guerre, monsieur ?

— Nous ne sommes pas encore en guerre, Kedge, Votre nom ? ajouta le lieutenant en premier, d'un ton bref, en s'adressant à Brand.

— John Endicott... monsieur, ajouta-t-il avec un effort.

— C'est vous l'Américain, hein ?

— Oui.

— Quel genre d'expérience avez-vous ?

— La pêche côtière... monsieur.

— Vous êtes bien loin de Marblehead, ici.

Brand était bien décidé à répondre le plus succincte-

109

ment possible. Le lieutenant Cudlip était conscient de son grade et il voyait son autorité compromise par la situation.

Il avait compté enrôler des pilotes pour la Baltique et non une bande de chenapans et de déserteurs, comme il n'en avait encore jamais vu dans toute sa carrière de marin ! Il résolut de passer sous silence la demande d'un certificat de bonne conduite et de compétence et dit à Brand :

— Pourquoi vous êtes-vous enrôlé dans la Royal Navy, Endicott ?

— Comme dit Billings, monsieur... je veux flanquer une tripotée aux Russes.

Le lieutenant sourit.

— Pas mal ! fit-il. Nous vous en fournirons plus d'une occasion avant que vous ne soyez quitte.

Le troisième homme, l'un des deux compères souriants, était grand et blond, et portait un épais tricot et de lourdes bottes de marin. Il continua de sourire aimablement tandis que le commis et le maître d'équipage lui demandaient son nom en braillant des bribes de différentes langues ; puis, dans un éclair de compréhension, il mit une main sur son cœur et s'inclina en disant :

— Lauri.

— Essayez de savoir son nom de famille, M. Cooke, demanda le lieutenant Cudlip avec lassitude.

— Larry ? Larry comment ? dit le commis.

— Lauri, Suomi. Suomi... Finlande. Gamla Karleby, Finlande.

— Eh bien, comme ça, nous avons vraiment le choix, mon brave.

— Ce sont des noms de lieux, monsieur, précisa le commis. Gamla Karleby est probablement sa ville natale.

— Inscrivez-le donc sous le nom de Larry Finn, si c'est le nom qui lui convient. Et celui-ci, maître d'équipage... il est Finlandais, lui aussi ?

Le quatrième volontaire, grand et dégingandé, avec une tête toute ronde et des yeux verts comme ceux d'un chat, réduits à deux fentes par son perpétuel sourire, se révéla être Estonien ; son prénom était imprononçable et son nom pouvait à la rigueur s'interpréter comme Klerck. Il fut, en conséquence, inscrit sous le nom de « Nobby » Clark — un entre mille « Nobby » de la Royal Navy.

— Si nous ne lui donnons pas ce nom-là, monsieur,

LA TREVE D'OR

expliqua le commis d'un air sagace, ses camarades le lui donneront.

— Faites passer la voix au médecin, maître d'équipage, dit le lieutenant Cudlip en se levant. Vous veillerez ensuite à leur faire donner à manger... Allons, garçons! Nous finirons bien par faire de vous des gabiers.

— Oui, monsieur.

La réponse venait de Kedge, qui mit un soupçon d'ironie dans son geste lorsqu'il porta la main à son front. Après quoi, à la lueur de fanaux de combat en corne épaisse, ils furent dirigés vers le poste arrière où M. Johnson, le médecin du bord, qui lisait *David Copperfield* sur sa couchette, leur fit subir un rapide examen médical. Ils passèrent au magasin où, malgré les protestations du magasinier, ils reçurent quatre hamacs, pour usage temporaire à bord. Ce fut ensuite au tour du matelot coq de protester avec force jurons contre l'irruption de quatre hommes dans sa cuisine, alors que les marmites étaient déjà récurées et le sol de briques brossé pour la nuit. Les matelots, comme de juste, avaient eu leur souper à quatre heures et il fut malaisé de trouver des gamelles pour les nouveaux venus ou des pots pour y verser le demi-canon de rhum auquel, ainsi que le signala Kedge, ils avaient maintenant légalement droit.

Brand, après son excellent dîner, ne put que faire semblant de manger. Tout était bien comme il l'avait imaginé sur un bâtiment de la Marine Royale — le ton impérieux, le biscuit charançonné, le son du deuxième et du troisième coup de cloche, à mesure que s'avançait le petit quart. Bientôt, un tambour battit le branle-bas pour l'appel du soir. A la lueur des fanaux, les trois canons du *Lightning* furent désamarrés, mis en batterie, rentrés, amarrés, on fit rompre les rangs et la cloche piqua huit coups. Les nouvelles recrues, portant leurs hamacs, traversèrent le pont inférieur, où la bordée libre de quart se mettait au lit, et gagnèrent la gatte, le seul endroit où l'on pût dormir sur un bateau qui transportait déjà plus de deux cents hommes.

Brand enleva ses bottes et se déshabilla partiellement; il se glissa dans son hamac, sous le plafond bas de la gatte, et tira son manteau sur ses jambes. La chaleur était intolérable: le capitaine Sulivan faisait entretenir un poêle en permanence sur le pont inférieur et l'on évitait tout danger de courants d'air en tenant fermés, même au port, les mantelets de sabords. Il était également très tôt et Brand était convaincu qu'il resterait éveillé pendant des heures.

Les autres recrues ne tardèrent pas à s'endormir. Kedge émettait des ronflements sonores et l'Estonien riait et grinçait des dents en rêve ; Brand, cependant, immobile, passait en revue les événements de la journée. Il était sûr d'avoir pris la bonne décision et il sentait qu'il avait enfin retrouvé la forme, depuis le jour où il avait longé le quai de Pierre, à Gothenburg. Il avait maintenant une tâche à accomplir et des amis qui se souciaient de son sort — Joe et Mary. Le visage de Mary, quand son père avait fait allusion à l'amoureuse de Brand ! Il songea qu'elle aussi devait avoir un petit penchant pour lui, et comme il eût été facile de s'éprendre d'elle ! Elle était si gaie, si jolie ; et c'était étonnant, la façon dont elle avait arrangé cet appartement sombre... Rien de surprenant, si Joe était fier d'elle. Mais Joe était trop jeune, trop indulgent pour la garder bien en main... pour la tenir à l'écart d'un vaurien comme Erik Kruse.

Curieux de penser qu'il eût pu, en cet instant, être assis dans cette agréable salle de séjour, à écouter la chanson promise, à contempler Mary à sa guitare, ses lourdes boucles sombres qui retombaient sur son cou blanc, tandis qu'elle se penchait sur l'instrument. Mais cette image disparut et, dans l'obscurité de la gatte, Brand ne vit plus que le visage obsédé, obsédant, d'Alexandra.

Il s'était endormi, avec cette image au fond du cœur, bien avant que le capitaine Sulivan remontât à bord, après une discussion prolongée et stérile à l'ambassade britannique. Ce fut l'une des dernières nuits qui précédèrent le renversement de la trêve d'or qui régnait sur l'Europe depuis que le canon s'était tu sur le champ de bataille de Waterloo.

CHAPITRE VI

UN CONSEIL DE VIEILLARDS

B RAND ENDICOTT RESTA quatre jours sur le *Lightning*, le temps que le commandant Sulivan arrivât à son rendez-vous avec la flotte de la Baltique, dans la baie de Kioge.

Durant ces quatre jours, il demeura spectateur : il étudia un petit monde clos, gouverné par ses propres coutumes tribales et ses règles rigides. Ce petit monde de la Royal Navy avait aussi son langage propre et l'accent des officiers, qui mangeaient la moitié des mots, était aussi difficile à comprendre pour un Américain que l'argot londonien du pont inférieur. Brand s'acquitta mal de plusieurs tâches pour n'avoir pas su interpréter des ordres, qui eussent pu, tout aussi bien, être formulés en grec ; il fut heureux de se voir attribuer le rôle d'homme de sonde, posté dans les haubans du grand-mât pour annoncer les profondeurs, tandis que le *Lightning* se faufilait à travers les chenaux rocheux et les bas-fonds de la côte orientale de la Suède avec une aisance qui suscita l'admiration de Brand pour l'habileté du capitaine. Pour un marin qui connaissait la côte du Maine hérissée de rochers, il semblait parfois que le capitaine Sulivan se dirigeât d'instinct vers le Sud ; les nouveaux compagnons de Brand furent entièrement d'accord avec lui sur ce point.

— Le Vieux, c'est comme un sourcier avec sa baguette de coudrier, déclara Billings, le quartier-maître. Ce vieux

113

Lightning, il lui saute comme qui dirait, entre les mains.

Le *Lightning* était le principal et, à l'époque, le seul navire hydrographique de la force navale de l'amiral Napier. Les frégates avaient beau, par tradition, symboliser les yeux de la flotte, le *Lightning* avait pour mission de voir pour les frégates, dans les eaux de la Baltique et dans les golfes mal hydrographiés qu'on rencontrait au-delà. En revenant vers son rendez-vous danois, le capitaine Sulivan consacra un certain temps à reconnaître la baie d'Alvsnabben, au sud de Stockholm, et franchit le goulet de Kalmar par le passage intérieur.

Ce n'était que quand le capitaine Sulivan faisait sa ronde, que Brand pouvait observer son nouveau capitaine. Celui-ci avait, en effet, de volumineux rapports à préparer, non seulement pour le commandant en chef, mais pour l'hydrographe de l'Amirauté. Quand il lui arrivait de se montrer sur le pont, l'Américain était constamment surpris du détachement olympien dont faisait preuve un officier de marine et de cette réserve qui ne ressemblait à rien de ce qu'il avait connu. Sulivan, cependant, n'était pas, par nature, un homme froid. C'était un Cournouaillais, généreux et impulsif jusqu'au manque de tact, et le masque qu'il portait dissimulait mal la faculté d'émotion latente de son beau visage et de ses yeux sombres profondément enfoncés. Bien qu'il n'exerçât le commandement que depuis quelques semaines, le souci qu'il avait du bien-être des matelots avait déjà fait du *Lightning* un navire heureux.

Le dimanche 2 avril, le capitaine Sulivan célébra le service divin à dix heures et demie, après avoir fait rassembler à l'arrière, au son de la cloche, tout l'équipage ; selon sa coutume, il ajouta quelques simples paroles de son cru à la liturgie de l'Eglise. Comme bien des officiers de marine, Bartholomew Sulivan possédait un grand fonds de piété évangélique et, à sa prière improvisée pour la victoire, si la guerre devait éclater, il ajouta des supplications pour le salut des âmes qui touchèrent au plus profond la congrégation sentimentale, assise en face de lui sur des bailles et des gamelles. Quand on rompit les rangs pour le dîner, un chenapan endurci, qui avait purgé une peine à Newgate, cria à Brand et à Lauri que « le Vieux avait fait apporter à bord toute une caisse de bibles, exprès pour convertir ces foutus païens de Finlandais, et qu'il les convertirait foutrement bien, même s'il devait rompre leurs sacrés os pour y arriver ! »

Lauri, à son habitude, répondit par un sourire. C'était un garçon très doux et un bon marin, habituellement enfermé dans le silence, faute de pouvoir communiquer dans son propre langage ; il aimait cependant échanger avec Brand quelques mots en suédois et paraissait pouvoir se faire comprendre de Nobby, l'Estonien. Il possédait un harmonica et ne tarda pas à retenir les airs de « Nancy Dawson » ou de « Wapping Old Stairs », qu'il joua, à la demande générale, en cet après-midi de dimanche, en y intercalant de petits airs bizarres de sa propre patrie, pendant que la bordée de quart somnolait, têtes appuyées sur les manteaux roulés, et que la bordée libre de quart jouait aux dames ou racontait des histoires.

— Nous sommes maintenant presque arrivés au lieu du rendez-vous, M. Cudlip, dit le capitaine Sulivan au premier lieutenant, qu'il avait invité à dîner dans son salon.

Ils étaient en train de déguster un verre de porto et il était deux heures ; le ciel était clair, le vent favorable et les roues à aubes du *Lightning* tournaient sur un rythme régulier.

— C'est peut-être le dernier dimanche paisible que nous connaîtrons avant longtemps.

— Je l'espère bien, monsieur, fit le lieutenant Cudlip en souriant.

Sulivan haussa des sourcils en broussailles.

— Vous avez hâte d'engager le combat, hein ?

— Hâte de toucher ma part de prise, monsieur.

— Je me trompe peut-être, fit Sulivan, mais j'ai la conviction que le temps des grandes prises est révolu. Vous avez entendu ce que disaient les gens du pays, ces jours derniers. Si les Russes s'enferment sous la protection de leurs forteresses, nous n'avons que bien peu de chances de capturer un seul de leurs bâtiments de ligne.

— Il faudra donc que nous allions les tailler en pièces sous leurs propres canons, monsieur, riposta gaiement Cudlip. Comme l'a fait Nelson à Copenhague.

— A Copenhague, M. Cudlip, lord Nelson s'attaquait à une ligne de bloqueurs et de radeaux, fit sèchement le capitaine Sulivan. Ce qui n'a rien de commun avec Kronstadt et Sveaborg ! Nelson n'a *jamais* attaqué une batterie

115

terrienne avec des bateaux, sinon à Tenerife, le premier jour. Et encore... Entrez! répondit-il à un coup frappé à la porte.

Tous deux étaient debout quand l'aspirant de quart entra et salua.

— Avec les compliments du lieutenant Bullock, monsieur : il pense que la flotte est en vue! lança-t-il.

Quand le capitaine et le premier lieutenant atteignirent la plage arrière, l'appel de la vigie s'était changée en « Terre! » et, dès ce moment, le nid de pie et le pont demeurèrent en communication constante. La côte de Danemark, d'abord simple ligne à l'horizon, devint nettement visible ; les mâts de hune de la flotte britannique, à l'ancre dans la baie de Kioge, apparurent en un vaste déploiement de voiles, une étendue de flancs quadrillés, tandis que la vigie identifiait l'un après l'autre les bâtiments anglais.

— Le grand pavois, monsieur, annonça le premier lieutenant, lunette à l'œil.

— Tout le monde sur le pont, ordonna le capitaine Sulivan.

— Tout le monde sur le pont !

Le lieutenant Cudlip n'eut pas besoin de porte-voix pour se faire entendre du couronnement à l'extrémité de la baïonnette de clinfoc. Sulivan observait de près la situation. A toute vapeur, calcula-t-il, il serait en mesure d'amener le *Lightning* à sa place, à la pointe du croissant qu'avait formé la flotte de la Baltique dans la baie de Kioge. Il voyait déjà la ville et la foule des Danois qui s'était rassemblée sur la côte escarpée pour voir la flotte, comme l'avaient fait, moins d'un mois auparavant, les Anglais, sur les falaises du Channel. Entre les deux pointes du croissant circulaient d'innombrables bâteaux danois — bateaux à provisions, barques à rames et bateaux de plaisance, et jusqu'à des bateaux à roues, venus de Copenhague avec leur chargement de touristes dominicaux et d'où montait, à travers la baie, les flonflons des orchestres. Mais plus fort que la musique, montaient les hourras de dix mille marins anglais, dans un grondement qui apprit au capitaine Sulivan et à son premier lieutenant la nouvelle qu'ils devaient connaître, bien avant que l'aspirant des transmissions apparût près du capitaine.

— Du *Dragon* au *Lightning*, monsieur ! dit-il d'une voix

étranglée. Le message annonce : « LA GRANDE-BRETA-
GNE A DECLARE LA GUERRE A LA RUSSIE. »

— Doucement, mon garçon, dit le capitaine Sulivan. Le
Dragon poursuit ses signaux.

Le *Dragon* était leur plus proche voisin, au moment
où ils atteignaient la pointe du croissant.

« PREPAREZ-VOUS A TIRER UNE SALVE EN
L'HONNEUR DE L'AMBASSADEUR DE SA MAJESTE
A LA COUR DE DANEMARK. »

— Accusez réception, dit Sulivan.

Ils eurent tout juste le temps, pendant que le *Lightning*
prenait sa place à côté du *Dragon,* de hisser des pavillons
à tous les mâts et de tendre un chapelet de signaux de
l'étrave au ton de mât, entre les mâts et jusqu'à la poupe,
afin que le navire hydrographique fût sous grand pavois
comme le reste de la flotte. Il fallut aussi mettre en batterie et charger les trois canons, avant le début de la salve.
Celle-ci fut lancée dans un grondement soutenu, qui
emplit la baie de Kioge et roula au-dessus des hêtraies qui
commençaient à bourgeonner sur le rivage. Puis, la salve
terminée, vint une superbe manœuvre : les grands vaisseaux, avec un ensemble parfait, amenèrent leurs voiles de perroquet en l'honneur du représentant de la reine.
A travers sa puissante longue-vue, le capitaine Sulivan distinguait l'ambassadeur, M. Andrew Buchanan, sur la plage
arrière du vaisseau amiral, l'amiral Napier à ses côtés. Il
était en grand uniforme de diplomate et portait une main
raidie à son bicorne pour répondre à la salve. C'était un
grand spectacle historique et les spectateurs danois ne s'y
trompèrent pas : leurs faibles acclamations firent antistro-
phe, à travers l'eau, aux sonores hourras britanniques.
Sous un ciel où traînaient des cirrus, faiblement teintés
de corail au couchant, sur une mer calme dans laquelle,
vingt fois répétées, se reflétaient les couleurs du Pavillon
Bleu, se déployait la plus puissante marine à vapeur qui
eût encore jamais quitté les côtes anglaises. Chaque unité
était un symbole de puissance, depuis le vaisseau amiral
à trois ponts, le *Duke of Wellington,* qui jaugeait trois
mille sept cents tonnes, le *Royal George* et le tout récent
Saint Jean d'Acre, jusqu'aux frégates aux noms évoca-
teurs de *Blenheim, Impérieuse* et *Arrogant.* Tous les navires étaient peints en « quadrillé Nelson » : flancs et mantelets de sabord noirs, avec des bandes blanches pour

marquer chaque plate-forme de canon ; et les mantelets de sabord ouverts laissaient voir leur peinture intérieure, écarlate, qui mettait des touches éclatantes de couleur contrastante. Plus de onze cents canons, lançant des boulets qui faisaient en moyenne trente-deux livres, occupaient les batteries de la flotte que commandait l'amiral Napier.

Bien peu de spectateurs, en ce jour où la flotte de la Baltique apprenait qu'elle avait pour mission la guerre, eurent conscience que ce qu'ils voyaient était, non point un spectacle historique, mais la fin d'une époque et que ces navires représentaient les remparts de bois de la Vieille Angleterre dans leur dernière apparition sur les champs de bataille de l'océan. On trouvait, dans ce magnifique croissant, des vaisseaux qui avaient fait leurs premières armes soixante ans plus tôt, exactement. Le *Caesar* et le *Royal George* avaient pris part à la victoire de Lord Howe, en ce glorieux premier juin de 1794. L'*Ajax* avait combattu sous les ordres de Nelson à Trafalgar ; l'*Impérieuse,* prise aux Espagnols en 1804, avait combattu sous commandement britannique dans la bataille des routes basques, en 1809. Pour des romantiques, ces grands vieux navires, gréés en trois-mâts carrés, avec leurs machines à vapeur auxiliaires nouvellement installées, restaient des témoins de la période la plus glorieuse dans l'histoire navale de l'Angleterre. Pour des réaliste, comme le capitaine Sulivan, c'étaient des vaisseaux fantômes, à peu près totalement impropres à soutenir une guerre moderne contre la Russie.

Telle était la pensée de Sulivan quand, beaucoup plus tard dans la journée, il fut amené à force de rames jusqu'à la file illuminée des vaisseaux à l'ancre, pour monter à bord du *Duke of Wellington.* La nuit était d'un noir d'encre, le vent qui se levait fouettait les eaux de la baie et Sulivan, à l'arrière du canot du *Lightning,* serrait étroitement son manteau autour de lui pour protéger des embruns son uniforme de sortie. Il y avait à présent huit ans qu'il était en demi-solde : le goulet du cadre d'activité demeurait bloqué par les vétérans survivants des guerres napoléoniennes qui barraient toujours la route de l'avancement et le prix des galons d'or devait préoccuper sérieusement un homme dont les fils espéraient prendre sa suite dans la Royal Navy. La guerre contre la Russie et le patronage de l'ingénieur hydrographe avaient représenté

118

UN CONSEIL DE VIEILLARDS

l'unique chance pour Sulivan, encore capitaine de vaisseau à quarante-trois ans, de jamais pouvoir de nouveau exercer un commandement sur mer ; il était désespérément soucieux de justifier la recommandation de sir Francis Beaufort, qui lui avait valu le navire hydrographique. Ce qui le tracassait, tandis que le canot accostait le *Duke,* que retentissaient les sifflets et que les matelots de coupée prenaient leur place, c'était de décider jusqu'à quel point il allait dire la vérité à l'amiral Napier. Bien que fils et petit-fils de marins distingués, Sulivan ne se sentait pas à son aise en la présence tonitruante du commandant en chef. Lors de leur dernière rencontre, c'était tout juste si Napier ne lui avait pas tourné le dos, devant son capitaine de pavillon, en grondant, avec un accent écossais à couper au couteau, qu'il se demandait bien de quelle utilité pourrait être un hydrographe dans les eaux de la Baltique.

— Des pilotes, mon ami ; qu'on me donne beaucoup de pilotes qui connaissent parfaitement les passes ; je me charge du reste.

Et, comme de bien entendu, l'obséquieux George Biddlecombe, maître de la flotte, avait « respectueusement demandé à appuyer l'opinion de sir Charles Napier ». La bataille des pilotes contre les hydrographes avait commencé à Spithead ; et voilà que lui, Sulivan, était revenu de Stockholm, sans pilotes, mais porteur de dépêches et d'un rapport qui, à bord du *Duke* dans l'après-midi, ne devait guère avoir donné satisfaction à l'amiral. Tout en suivant le lieutenant d'ordonnance courtois qui le guidait vers le salon de Napier, le capitaine Sulivan espérait qu'en cette occasion un affront public lui serait épargné.

Sir Charles Napier, vice-amiral de la marine de réserve, fumait, assis au haut bout de la longue table d'acajou, dans la chambre arrière du *Duke,* le contre-amiral Chads à sa droite, le contre-amiral Plumridge à sa gauche et, devant lui, une coupe de verre qui contenait déjà les restes d'un cigare. Dans l'assemblée distinguée d'officiers de marine réunis autour de cette table, pas un civil ; à la vue des chaises vides, Sulivan conclut, tout en saluant, que M. Buchanan et son état-major s'étaient retirés sitôt la table desservie. Après la retraite diplomatique de l'ambassadeur, qui avait apporté le communiqué de Londres, le dîner offert par l'amiral s'était transformé en conseil de guerre.

LA FORTERESSE

— Entrez donc, capitaine Sulivan, et asseyez-vous, dit Napier avec effusion. Je ne pense pas qu'il soit besoin de vous présenter aucun des officiers qui sont ici.

— Votre serviteur, messieurs, dit Sulivan.

Il prit sa place au bas bout de la table, sur laquelle des plats d'argent, contenant des fruits frais ou secs, étaient disposés entre les carafes ; un surtout d'argent et de cristal était même garni de quelques fleurs printanières. Des cafetières d'argent, des tasses en porcelaine, des verres à liqueur s'étalaient sur un beau buffet d'acajou. Pour Sulivan, qui venait de se mettre en tenue dans une cabine où il n'y avait place que pour un miroir à raser et pour ses vêtements de travail, accrochés à une patère derrière la porte, le salon de l'amiral, sur le *Duke of Wellington,* représentait la quintessence du luxe.

— Qu'est-ce que ce sera, pour vous, capitaine Sulivan ? reprit l'amiral. Voulez-vous un verre de porto ? Une tasse de café avec un cognac, pour chasser le froid ? Ou bien une goutte de « l'Auld Kirk », pour boire à la confusion de nos adversaires russes ?

Napier, se dit le Cornouaillais, était dans un de ses jours écossais. L'amiral, issu d'une famille écossaise d'officiers distingués, s'amusait parfois à prendre un accent campagnard ; cela signifiait généralement qu'il avait bien dîné. Il y avait un côté « acteur », chez sir Charles Napier ; il possédait, vivace, exubérant, un sens de la mise en scène qui lui avait valu nombre de triomphes et de mésaventures, au temps de sa jeunesse dans la Royal Navy, et, plus récemment, à la Chambre des communes. Il était réputé pour ses qualités de meneur d'hommes et pour ses défauts de commandant en second ; en fait, il s'en était fallu de peu que cette réputation d'indiscipline ne lui coutât le commandement de la flotte de la Baltique. S'il l'avait obtenu, Sulivan le savait, c'est que Leurs Seigneuries de l'Amirauté n'avaient eu sous la main aucun candidat d'un grade égal, à part Lord Dundonald, âgé de soixante-dix-neuf ans, mais aussi énergique que par le passé, qui avait proposé, si on lui donnait le commandement dans la Baltique, de détruire la forteresse de Kronstadt par un procédé chimique de son invention. Là, au haut bout de la table, chargé de la mission de vaincre le tsar Nicolas et l'empire russe, se trouvait l'homme qui, tenant tête à l'Amirauté, s'était fait le champion de la navigation à va-

120

peur et le prophète des navires métalliques — mais il y avait de cela trente ans. Ce même Napier avait, à la tête de la flotte portugaise, placé Maria de Gloria sur le trône du Portugal — mais il y avait de cela vingt ans. Quatorze ans plus tôt, encore, l'audacieux Charles Napier avait enlevé Saint-Jean d'Acre, reçu la reddition de l'armée égyptienne et — à la fureur des diplomates — conclu personnellement la paix avec l'Egypte. Ce gros monsieur aux cheveux blancs, dont le visage rosé se colora plus encore quand il leva son verre en l'honneur du commodore Seymour, pouvait-il encore accomplir des prouesses de bravoure, à soixante-huit ans ?

Sulivan fit du regard le tour de l'assemblée si distinguée, mais déjà marquée par l'âge ; il eût ardemment souhaité y trouver un homme de sa propre génération. Il pensa à son bon ami, le capitaine Cooper Key, qui faisait à présent partie de la flotte de la Baltique, en qualité de commandant de l'*Amphion* ; au capitaine Hope et au capitaine Keppel, avec lesquels il avait combattu sur le Parana, contre le dictateur Rosas. Pour livrer la lutte à la Russie, il eût fallu à la Royal Navy des hommes dans la force de l'âge, expérimentés, mais vigoureux, au lieu de ces vieilles barbes constellées de décorations, qui avaient été d'ardents jeunes gens avant la mort de Nelson. Pour l'imagination vivace du Cornouaillais, l'atmosphère du salon mal éclairé était chargée de souvenirs de Trafalgar.

— Voyons, messieurs ! fit la voix de Napier, en s'adressant à tous. Le temps passe et il semble que nous devrions avoir un grain avant peu. Je sais que vous avez hâte de retourner à vos navires, mais j'aimerais que vous écoutiez tous, et peut-être que vous mettiez en question, certains points soulevés dans le rapport que le capitaine Sulivan m'a soumis cet après-midi.

Il secoua la cendre de son cigare.

— Pendant que nous dînions avec M. Buchanan, nous avons tous pris connaissance de la dépêche apportée par le *Lightning* — je parle du message de M. Grey, chargé d'affaires de Sa Majesté à Stockholm. Elle nous avisait que la Suède avait décidé de rester neutre pendant toute la durée de la guerre et de fermer ses ports à tous les belligérants. Ainsi que vous le savez déjà, j'ai l'intention de faire une visite officielle à Sa Majesté le roi Oscar, dès que l'occasion s'en présentera, mais je ne compte guère sur mes dons de persuasion pour obtenir un meilleur résultat à Stockholm qu'auprès du roi de Danemark, lors de ma récente visite. En d'autres termes, nous ne pouvons tabler ni sur l'aide de la Suède ni sur celle du Danemark.

L'amiral Chads intervint :

— Le fait que la guerre soit maintenant déclarée modifiera peut-être l'attitude des souverains scandinaves, sir Charles. Surtout quand ils connaîtront la position qu'a prise le roi de Prusse.

— Ouais, dit Napier, c'est là le nœud de la question. Maintenant que la Prusse a mis le port de Memel à la disposition du tsar, le blocus de la Baltique devient dix fois plus difficile. Les ports prussiens sont tout prêts à servir les intérêts russes et le diable de l'affaire, c'est que ça ne s'arrêtera peut-être pas là. Le prochain stade pourrait bien être une alliance militaire totale entre la Prusse et la Russie ; s'il en est ainsi, nous sommes...

Il renversa le pouce en bas et secoua la tête.

— En ce cas, nous devrions attendre que notre allié, l'empereur des Français, prenne les Prussiens à revers, fit l'amiral Plumridge de sa voix traînante. Mais espérons, sir Charles, que nous n'en arriverons pas là !

— Il faut l'espérer en effet, acquiesça Napier.

Puis, dans son style le plus brutal, le plus méprisant, il reprit :

— Notre allié ! Louis-Napoléon Bonaparte ! Devenu l'empereur Napoléon III après un sanglant coup d'Etat ! Jamais je ne me fierais à lui, si nous avions besoin d'aide dans n'importe quel coin du globe. C'est le genre « moi d'abord », ce gars-là ! Je croirai à sa valeur en tant qu'allié quand il m'enverra en renfort dans la Baltique autre chose qu'un unique bâtiment de ligne, à moitié pourri, une demi-épave, comme l'*Austerlitz,* qui, d'ailleurs, a brillé par son absence depuis que nous avons franchi les Belts !

Un rire contraint fit le tour de la table. Puis le commodore Seymour, capitaine de pavillon, dit d'un ton doucereux :

— Si je vous comprends bien, sir Charles, vous voulez dire que la Grande-Bretagne entreprend la campagne de la Baltique sans pouvoir compter sur l'appui de son seul allié occidental et consciente que la Prusse peut, d'un moment à l'autre, conclure un traité d'alliance avec le tsar. Mais la situation est-elle si exceptionnelle ? Lord Nelson et lord Saumarez, au cours de deux campagnes différentes, ont fait la guerre dans la Baltique dans des conditions très semblables.

— Non ! coupa Napier, tandis que la colère rougissait son visage déjà coloré. Non, par Dieu, ce n'est pas vrai ! L'amiral Saumarez a rencontré la flotte russe en haute mer et l'a poursuivie de Hangö à Port Baltique, avant d'engager le combat et de capturer le *Sevolod* ! Cette campagne-ci va se dérouler contre les grandes forteresses, et la flotte devra affronter des bas-fonds, des murailles de granit et la Russie est celle de Nicolas 1er, non pas celle de son cher défunt frère !... Sulivan, parlez-leur des pilotes.

Le capitaine Sulivan obéit aussitôt à cet ordre brusque.

— Agissant d'après des renseignements reçus dans le port de Stockholm, dit-il, et sur le conseil personnel de notre chargé d'affaires, je n'ai engagé en Suède aucun pilote pour la flotte. Parmi les hommes disponibles, il apparut que certains avaient des parents russes, bien pourvus d'argent par des voies officielles. On en avait vu d'autres en compagnie d'agents russes. Il ne fait aucun doute pour moi que de tels pilotes auraient fait de leur mieux pour échouer les navires dont ils auraient la charge sur le premier rocher ou dans les premiers bas-fonds venus.

— Cela correspond exactement à ce que nous disait M. Buchanan à propos des agents russes, qui actuellement, s'activent au Danemark, remarqua l'amiral Plumridge.

— Ouais, tout ça est bien beau, grommela Napier. Donc, en lieu et place de pilotes — que le maître de la flotte considère comme indispensables — notre ami Sulivan ne m'amène rien moins que quatre volontaires pour le pont inférieur. Quatre ! Ça ne nous mènera pas loin, hein, capitaine Gordon ?

Le capitaine du vaisseau amiral se mit à rire, comme c'était son devoir.

— Tous matelots brevetés, je pense, capitaine ?

— Non, monsieur. Rien de bien fameux, pour l'instant : trois étrangers et un ancien marin démobilisé du service actif. Et même ceux-là, nous avons eu du mal à les enrôler. Mon premier lieutenant, M. Cudlip, n'était pas certain qu'il fût licite de les prendre à bord. On lui a si bien rebattu... si bien exalté la neutralité suédoise, à la table hospitalière de M. Grey, qu'il s'est donné la peine de s'assurer que ces hommes savaient ce qu'ils faisaient et qu'ils avaient pris la décision de leur plein gré.

— Nous avons connu semblable expérience à Kiel, dit le capitaine Gordon. Et, à Copenhague, ils nous criaient « Racolage ! avec une ardeur égale à celle qu'ils ont témoignée en nous applaudissant cet après-midi, dans la baie.

— Ouais, eh bien, l'enrôlement forcé avait tout de même du bon, gronda l'amiral et je doute que la prime de guerre apporte beaucoup d'amélioration au recrutement. Quatre volontaires à Stockholm, cent deux à Kiel et Copenhague ! Cent six hommes, alors qu'il m'en faudrait deux mille de plus pour manœuvrer une flotte, dont les équipages ont été ramassés en deux semaines parmi la racaille des ports, des apprentis fugitifs de Londres et une poignée de paysans des comtés en rupture de ban ! Vingt navires et vaisseaux à ce jour, quinze de plus peut-être, quand l'escadre de l'amiral Cory me rejoindra, pour affronter... quel est le total des forces russes qui nous sont opposées, commodore Seymour ?

Le capitaine du pavillon lut d'un ton monotone une page de notes placée auprès de lui :

— Vingt-sept vaisseaux de ligne à voiles. Dix frégates. Sept bricks et corvettes. Neuf vapeurs à roues. Quinze lougres et goélettes. Et, continua-t-il d'une voix un peu plus expressive, cent quatre-vingts chaloupes canonnières. Au total, trois mille cent soixante canons. Total des équipages : vingt-sept mille hommes.

— Les chaloupes canonnières constituent leur arme la plus importante, dit sir Henry Chads. Elles possèdent la mobilité, la puissance de feu... tout ce qui manque à notre escadre en l'état actuel.

— En attendant, ils se sont bloqués dans Kronstadt et Helsingfors, intervint l'amiral Plumridge, ce qui nous laisse tout loisir de nous tourner vers Bomarsund. Telles étaient vos instructions, je crois, sir Charles ?

— C'étaient les ordres sous pli cacheté que j'ai ouvert à Vingäsand, oui. Mais, là encore, le capitaine Sulivan a des renseignements à nous fournir sur le fort Bomarsund.

Les têtes blanches, les têtes fortement poivre et sel se retournèrent lentement vers l'hydrographe. Les verres à demi vides demeuraient sur la table et la fumée grise du cigare montait en lentes spirales sous les lampes.

UN CONSEIL DE VIEILLARDS

— Tous les pilotes du cru avec lesquels j'ai parlé, au cours de mon voyage à Stockholm et retour, sont d'accord sur un point, messieurs, dit Sulivan. Les Russes, qui ont annoncé publiquement, l'hiver dernier, qu'ils allaient abandonner les travaux en cours à Bomarsund, sont de retour en force et la construction de la grande forteresse avance plus rapidement que jamais !

Il y eut un murmure autour de la table, l'amiral Plumridge gronda un « Naturellement ! » Napier releva la tête : il venait de s'entretenir à mi-voix avec un lieutenant d'ordonnance qui avait demandé l'autorisation de lui remettre un message en provenance de la plage arrière.

— Je suis d'avis, messieurs, d'ajourner ce conseil. Il vente grand frais et certains capitaines sont en difficulté. Je vais faire faire des copies du rapport de l'hydrographe sur le mouillage d'Alvsnabben et j'en ferai parvenir un exemplaire à chacun de vous avant l'appareillage.

— Puis-je vous retenir avec une seule question, sir Charles ? intervint l'amiral Henry Chads.

C'était l'un des spécialistes en artillerie de la Royal Navy, où il était entré en 1800, et il n'était guère facile, même pour l'irritable Napier, déjà debout, de refuser sa modeste requête.

— Je vous en prie, sir Henry.

— Il semble que le capitaine Sulivan soit un excellent courrier, en même temps qu'un excellent hydrographe, dit tranquillement Chads. D'après les renseignements que vous avez pu réunir, capitaine, seriez-vous d'accord avec l'amiral Plumridge pour dire que toute la flotte de la Baltique russe s'est... « bloquée », je crois que c'est le terme qu'il a employé... entre la forteresse de Kronstadt et la ville d'Helsingfors ?

— Sans aucun doute, déclara Napier d'une voix retentissante.

Sulivan se passa la langue sur les lèvres.

— Les avis diffèrent sur ce point, déclara-t-il.

— C'est-à-dire ?

— Plusieurs capitaines finlandais pensent qu'un détachement de bâtiments de ligne russes — le nombre, selon les informateurs varie de six à dix — n'ont pu atteindre la protection de Sveaborg — la forteresse qui défend Helsingfors — car entre-temps le golfe de Finlande a gelé.

LA FORTERESSE

On dit qu'ils se trouvent dans les glaces entre Viborg et Helsingfors, expliqua Sulivan dans un silence de mort.

— Alors, mon cher sir Charles, reprit l'amiral Chads, ne serait-il pas tout indiqué de gagner à vive allure le golfe, où la débâcle s'accentue rapidement, pour attaquer ce détachement russe avant qu'il puisse regagner l'une ou l'autre de ses bases ? Une attaque brusquée de ce genre, si elle réussissait, pourrait être la clé de toute la campagne.

— Vous oubliez, interrompit le commandant en chef, que Leurs Seigneuries m'ont donné l'ordre d'attaquer Bomarsund ; et que, dans les mêmes instructions, paragraphe 4, elles m'adressent cette pressante exhortation : « N'entreprenez aucune action dangereuse ! ».

Chads sourit.

— Est-ce donc une entreprise tellement héroïque que d'aller reconnaître une forteresse, en se tenant soigneusement hors de portée des canons, et d'engager ensuite le genre d'action que le public britannique peut attendre de notre part ?

— Bon Dieu ! jura sir Charles Napier, tandis que sa main grasse s'abattait sur la table. Une telle imputation m'offense, venant de vous, amiral Chads. Je suis prêt à entreprendre n'importe quelle action si dangereuse soit-elle, si Leurs Seigneuries me l'ordonnent ! Je réduirai Sveaborg en cendres, et Helsingfors aussi, si l'Amirauté le juge souhaitable ! Quel jour sommes-nous ? Ouais, le deux avril, nous n'oublierons pas cette date ; et Sa Majesté, Dieu la garde, aura trente-cinq ans le vingt-quatre mai. Remplissez vos verres, messieurs : je veux vous proposer encore un toast. Engageons-nous à célébrer l'anniversaire de la reine Victoria dans le Palais d'Hiver, à Saint-Pétersbourg !

CHAPITRE VII

GLACES FLOTTANTES

L A LETTRE DE BRAND,
adressée à Alix Gyllenlöve, arriva à Helsingfors dans les
plus brefs délais possibles et, chose surprenante, sans paraître avoir été décachetée par la censure postale russe.
Comme l'avait remarqué Brand, pendant qu'on le retenait
à Abo, il existait, parmi les autorités civiles russes, une
certaine confusion, quelques hésitations, pendant cette période où l'on mettait le grand-duché sur le pied de guerre ;
on sentait aussi le désir des autorités de ne pas éveiller
l'hostilité des Finlandais haut placés et influents, tels que
le sénateur Walleen et son entourage. De sorte que la
lettre d'Alix ne s'égara point pendant le transit, ne se
perdit point à la poste, mais lui fut apportée, par une
Anna souriante, un matin d'avril, où la flotte de la Baltique, ayant quitté les eaux territoriales danoises, gagnait,
à force de vapeur, son nouveau mouillage d'Alvsnabben.

Ce n'était pas une élégante petite missive à trois coins,
comme les billets que Boris Apraxine et ses autres admirateurs russes glissaient naguère dans les bouquets qu'ils
envoyaient à Alexandra, les soirs de bal. Le mauvais papier avait été en contact avec la table tachée de bière de
la taverne Baltica, puis avec la blague à tabac de Joe
Ryan ; et apparemment, l'écriture de Brand ne s'était
pas améliorée au cours de son séjour d'un an à Bowdoin,
où — ainsi qu'il l'avait raconté à Alexandra avant son

127

départ d'Helsingfors — sa tante Betsy avait tenu à l'envoyer dans le vain espoir qu'il y pourrait sentir s'éveiller en lui une vocation religieuse. La violence avec laquelle il avait écrit : « *Je vous aime et je reviendrai* » avait failli transpercer le papier trop mince et une averse de taches suivait l'énergique signature ; ce n'en était pas moins une lettre d'homme, vigoureuse et masculine, et le visage d'Alexandra rayonnait à sa lecture.

Moins d'une heure après avoir lu la lettre de Brand, elle suivit d'un pas rapide la route qui menait à la ville. Les jeunes filles d'Helsingfors jouissaient d'une liberté bien plus grande que les matrones en puissance de mari de Saint-Pétersbourg et, pourvu que la servante lapone l'accompagnât, on n'avait jamais limité les mouvements d'Alexandra, à la villa Hagasund. Anna, à ce moment même, trottinait sur ses talons, coiffée de sa *hilkka* écarlate ; sa courte jupe noire se balançait au-dessus de ses genoux et son visage brun, au nez épaté, se tournait de côté et d'autre, tant était grand son plaisir animal de sentir la caresse du soleil et de la brise légère qui montait de l'anse de Tölö. De temps à autre, elle échangeait quelque remarque avec Alix, dans le langage qu'elles s'étaient fabriqué à partir du suédois, du finnois et de quelques mots lapons. Il y avait dix ans que le père d'Alix avait trouvé la Lapone, alors âgée d'une vingtaine d'années, serrant son bébé mort dans ses bras, et entourée de morts et de mourants, tous gens de sa tribu, après le massacre de leur troupeau de rennes au cours d'une expédition dans le Grand Nord, où chargé de mission par le gouvernement, il allait porter secours aux affamés. Il avait ramené la jeune femme dans son petit manoir d'Ekenäs ; elle y avait été baptisée, sous le nom d'Anna, et elle avait fini par servir de femme de chambre à Kristina et Alix Gyllenlöve. Si elle demeurait encore attachée à certaines coutumes, certaines croyances lapones, seule Alix le savait.

Alexandra prit la direction d'Ulrikasborg en passant par l'observatoire, car la route côtière était interdite aux civils pendant quelques jours. « Réfection de la chaussée » : tel était le motif invoqué dans les avertissements officiels ; tout Helsingfors traduisait cela par : « nouveaux agrandissements pour l'installation des batteries russes, au-delà de la pointe. » On pouvait, néanmoins, rejoindre le parc par

128

le haut de la colline, où fumaient à présent les cheminées de la plupart des villas neuves, où l'on voyait travailler servantes et jardiniers. En moins de trois semaines, le parc et la baie avaient perdu leur visage hivernal. Plus de neige sur les épicéas ; on voyait même les
pointes vertes de quelques fleurs printanières percer la
couche d'aiguilles tombées au pied des arbres. Alix respira profondément. C'était ici qu'ils s'étaient arrêtés, ici
qu'il l'avait prise dans ses bras, ici que, pour la première
fois de sa vie, elle s'était sentie envahie du désir de
s'abandonner à l'homme dont elle sentait sur les siennes
les lèvres brûlantes. Elle ferma les yeux et tâta, au fond
de la poche de son manteau, la lettre qui disait : « Je
vous aime et je reviendrai. »

— Là-bas, au large, c'est la mort et le danger, enten-
dit-elle dire par Anna.

Elle émergea du souvenir de son amour pour retrouver la froide lumière du jour.

— La forteresse ? Tu veux dire Sveaborg, Anna ?

— Oui, maîtresse.

— Quand les Anglais arriveront ?

— Quand les Anglais seront là. Le danger, la mort
seront tout près, pour vous et pour lui.

Un index brun se posa sur la lettre qu'Alexandra avait
en main.

— Je l'ai vue, maîtresse, murmura la Lapone.

— Al-ix !

L'appel venait de la colline au-dessus d'elles. Alix se
retourna vivement.

— Paul ! Que fais-tu là ?

C'était le jeune Paul Demidov, le fils d'Aurora, qui
dégringolait gauchement le sentier dans un lourd manteau
de fourrure, trop chaud pour ce matin de printemps ; un
sourire, mi-triomphant, mi-défiant, éclairait son visage
olivâtre.

— C'est moi qui pourrais te poser la question, ripos-
ta-t-il. Je me rends au déjeuner de la princesse Yousopovska. Pourquoi te promènes-tu seule avec ta sorcière
apprivoisée ?

— Les jeunes Yousopovsky sont donc arrivés de Saint-
Pétersbourg ? Je l'ignorais.

— Tu ne t'intéresses ni à mes amis ni à moi, Alyssa
Ivanovna.

129

Le jeune homme était maintenant tout près d'Alix. Elle sentait le parfum du savon au santal et de l'eau de toilette dont Paul usait abondamment. Elle vit qu'il s'était rasé, ce jour-là : l'ombre noire qui adoucissait parfois sa lèvre supérieure avait disparu.

— Tu es en avance de trois bonnes heures pour un déjeuner russe, précisa froidement Alix. Même pour un déjeuner d'enfants dans la salle d'études. Où est ton précepteur, Paul ?

— Rentré à la villa, naturellement, dit le jeune homme avec colère. Ne parle donc pas comme si j'étais encore en lisières.

— A mon avis, ça te ferait du bien ! Tu m'as suivie jusqu'ici, au Brunnsparken, n'est-ce pas ?

— Et après ? Je n'ai jamais l'occasion de te voir seule à seul, à la maison.

Il posa une main sur le bras d'Alix qui s'écarta brusquement.

— Tu me vois tous les jours, Paul, ne sois pas stupide. Pourquoi t'es-tu mis à m'importuner, à me suivre partout ? Tu étais un si gentil petit garçon, dans le temps...

— Je suis un homme, maintenant, vois-tu, dit Paul Demidov. Donne-moi un baiser !

Alix, qui avait levé sa main gantée pour le repousser, s'aperçut qu'Anna s'était jetée entre eux et qu'elle bousculait le jeune excité comme un chien qui défend sa maîtresse.

— Que dirait maman si elle savait que tu es venue ici toute seule pour lire une lettre de ton amoureux ?

Il tenta vainement de saisir le papier que tenait encore Alexandra.

— Oh...h !

Elle sentait que, cette fois, elle allait le frapper, que rien ne pourrait retenir cet élan primitif. C'est alors qu'à son grand soulagement, elle vit approcher dans l'allée le cocher de Mme Karamsine.

— Prince Paul, les chevaux vont prendre froid sans couvertures... commença l'homme, d'un ton obséquieux.

Alix sauta sur l'occasion.

— Ainsi, tu n'as même pas eu le courage de *marcher* jusqu'ici, espèce de sale gamin trop gâté, murmura-t-elle avec mépris à l'adresse du jeune homme.

Puis, tout haut, elle dit au cocher :

— Tu as tout à fait raison, Grigori, il ne faut pas laisser les chevaux immobiles. Tu vas déposer le prince Paul à la villa de la princesse Yousopovska et tu pourras ensuite nous ramener, ma femme de chambre et moi, à la villa Hagasund.

A quoi bon demeurer plus longtemps au Brunnsparken, malgré le soleil qui brillait et les premiers oiseaux qui entonnaient leur chant ? Ce petit maladroit, au visage écarlate, aux sourcils froncés, qui rejoignait la voiture à ses côtés, avait détruit tous les délicats souvenirs de l'heure passée avec Brand. Elle regarda la forteresse, de l'autre côté de la baie. Grâce à quelque jeu d'ombre et de lumière, Sveaborg paraissait s'être notablement rapprochée de la côte. Elle reporta son regard sur le visage fermé d'Anna. Ce ne serait pas aujourd'hui, ni peut-être même avant de nombreux jours, que la Lapone s'expliquerait plus avant sur sa vision de la forteresse, endroit de mort et de danger. Presque en silence, elles revinrent à Hagasund.

Mme Karamsine s'inquiéta beaucoup lorsqu'on annonça que l'armée russe du Danube avait franchi le fleuve en trois points et avait pénétré plus avant dans les principautés, occupant la Dobroudja, après des combats acharnés et meurtriers. Mais, avant longtemps, elle reçut de bonnes nouvelles de son mari. Le colonel Karamsine annonçait dans une lettre écrite de sa main qu'avec l'état-major général il se trouvait maintenant à Bucarest où les riches boyards de la principauté de Moldavie recevaient somptueusement les officiers russes. Alix, dissimulant son amusement, devina que Mme Karamsine débattait en elle-même la possibilité d'aller jusqu'à Bucarest pour participer aux exotiques festivités des Balkans.

Un matin, vers la fin d'avril, Mme Karamsine entra sans cérémonie dans la chambre d'Alexandra, qui s'habillait, et dit :

— Alix, ton père est là. Il est arrivé hier soir, très tard.

Quelque chose, dans le regard déconcerté de la jeune fille, toucha le cœur d'Aurora. Quelque chose, aussi, dans sa jeunesse, qui déclencha la jalousie de l'aînée, bien

131

qu'elle fût superbement assurée de sa propre beauté. Alix était vêtue, comme une paysanne finlandaise, d'un jupon court et d'un caraco ; mais le jupon était de soie blanche et le caraco, de mousseline blanche brodée, sur laquelle ruisselaient ses cheveux blonds, lisses et brillants, un peu retroussés au bout. Elle venait de les brosser vigoureusement et la brosse tomba sans bruit sur le tapis, tandis qu'Alix murmurait :

— Ici, à Hagasund ?

— Non, ma chérie : je voulais dire « ici, à Helsingfors ». En fait, ajouta Aurora, un peu troublée, il est à Sveaborg. Il y est arrivé hier soir et doit passer quelques jours chez le général Sorokine.

— L'hôte du gouverneur de Sveaborg... Dieu du ciel ! fit Alix, papa fait son chemin dans le monde.

Elle se pencha pour ramasser la brosse en écaille et Aurora suivit du regard le souple mouvement du dos et du bras mince, la ligne bien droite des longues jambes nues, sous le jupon de soie à volants.

— Ma chérie, tu n'as donc pas froid ? demanda-t-elle avec un coup d'œil vers la fenêtre ouverte.

— Froid ?... Non, bien sûr que non. Aurora, parle-moi de papa. Quand doit-il venir me voir ici ?

— Très chère, il demande tout particulièrement que ce soit nous qui allions le voir. Il est ici pour affaires et son temps ne lui appartient pas mais, naturellement, il tient à te voir et... et à parler de ton avenir. Les Sorokine nous ont invitées, toutes les deux, à déjeuner aujourd'hui et ton père viendra nous chercher au port à midi et demi.

— Un déjeuner à la forteresse ? Je croyais qu'elle était absolument interdite aux Finlandais, sauf, bien sûr, aux hauts fonctionnaires comme mon père.

— Alix, tu ne dois pas te montrer sarcastique. L'invitation qui t'est adressée est une faveur accordée à ton père, et je te demande instamment... je te supplie de ne rien dire, de ne rien faire, en présence du général Sorokine, qui soit de nature à compromettre la carrière de Johan.

— Ai-je jamais dit ou fait quoi que ce fût qui pût compromettre sa carrière, quand je vivais chez lui, à Saint-Pétersbourg et que lui... je suppose qu'on peut dire qu'il

132

GLACES FLOTTANTES

vivait avec sa maîtresse, chaque fois que Mme Ourov pouvait s'échapper de Moscou ?
— Voyons, Alix...
Aurora soupira en regardant, dans la glace, le reflet
de la jeune fille. Alix s'était assise devant sa coiffeuse
et le soleil qui se reflétait dans le long miroir changeait
en or filé ses cheveux clairs. Elle était sans conteste
dans un de ses jours de beauté, pensa Aurora : l'émotion
assombrissait ses yeux extraordinaires et son teint — de
nouveau, ce coup de poignard de l'envie — était aussi
frais que les pétales d'une rose.
— Ma chérie, comme tu es jolie, dit-elle doucement.
Ton père va être si fier de toi... Ne l'ennuie pas trop
avec les idées de ta maman sur le bien et le mal. Il
y a des moments, vois-tu, où l'on doit transiger avec la
vie... et Eleonora, pauvre chérie, n'a jamais été vraiment
la femme qu'il fallait à Johan.
— Tu ne crois donc pas, demanda Alix stupéfaite,
qu'elle a rendu mon père heureux ?
— Pas autant que Nadine Ourov.
— Mais Mme Ourov est déjà mariée.
— Son mari est assez âgé pour être son père. Alix,
ne va pas croire que j'aie trop d'indulgence pour le mal !
Je voudrais seulement que tu comprennes qu'un homme
brillant et actif comme ton père trouvait forcément
ennuyeux et trop facile un poste gouvernemental dans une
province finlandaise et que la pauvre Eleonora exagérait
vraiment la moindre indisposition... Il était inévitable que,
devenu veuf, Johan se soit fait une vie différente. Après
tout, il n'a encore que quarante-cinq ans ! Essaie donc
de le comprendre mieux, Alix. Si vous vous disputez,
tous les deux, c'est parce que vous vous ressemblez ! Si
tu avais été le fils qu'il désirait tellement avant ta naissance, tu te ferais maintenant un nom dans les affaires
publiques, tout comme Johan. J'ai souvent pensé, en vous
écoutant parler avec tant de gravité de la Finlande, toi
et le petit Mannerheim, que toute cette curiosité, toute
cette ardeur te venaient de ton père...
— Et c'est bien vrai qu'il travaille pour la Finlande,
dit Alexandra.
La ligne sévère de sa bouche s'adoucit.
— Je suis heureuse qu'il soit ici, ajouta-t-elle.
Mme Karamsine se leva avec un sourire.

133

— Mets ta robe verte, conseilla-t-elle, et je vais t'envoyer Verna pour te friser.

— Oh, non, c'est horrible, ces « anglaises » !

Mais, à midi, quand Alix prit place dans la voiture, ses blonds cheveux étaient disposés en boucles brillantes sous sa capote vert pâle et Mme Karamsine eut le plaisir de présenter une parfaite image d'élégance raffinée à l'homme de belle prestance qui les attendait sur les marches du port.

— Tu es charmante, ma chérie. Helsingfors te fait du bien, dit Johan Gyllenlöve.

Il embrassa Alix sur les deux joues et appuya ses lèvres sur la main d'Aurora Karamsine.

— Vous êtes superbes toutes les deux, mais vais-je oser confier de si jolis oiseaux à un canot de la marine ?

— Bien sûr que oui, fit Aurora en riant.

Avec l'aide de Gyllenlöve, elle transborda adroitement ses jupes lilas et son énorme manchon d'hermine.

— Toi aussi, papa, tu as bonne mine, dit timidement Alix, tandis que les marins russes, triés sur le volet, mettaient cap au large, en s'éloignant de la place du marché.

Ce n'était pas tout à fait vrai : le teint coloré de son père était plus pâle que lorsqu'elle l'avait quitté, à Saint-Pétersbourg avant Noël, et un réseau de rides plus serré se dessinait à l'angle de ses yeux d'un gris sombre. Mais le visage avait encore une surprenante jeunesse et, pour l'instant, exprimait la bonne humeur. Comme Alix, Johan Gyllenlöve était grand et mince, alors que la plupart des hommes de son âge prenaient du ventre, et il n'y avait que très peu de fils d'argent dans ses cheveux blonds. Rasé de près, il portait l'uniforme, comme tous les fonctionnaires impériaux, qu'ils fussent affectés aux travaux publics en Finlande ou au convoiement des prisonniers d'Etat à travers la Sibérie. Alix remarqua qu'il portait ses deux décorations. Elle n'avait jamais observé de très près les uniformes russes, mais, tandis que tous trois souriaient et bavardaient en échangeant des questions polies sur la santé de parents et d'amis, il lui parut que son père portait des aiguillettes et des boutons différents et que son épée de parade n'était plus du même modèle. Elle pensa qu'il s'agissait là de quelque caprice du tsar, qui eût volontiers fait endosser à tout homme de bonne éducation en Russie un uniforme quelconque.

— Mais vous nous avez prévenus si peu de temps à l'avance, cher Johan, se lamentait Mme Karamsine. Ne pouvez-vous passer au moins une nuit à la villa Hagasund ?

— Je le voudrais, Aurora, mais c'est peu probable. Le général von Berg et moi avons à effectuer une immense inspection côtière, depuis Viborg, vers l'ouest, jusqu'à Hangö et, après cela, jusqu'à Abo. Nous ne devons pas nous attarder à Helsingfors.

Il n'a certainement pas l'intention de m'emmener, exultait Alexandra. En mission officielle et obligé de se déplacer rapidement, il ne peut vouloir s'encombrer d'une femme et de ses bagages. Je serai encore ici quand la flotte britannique arrivera à Helsingfors...

— Pourquoi le général von Berg va-t-il effectuer cette inspection, papa, s'il te plaît ?

— Parce que le tsar l'a nommé commandant en chef de toutes les troupes de la côte Sud, excepté la garnison de Sveaborg. Le prince Susarov a reçu le commandement civil de la Livonie, de l'Estonie et de la Courlande. Quant à moi...

Il marqua une pause chargée de signification.

— Eh bien, papa ?

— Sa Majesté m'a mis à la tête de la Commission des chemins de fer, créée par ukase impérial il y a sept jours.

La classique perfection du bord de mer d'Helsingfors vacilla et se brouilla devant les yeux d'Alexandra.

— Va-t-il donc y avoir un chemin de fer en Finlande ? demanda-t-elle en contrôlant sa voix. La Commission des chemins de fer fera-t-elle partie de notre ministère ?

— Pas exactement, ma chère enfant, répondit Gyllenlöve, avec la bonne humeur résolue dont il faisait preuve depuis leur rencontre. Elle a été créée pour équiper une région de l'empire où l'on a besoin, de façon vraiment urgente, d'un système de transports moderne. La présente inspection est une affaire d'information technique, qui doit aider le général von Berg ; dès qu'elle sera terminée — disons dans deux semaines —, ma commission et moi, nous nous mettrons à l'œuvre sur une voie ferrée qui joindra directement Moscou à la Crimée.

135

— Mais alors, tu ne vas plus travailler avec le comte Armfelt ? insista Alix.

— Du moins, pas pendant la durée de la guerre.

Le canot arrivait maintenant à l'appontement de la Grande Svartö Est et elle voyait l'immense couronnement sur la première des îles fortifiées de Sveaborg. A tribord, c'étaient les baraquements et les chantiers de la Petite Svartö Est, reliée à sa grande homonyme par une jetée, tandis que, au-delà de leur ligne de vision, une seconde jetée menait à Svartö Ouest, sur laquelle se trouvaient deux magasins à poudre, une autre caserne et le centre de ravitaillement de toute la forteresse. Sous les branches couvertes de bourgeons d'un bosquet de tilleuls, près du petit port, la voiture du général Sorokine attendait, un aide de camp à cheval à la portière.

— Les routes de Sveaborg n'ont pas été conçues pour les voitures civiles, dit ce jeune homme en saluant. J'ose espérer que ces dames n'en seront pas incommodées.

— Nous allons être obligés d'avancer au pas, dit Gyllenlöve, d'un ton significatif.

L'île, en fait, grouillait de soldats. Kalmoucks, Ukrainiens, Géorgiens, Cosaques... toutes les races de l'empire russe semblaient représentées dans les différentes corvées qui croisaient la voiture ; les hommes, marchant d'un pas lourd, allaient renforcer les ouvrages de défense de Sveaborg.

— A combien se monte à présent la garnison de la forteresse ? demanda brusquement Alix.

Le ton de sa question fit hausser les sourcils à son père, mais il répondit très naturellement :

— Six mille officiers et hommes de troupe, à ce qu'on m'a dit. La même force, ou peu s'en faut, que la garnison de Helsingfors, mais celle-ci se trouvera augmentée à l'arrivée de la brigade du général Konakovsky.

— Un Russe pour douze citoyens d'Helsingfors, donc ?

— A peu près.

Alexandra se sentit prise de découragement. Contre une telle armée, quelle chance pouvaient bien avoir les trois cent cinquante étudiants de l'Université de Helsingfors, le seul groupe qui possédât la foi et l'énergie nécessaires pour mener un soulèvement nationaliste ? Elle jeta un morne regard vers la chaussée des casernes et vit de ses propres yeux ce dont elle ne connaissait l'existence que par ouï-dire : de longues files de forçats russes enchaînés, qui allaient en traînant les pieds vers la corderie où le changement d'équipe avait lieu à une heure. Derrière les barreaux des fenêtres des hauts bâtiments blancs, déjà vieux d'un siècle, se montraient de féroces visages de soldats, guère plus intelligents que les visages grossiers, encroûtés de crasse des forçats. Mme Karamsine ouvrit son parasol lilas et l'inclina, pour qu'il fasse écran entre ces fenêtres et ses yeux.

La voiture descendit la pente et franchit le pont sur chevalets qui unissait la Grande Svartö Est à Vargön. L'aide de camp, qui chevauchait à la portière, montra les travaux qui se poursuivaient pour approfondir et agrandir les arsenaux maritimes russes, placés sous la double protection du couronnement de Svartö et des casemates de Vargön.

— C'est là que seront mouillés les bâtiments de ligne, Aurora, dès qu'ils se seront libérés des glaces flottantes de Lovisa, dit Gyllenlöve.

— Comme c'est intéressant !

Alix ne dit rien. Le cœur lui battait très vite, tandis qu'ils gravissaient les voies d'accès abruptes de Vargön et passaient sous une voûte du grand bastion pour pénétrer dans la cour paisible, mais bien gardée qui représentait le cœur de Sveaborg. Là, en face de la résidence du gouverneur, protégé par un donjon haut de plusieurs étages, se trouvait une sorte de jardin à la française ou, tout au moins, une étendue de gazon vert, bien entretenu ; et, dans ce jardin, se dressait le tombeau du créateur de Sveaborg, Ehrensvärd.

Là s'était déroulée, quarante-six ans plus tôt, la grande reddition, et là, une fois que la forteresse fut tombée par trahison aux mains des Russes, avait été chanté un Te Deum russe, pour rendre grâces de la victoire, près du tombeau d'Ehrensvärd. Alexandra n'osa pas risquer un regard vers le sarcophage. Elle sentait bien des yeux sur elle.

— Il faut que nous ayons une longue conversation, toi et moi, chuchota le comte Gyllenlöve.

Toutes les présentations avaient été faites et les flûtes de champagne circulaient dans le salon de la Résidence.

— As-tu mis des chaussures qui se prêtent à la mar-

che, ou bien de ridicules escarpins de satin, comme
Aurora ?

— Des chaussures, papa.

Elle tendit, sous l'ourlet de sa robe verte, un petit
pied chaussé de cuir et son père sourit.

— A la bonne heure. Je m'arrangerai pour te voir
quand le déjeuner sera terminé... après notre conférence.

A la mesure de Saint-Pétersbourg, c'était un déjeuner intime : il n'y avait guère qu'une vingtaine d'invités.

Alix eut tout le temps d'examiner le membre le plus
important de la mission dont faisait partie son père.
Elle avait rencontré le général von Berg à Saint-Pétersbourg et le savait très près du trône, si près qu'on avait
parlé de lui comme du prochain gouverneur de la Finlande. Il était d'origine germano-balte et possédait un
étroit visage de renard et une réputation de cruauté :
c'était tout à fait le genre d'instrument auquel aurait recours le tsar Nikita s'il devait réprimer un soulèvement
finlandais.

Quatre femmes d'officiers étaient présentes, toutes
quatre considérablement intimidées par Mme Sorokine
et la légendaire Aurora Karamsine, et, quand les dames
se furent retirées, leur conversation tomba au-dessous du
niveau des habituels potins de garnison. Assise près des
doubles fenêtres fermées, Alix répondait poliment quand
on lui adressait la parole et se demandait combien de
temps allait durer la conférence de son père avec les généraux. Plus d'une heure s'était écoulée quand il parut
dans le boudoir de Mme Sorokine et demanda aimablement à « emprunter sa fille pour un instant ».

— Père, s'il te plaît, pouvons-nous regarder le monument ?

Telle fut la première demande d'Alix, dès qu'ils se
retrouvèrent en plein air, et à peine eut-il répondu,
qu'elle traversait la pelouse pour aller se planter devant
la tombe d'Ehrensvärd.

— Très beau ; cadre magnifique, dit la voix approba-
trice du général von Berg, venu sans bruit rejoindre le
père d'Alix sur la pelouse. Est-ce votre première visite
à Sveaborg, Alyssa Ivanovna ?

— Non, général. Je suis venue une fois, il y a cinq
ans, quand j'étais au pensionnat, dit-elle. Miss Harring a
obtenu l'autorisation d'emmener quelques élèves, pour

GLACES FLOTTANTES

voir la Porte Royale et, en même temps, le tombeau
d'Ehrensvärd.

— Vraiment ? Et dans quel but, si je peux me permettre ?

Alix le considéra avec des yeux assombris.

— Nous venions de lire les *Récits du lieutenant Stal*,
monsieur. Miss Harring voulait nous montrer la scène,
que décrit Runeberg, celle de la chute de Sveaborg.

— Charmant ! fit von Berg, et son sourire, sous la
moustache rousse, n'avait rien d'aimable. La nationalisme
romantique dans un pensionnat de jeunes filles !... Et
dites-moi, je vous prie, votre maîtresse fait-elle toujours
lire Runeberg à ses élèves, Alyssa Ivanovna ?

— Miss Harring a bien gagné sa retraite, mon général,
dit Johan Gyllenlöve avec aisance. C'était la gouvernante
particulière de Mme Karamsine et toute la famille l'appelait *Bonne Amie*. C'est une vieille dame tout à fait raffinée et pleine de talents.

Comme mon père est habile, pensa Alix, en voyant
le général von Berg s'incliner et, sans un mot d'excuse,
faire demi-tour vers la Résidence. J'allais m'emporter,
prendre la défense du poète... notre poète national ! Mais mon père savait que von Berg n'oserait jamais dénigrer quelqu'un qui était dans les bonnes grâces
d'Aurora. Il faut que je me taise et que je réfléchisse
davantage, décida-t-elle.

Son père la fit passer au pied du grand donjon et
l'emmena sur le vaste plateau qui occupait le centre de
Vargön.

La mer montait calmement du golfe de Finlande, à
travers les goulets et les bas-fonds de Sveaborg, pour
envahir le vaste mouillage qui entourait Helsingfors. Le
soleil brillait sur le visage d'Alexandra, sur les blonds
cheveux, un peu défrisés à présent, et Johan Gyllenlöve
se sentit fier d'elle.

— Tu as véritablement une mine extraordinaire, ma
chère enfant, dit-il, tandis qu'ils suivaient, d'un pas de
promeneurs, le bord du lac artificiel. Dis-moi, depuis
quand n'as-tu pas eu de nouvelles de Kristina ?

— Un mois environ. Trois semaines.

— Elle et Gunnar Falk allaient bien ? Et l'enfant ?

Alix hésita.

— Je le pense, oui. Mais Kristina n'a jamais repris

139

toutes ses forces, depuis la naissance de la petite Karen.
— Cependant, sa lettre était heureuse. Tu la crois heureuse avec Gunnar Falk ?
— Elle lui est très attachée, papa. Et puis, elle adore Londres... ce genre de vie lui plaît.
— Tant mieux.
Il la dévisagea attentivement.
— Je veux voir mes filles heureuses, Alix... *toutes les deux.*
— Oui, papa, je sais, dit-elle d'une voix faible.
— C'est pour cela que je n'ai pas fait chorus avec tous ceux qui poussaient des hauts cris quand tu as rompu tes fiançailles avec Boris Apraxine. Attention ! Je ne suis pas d'accord avec la manière un peu cavalière que tu as employée. Je l'ai, d'ailleurs, dit au jeune homme lui-même, quand il est venu me trouver, tout bouillant de rancune et d'amour-propre blessé. Mais, après cette entrevue et une autre, que j'ai eue avec sa vipère de mère, j'en suis arrivé à la conclusion que tu as bien fait de te débarrasser du capitaine Apraxine. Et — étant donné que cette union avait été arrangée par Aurora plus que par moi — si nous oubliions maintenant toute cette affaire ?
— Oh, papa, que tu es gentil ! Si tu savais comme j'en ai assez d'entendre parler de cette histoire !
— Je m'en doute. Mais je ne crois pas que tu en entendras beaucoup plus à ce sujet. Boris est en route pour le front du Danube et la princesse Apraxine est retournée à leur *dacha,* à la campagne ; à ton retour à Saint-Pétersbourg, tu ne t'exposeras pas à rencontrer l'un ou l'autre.
Alix s'était préparée à une démonstration de sévérité. Elle dut prendre son courage à deux mains pour dire :
— J'aimerais tout de même mieux ne pas retourner à Saint-Pétersbourg.
— Vraiment ! Et dis-moi, je te prie, où tu préférerais aller ?
— Papa, je veux rester en Finlande. Si tu me permettais de retourner chez nous, à Ekenäs... j'emmènerais Anna et, comme tu as toujours maintenu au manoir quelques serviteurs, la maison sera en ordre et tout à fait confortable...
— A Ekenäs ! s'écria Gyllenlöve. Tu dois avoir perdu la tête, pour songer à une telle chose. Ou alors, c'est

140

moi qui la perdrais, en te laissant partir en compagnie de cette demi-folle de Lapone, dans un manoir isolé du Nyland, avec une garnison russe dans le voisinage et tout le district bouleversé par la guerre...

— Alors, laisse-moi rejoindre la vieille Mlle Agneta Willebrand, à Degerby, interrompit vivement Alix. Sa maison n'est pas isolée et elle a des serviteurs et des jardiniers pour nous protéger. Je t'en prie, papa, rien que pour l'été !

— Je vois que tu as préparé plusieurs solutions, dit l'homme, d'un ton sévère. Tu ne parais pas te rendre compte que Degerby peut être aussi dangereux qu'Ekenäs, tant que l'amiral Napier ne se sera pas brisé le cœur en attaquant nos forteresses de la Baltique et qu'il n'aura pas ramené sa flotte anachronique. Quant à *moi,* je tiens à ce que tu passes cet été en lieu sûr, et ce lieu sûr pour moi, c'est le palais Demidov, à Saint-Pétersbourg, où, très aimablement, Aurora t'invite.

— Mais je viens déjà de passer près de *deux mois,* ici, avec Aurora !

— Deux mois très heureux, j'en suis persuadé.

— Aurora est très gentille pour moi. Mais vivre avec elle, c'est comme se nourrir exclusivement de chocolats à la crème — tu sais, fourrés à la rose ou à la violette !

— Tu préférerais éprouver tes dents sur un morceau de nougat ?

— Il m'arrive d'avoir envie de mâcher, fit Alexandra d'un ton bref... Oh, papa, je te demande pardon. Je n'aurais pas dû dire ça, je le sais. Aurora a été un ange pour moi, non seulement ces deux derniers mois, mais durant toute ma vie... Mais je ne peux m'empêcher de penser que mes longs séjours chez elle me mettent un peu sur le pied d'une parente pauvre. Elle me donne tant et je lui rends, en retour, si peu de services, je verse le café à ses invités ou je surveille Verna quand elle fait les bagages...

Gyllenlöve déclara, avec quelque irritation :

— Tu n'as aucune raison de te considérer comme une parente pauvre ! Ma fortune n'a rien de comparable à celle des Demidov — ils sont peu nombreux qui puissent l'égaler, dans tout l'empire russe — mais mes deux filles sont bien nanties. Kristina a reçu une dot substantielle, lors de son mariage avec Falk, et Ekenäs te revient, selon les termes du contrat de mariage de ta mère, tu le sais.

— Alors, pourquoi ne puis-je aller *habiter* Ekenäs? insista-t-elle.

— C'est assez, maintenant, jeune fille! Tu retourneras en Russie avec Aurora, quand elle désirera partir, et j'espère bien vour voir installées toutes les deux à la Morskaïa avant mon départ de Saint-Pétersbourg.

Elle le dévisagea avec de grands yeux.

— Tu vas quitter Saint-Pétersbourg?

— La Commission des chemins de fer aura son quartier général à Moscou, Alix. Je pensais que tu l'avais compris.

Elle lut dans son regard fuyant qu'il savait fort bien qu'elle n'avait pas compris. Sous l'effet de cette révélation, Alix relâcha instinctivement la pression de sa main sur le bras de son père; elle discernait maintenant la raison de son indulgence, dans cette affaire de fiançailles rompues. Il ne serait plus question d'Apraxine et, en échange, on ne parlerait pas de Nadine Ourov qui, en cet instant même, devait prendre à Moscou des airs avantageux, dans l'attente de voir son amant s'installer dans sa propre ville. La tentation fut grande de répondre: « Mme Ourov va être ravie! » mais, malgré son dépit et sa jalousie, Alix comprenait l'impérieuse nécessité de se montrer diplomate; elle dit seulement:

— Je pensais que tous les services gouvernementaux étaient concentrés à Saint-Pétersbourg?

— Il s'agit ici d'une commission de techniciens: le tsar est pleinement convaincu que, seuls les moyens techniques peuvent gagner une guerre contre la France et l'Angleterre. Je m'établirai à Moscou parce que les principales voies ferrées doivent aboutir à Moscou et parce que — ainsi que je te l'ai déjà dit — nous devons transporter des troupes en Crimée le plus rapidement possible.

— Mais les Alliés occidentaux ne vont-ils pas attaquer les Russes dans les principautés?

Gyllenlöve sourit.

— Tu n'as rien d'un stratège, mon enfant. Les principautés ont joué leur rôle. Le tsar compte vaincre ses ennemis en les attirant à l'intérieur de la Russie, où ils se feront battre aussi sûrement que Napoléon, après son entrée à Moscou...

GLACES FLOTTANTES

— Ou Charles XII à Poltava, acheva Alix qui avait peine à maîtriser le tremblement de ses mains.

— Exactement. Or l'empereur des Français, à qui les erreurs de son oncle n'ont rien enseigné, veut absolument prendre Sébastopol. Par conséquent, tôt ou tard, les Alliés vont entreprendre une invasion de la Crimée, pour apporter assistance et réconfort à leurs amis, les Turcs. Quand ils arriveront, nous serons prêts à les recevoir, assurés que leur campagne de la Baltique est déjà pour ainsi dire perdue.

— Que veux-tu dire ? demanda-t-elle, les lèvres blanches.

— As-tu écouté ce que nous disions, l'aide de camp et moi, en passant devant les bassins de Vargön ? Ou bien rêvais-tu à Döbeln devant Juutas ou à quelque autre romantique héros de la dernière guerre ? J'ai montré l'endroit où les navires de guerre russes allaient mouiller demain ou après-demain, au plus tard, quand, après avoir passé le Gustafssund, ils entreront dans le port le plus sûr de tout le golfe de Finlande. Le port où Napier ne pourra jamais les capturer, ni même apercevoir la pointe de leurs mâts, jusqu'à notre victoire !

— Ils viennent de Kronstadt ? demanda-t-elle sottement.

— Ils viennent de Lovisa ! Ils étaient pris par les glaces, à mi-longueur du golfe, quand la guerre a éclaté. Sept bâtiments de ligne, le plus gros souci de l'Amirauté russe depuis six semaines. Vois-tu, expliqua-t-il, il y a eu un moment où les Anglais, s'ils étaient intervenus *en force,* auraient pu les détruire. Dans ce cas, nos pertes, sur le plan non seulement matériel, mais moral, eussent été effroyables. Les rois scandinaves se seraient peut-être déclarés pour les Anglais ; et même la Prusse... qui sait ? Mais l'amiral Napier, malgré toutes ses vantardises grandiloquentes, a manqué l'occasion. Il a craint de risquer les trois-ponts démodés de lord Nelson dans les glaces flottantes du golfe. Pour le moment, il perd son temps à Alvsnabben, bien à l'abri, sur la côte suédoise, et, si les Russes se décident à réunir toute leur flotte et à sortir en même temps de Kronstadt et d'Helsingfors, ils devraient pouvoir le neutraliser sans beaucoup de mal avant la fin de l'été.

143

La première idée claire qui se présenta à Alexandra fut qu'elle avait envoyé Brand Endicott à la mort. L'invincible Royal Navy avait, par son inaction, manqué la victoire dans l'engagement clé qui lui eût assuré le contrôle sur tout le golfe de Finlande et se trouvait à présent menacée d'une totale destruction par la flotte russe intacte... Délibérément, elle écarta cette image de son esprit. Il y avait d'abord un autre point à éclaircir, un point qui — malgré sa résolution de faire preuve de diplomatie — devait être nettement établi entre son père et elle.

— Papa, dit-elle, je regrette de t'entendre dire « nous », en parlant des Russes, comme si tu te considérais comme l'un d'eux. Et je regrette vivement que tu aies quitté le secrétariat du comte Armfelt. J'ai toujours été si fière de savoir que tu travaillais avec lui pour le bien de la Finlande.

Gyllenlöve eut un geste d'impatience.

— Quelle est la valeur de ce genre de travail ? On est félicité pour avoir installé un nouvel abreuvoir sur la place du marché de Tammerfors ? La Commission des chemins de fer, en temps de guerre, a plus d'importance que l'administration tout entière du grand-duché. Après la guerre, elle apportera la prospérité à la Finlande... tu verras.

Il prit le bras d'Alexandra et l'entraîna.

— Tu vois le chenal entre Vargön et Gustafssvärd ? Il doit être comblé plus tard, expliqua le comte Gyllenlöve. On y accède à l'heure actuelle par un ravelin et un passage couvert. Dans toute la mesure du possible, nous ne l'utilisons que pour le transport de ravitaillement ou de munitions car, autrement, comme tu peux voir, Gustafssvärd est une ville indépendante.

Alix attacha son regard sur l'énorme forteresse. L'aigle à deux têtes russe flottait sur la triple ligne de batteries, intégrée dans les fortifications côtières casematées qui défendaient le terre-plein ouvert, au centre de Gustafssvärd. Avec des yeux maintenant dessillés, elle voyait la difficulté qu'auraient les Britanniques à s'attaquer aux lignes continues de batteries qui n'offraient comme cibles que des bouches de canons. De l'autre côté de l'étroit chenal de Gustaf, une nouvelle ligne de défense en plan incliné, faite de fortins recouverts de gazon, était en cours de construction sur Bakholm. Alix regarda au loin, vers la haute mer.

— Est-ce l'un des navires de guerre de Lovisa qui arrive, maintenant ? demanda-t-elle.

Son père se mit à rire et lui apprit, d'un ton indulgent, que le vaisseau ancré au large de Gustafssvärd était un bâtiment de ligne déclassé, le *Russia,* construit au siècle précédent — « du même âge, à peu près, que la flotte de vieux rafiots de l'amiral Napier », ajouta-t-il avec mépris.

— Mais je ne comprends pas, dit Alix. A quoi peut bien servir un navire déclassé contre... contre l'ennemi ?

— Ne crains rien, le *Russia* aura son utilité. Dès que seront arrivés les bâtiments retenus par les glaces, le *Russia* sera remorqué en travers de l'entrée du Gustafssund. Les bateaux ennemis trouveront en lui un obstacle formidable, joint au feu de cent soixante canons, si jamais ils tentent de pénétrer dans le port d'Helsingfors !

— Mais le Gustafssund n'est certainement pas le seul moyen d'accès à Helsingfors ?

— Quel autre chemin peux-tu envisager ?

Par-dessus l'eau, Alix regardait vers le Brunnsparken, où elle s'était promenée avec Brand. Entre la forteresse et le continent se trouvait l'île de Langörn, considérée comme partie intégrante du vaste système de défense et puissamment fortifiée.

— N'y a-t-il pas un chenal entre Langörn et Svartö Ouest ? demanda-t-elle. Je suis sûre d'avoir vu des bateaux aborder le port Sud du côté de Langörn.

— Tu es très observatrice, approuva son père. En effet, il existe un chenal, mais trop étroit pour les vaisseaux de ligne. Une canonnière pourrait y passer, mais nous savons que Napier ne dispose pas de canonnières, du moins pour le moment. Si, plus tard, une menace se précisait contre le chenal de Langörn, il serait aussitôt bloqué par un autre de nos navires déclassés.

— Papa, voilà que tu recommences à dire « nous » et « notre », en parlant de la Russie. « Notre » pays, c'est la Finlande, la Finlande seule — ou du moins devrait-ce l'être.

— Tu as toujours cette idée fixe, hein ? Je commence à croire que le général von Berg a eu raison de te remettre à ta place ! « Le nationalisme romantique

145

dans un pensionnat de jeunes filles », a-t-il dit. Et c'est
bien là sa place ! Alix, rappelle-toi bien ceci : que cela
nous plaise ou non, nous faisons partie d'un empire en
guerre — une guerre qui nous a été imposée par l'Occident. Tes professeurs d'Helsingfors, tes romanciers, le *Kale-*
vala et les *Récits du lieutenant Stal,* tout cela appartient
à un passé romantique qui n'a rien à voir avec le monde
tel que nous le connaissons.

— Papa...

— Dans ce monde, dans cette guerre, je suis convaincu
que la Russie sortira victorieuse. Je ne suis pas le seul à
le penser. Erik Kruse, entre autres, est de mon avis, bien
que nous sachions tous que les Alliés sont puissants. Les
Russes subiront peut-être de lourdes pertes, avant que la
neige ne se remette à voltiger. Mais, en fin de compte, c'est
la Russie qui gagnera — ne serait-ce qu'autour de la table
d'une conférence de paix —, et, d'ici quelques années, le
tsar opérera une nouvelle avance en Europe. C'est parce
que j'en suis convaincu que j'ai accepté la présidence de
la Commission des chemins de fer, et je suis maintenant
engagé du côté russe.

— Et moi, dit-elle, je suis engagée du côté de l'Ouest.

CHAPITRE VIII

ON LABOURE LE CHAMP DE SERPENTS

J OHAN GYLLENLOVE S'ETAIT
trompé sur un point important, dans son évaluation de la
flotte de la Baltique. Dans son mouillage suédois, le commandant en chef ne perdait pas son temps.

Napier et tous ses officiers étaient furieusement occupés.
Il leur fallait faire des marins d'une bande hétéroclite
d'anciens matelots de la Royal Navy, de garde-côtes, de
gréeurs de chantiers navals et de volontaires incompétents,
ramassés en toute hâte et expédiés en mer sans vêtements
d'hiver, sans cirés et presque sans nourriture. Il leur fallait mener une guerre contre la Russie au moment précis
où la Royal Navy se trouvait à un stade de transition, alors
qu'elle se préparait à remplacer le navire de bois par le
navire de métal, la propulsion à voile par la vapeur, les
boulets, avec lesquels Drake avait vaincu l'Armada espagnole, par les obus, qui avaient permis aux Russes de détruire la flotte turque, à Sinope, en 1853. Les vieux vaisseaux, équipés d'hélices, s'avançaient dans la Baltique en
une série d'évolutions élémentaires, en lignes irrégulières,
car le nombre des chevaux-vapeur était variable, sans jamais changer de formation, de divisions en lignes ou de
lignes en colonnes, et leurs flancs de bois bombés, leurs
larges poupes peinaient pour exécuter les nouvelles manœuvres de poursuite, exigées par la vapeur. Les chefs
étaient aux prises avec les impératifs du charbonnage et

147

les problèmes sociaux que posait l'arrivée au carré de l'officier mécanicien — le même homme qui, deux ans plus
tôt, était classé au-dessous du charpentier. Ils n'avaient
encore résolu aucun de ces problèmes, au début d'une
campagne qui, tous les officiers de la flotte le savaient,
s'annonçait difficile. Mais, le 12 avril, en hissant son pavillon carré bleu au ton du mât de perroquet, Napier donnait en même temps un signal qui mit un peu de cœur
au ventre des équipages inexpérimentés et à demi entraî-
nés.

« Mes enfants, disait le signal, la guerre est déclarée.
Nous devons affronter un ennemi nombreux et décidé. S'il
vous offre le combat, vous savez comment le maîtriser.
S'il reste au port, nous devons tenter de l'atteindre. Le
succès dépend de la rapidité et de la précision de votre
tir. Aiguisez vos sabres d'abordage et la journée est à vous ! »

En quittant la baie de Kioge, le rendez-vous fixé par
Napier était l'île Landsort, sur la côte est de la Suède, à
une trentaine de kilomètres du mouillage abrité d'Alvsnabben qui avait été reconnu par le capitaine Sulivan. A
l'arrivée à Landsort, le 14 avril, Brand Endicott était classé
depuis dix jours comme matelot de pont sur l'*Arrogant,*
capitaine Hastings Yelverton.

Brand avait été inscrit sur le registre du navire après
des formalités d'admission, les plus brèves qu'il ait été
donné de voir dans la Royal Navy : le seul souci du capitaine Yelverton était d'avoir un équipage au complet
à bord de l'*Arrogant,* dont il voulait faire au plus vite
une unité combattante efficace. C'était un capitaine typique de la guerre russe : un homme de quarante-six
ans qui était en demi-solde depuis plus de dix ans et
considérait la campagne de la Baltique comme une occasion
inespérée pour s'assurer des prises et obtenir de l'avancement. Yelverton était un homme raisonnablement humain,
qui se conformait aux nouveaux règlements sur les châtiments corporels et fouettait aussi rarement que possible,
mais, si la canne de rotin du maître d'équipage avait disparu sur l'*Arrogant,* on fermait les yeux sur les garcettes
des seconds maîtres et il n'y avait pas de place, dans la
discipline de fer de la frégate, pour les « petits sermons
familiers » que prononçait Sulivan devant ceux de ses hom-

mes qui se joignaient à lui pour les prières du soir. Brand ne tarda pas à se rendre compte que, si Sulivan avait fait du *Lightning* un bateau heureux, Yelverton voulait faire de l'*Arrogant* un bateau impeccable.

Construit en 1848, l'*Arrogant* était l'une des frégates à vapeur les plus modernes de la Royal Navy ; il jaugeait 1872 tonneaux, possédait une puissance de 360 CV et son équipage comptait quatre cent cinquante hommes. Les matelots étaient, naturellement, les uns sur les autres, mais, comme les quarante-six canons de l'*Arrogant* étaient montés sur le premier pont et sur la plage arrière, les hommes qui mangeaient, dormaient et faisaient leurs quarts en bas n'étaient pas forcés de vivre entre les grands canons peints en rouge et leurs affûts. Brand disposait d'un espace large de trente-cinq centimètres pour accrocher son hamac entre deux lattes, il avait ses ustensiles réglementaires de fer et de faïence dans sa gamelle et sa place à la huitième popote, dont faisait également partie Lauri le Finlandais, Kedge et Klerck ayant été envoyés ensemble sur l'*Impérieuse.* Il n'y avais pas encore d'uniforme réglementaire pour les matelots, dans la Royal Navy, mais les magasiniers s'approvisionnaient en frusques d'aspect semblable et Brand, comme tous les hommes du bord, fut équipé d'un large pantalon bleu, d'une courte veste, bleue elle aussi, au large col de coutil, et d'un chapeau plat en toile cirée, orné d'un ruban.

Il s'adapta vite à la vie du pont inférieur. Un Gallois nommé Morgan, qui faisait partie de sa popote, nourrissait une solide antipathie à l'égard des Américains et ne s'en cachait point ; les autres le surnommèrent « Yankee Jack » et l'acceptèrent comme l'un des leurs. Après tout, il n'y avait pas tellement longtemps qu'il avait navigué comme simple matelot et il était facile d'oublier que, plus récemment encore, il était passager de première classe sur un navire d'élite de la Cunard et que, sur le *Girdleness,* il occupait la cabine du capitaine. Ce qui l'humiliait le plus, c'est qu'il s'acquittait assez mal des premiers exercices de manœuvre imposés à l'équipage.

Etant donné leur expérience passée, M. Haggard, le premier lieutenant de l'*Arrogant,* avait placé Brand et Lauri parmi les gabiers, autrement dit, si l'on exceptait les hommes de l'ancre de veille, parmi les meilleurs marins du navire. Les gabiers de la bordée de quart montaient sans cesse dans le gréement, pour prendre ou ôter des ris dans les huniers, descendre ou remonter les vergues de perroquet, tandis qu'un épais brouillard ouatait leurs mouvements et que la pluie et l'écume trempaient en quelques minutes leurs minces vêtements. Au cours de ces manœuvres, Brand n'échappait jamais tout à fait au vertige. Cette faiblesse datait de ses premières années dans la navigation ; il avait cru en être débarrassé et, chaque jour, s'évertuait à la dominer, mais, quand la course s'organisait d'un mât à l'autre, il restait à la traîne, tandis que Lauri se livrait à de spectaculaires acrobaties. Invariablement, le gars de Gamla Karleby était le premier de retour sur le pont, alors que Brand Endicott se trouvait fréquemment parmi les derniers.

— Remue-toi ! Remue-toi donc, bon dieu de Yankee !

L'un des quartiers-maîtres, un nommé Pringle, était toujours derrière Brand, il le poussait, à grand renfort de jurons, sur les cordages mouillés où ses doigts engourdis de froid s'agrippaient pour trouver une prise, cependant qu'au-dessous de lui le pont s'inclinait, comme s'il attendait l'écrasement d'un corps, et que la frégate roulait dans la grosse houle de la Baltique. Un jour où la tempête hurlait dans les voiles, il se sentit effleurer d'un coup de garcette et, fou de rage, se retourna pour envoyer son poing dans le visage de Pringle, sans se soucier de son équilibre ni du terrible châtiment que lui vaudrait un tel geste : il ne fut sauvé que par le cri d'avertissement lancé par Lauri, à califourchon sur la vergue du grand hunier — plus semblable, dans le brouillard de la Baltique, au cri d'une mouette qu'à celui d'un être humain. Ce même brouillard eût fort bien pu dérober l'incident au regard des officiers, mais le capitaine Yelverton et le premier lieutenant se tenaient non loin du mât de misaine quand Brand redescendit.

— Endicott !

C'était Yelverton, froid, impassible à son ordinaire, qui le scrutait d'un regard perçant.

— Monsieur ?

— Vous étiez pêcheur, dans votre pays, n'est-ce pas ?

— Oui, monsieur.

— Il vous est certainement arrivé de prendre des ris ? Vous montiez bien dans le gréement ?

— Oui, monsieur.

ON LABOURE LE CHAMP DE SERPENTS

— Hum... M. Haggard, cet homme n'est bon à rien comme gabier, dit Yelverton. Mutez-le dans la bordée de l'arrière. Mettez-le à l'exercice des canons dès que nous atteindrons Alvsnabben.

— Oui, monsieur.

Les fifres appelaient les matelots au dîner et Brand, maussade, descendit. La bordée de l'arrière ! Encore un peu il se retrouverait parmi les hommes des passavants, ceux qui faisaient les basses besognes du navire ! Tout en commençant à manger le porc salé et le pudding aux pois cassés, il dit à Lauri d'un air sombre :

— Drôle de façon de combattre le tsar de Russie.

— Battre ? Nous battrons les Russkis ? fit Lauri, plein d'espoir.

Brand se mit à rire malgré lui. Le Finlandais, avec son idée fixe, lui rappelait Alix, bien que, ainsi que Brand l'avait découvert au cours de leurs conversations hésitantes, la haine de Lauri pour les Russes eût des motifs moins élevés que ceux de la jeune fille : elle prenait naissance dans les souffrances endurées par sa famille pendant la dernière guerre. Lauri se rasait tous les jours de très près, si bien qu'il avait des joues aussi lisses que celles d'une jeune fille et Brand, avec une souffrance mêlée de plaisir, retrouvait quelque chose d'Alix Gyllenlöve dans les yeux gris et les épais cheveux blonds du jeune garçon.

— Nous ne tarderons pas à combattre les Russkis, mon vieux Larry, dit-il.

— On tardera pas à les foutre en l'air, hors de l'eau, Larry, maintenant qu'on a m'sieur Yankee Jack aux canons, fit l'un des hommes de la popote avec un gros rire.

C'était le Gallois crasseux et vulgaire, qui avait à son casier judiciaire deux condamnations pour vol simple à Cardiff ; la veille, il avait comparu devant le peloton de punition pour avoir craché sur le pont. Yelverton l'avait condamné à porter au cou, pour le restant de la journée, une baille que ses camarades utiliseraient comme crachoir.

Quelques hommes se mirent à rire. On servait la ration quotidienne de rhum, additionnée d'acide citrique contre le scorbut, et le sucre et l'eau pour les grogs qui encourageaient le rire. Stimulé, Morgan poursuivit ses déblatérations.

— J'ai jamais vu un Yankee qui soit bon à quelque chose dans les hauts ; jamais entendu parler d'un Yankee qui sache servir un canon. Mon vieux père s'est battu contre eux, y a quarante ans d'ça, et c'est c'qu'il m'a dit. Ivor, qu'il m'a dit, les Yankees sont des bons à rien...

— Ferme ta sale gueule, Morgan, interrompit Brand d'une voix forte. On vous a tout de même flanqué une sacrée raclée en 1812.

— Tiens bon, là !

Edgeworthy, le matelot de première classe d'âge mûr qui faisait office de chef de popote, intervint avec autorité.

— Fermez ça, tous les deux ! Jack, c'est pas permis de parler politique au dîner : c'est un moment réservé à des conversations tranquilles, entre copains de popote. Morgan, espèce de gibier de galère, tu vas changer de popote d'ici deux dimanches, si tu fais pas plus attention. Finissez, tous les deux, et laissez-nous bouffer cette cochonnerie en paix.

*
* *

« Mon cher petit-fils,

(ainsi commençait la lettre de Mme Tarras)

« C'est avec grand plaisir que j'ai lu ta lettre de Stockholm et je me réjouis que tu aies suivi le conseil que je te donnais de racheter ta réputation en te portant volontaire pour la Royal Navy. Ton engagement et ton départ pour la Baltique ont soulevé le plus vif intérêt à la Tarras Line et plusieurs de nos meilleurs matelots ont suivi ton exemple et se battent pour la reine et la patrie. La nation tout entière s'attend à de grandes choses, de la part de la flotte de la Baltique, et elle prie pour son entrée triomphale dans le port de Saint-Pétersbourg.

« Mon fils aîné, le lieutenant John Abernethy Tarras, de la Royal Navy, avait précisément ton âge quand il est tombé glorieusement à Navarin. Il naviguait sur le vaisseau amiral, l'*Asia,* et c'est de là que le capitaine Edward Curzon m'écrivit pour me faire part de sa bravoure... »

Suivait un récit de la bataille de Navarin, que Brand était tout disposé à prendre pour argent comptant. Il posa la lettre de sa grand-mère en souriant. Comme l'avait prédit Joe Ryan, la vieille dame était immédiatement revenue à de meilleurs sentiments. Il était content de se retrouver dans ses bonnes grâces et d'avoir eu des nouvelles d'Angleterre au premier courrier parvenu à la flotte — quand

bien même la seule lettre qu'il eût envie de lire n'en fît
pas partie : elle n'aurait pu, d'ailleurs, lui parvenir tant
que n'étaient pas repris les échanges postaux avec Stockholm.

Il jeta autour de lui un regard circulaire. La bordée
de quart flânait, les hommes savouraient jusqu'à la dernière
miette les lettres du pays et, près des pièces de 68 sur lesquelles Morgan et lui avaient été attachés, pieds et poings
liés, pendant tout un quart, après la rixe, un peintre anglais faisait une esquisse de cette scène intéressante. « Lettres de Chez Nous » serait un tableau plein d'émotion mêlée d'humour. C'était à peu près ce que lui disait son oncle
Tarras, dans la seconde lettre que Brand avait en main.

« Ta tante Adélaïde et tes cousines Bell et Flora t'adressent leurs souhaits les plus affectueux. Elles dévorent l'*Illus-
trated London News* et les autres magazines prétendent
nous montrer des tranches de vie dans la flotte de la Baltique et, chaque jour, elles s'attendent à la nouvelle d'une
grande victoire navale. Comme tout le monde, en ce pays,
depuis la reine jusqu'au dernier de ses sujets, les femmes
de ma famille sont en proie à la fièvre guerrière et con-
vaincues que l'amiral Napier et toi, vous aurez pris Kronstadt avant la mi-été. Dans la City, nous sommes plus cir-
conspects. Le gouvernement de lord Aberdeen ne me paraît
pas faire preuve d'une grande conviction et j'ai grand-peur
qu'avant que nous voyions la fin de cette affaire, la guerre
russe ne se soit étendue à la moitié du monde... »

Brand mit les deux lettres dans la poche intérieure de
sa veste. Il savait, mieux que n'importe lequel de ses camarades, que M. Tarras — tout comme un autre marin
qui aurait étudié attentivement les cartes de la Baltique —
avait raison de se montrer prudent, en refusant de prédire
une rapide victoire sur mer. L'ennemi était en sûreté à
l'abri de ses forteresses, la flotte britannique devait, sans
soutien, patrouiller et assurer le blocus au long d'une
immense étendue de côtes, au nord du golfe de Botnie,
jusqu'à Haparanda, à l'est du golfe de Finlande jusqu'à
Kronstadt, et sur toute la longue côte russe qui s'étendait
vers le sud, par Reval et le golfe de Riga, jusqu'à Dantzig.
D'autre part, le commandant en chef ne paraissait guère

pressé de quitter Alvsnabben. Il s'était rendu à Stockholm par voie de terre, pour sa visite diplomatique au roi Oscar 1er, accompagné par des officiers d'ordonnance qui devaient conclure de subtils accords pour faire ravitailler la flotte à partir des îles suédoises sans même tenter d'entrer au port. Pendant ce temps, le fracas des exercices de tir renvoyait ses échos d'un bateau à l'autre sur tout le mouillage d'Alvsnabben.

L'officier de tir de l'*Arrogant* était le lieutenant William Sulivan, cousin du capitaine du *Lightning*. Quand, au premier quart de l'après-midi qui suivit l'ancrage, un battement de tambour suivi d'un seul roulement assourdi appela à l'exercice les servants des pièces de l'*Arrogant,* le lieutenant avait l'intention d'habituer les hommes à charger et à décharger les canons et à effectuer rapidement le service de la soute aux poudres. Brand fut désigné pour fournir en poudre l'un des seize canons de 32 de la plage arrière, approvisionnés par la soute arrière. Il prit sa place aux côtés des six hommes du numéro 3 et des six auxiliaires qui aidaient à mettre la pièce en batterie et à l'orienter avec les palans. Le maigre visage de Brand, où se voyait, au-dessus de l'œil gauche, une cicatrice fraîche, du coup de poing de Morgan, était plus farouche que jamais. Tout son esprit de concurrence yankee s'était réveillé, et, puisque le capitaine Yelverton n'était pas satisfait de lui en tant que marin dans les hauts, il avait l'intention, aux exercices de tir, de dépasser les meilleurs.

Une vingtaine d'années plus tôt, la Royal Navy avait adopté la pratique du chargement simultané : la gargousse, la bourre et le boulet étaient refoulés en même temps, afin d'accroître la rapidité de la bordée. Pour l'exercice, on employait, au lieu de poudre, des tampons d'étoupe du calibre voulu et, pour le service des pièces de 32, ceux-ci étaient emmagasinés dans des tubes cylindriques, munis d'un couvercle de bois, qu'on gardait dans les soutes à poudre avant et arrière. L'homme chargé du service de la poudre devait, au commandement, dégringoler dans la soute par l'écoutille, répondre à la sommation des hommes de garde ou des sentinelles des fusiliers marins et recevoir les charges, vraies ou factices, que lui passaient les soutiers à travers des rideaux de ratine de laine appelée frise. Tout cela, de même que le retour précipité sur le pont, se déroulait dans l'obscurité : la soute aux poudres était faiblement éclairée, à travers une vitre, par une lanterne placée dans la lampisterie ; la frise était maintenue humide et le réservoir d'eau était rempli, en cas d'incendie ou d'explosion. La rapidité des mouvements, si importante pour les servants de la pièce, était réduite à cause des épais chaussons de feutre que portait le préposé, qui, de plus, était obligé d'enrouler sa veste autour de son dangereux fardeau.

Brand connut, dans cet exercice, une immédiate réussite. Il voyait très bien dans le noir et avait sur les ponts le pied infiniment plus sûr que dans les hauts. Quand le lieutenant Sulivan ordonna la fin de l'exercice, il annonça que le service en tampons d'étoupe de la pièce numéro 3 avait été de trois cents par période moyenne de dix minutes : après lui la meilleure performance était de deux cent quarante tampons.

— Je désire que les servants de toutes les pièces arrivent à trois cents, monsieur Sulivan, dit le capitaine Yelverton, venu entendre le rapport. Demain, vous mettrez Endicott sur une pièce.

— Oui, mon capitaine.

Le lendemain, donc, Brand fit partie de ce ballet de mort, où l'on commençait par retirer le tampon de la gueule du canon, pour ensuite enlever le mince couvre-lumière de plomb ; alors, les mèches trempées dans la potasse flamboyaient sur leurs boutefeux longs d'un mètre, à l'intérieur des marmottes à demi remplies de sable. Brand apprit à obéir aux commandements, depuis *Amorcez ! Pointez !* en passant par le tir proprement dit, jusqu'à *Amarrez les canons* ! Il apprit, quand Sulivan, d'auxiliaire le fit passer servant, à manier le tire-bourre et l'écouvillon pour nettoyer le canon, et les leviers de manœuvre pour en modifier l'élévation. Il passa des pièces de 32 à l'un des deux canons de 68, montés sur la plage arrière de l'*Arrogant*. On lui donna un revolver Colt, un fusil Minié, calibre 14,8, modèle 1853, une baïonnette et un sabre, qu'il eut l'occasion de tirer au cours d'exercices de maniement d'armes et de peloton, tandis que l'*Arrogant* se dirigait, sur une mer agitée, vers la région où il devait croiser, à Gotska Sandön, en pleine Baltique. Là, les canonniers commencèrent à utiliser de vraies munitions, et les mouettes prenaient leur essor avec des cris aigus de terreur quand les puissantes réverbérations renvoyaient les échos de la canonnade vers les rochers escarpés. Ils travaillaient le tir rapide et le tir horizontal ; ils visaient sur des objectifs de plus en plus petits, de plus en plus éloignés sur la mer ; ils finirent par tirer à des distances de deux cents, cinq cents, sept cents mètres, sur des cibles de bois et de vieux bateaux démâtés.

Trois jours après leur arrivée, l'*Edinburgh* approcha par tribord ; il arborait le pavillon de l'amiral sir Henry Ducie Chads et, en temps voulu, l'amiral lui-même fut salué, à bord de l'*Arrogant,* par des coups de sifflet. Il était accompagné du commodore Seymour. L'amiral et le capitaine de pavillon supervisaient les exercices de tir sur tous les navires ; les deux officiers observèrent les mouvements d'un œil critique, quand les tambours battirent le branle-bas, que les servants de l'*Arrogant* prirent leur poste de combat et exécutèrent l'exercice.

— Très bien, monsieur Sulivan, mes félicitations, dit l'amiral d'un ton cérémonieux, quand le tir cessa et que les servants furent au repos. Le capitaine Yelverton vous a mis au courant de la nature de l'expérience que nous avons l'intention de tenter ce matin ?

— Oui, monsieur.

— Avez-vous eu, vous-même, l'occasion de voir en action le cordeau sous-marin Bickford amélioré ?

— Pas à la mer, monsieur, je le regrette. J'ai eu l'avantage d'en entendre exposer le principe par l'amiral Douglas, lors d'une récente conférence sur l'*Excellente.*

— Fort bien, monsieur Sulivan. Vous pourrez donc diriger le montage du cordeau. Voulez-vous demander des nageurs volontaires, capitaine Yelverton, je vous prie ?

L'ordre passa d'échelon en échelon pour être enfin transmis par les braillements des quartiers-maîtres :

— Y a des nageurs ? Qui est-ce qui sait nager ?

L'équipage s'agitait avec gêne. « Ne te porte jamais volontaire » : c'était une tradition bien établie sur le pont inférieur et, en fait, bien peu parmi les marins de vieille date et certainement aucune des recrues citadines ne savait nager. Le matelot de première classe Edgeworthy se racla le gosier et avança d'un pas.

— Je sais un peu nager, monsieur.

— Nous aurons besoin de vous dans le canot, Edgeworthy, dit le capitaine Yelverton, avec l'un de ses rares sourires. Ce qu'il nous faut ici, ce sont des hommes qui sa-

156

chent nager sous l'eau. Vous, Endicott! Vous, un îlien, vous savez sûrement nager ?

Brand se mit au garde-à-vous, bien contre son gré. Ce *Vous savez sûrement nager ?* prononcé par la voix glaciale du capitaine, ranimait toute la rancœur du *Vous montiez bien dans le gréement ?* qui avait suivi son échec dans les hauts. Il allait leur montrer ! Il dit :

— Je sais nager sous l'eau, monsieur.

— Bien. Un autre !

— Moi aussi, je suis un îlien, monsieur !

Un maigre Ecossais basané de la bordée de bâbord porta la main à son front.

— Mais oui, bien sûr, Campbell. Faites avancer les volontaires, monsieur Sulivan, et faites rompre les rangs à l'équipage.

Mais Yelverton, le disciplinaire lui-même, savait que, sur un navire à l'ancre, il serait impossible d'empêcher ces gens d'observer une expérience qui venait rompre la monotonie des jours. En compagnie des officiers supérieurs, il se retira du côté bâbord de la plage arrière, que la tradition réservait à son usage personnel, et dit à l'amiral Chads :

— Je regrette que nous n'ayons pu nous procurer une cible plus importante, monsieur. Un bateau-feu démâté n'est guère approprié pour représenter les murailles de Kronstadt.

— Proportionnellement à la charge de poudre utilisée, capitaine Yelverton, l'expérience vaut la peine d'être tentée. Qui plus est, les toutes dernières instructions de Leurs Seigneuries nous conseillent de ne plus gaspiller d'obus en exercices de tir. Nous devons employer les cordeaux ou tout autre moyen que nous aurons sous la main.

Yelverton pinça les lèvres. Comme tous les capitaines de navires, il savait que la flotte de la Baltique avait emporté une quantité de munition, basée sur les effectifs du temps de paix. Il demanda, d'une voix hésitante :

— Cela signifie-t-il que Leurs Seigneuries désirent que la flotte ne perde plus de *temps* en exercices, monsieur... mais qu'elle pénètre sans plus tarder dans les golfes ?

Chads sourit.

— Vous avez hâte de vous mesurer à l'ennemi, à ce que je vois. Eh bien, je crois pouvoir vous dire que nous

157

lèverons l'ancre demain ou le jour suivant au plus tard.
Ah ! voici les volontaires.

Brand et Campbell arrivèrent ensemble au sabord d'accès, tandis qu'on larguait un canot, et considérèrent l'eau d'un air pensif. Les deux hommes étaient en caleçon et ils avaient enduit de graisse les parties exposées de leurs corps. Là cessait la ressemblance, car Brand, grand et large d'épaules, dominait de sa hauteur l'Ecossais à la poitrine étroite.

— Ça va être foutrement froid, Jack, fit Campbell du coin des lèvres.

— Tu l'as dit.

Les eaux de la Baltique, grises et rébarbatives, s'étendaient jusqu'à Gotska Sandön, où l'on s'était procuré les cibles de tir. Un vent froid ridait la surface de la mer.

— Etes-vous sûr de pouvoir faire ça, Campbell ? demanda le lieutenant Sulivan avec quelque inquiétude.

L'Ecossais, avec l'accent feutré de l'île d'Islay, l'assura que oui.

— Alors, au canot, vous deux.

M. Sulivan les suivit dans le petit canot de l'*Arrogant* et les rameurs les conduisirent à la rencontre d'un canot de l'*Edinburg,* qui apportait le cordeau et la poudre qu'ils devaient utiliser. Un marin canonnier du vaisseau amiral se tenait prêt à fixer le cordeau sur une cartouche toute préparée.

— Donc, le cordeau que voici, dit-il à Brand et à Campbell, il faut le tamponner dans la cartouche avec un tampon de bois, assez fort pour supporter entièrement le poids de la cartouche. C'est bien ça, monsieur ?

Il jeta un coup d'œil vers Sulivan pour obtenir confirmation.

— C'est bien ça, mon garçon.

— Ensuite, je bouche hermétiquement le trou du cordeau avec un emplâtre de toile graissée... comme ça... et je mets la cartouche dans une toile cirée. Bon, *toi*, fit-il à l'adresse de Brand, tu vas te passer la corde autour du cou.

— Quelle charge de poudre utilisez-vous, canonnier ? demanda Sulivan.

— Dix livres dans chaque boîte, monsieur.

Il considéra le torse puissant de Brand.

— Bien sûr, on aurait pu faire plus lourd, mais vingt

livres, ça devrait suffire, pour ce genre de cible. Et c'est assez pour les nageurs aussi, au premier essai.

Il accrocha aux cous de Brand et de Campbell les boîtes de fer-blanc, suspendues à de minces chaînettes et, au commandement de M. Sulivan, ils se laissèrent glisser dans l'eau. Brand entendit le lieutenant recommander :

— Silence absolu, tous les deux ! Silence dans le canot !

Et l'eau glacée se referma au-dessus de sa tête.

... Il avait naguère considéré l'eau comme son élément naturel, par ces jours d'été dans l'Etat du Maine, quand toutes les îles de la baie de Casco étaient des terrains de jeux pour les enfants. Mais même aux premiers froids de l'automne, l'Atlantique ne lui avait jamais paralysé le cœur comme ces vagues de la Baltique, où les glaces flottantes ne s'étaient mises à fondre que quelques semaines auparavant. Le poids de la boîte de poudre l'entraînait vers le fond et le poids supplémentaire de la cartouche et de la longue amorce enroulée sur elle-même gênait les mouvements de la brasse indienne qui aurait dû l'amener rapidement jusqu'à la cible. A moins de vingt mètres, avait dit Sulivan... Ce n'était rien, mais le froid et le poids le ralentissaient au point qu'il dut mettre la tête hors de l'eau pour voir où en était Campbell. L'Ecossais était en difficulté, lui aussi, et il s'était dérouté, mais il corrigea sa direction au bout d'une interminable minute et il était tout près de Brand quand ils parvinrent à la coque de bois du vieux bateau-feu. On y avait accroché une chaîne, semblable à celles des navires de guerre. Brand et Campbell pouvaient maintenant nager debout et ils éprouvèrent un certain soulagement à dresser hors de l'eau leur torse et leurs épaules. Brand vit que Campbell avait les mains bleues. Lui-même se sentait les doigts gourds en décrochant sa boîte de poudre pour l'attacher à la chaîne avec celle de Campbell. Fixer la cartouche fut une fort délicate opération : ils durent se mettre à deux pour en venir à bout et commencer à dérouler, selon les instructions de Sulivan, le cordeau Bickford dans sa double gaîne de gutta-percha. Ils devaient le laisser filer en revenant à la nage vers le canot où il serait allumé.

Le trajet de retour fut pire que l'aller, même sans les charges. Campbell, de nouveau, s'écarta de sa route, et sa tête noire dansait sur l'eau comme celle d'un phoque de son île natale ; Brand, de son côté, dut renoncer à nager sous l'eau en laissant se dérouler le cordeau. Celui-ci était muni au bout d'un flotteur de liège qui permettrait de le rattraper si on venait à le lâcher, mais, malgré ses doigts complètement engourdis à présent et ses poumons près d'éclater, Brand continua de nager régulièrement vers le canot ; il entendit enfin, avec un énorme soulagement, Sulivan enfreindre lui-même ses consignes en criant le nom de Campbell ; il vit alors l'homme d'Islay, porté sur la crête d'une vague, qui se rapprochait sans accident du canot. Finalement, on les hissa tous deux à bord et, à travers les plis du jersey de matelot qu'il tentait de passer par-dessus sa tête, Brand entendit « Paddy » Sulivan s'écrier avec enthousiasme :

— Bravo, tous les deux !... Canonnier, allumez le cordeau.

Brand remarqua qu'il portait des coupures à la poitrine et aux côtes, provoquées par la boîte à poudre et le frottement des chaînes. Le canot de l'*Edinburgh* s'éloignait de la cible et revenait vers celui de l'*Arrogant*. Campbell, blême, mais souriant, buvait du cognac dans la timbale d'argent qui avait bouché la propre gourde du lieutenant.

— A ta santé, Jack !

Sa gorge et ses lèvres se réchauffaient.

Ils rejoignirent le petit canot et, sans rompre le rythme de nage, les matelots de l'*Edinburgh* montrèrent le chemin du retour vers l'*Arrogant*. Sulivan était assis à l'arrière, sa montre à la main. Le feu, communiqué à l'extrémité du cordon Bickford, devait progresser à la vitesse estimative d'un mètre à la minute, pour enflammer la cartouche et la poudre placés contre la coque.

— Nagez, les gars !

Brand vit la ligne de visages au long du bastingage de la frégate et le groupe des officiers, « l'éclair » d'or à leurs chapeaux. Sur l'*Edinburgh*, les observateurs se pressaient en foule. *Vous savez sûrement nager ?* Pour sûr, que je sais.

— Dix minutes, monsieur ? demanda le matelot canonnier.

— Onze. Dieu veuille que nous n'ayons pas fait long feu.

— Douze. Il y a eu de l'eau dans la cartouche, dit le

canonnier à Brand, d'un ton agressif. Tu as fait glisser l'emplâtre.

— Je te jure que...

Le fracas de l'explosion leur parvint, roulant à la surface de l'eau. Une colonne liquide, qui brassait en son milieu planches et morceaux de bois, s'éleva brusquement, tandis que le vieux bateau-feu se désintégrait sous leurs yeux et que l'onde de choc secouait violemment le canot. Une acclamation monta des frégates ; dans les embarcations, les matelots riaient en s'envoyant des bourrades.

— On y est tout de même arrivé ! Vive Bickford ! exulta le lieutenant Sulivan... Voux deux, garçons, finissez ce qui reste dans la gourde. Nous allons bien vite vous ramener à bord pour recevoir les félicitations de l'amiral.

— Merci, mon lieutenant, dit Campbell.

Mais l'Américain, oubliant toutes les règles pour s'adresser à un officier, remarqua, d'égal à égal :

— Oui, ça a marché. Mais croyez-vous qu'une charge de poudre de vingt livres aura beaucoup d'effet sur un bâtiment de ligne ?

Sulivan ne releva pas ce manquement aux usages. Il répondit d'égal à égal :

— Endicott, vous nagez mieux que vous ne réfléchissez. Un peu de bon sens, garçon ! Si vous aviez attaché ce cordeau à une charge placée *au-dessous de la soute aux poudres avant* d'un navire de guerre... eh bien, vous, Campbell et nous tous, nous avions une bonne chance d'être expédiés dans un monde meilleur !

La flotte leva l'ancre de Gotska Sandön le lendemain matin... mais seulement pour regagner son mouillage d'Alvsnabben. On était à la fin d'avril et les rapports signalaient que le golfe de Finlande était libre de glaces, mais Napier hésitait encore à risquer plus de deux ou trois navires pour une mission de reconnaissance sommaire, limitée au détroit de Barö. Ils revinrent après avoir aperçu, de très loin, le dôme bleu de la Nicholas Kirk, à Helsingfors, et portant la nouvelle, plus vaine encore, que sept navires de guerre russes s'étaient dégagés des glaces flottantes de Lovisa et se trouvaient à présent en sécurité dans les bassins de Sveaborg. Dans les carrés des officiers

161

6

de la flotte, on se prit à murmurer que Napier était resté
trop longtemps en pleine Baltique et qu'il avait perdu sa
première et sa meilleure chance d'écraser les Russes.

Le retour à Alvsnabben, fut marqué par la distribution du courrier de Stockholm, en même temps que de
viande fraîche et de légumes, achetés dans l'archipel. Brand
eut enfin la lettre tant attendue d'Alix Gyllenlöve. Elle
n'avait pas mis longtemps à lui parvenir : elle était datée
d'Helsingfors et avait été postée sept jours plus tôt ; elle
commençait par de si tendres vœux, tant de sollicitude pour
sa sécurité « dans une guerre où je vous ai poussé à
combattre », que Brand fut oppressé de désir, tout en
souriant devant l'orthographe fantaisiste. Mais son sourire
s'effaça quand il lut que le père d'Alix désirait la voir
partir au plus vite pour Saint-Pétersbourg avec Mme Karamsine. A travers un embrouillamini de consonnes mal
placées, il parvint à comprendre qu'Alix, pour sa part,
avait voulu se rendre « à mon maison d'Ekenäs » ou chez
« (un mot indéchiffrable) Willebrand à Degerby, — il
supposa qu'il s'agissait là de l'île de Degerby, où passait
le bateau-poste. « *Je serai près de vous* » : ainsi se terminait la lettre, avec le mot vigoureusement souligné. « *Far-
väl kare Brand. —* Alix. »

Je serai près de vous. Je suis décidée à vous rejoindre... Voilà ce qu'elle voulait dire et c'étaient bien les mots
qu'il avait, depuis tant de semaines, rêvé de lire. Mais...
Alix à Saint-Pétersbourg ! Du cœur de la capitale ennemie,
comment pourrait-elle jamais trouver le chemin de la liberté ? Et du pont inférieur de l'*Arrogant,* combien de
temps lui faudrait-il, à lui, pour trouver son chemin jusqu'à elle ? Brand prit la lettre de Joe, le cœur rongé de
souci. Elle était longue, cette lettre, et, naturellement, il
l'avait laissée de côté dès qu'il avait vu la petite enveloppe
grise qu'elle contenait. Il passa les préliminaires — « bons
vœux... ci-joint une lettre arrivée aujourd'hui... profite
du passage du bateau de ravitaillement »... Joe Ryan
avait rempli une demi-page avant d'en arriver au cœur
du sujet.

« M. Svensson, l'agent de la Tarras Line à Gothenburg,
est très certainement en relations avec Müller & Fils, les
affréteurs de Lübeck, et l'on raconte qu'il est leur bailleur
de fonds. Le capitaine Erik Kruse et M. Svensson sont,
d'autre part, co-propriétaires de la barque *Sealark,* enre-

gistrée aux Etats-Unis au nom d'un Thomas Murphy, dont on ne sait rien. Le *Sealark* a livré dernièrement cinq mille fusils Minié, modèle 1854, à Memel, destinés à l'armée russe.

« Il ne s'agit pas là de ragots du port : ces informations viennent de sources que je suis en mesure de garantir, de mon propre beau-frère entre autres. J'aime autant vous dire que je suis monté sur mes grands chevaux, rue de la Reine, quand j'ai découvert que les Engström avaient encouragé les visites de Kruse, et j'ai interdit à miss Molly de le fréquenter. Pour ce qui est des activités commerciales de cet homme, je ne peux pas intervenir, naturellement. C'est l'affaire de la Royal Navy. Mais je peux vous dire ceci : le trafic de Lübeck va mettre votre blocus en échec. Les négociants de Hambourg expédient du soufre en Russie — par Lübeck. Les Suédois transportent du plomb jusqu'à Riga — par Lübeck. Des bateaux russes, enregistrés sous le nom de propriétaires danois résidant à Lübeck, transportent ensuite leurs cargaisons par le golfe de Botnie jusqu'aux ports du grand-duché. J'imagine que Müller & Fils — ainsi que Kruse et Svensson, naturellement — sont en train de se faire une belle fortune, avec tout ça.

« Enfin, ça ne me regarde pas. Je suis neutre, Dieu soit loué ! D'un autre côté, ça me met en rage de voir la bannière étoilée utilisée comme couverture pour un trafic d'armes avec les Russes. Je me demande ce que G. Washington aurait dit dans un cas pareil.

« Mary vous envoie ses tendresses, l'éhontée petite friponne. Elle était bien désolée, quand vous nous avez quittés à la Trêve d'Or, d'autant que je l'ai grondée tout le long du chemin à propos du capitaine Kruse. Ce n'est qu'une enfant, après tout ! Elle a piétiné pendant une heure devant le palais, l'autre jour, pour voir l'amiral Napier, quand il a rendu visite au roi, et tout ce qu'elle a trouvé à me raconter, c'est que son capitaine de pavillon était vraiment bel homme ! Quoi qu'il en soit, l'amiral a été acclamé — le sentiment populaire, à Stockholm, est plus pro-britannique qu'on ne pourrait le croire.

« Brand, quand Napier va-t-il se décider à agir pour de bon... »

LA FORTERESSE

Le commandant en chef vieillissant, tourmenté par les ordres contradictoires de l'Amirauté, n'avait plus qu'une seule excuse pour retarder l'entrée en action. Le gouverneur général de Finlande, sur ordre du tsar, avait ordonné le black-out de tous les feux côtiers, la fermeture de toutes les stations de pilotage, la suppression dans les golfes de Finlande et de Botnie de tous les repères, et Napier se refusait à risquer ses navires sur les hauts-fonds tant que l'intrépide capitaine Sulivan, sur le *Lightning,* n'avait pas balisé la côte Nord du golfe de Finlande avec des bouées rouges, et la côte Sud avec des bouées noires. Sulivan avait déjà reconnu et partiellement balisé les eaux méridionales du golfe de Botnie et, le 5 mai, Napier y expédia une petite escadre de vapeurs à aubes ; à leur tête, le *Leopard* portait le large guidon de l'amiral Plumridge, chef de division de cette escadre. La flotte de la Baltique était maintenant prête à labourer le champ de serpents, à l'instar d'un héros du *Kalevala* qu'Alexandra admirait tant. Les serpents se terrèrent dans leurs trous quand les frégates britanniques se mirent à patrouiller par couple dans les anses finlandaises. Les bâtiments de ligne sur l'eau bleue, leur majestueuse voilure toute blanche sur le bleu plus chaud du ciel de mai, tandis que le capitaine Cooper Key, sur l'*Amphion,* menait une expédition pour « jeter un coup d'œil » au golfe de Riga, et que l'*Euryale* et l'*Impérieuse,* les deux beautés de la flotte, montaient la garde devant le port de Reval. L'*Arrogant* s'était vu assigner une mission à l'entrée du golfe de Finlande, entre Hangö, sur la côte finlandaise, et Port Baltique en Estonie, celle d'arrêter et d'arraisonner tout navire apportant des matériaux de construction aux nouvelles fortifications russes du cap de Hangö. L'*Arrogant* avait pour compagnon de chasse l'aviso à vapeur *Hecla,* capitaine William Hutcheon Hall.

Le premier dimanche après-midi qui suivit le début de l'expédition, le capitaine Yelverton donna à l'équipage de l'*Arrogant* l'autorisation de recevoir à bord celui de l'*Hecla.* En règle générale, on n'encourageait guère ces « visites » d'un navire à l'autre, qui pouvaient entraîner beuveries ou bagarres, mais Yelverton sentait qu'il fallait un peu de distraction à des hommes qui n'avaient pas mis le pied sur la terre ferme depuis près de deux mois ; il savait aussi que son capitaine d'armes avait réussi à empêcher toute introduction clandestine d'alcool. Le pont inférieur se prépara pour la réception : la toilette dominicale fut faite avec un soin particulier, les chaussures cirées, les rubans de cols repassés en l'honneur de ceux de l'*Hecla*. Les cuisiniers sortirent de leurs réserves quelques suppléments et, pendant deux jours, on mit de côté la ration de rhum pour traiter les invités.

Au début, tout alla pour le mieux. L'un des matelots de l'*Hecla* avait apporté une pochette, ou petit violon, et l'harmonica de Lauri lui trouva vite un accompagnement pour faire danser des matelotes entre les tables des popotes ; et les romances larmoyantes de Morgan furent vigoureusement applaudies. Malheureusement, les gars de l'*Hecla* avaient également apporté sous leurs vestes bleues une demi-douzaine de bouteilles d'alcool de pomme de terre, achetées lors d'une corvée de ravitaillement dans l'une des îles ; le mélange de cet alcool avec le rhum suffit pour enflammer les esprits et susciter des vantardises éhontées à propos des exploits du capitaine de l'*Hecla,* Hall « la vieille Némésis ».

A en croire ses hommes, aucun combat ne s'était déroulé, sur la surface du globe, sans que « la vieille Némésis » se fût débrouillée pour y prendre part. Il s'était battu dans le Channel, pendant les guerres de dans le temps, oui, monsieur, alors qu'il était encore tout môme ; après ça, il avait commandé la *Némésis* pour la John Company, et il avait obtenu des tas de coupes et de décorations pour ses exploits contre les satanés Chinetoques en Chine. Après ça, il avait sauté dans la Mersey, en grand uniforme, pour sauver la vie d'un pauvre bougre de mécanicien, oui, monsieur, si bien que les matelots — *les matelots,* c'est comme je vous le dis — s'étaient cotisés pour offrir une autre coupe en argent à « la vieille Némésis »...

Tout en se passant la langue sur sa lèvre fendue, Brand se demandait comment la bagarre avait commencé. Il avait l'impression que c'était une critique contre Yelverton — « votre foutu petit gommeux de capitaine » — qui l'avait jeté dans la bataille et, certes, il lui avait paru bien étrange de se retrouver aux côtés de son ennemi, Ivor Morgan, pour défendre la réputation du capitaine Yelverton. Mais il n'eut guère le temps de réfléchir à la cause de l'empoignade, quand il se trouva au beau milieu de la mêlée convulsée, où hôtes et invités se colletaient et s'assommaient avec toute la fureur et l'énergie absurde que peuvent manifester des hommes dont les puissants instincts sexuels avaient été refoulés pendant de longues semaines de promiscuité et de durs travaux. Il y eut assez d'yeux au beurre noir et de vestes déchirées pour faire de l'appel du soir un affligeant spectacle et, le lendemain, au petit déjeuner, le matelot de première classe Edgeworthy, le philosophe de la popote de Brand, déclara :

— Ces gars de l'*Hecla,* c'est des brutes. Mais s'ils foncent dans les Russkis comme ils nous ont foncé dessus, je verrais pas d'inconvénient à les voir avec moi dans une mauvaise affaire.

Leur mauvaise affaire, ils la connurent deux semaines plus tard exactement, vingt-quatre heures après qu'une forte concentration de troupes russes eut ouvert le feu contre l'*Arrogant* et le *Hecla,* tandis qu'ils jetaient un coup d'œil du côté de l'anse de Tvärminne, à quelques kilomètres de la pointe de Hangö.

On ne pouvait guère appeler l'opération une attaque en force : un seul navire anglais suffit à disperser les assaillants qui s'enfuirent dès que la compagnie de fusiliers marins de l'*Arrogant* prit pied sur la terre ferme. Mais, en fouillant les rochers et les bancs de sable de cette côte désertique, on découvrit plusieurs pêcheurs finlandais qui avaient tiré leurs barques au sec, en entendant la fusillade. Ils avaient pour la plupart un type bien connu des fusiliers et des matelots de l'*Arrogant* : celui-ci, au cours de deux semaines, n'avait cessé d'aller et de venir entre Hangö et Port Baltique, mais n'avait arraisonné rien de plus dangereux que des barques de pêche finlandaises, dont les occupants levaient des visages carrés, pleins de reproche, vers la frégate britannique, tout comme se levaient à présent les visages des pêcheurs de Tvärminne. L'un des hommes, pourtant, demanda qu'on le conduisît auprès du « Kapten anglais » : il était pilote, dit-il, et pouvait donner au *Kapten* de nombreux renseignements sur les chenaux navigables — déclaration accompagnée de force clins d'œil et signes mystérieux, jusqu'au moment où on le sépara de ses camarades pour le faire monter à bord de l'*Arrogant.*

« Némésis » Hall se trouvait avec Yelverton, dans le salon de l'*Arrogant*, et les officiers écoutèrent d'un air

166

impassible la description que faisait le Finlandais des
« prises Russkis », qui à Ekenäs, étaient à la portée de
l'Anglais assez audacieux pour leur couper l'accès du port.
— Où avez-vous appris à parler aussi bien l'anglais,
mon brave ? demanda Hall.
— A Hull, monsieur le capitaine. A Hull, à Newcastle, à
Leith... je connais tous ports ! Anglais, Ecossais, braves
gens, combattent salauds Russkis ; j'aide eux. Vous venez
à Ekenäs, vous attrapez belle prise.
— Trois navires marchands russes, dites-vous, fit Yel-
verton, pensif. Que font-ils là ?
— Ils chargent bois, monsieur le capitaine. Afin pour
construire nouvelles casernes à Hangö, dit rapidement le
pilote.
Les deux capitaines échangèrent un regard.
— Et ces troupes qui ont ouvert le feu sur nous aujour-
d'hui, elles font partie de la garnison d'Ekenäs ?
— *Ja.*
— Y a-t-il des batteries ? Des ouvrages de défense au-
tour de la ville ?
— Quatre canons autour de l'anse, je sais j'ai vu,
peut-être plus.
— La garnison est-elle nombreuse ?
— Une brigade d'artillerie montée, monsieur le capi-
taine. Mais *pas de soldats finlandais !*
— Parfait, dit Yelverton.
Il cria au fusilier de garde à sa porte :
— Faites passer la voix au maître d'équipage !
Quand arriva celui-ci, Yelverton dit au pilote qui protestait :
— Nous vous garderons à bord cette nuit. Non, il ne
vous arrivera rien. Mais il n'y a guère qu'une douzaine
de kilomètres par la route, d'ici à Ekenäs,... un homme
énergique comme vous pourrait couvrir ça en deux heures !
— Sage précaution, approuva le capitaine Hall, quand
le maître d'équipage eut emmené l'homme confié à sa
garde... Naturellement, vous pensez que l'on a très bien
pu payer cet homme pour nous amener dans un traque-
nard ?
— Raison de plus pour ne pas le laisser libre de rapporter des renseignements sur les forces dont nous dispo-
sons, fit Yelverton d'un ton bref. Ce comité de réception

embusqué derrière le banc de sable, cet après-midi, semblerait indiquer que les Russes vont nous attendre de pied ferme quand nous nous déciderons à remonter le golfe. Quoi qu'il en soit, capitaine Hall, je suis disposé à courir le risque et à faire route vers Ekenäs dès la pointe du jour.

— Pour trois navires de commerce russes qui chargent du bois !

— *Pour me battre,* monsieur ! Grand Dieu, quand je pense à la chance qu'ils ont eue dans l'escadre de Riga — est-ce quarante ou cinquante prises qu'ils ont déjà à leur actif ? — et à l'extraordinaire chance de Cooper Key, qui a reçu la reddition de la ville de Libau et de tous les navires russes qui se trouvaient dans le port, sans tirer un seul coup de feu... alors que nous croisons depuis deux semaines sans apercevoir l'ennemi... alors, je ne puis hésiter. Nous prendrons Ekenäs et nous débusquerons les Russes. Et, si l'*Arrogant* vient à s'échouer sur un banc de sable, je compte sur vous pour me déhaler !

— Entendu, fit Hall avec bonne humeur.

Puis, à la grande surprise de Yelverton, il ajouta :

— Quel jour sommes-nous ?

— Le dix-neuf mai.

— Oui. Cela veut dire qu'il nous reste cinq jours avant l'anniversaire de la reine, date à laquelle, si vous vous rappelez, nous devions fêter la victoire dans le Palais d'Hiver, à Saint-Pétersbourg...

Yelverton eut un rire sans joie.

— D'abord Ekenäs, puis Sveaborg et ensuite Kronstadt. C'est bien de la besogne, en cinq jours !

Cette nuit-là, la frégate et l'aviso s'ancrèrent côte à côte et une double garde de fusiliers marins fut mise en place, en cas d'attaque surprise. A la pointe du jour, quand on eut bu et mangé rapidement, les feux des cuisines furent éteints, on répandit du sable sur les ponts. Puis l'équipage fut appelé aux postes de combat, aux accents de « Cœurs de chêne » et les charpentiers ouvrirent les grands sabords carrés des pièces d'artillerie. Les fusiliers marins et les tirailleurs, à bord de l'*Arrogant,* et du *Hecla,* et des matelots triés sur le volet se postèrent sur le gaillard d'avant, armés de fusils Minié et d'armes blanches. Les servants des pièces prirent leurs places, et Brand Endicott, à la grosse pièce de 68 de bâbord, se mit à exécuter les manœuvres qu'il connaissait maintenant si bien. Le capitaine Yelverton, M. Haggard à ses côtés, observait le sablier de cinq minutes d'un air approbateur. Il avait fallu exactement quatre minutes pour mettre la frégate en tenue de combat.

Comme tous les canonniers, Brand s'était mis torse nu et avait ôté ses bottes pour mieux assurer ses pieds sur le pont sablé. Parmi les vétérans, certains avaient noué leurs mouchoirs autour du cou, sans le serrer, afin de pouvoir l'appliquer sur les oreilles si le tir assourdissant s'intensifiait. Mais le lieutenant Sulivan, en passant devant Tvärminne, expliqua calmement à ses hommes qu'il n'y avait qu'une seule petite batterie à réduire au silence.

— Une couple de volées, bâbord et tribord, devrait suffire, garçons, dit-il. Rappelez-vous le signal du commandant en chef et que votre feu, aujourd'hui, soit rapide et précis.

Pendant la nuit, le brouillard avait été épais, mais il se dissipait et l'air de ce matin de mai venait caresser agréablement la poitrine nue de Brand. Le chenal qui menait à Ekenäs était si étroit qu'il voyait les prés descendre jusqu'au rivage, prolongeant l'orée des forêts. Car il y avait des forêts, au-delà des terres défrichées, où l'on remarquait parmi les sapins et les résineux caractéristiques de la Finlande, les feuilles frémissantes du tremble et du bouleau et le vert frais des chênes qui avaient donné son nom à Ekenäs, le cap des Chênes. Brand respirait le frais parfum de l'herbe et des fleurs sauvages, plus fort que l'odeur du vinaigre chaud dont de pleines bailles avaient été placées sur le pont, pour couvrir, tout à l'heure, l'odeur du sang. Il n'avait jamais pensé que le premier combat se déroulerait de cette manière. Une rencontre au large : voilà ce qu'il avait attendu, pour quoi il s'était entraîné ; ce n'était pas pour cette incursion au cœur même de la patrie d'Alexandra, dans les lieux mêmes qui l'avaient vue naître ! Les champs qui bordaient le rivage étaient riches et bien cultivés. Ils appartenaient, peut-être, à son petit manoir — « ma maison d'Ekenäs » où, si elle avait pu agir à son gré, elle se trouvait peut-être, barricadée, en ce moment même, tandis que, sur ses terres, une batterie russe se préparait à ouvrir le feu sur les Anglais, qu'elle appelait ses amis. Comment allaient réagir les habitants d'Ekenäs, se demandait-il, quand les ennemis de la

Russie feraient brusquement irruption parmi eux ? Le battement des hélices de l'*Arrogant* ne lui fournit aucune réponse. L'anse se rétrécit encore, des bancs de sable firent leur apparition. Dans un frémissement, l'*Arrogant* s'immobilisa. Il y eut un moment de confusion, mais alors, les mécaniciens, cette race de marins encore peu connue, intervinrent avec succès pour éviter l'échouage. Triomphalement, l'*Hecla* ouvrit la route vers Ekenäs.

Ils parvinrent au cap et commencèrent à distinguer, sur le rivage, quelques huttes de terre, quelques maisons de bois sans étage. Le chenal s'élargit, devint le large *vik* de Pojo, qui formait en cet endroit presque un lac. Au loin, ils apercevaient la petite ville, la fumée qui montait des cheminées, les trois navires marchands à quai. Maisons et navires se reflétaient dans l'eau comme dans un miroir. Et, tout à coup, le miroir se brisa, l'image paisible fut détruite : la batterie russe venait d'ouvrir le feu.

Les canons britanniques se mirent à rugir. Ils avaient l'avantage du poids et de la puissance, ils étaient servis par des hommes expérimentés et, en deux volées de tribord, ainsi que l'avait prédit Sulivan, ils réduisirent au silence la batterie côtière. Mais à bâbord, l'ennemi reparut : une compagnie d'artillerie montée, conduite par un colonel en uniforme vert et casque à pointe, qui, en brandisssant son épée, galopa jusqu'au rivage et mit en batterie deux pièces légères pour ouvrir directement le feu. Un boulet traversa le gréement de l'*Arrogant* ; l'un des mâts de l'*Hecla* bascula et s'écroula. Les tireurs d'élite russes tenaient sous un feu nourri les tirailleurs britanniques, derrière les toiles de bastingage.

— *Amorcez* !

La charge de seize livres de poudre, la bourre, le boulet furent refoulés en même temps dans la pièce de 68 de bâbord. Au commandement, la gueule pointa vers la droite. La mèche flamboya sur son boute-feu.

— *Feu* !

Tandis que le canon reculait, Brand, d'un geste rapide, essuya la sueur qui lui coulait dans les yeux. A travers la fumée, il vit l'épée du colonel russe filer vers le ciel comme un éclair d'argent. L'arme avait échappé à la main de l'homme au tout dernier moment, et la main était encore intacte ; mais, aussitôt, des lambeaux de chair et d'uniforme vert, horriblement mêlés aux éclats de métal du canon russe, fusèrent comme une fontaine horrible, et à la réverbération de l'explosion, succédèrent les hurlements des blessés et des mourants sur la grève. Ce terrible tumulte fut aussitôt noyé par un autre, non moins cruel : le hurlement de triomphe des marins britanniques, qui voyaient l'ennemi en pleine retraite.

— *Amarrez le canon* !

Par ce commandement, Sulivan, toujours lucide, rappelait à ses devoirs le chef de pièce et arrachait Brand à sa contemplation horrifiée du rivage. Ils entendirent Yelverton réclamer toute la vitesse aux machines ; ils marchaient maintenant à pleine vapeur vers l'*Hecla,* prêts à se partager les prises, et les fusiliers marins formaient les rangs pour descendre à terre et prendre la ville. Il était presque fini, ce combat d'Ekenäs, et l'on avait vu les ravages d'une volée britannique touchant une cible vivante — une image à oublier rapidement, à tourner en plaisanterie, avec un juron pour les vaincus, avec une insultante fierté pour rappeler qu'il y avait très peu de pertes à bord.

Deux tués, quatre blessés sur l'*Arrogant*. C'était ce qu'on avait coutume d'appeler « la note du boucher ». Mais, toutes proportions gardées, il y avait plus de dommages sur l'*Hecla*, où le capitaine Hall et son premier lieutenant, M. Crew Read, ainsi que plusieurs matelots, avaient été atteints par des éclats de métal. Mais « Némésis » blessé était plus dangereux que la plupart des hommes intacts ; le petit aviso faisait force de vapeur vers les hauts-fonds pour se tailler sa part de prise. Les capitaines avaient décidé de ne pas effectuer de descente sur la ville, à moins que les Russes ne se manifestent sur le rivage. Mais l'ennemi avait concentré toutes ses forces sur le cap, où les fusiliers marins enclouaient maintenant ses canons, et on ne voyait personne sur les quais d'Ekenäs, sinon quelques civils, chargés de ballots et de paquets, qui, dans leur crainte des envahisseurs, cherchaient le salut dans la fuite.

L'*Arrogant*, qui n'osait courir le risque de s'échouer en approchant davantage du rivage, mouilla au milieu du *vik* de Pojo et l'équipage se mit en devoir de réparer les dommages causés par le canon russe. Les ordres pleuvaient dru comme grêle sur les têtes des matelots abasourdis. Brand travaillait frénétiquement à remettre en état

171

le gréement emmêlé. Il gardait les yeux rivés sur les manœuvres et les cordages et sur ses propres doigts, comme un cheval portant des œillères, pour effacer de son esprit la vision de ce jaillissement de chairs déchiquetées et de lambeaux d'uniforme vert, à l'entrée du chenal, là-bas, au cap des Chênes. La voix de son vieil ennemi, Ivor Morgan, plus sourde pourtant qu'à l'ordinaire, lui fit l'effet d'une explosion.

— C'est bête pour Larry, hein ? murmura Morgan.

— Qu'est-ce qu'il a, Larry ?

— Il est fichu. A tribord, qu'il était, aux toiles de bastingage, avec son fusil. Un de ces foutus Russkis a dû le toucher en plein. Une satanée déveine, que c'est. Il va nous manquer, avec son harmonica.

— Il est mort ? demanda Brand, sans bien comprendre.

— Probable, fit le Gallois. Edgeworthy a aidé à le porter en bas. D'après lui, le médecin, il croit pas que Larry a la moindre chance d'en réchapper.

Brand jeta un coup d'œil sur le pont où tous s'affairaient. Certes, dans la Royal Navy, c'était une faute grave, pour un matelot, quand il n'était ni blessé ni appelé par un supérieur, de descendre à l'infirmerie, dans le poste des blessés, mais il était décidé à y aller, même si, le lendemain matin, on devait le fouetter. Il attendit une occasion et se glissa, par l'écoutille avant, dans ces passages maintenant éclaboussés de sang mêlé au sable, que les hommes des passavants nettoyaient déjà. Il fut bientôt à l'infirmerie. La porte du poste des blessés était ouverte. A la lumière des lanternes, il vit le médecin de *l'Arrogant,* torse nu, lui aussi, et portant un tablier de toile goudronnée, penché sur une forme allongée sur la table, à plat ventre. Un aide emportait un bras amputé. Le médecin sifflait un petit air entre ses dents. La note du boucher avait été vraiment légère.

Il leva la tête et vit Brand.

— Qu'est-ce que vous voulez, mon brave ?

— Je vous demande pardon, monsieur (la formule lui venait toute seule, maintenant, comme le geste de porter deux doigts à son front)... Matelot de deuxième classe Endicott, monsieur. Je voudrais des nouvelles de mon camarade de popote, s'il vous plaît... Larry Finn.

— Oui, c'est très joli, Endicott, mais si tout l'équi-

172

page s'amenait ici pour demander gentiment des nouvelles, on ne pourrait plus se retourner, dans ce poste. Finn... lequel est-ce ?

— Le voilà, monsieur.

Deux formes étaient allongées sur des brancards, un drap tiré sur ce qui avait été leur visage. Il y avait l'homme couché sur la table, que les deux aides du médecin étaient en train de bander ; il y en avait un autre, qui délirait ; il y avait Pringle, le quartier-maître, pansé et conscient ; et il y avait enfin le gars de Gamla Karleby, qui avait marché jusqu'aux quais de Stockholm pour aller combattre les Russes. Lauri avait été posé sur une couchette de bois, sans oreiller, et il gisait là, sur le dos, immobile. Son torse disparaissait sous la charpie et sous un bandage de toile trempé de sang.

— Ne pouvez-vous rien faire pour lui, monsieur ? demanda Brand.

— Nous avons fait tout notre possible, Endicott. Il avait le sternum déchiqueté.

— Je voulais dire : lui donner quelque chose pour l'empêcher de souffrir.

— Il ne souffre plus, à présent.

Il n'y avait, certes, aucune expression de souffrance sur ce front serein. Le visage de Lauri, privé de ses bonnes couleurs et aiguisé par l'approche de la mort, évoquait plus que jamais celui d'Alix Gyllenlöve ; ses cheveux, répandus sur le matelas trempé de sang, auraient pu être ceux de la jeune fille, que Brand n'avait encore jamais effleurés. Brand ne pouvait parler. Le sentiment de sa culpabilité en tant que canonnier, sa compassion en tant qu'ami étaient comme deux mains qui lui serraient la gorge.

— Vous feriez mieux de retourner sur le pont, Endicott, dit le médecin, non sans bonté. Le pauvre gars ne reprendra pas connaissance.

— Oui, monsieur.

Mais, au même moment, les paupières noircies de Lauri battirent dans son visage livide ; il vit Brand et le reconnut. Ses lèvres esquissèrent un semblant de sourire.

— Jack ! dit-il. Maintenant... Tuonela !

Et il mourut.

CHAPITRE IX

« *LA PREMIERE GOUTTE DE SANG* »

L ENTEMENT, INEXORA-
blement, la guerre russe s'étendit à la moitié du monde.
Dans la mer Noire, à la fin de mai, dix-huit mille
soldats britanniques, sous le commandement de lord Ra-
glan, et deux fois plus de Français, sous le commandement de Saint-Arnaud — déjà débarqués à Gallipoli —
étaient en passe d'être transbordés à Varna, en vue d'une
invasion massive de la Crimée. Au nord, sur la mer Blanche, à des centaines de kilomètres de là, la Suède et la
Norvège garnissaient l'ancienne forteresse de Vardö, dans
l'éventualité d'une invasion russe, et trois navires de guerre
britanniques se disposaient à bloquer Arkhangelsk. Dans
l'océan Pacifique, les bâtiments alliés étaient trois fois
plus nombreux que ceux des Russes, si bien qu'une canonnière russe dut prendre la fuite en remontant le fleuve
Amour, tandis que deux autres cherchaient refuge dans
un port du Kamtchatka. A New York arrivait une commission d'achat russe, pour faire l'acquisition de quelques
navires et recevait bon accueil, cependant que le *New
York Tribune* offrait à ses lecteurs une série d'articles
bizarrement tendancieux, sur l'actualité militaire signés de
l'estimé correspondant du journal à Londres, un dénom-
mé Karl Marx.

174

« LA PREMIERE GOUTTE DE SANG »

La guerre russe était le principal sujet de conversation dans toutes les villes d'Europe, sauf à Saint-Pétersbourg — en admettant que Saint-Pétersbourg fût bien en Europe, comme l'avait souhaité Pierre le Grand. Sur ce point, Alix Gyllenlöve avait toujours eu certains doutes. Pour elle, l'Europe finissait là où commençait l'Asie, au poste frontière de Bialostrov, du côté russe, une fois que le voyageur, ayant traversé la bande de terres désertiques après Terijoki, en Finlande, s'apprête à aborder les trente kilomètres de solitude qui le séparent de la capitale russe, sur la Neva. Cette plaine monotone, avec sa route plate qui serpentait à travers des villages crasseux, où des hommes barbus, en veste de mouton, s'adossaient aux murs de leurs taudis, où les enfants fraternisaient avec les cochons, c'était, songeait Alix, un paysage qui s'accordait bien avec la tristesse du départ vers la « prison russe », comme elle l'appelait.

Certes, jamais captive ne fut conduite en prison avec plus de confort et de cérémonie. Aurora Karamsine se rendait de Finlande en Russie avec un véritable convoi de véhicules ; sa propre voiture allait en tête : Gregori tenait les rênes et Alix, enveloppée d'une couverture de fourrure, était assise près d'elle. Paul Demidov occupait le second véhicule, avec son précepteur et un valet ; puis venaient les femmes de chambre, Verna et Anna la Lapone, qui voyageaient avec les énormes malles-armoires. Il y avait des valets d'écurie, des piqueurs et des postillons pour faciliter le voyage. Une fois ou deux, le premier jour, ils dépassèrent une *bondkärra* finlandaise, simple caisse montée sur un essieu et deux roues ; chaque fois, conducteur et passager, perchés sur une planche clouée en travers de la caisse, regardèrent d'un œil envieux l'équipage somptueux de la dame. Mme Karamsine se refusait également à perdre du temps en prenant ses repas aux relais, où l'on pouvait passer des heures à attendre que les plats de gibier, coq des bouleaux ou coq de bruyère, fussent réduits en purée avant d'être servis aux hôtes. Une fois que les voyageurs s'étaient acquittés de l'indispensable formalité de la signature sur le registre, la caravane Karamsine reprenait son chemin. Des amis mettaient leur maison, et souvent leurs chevaux, à la disposition d'Aurora, depuis la villa Hagasund jusqu'à la Morskaia.

Par un triste après-midi, le convoi s'engagea dans les

rues poussiéreuses de la ville de Pierre le Grand, pour enfin faire halte devant le palais Demidov, dans la Morskaia. Le jeune Paul, avec une ardeur qui lui était peu habituelle, s'élança vers la voiture de tête, avant qu'on en eût abaissé le marchepied, pour aider sa mère à descendre et lui souhaiter la bienvenue « dans la maison de mon père ». Alix, qui remettait, d'une main lasse, de l'ordre dans ses jupes vertes pour franchir en grand apparat le magnifique portail, ne manqua pas de noter la forme de la phrase. Paul a l'intention d'être le maître ici avant longtemps, pensa-t-elle. Je me demande comment les Karamsine prendront ça.

Le palais, où le Crésus de Russie avait amené sa jeune épousée, était brillamment illuminé et une véritable petite armée de serviteurs attendaient dans le vestibule dallé de marbre, pour accueillir leur maîtresse. Quatre valets de pied étaient de service en permanence dans ce seul vestibule, avec un cinquième pour prendre le manteau de l'hôte et un sixième, en hiver, pour lui enlever ses protège-chaussures. Tous étaient sous l'autorité d'un majordome suisse, chaîne d'or au cou, qui s'avançait maintenant pour souhaiter la bienvenue à Aurora.

— Y a-t-il des nouvelles de Bucarest, Antoine ?

Tels furent les premiers mots qu'elle lui adressa.

— Oui, madame, de très bonnes nouvelles. Son Excellence le colonel est sain et sauf et une lettre de lui attend, dans les appartements de Madame.

— Dieu soit loué ! soupira Aurora... Venez, mes enfants.

Et elle monta jusqu'aux appartements privés du troisième étage. Les étages inférieurs étaient réservés aux pièces de réception, parmi lesquelles on remarquait la salle de bal d'Aurora et son fameux salon doré : dans les grandes occasions, ces deux salles étaient ornées d'un bon millier de plantes de serre. Un parfum de lilas hâtifs régnait dans l'appartement d'Aurora ; on y pénétrait par une antichambre où se tenaient, en permanence, deux valets de pied, afin de pouvoir exécuter le moindre commandement de leur maîtresse. L'appartement comprenait encore un salon, décoré dans des tons brun, or et abricot, un cabinet de toilette pour le colonel Karamsine et l'immense chambre à coucher, commune aux deux heureux époux, avec les peaux d'ours blancs sur le parquet. Les appartements de

« *LA PREMIÈRE GOUTTE DE SANG* »

Paul Demidov se trouvaient également au troisième étage et Aurora, avec sa coutumière gentillesse, accompagna Alix jusqu'à sa chambre, sans même prendre le temps d'ôter son manteau.

— Je t'ai préparé une petite surprise, ma chérie, dit-elle, au moment où le majordome, qui les avait précédées, s'apprêtait à ouvrir la porte. J'ai fait abattre une ou deux cloisons et transformer le vieux cabinet de toilette, de sorte que tu as maintenant un petit salon bien à toi. Si tu dois demeurer ici un certain temps, je veux que tu t'y sentes heureuse et tout à fait indépendante...

— Tu es vraiment très bonne pour moi, Aurora.

Il y avait aussi des lilas, dans la chambre d'Alexandra, et certains objets familiers qui lui firent ouvrir de grands yeux. A l'autre bout de la pièce, par la porte ouverte du nouveau boudoir, les deux femmes purent voir, accrochée au mur, une autre surprise.

— Le portrait de ta mère, Alix ! s'écria Aurora. Comment se fait-il qu'il soit ici ?

— Un serviteur du comte Gyllenlöve l'a apporté au début de la semaine, Madame, en même temps que les malles et les livres appartenant à mademoiselle. Son Excellence regrettait vivement d'être obligé de partir pour Moscou avant l'arrivée de ces dames. Il y a, sur le bureau, une lettre pour mademoiselle.

— Merci, Antoine ; vous pouvez disposer, dit sa maîtresse... Alix, il doit avoir fermé l'appartement de la Nevsky Prospekt !

— Et tranché tous ses liens avec le passé, fit Alix, irrévérencieusement. Pourquoi pas ? A Sveaborg, il m'a annoncé qu'il en avait l'intention, aussi nettement que je te parle maintenant, Aurora. D'ailleurs, quel besoin a-t-il du portrait de ma mère, à présent qu'il a ses chemins de fer et sa Mme Ourov ?

— Voyons ce que dit sa lettre, proposa Aurora.

— Ce n'est pas pressé. Et tout ceci retarde pour toi le moment de lire ton propre courrier, lui rappela Alix. N'as-tu donc pas envie de lire la lettre d'Andrei ?

— Si, bien sûr ! s'exclama la femme du colonel Karamsine. Veux-tu que je te fasse envoyer Anna ?

— Non, pas tout de suite.

Seule dans sa chambre, Alix se lava le visage et les mains, se coiffa et changea de robe. Elle connaissait bien les habitudes au palais Demidov : avant longtemps, on aurait besoin d'elle, sinon dans le grand salon, du moins dans l'une des pièces plus petites du deuxième étage, pour aider à recevoir les visiteurs qui commenceraient à se présenter dès que l'on connaîtrait le retour de Mme Karamsine. Elle regagna ensuite le boudoir et, d'un coup de pouce, décacheta la lettre de son père. Elle ne contenait qu'un bon de commande chez Efimov, la fourreur à la mode de la Gostinnoi Dvor, qui devait confectionner pour Alix un manteau de fourrure à partir d'un paquet de peaux sélectionnées de renards blancs de l'Arctique. Attaché au bon de commande, un billet disait : « Pour ma bonne petite fille, qui a su m'écouter ».

Alix laissa tomber les papiers sur le bureau. Elle leva les yeux vers le portrait de sa mère dont, jamais encore, Johan Gyllenlöve ne s'était séparé. Eleonora Gyllenlöve y était représentée en robe blanche toute simple, avec ses petites filles à côté d'elle ; les deux enfants avaient la délicatesse de traits de leur mère, mais seule Kristina avait hérité ses cheveux bruns et ses grands yeux noirs. Le peintre avait donné au groupe un décor pastoral et l'on apercevait au loin le manoir d'Ekenäs. C'était ce paysage de Finlande qu'examinait Alix, les yeux pleins de larmes. Elle se retourna vers la grande fenêtre pour contempler avec impatience la capitale du tsar Nikita.

C'est ainsi que la trouva Aurora, en entrant dans la pièce vingt minutes plus tard.

— Pas de mauvaises nouvelles ? s'écria Alix, en voyant son visage pâle et défait.

— Non... pas exactement, répondit Aurora en essayant de sourire. Quelques inquiétudes, seulement, auxquelles je ne m'attendais pas. Alix, mon incorrigible André a quitté Bucarest ! Il a abandonné ce poste merveilleux à l'état-major pour suivre le maréchal Paskeivich à Silistrie ! « J'ai le sentiment qu'il est de mon devoir de me porter volontaire pour le front », m'écrit-il. Oh, mon Dieu, et je ne sais pas même où *se trouve* Silistrie !

— Mais Paskeivich revient à Saint-Pétersbourg, dit Alix, aussi perplexe que l'épouse de Karamsine. Tu sais bien qu'on a annoncé, à Helsingfors, que le prince Mentchikov allait prendre le commandement sur le Danube.

— Comment savoir où est la vérité dans tout ce qu'on raconte ? demanda Aurora avec humeur.

178

« LA PREMIERE GOUTTE DE SANG »

C'était la première fois qu'Alix l'entendait critiquer le service russe d'information, dont la mission était davantage de tromper le public que de l'informer. Sagement, elle s'abstint de tout commentaire et se mit à cajoler sa marraine, en lui affirmant qu'un poste à l'état-major du commandant en chef d'une armée en campagne était presque aussi sûr qu'un poste de l'arrière, à Bucarest. Quand les domestiques entrèrent, porteurs d'un samovar et de verres, sur un plateau d'or, elle avait ramené le sourire sur les lèvres d'Aurora.

— Je leur ai dit de servir le thé dans ton salon, chérie. Cela ne te fait rien ? dit Aurora. Mes appartements ressemblent pour l'instant à une auberge de relais, où tout le monde va et vient avec des malles et des effets.

Elle emplit les verres et y ajouta adroitement des tranches de citron.

— De plus, j'ai vraiment besoin d'une cigarette, avant l'arrivée de la mère et de la sœur d'André.

— Tu les attends déjà ? dit Alix.

Elle présenta une flamme à la petite cigarette russe noire qu'Aurora fumait de temps à autre, quand elle se trouvait seule ou bien avec Alix.

— Je leur ai fait porter un message pour leur demander de venir. Il *faut* que je sache où est Silistrie ! Elles ont peut-être reçu d'André des nouvelles plus fraîches. Ma lettre à moi date d'un mois, peux-tu le croire ?

— Peut-être auras-tu tout un paquet de lettres d'ici un jour ou deux, fit gentiment Alix.

— Je l'espère... Oh ! oui, je l'espère bien ! Vois-tu, chérie, j'avais prié pour trouver ici une lettre m'annonçant son retour. Après tout, André a trente-neuf ans. Un officier plus jeune pourrait certainement prendre sa place au front. Il servirait aussi bien le tsar à Saint-Pétersbourg qu'à Silistrie, j'en suis sûre. Et j'ai tellement besoin de lui ici. Paul aussi. Si André était là, il me dirait ce qu'il faut faire à propos de la lettre d'Anatole Demidov...

Elle considéra tristement les pages couvertes d'une écriture serrée qu'elle tenait à la main.

— Tu as reçu une lettre de l'oncle de Paul, Aurora ?

— Oui, une lettre horrible, où il prétend avoir son mot à dire à propos de l'éducation de l'enfant, « ainsi que le souhaitait son père », dit-il ; il me demande de lui envoyer Paul à Florence, cet été... « Afin d'entreprendre son éducation européenne » : ce sont ses propres termes. Ah ! si seulement André était là pour lui répondre !

Alix fronça les sourcils. Elle était trop jeune pour avoir connu le prince Anatole Demidov, qui n'avait pas daigné franchir la frontière de l'empire russe depuis la dissolution de son union avec Mathilde Bonaparte, cousine de l'actuel empereur des Français — la séparation s'était effectuée au plus grand profit de la dame, grâce, en grande partie, à l'intervention du tsar ; mais, même dans le paisible Helsingfors, tout le monde était au courant de sa vie débauchée. L'existence qu'il menait maintenant en Toscane, où son père avait acquis le titre de duc de San Donato, était si constamment scandaleuse qu'un parent, et surtout la mère d'un fils unique, ne pouvaient qu'hésiter à installer l'enfant dans cette maison mal famée.

— Penses-tu qu'il ait écrit directement à Paul ? demanda-t-elle.

— Oh ! j'espère que non ! Paul m'importune sans cesse pour aller voir son oncle. Je suppose que, pour lui, Anatole est un homme qui connaît la vie. Et il se lamente à propos de l'autre demeure des Demidov, celle qui se trouve sur le quai des Anglais, et qui est inoccupée depuis si longtemps. Il m'a déclaré l'autre jour, que, lorsqu'il se marierait, il aimerait l'habiter. Qu'est-ce que tu dis de cela ?... A seize ans ! Vraiment, un fils adolescent est un bien grand souci.

« Les soucis que peut t'apporter maître Paul, tu ne les soupçonnes même pas », songea Alexandra. Tout haut, elle demanda :

— Pourquoi ne pas écrire au duc qu'il vaut mieux pour Paul ne pas quitter la maison pour l'instant, puisqu'il doit entrer, d'ici peu, au corps des Pages ? Et ensuite, tu permettras à Paul de répondre à l'invitation des jeunes Yousopovsky, qui lui ont demandé de venir chasser à leur *dacha*. Je sais qu'il a envie d'y aller et ça l'aiderait à oublier Florence.

— C'est exactement la solution qui convient, ma chérie. Comme tu es habile ! dit Aurora, dont le visage s'éclaira. La chasse n'ouvre pas avant la mi-juillet, mais nous pouvons dès maintenant prendre toutes les dispositions utiles ;

ainsi il ne pensera plus qu'à cela. Qui sait ? en juillet,
ce cher André sera peut-être de retour ! Et maintenant...
je vois que tu t'es faite belle ; descendons et préparons-
nous à recevoir sa mère.

Lentement, inexorablement, la monotonie de la vie
mondaine dans la capitale se referma une fois encore sur
Alix Gyllenlöve. Le palais Demidov, dont le système de
chauffage par circulation d'air chaud marchait à plein
rendement, malgré le temps déjà plus tiède, demeurait
plongé dans le silence jusqu'à midi, tandis que, dans ses
appartements privés, la maîtresse de maison conférait avec
joailliers et couturières, à moins qu'elle ne consultât ses
avoués et ses comptables sur l'administration des vastes
biens des Demidov : la guerre, en effet, avait encore accru
la prospérité des grandes fonderies de Nishni Tagilsk, en
Sibérie, et des mines de l'Oural, berceau de la fortune
des Demidov.

A midi et demi, Aurora faisait son entrée dans l'une
des petites salles à manger ; Alix et Paul l'y rejoignaient
pour ce que l'on nommait le petit déjeuner, à moins
qu'il n'y eût des invités, auquel cas le repas devenait déjeuner. Ensuite, les dames allaient se promener en voiture
ou rendre des visites jusqu'à l'heure du thé. Il y avait toujours des invités pour le dîner, qu'on prenait de bonne
heure ; après quoi, il était élégant de ressortir, car, si
la guerre avait abrégé la saison des bals et des réunions
dansantes, les représentations théâtrales se poursuivaient
comme à l'ordinaire. Aurora emmenait son fils à bon
nombre de sauteries organisées pour les jeunes ; il détes-
tait ces manifestations : les filles, selon lui, sentaient toutes le borax et le pain beurré. Il se mit à fréquenter les
femmes de la ville : la nuit, il se glissait dehors, avec la
complicité du *dvornik,* ou portier, pour aller voir les
chanteuses gitanes de l'île Vassily, avec quelques autres
jeunes gens fortunés. Il y eut, en conséquence, une ou
deux scènes pénibles entre la mère et le fils, mais l'idée,
pourtant toute naturelle, de congédier le *dvornik* ne se
présenta jamais à l'esprit d'Aurora. La femme la plus
riche de Russie elle-même ne pouvait se permettre de renvoyer un domestique qui, de même que tous les portiers

des grands hôtels particuliers de la ville, était certainement à la solde de la police secrète.

Alix n'assista à aucune de ces querelles. Seule dans sa chambre elle se rappelait qu'en Finlande, c'était l'époque merveilleuse du solstice d'été. Les autres années, elle avait dansé avec les jeunes gens d'Ekenäs, ou bien avec ses cousins Mannerheim, de Viborg, autour des feux de la Saint-Jean. A présent, Alix Gyllenlöve était bien loin de toutes ces réjouissances et passait les matinées vides sans autre société que sa servante lapone.

Parfois, elle cherchait un dérivatif dans sa bibliothèque. Mais ses livres favoris eux-mêmes, *La Rose de l'Ile aux Chardons* et *La Duchesse de Finlande,* n'éveillaient plus en elle l'ancienne impression de plaisir et d'évasion. Les nobles et larmoyantes héroïnes, auxquelles elle s'était si facilement identifiée naguère, lui apparaissaient maintenant comme des silhouettes de carton-pâte, comme l'Alexandra de l'automne passé qui, dans cette même maison, avait laissé Boris Apraxine lui faire une cour cérémonieuse, lui avait tendu sa joue à baiser et son doigt qu'il avait, pour un temps assez court, orné d'une bague. Elle abandonna ses livres, et la mélancolie, qui faisait partie de son héritage finlandais, envahit son esprit ; de plus en plus fréquemment, elle évoquait les lacs et les forêts de Finlande, qu'elle n'avait encore jamais vus et dont parlaient les vieux textes runiques ; alors, elle se tournait vers Anna, lui réclamait les légendes lapones et, petit à petit, les mythes et les superstitions qui, pour la servante, étaient vérité, prirent également possession d'Alexandra.

Vint un matin d'été où, le cœur plus léger, Alix envoya Anna s'assurer que Mme Karamsine était bien seule dans ses appartements. Alors, à la grande admiration des valets de pied, elle traversa, à la suite de la servante, l'antichambre et parvint au boudoir où Aurora lisait le *Journal de Saint-Pétersbourg.* Elle leva les yeux avec une exclamation de plaisir à l'entrée de la jeune fille.

— Chérie ! Efimov a livré ton manteau !

— Il te plaît, Aurora ?

— S'il me plaît ? Mais il est magnifique !

Le fourreur avait fait du beau travail. Ce qui, lors de leur première visite à la Gostinnoi Dvor, n'était qu'un ballot de belles peaux, s'était transformé en de souples

bandes d'un blanc pur, habilement montées sur des panneaux de satin blanc ; l'ensemble était doublé de soie
blanche, pour éviter tout excès d'ampleur ou de poids et
le manteau de renard d'Alix, qui lui tombait plus bas que
les genoux, prit un balancement gracieux quand elle traversa la pièce. Elle contempla son image dans la haute
glace d'Aurora ; point n'était besoin des murmures flat-
teurs de sa tante pour lui faire comprendre qu'elle était
belle, que les longs poils fins des peaux de renards étaient
le complément rêvé pour ses fins cheveux blonds et que
le blanc des fourrures d'hiver mettait parfaitement en valeur son teint clair. « Si seulement Brand pouvait me voir
ainsi », pensa-t-elle.

— Chérie, tu as le plus splendide manteau de Saint-
Pétersbourg ! exulta Aurora. La tsarine elle-même n'en
possède pas de plus beau !

— C'est vrai qu'il est ravissant, dit Alix. Il faut que
j'écrive sans tarder pour remercier papa.

— Je pense bien !... Et, ma chérie, poursuivit Aurora de
sa voix la plus persuasive, en parlant de la tsarine ! J'ai
rencontré Sa Majesté au déjeuner chez le grand-duc, mercredi... Te l'avais-je dit ?

— Non.

— Elle s'est informée de toi. Elle m'a dit fort aimablement qu'il y avait bien longtemps que tu n'avais été présente
à l'une de ses réceptions et qu'elle espérait que tu assisterais
à la fête du solstice à Peterhof.

Elle vit une vive rougeur envahir le visage d'Alexandra.

— Je pense que tu devrais y aller, ma chérie.

— Et Nikita ? Est-il, lui aussi, à Peterhof... ou bien au
Palais d'Hiver ?

— Il est allé passer quelques jours à Gatchina.

— Pourquoi justement Gatchina ?

Tout le monde, dans la haute société de Saint-Pétersbourg, savait que Nicolas 1er évitait de séjourner dans le
lugubre palais où s'était écoulée son enfance solitaire, où,
accablé de leçons, souvent fouetté par Lamsdorff, son brutal
précepteur, il avait subi ce qui devait être la période de
formation de Nicolas-la-godiche.

— La semaine prochaine, ils gagnent tous le palais d'été,
dit Aurora. Alix, as-tu lu le *Journal*, ce matin ?

— Pas encore. Pourquoi ?

— Il y a un article qui devrait t'intéresser, je crois.

183

Alix déchiffra le titre que lui indiquait Aurora. Puis, le front plissé, elle se débarrassa du manteau de renard, le laissa sur une chaise et, reprenant le journal, lut à haute voix :

« L'amiral britannique Plumridge a subi une sévère défaite, dans le golfe de Botnie, grâce à la loyauté de la population finlandaise de Gamla Karleby. Plumridge, qui a déjà détruit des biens finlandais à Brahestad et Uleaborg, attaqua Gamla Karleby avec toute son escadre, mais fut repoussé par le feu nourri des habitants.

« Les Finlandais ont fait de nombreux prisonniers de guerre.

« L'escadre de Plumridge s'est retirée en désordre, avec, à bord, des tués et des blessés également nombreux. »

A y réfléchir de sang-froid, comme le fit la pauvre Alix aussitôt qu'elle en fut capable, la nouvelle n'était pas aussi terrible qu'elle paraissait de prime abord. D'une part, les unités de l'escadre de Plumridge étaient précisément citées — c'étaient le *Leopard,* le *Vulture,* l'*Odin* et le *Valorous,* et Alix tira quelque réconfort du fait que l'*Arrogant* ne se fût point trouvé sur le théâtre d'une action dont les Russes usaient si habilement pour leur propagande. Dans sa colère et sa consternation, Alix était persuadée que la mystérieuse retraite du tsar à Gatchina, ce palais désolé, à présent, et abandonné au grand veneur qui y faisait l'élevage des chiens courants du tsar, avait un rapport avec le compte rendu du combat de Gamla Karleby ; celui-ci, elle ne tarda pas à s'en convaincre, n'était qu'un tissu de mensonges. Il était absolument impossible qu'une escadre britannique fût mise en déroute par les habitants d'une petite ville sans importance comme Gamla Karleby — à moins que ces habitants ne fussent appuyés par des soldats russes ! Mais, ce même soir, elle se rendit à une réception diplomatique donnée à la légation d'Autriche et en apprit suffisamment, par un attaché neutre, pour acquérir la certitude que des marins britanniques avaient bien été faits prisonniers par des Finlandais et que le premier sang répandu au cours de la campagne de la Baltique était celui de Finlandais.

Le lendemain, un nouvel élément d'information fut livré à la presse russe. A Gatchina, le tsar n'était pas resté inactif. Il avait acheté, à un jeune savant suédois, nommé Alfred

184

« LA PREMIERE GOUTTE DE SANG »

Nobel, un procédé de son invention à utiliser contre les navires ennemis en mer et il avait ordonné la production massive, dans une usine de Saint-Pétersbourg, de ce que certains journaux nommaient « l'arme secrète » et d'autres « la machine infernale ». La possession de la machine infernale, affirmait-on, apportait aux Russes un avantage immédiat et complet sur l'Occident.

Lus à la suite, comme prévu, les deux articles eurent un effet excellent sur le moral de la capitale. Saint-Pétersbourg continua de vaquer tranquillement à ses occupations, sans trop se soucier du fait que la présence de la flotte anglaise de la Baltique était maintenant évidente, en un point ou en un autre, chaque jour et durant les longues nuits blanches de juin. Après avoir détaché les seules forces nécessaires au blocus du golfe de Riga et à la surveillance du port de Memel, qui représentait le principal centre de triage de tout le commerce de contrebande avec la Russie, Napier avait fait enfin son apparition dans le golfe de Finlande. A l'ouest de Helsingfors, l'escadre française, si longtemps attendue, avait enfin rejoint Napier, sous le commandement d'un vétéran de Trafalgar, le vice-amiral Parseval Deschênes. De Barö, les deux flottes combinées, où des vapeurs anglais remorquaient les voiliers français peu maniables, se dirigèrent d'une allure régulière vers Saint-Pétersbourg ; le lundi 26 juin (le 14 juin selon le calendrier russe), on aperçut leurs voiles au large du phare de Tolboukine, à treize kilomètres environ de la forteresse de Kronstadt.

Durant tout cet après-midi, avec la plus parfaite insouciance, les invités de l'empereur et de l'impératrice de Russie suivirent en voiture la route côtière pour se rendre de Saint-Pétersbourg au palais d'été. Les invitations à la fête du solstice, donnée à Peterhof, avaient été lancées deux semaines auparavant, et pas plus le tsar que la haute société pétersbourgeoise ne voyaient de raison d'annuler une célébration, que ne ferait que rehausser la présence d'une flotte ennemie, hors de portée de canon. La haute société pétersbourgeoise suivait donc la route lisse, où les marécages d'Ingria avaient été asséchés pour faire place aux jardins de plaisance de la Romanova, avec tout l'enthousiasme d'enfants allant au cirque.

Mme Karamsine et Alix quittèrent la ville dans l'une des premières voitures.

— Le grand-duc et sa femme ont été tellement aimables de nous inviter à « Tout à moi », avant le début de la fête, dit Aurora, comme elles arrivaient en vue des premières guérites de sentinelles, devant les résidences d'été impériales. Tu auras plaisir à voir les enfants, Alix.

— Adosse-toi, Aurora chérie, conseilla doucement Alix. Tu vas être lasse avant d'arriver.

Elle trouvait que sa marraine, malgré l'apparent intérêt qu'elle témoignait aux magnifiques jardins, semblait pâle et absente, comme si elle cédait enfin à l'épuisement, après avoir attendu si longtemps et en vain des nouvelles de son mari. Alix elle-même se sentait lasse, d'une lassitude profonde et inquiète : trop accablée pour éprouver quelque plaisir à porter sa robe de mousseline blanche brodée, ou le bouquet de muguet de soie blanche et verte, fixé sous le bord de sa grande capeline de paille. Il faisait très chaud et la route était poussiéreuse. Des cache-poussière fauves protégeaient les robes d'été des deux femmes.

Elles passèrent devant Sergiefka, la résidence d'été de la fille veuve du tsar, la duchesse de Leuchtenberg. Venait ensuite la résidence que le grand-duc Alexandre avait baptisée « Tout à moi », puis Peterhof proprement dit ; tous les jardins communiquaient entre eux et avec ceux d'Oranienbaum, où vivait le grand-duc Michael, comme si tous les Romanov ne formaient qu'une seule grande famille unie et n'étaient heureux que les uns près des autres. Peterhof, entrepris par Pierre le Grand pour en faire sa capitale, s'était transformé, avec les générations successives, en un assemblage de bâtisses d'assez mauvais goût, un peu semblable à une foire, où un pavillon grec, un chalet suisse, une pagode chinoise et un moulin à vent hollandais s'élevaient dans des bosquets ornés de fontaines, de cascades et de statues de bronze et de marbre. Par contraste, « Tout à moi » était une modeste maison de campagne et le salon où le grand-duc et sa femme reçurent Alix et Aurora était meublé dans le style anglais, avec des housses de percale glacée sur les sièges très simples.

Dans la profonde embrasure de la fenêtre, une table était jonchée de journaux et de magazines et, sur un support d'acajou, se dressaient des fougères en pots.

— Comme on se sent délicieusement bien, ici, dit Aurora Karamsine avec un sourire, en acceptant une tasse de thé des mains de la grande-duchesse. Vous devez être si heureuse de vous retrouver enfin à la campagne, Madame.

— C'est tellement important pour les enfants, approuva la grande-duchesse Marie.

C'était une princesse de Hesse, délicate et plaintive créature, qui cherchait toujours, en parlant, le regard de son mari et dont les robustes petits garçons étaient accoutumés à jouer sans bruit en sa présence.

Les enfants étaient là, eux aussi, debout près de leur père qui bavardait avec ses invités. Alix dut, une fois de plus, reconnaître que cet homme avait un certain charme. Le grand-duc possédait un don inné de diplomate pour parler de ce qui pouvait plaire à son auditoire ; il encouragea Alix à parler de sa visite à Viborg et se répandit en commentaires sur la beauté et l'importance croissante de la ville dans des termes qui emportaient la conviction.

— C'est pour nous une telle chance que d'avoir le gouverneur Mannerheim, dit-il. Un grand serviteur de la Finlande, comme votre brillant père, mademoiselle.

Il eût été facile de se laisser aller à la détente, auprès du grand-duc Alexandre. « L'espoir de la Finlande »... c'était un surnom qu'Alix lui avait souvent entendu donner, même par les plus patriotes, parmi les nationalistes. Et, dans cette pièce agréablement intime, seul avec sa jolie femme et ses enfants, on avait peine à croire qu'il était l'héritier de Nicolas-lagodiche, le futur autocrate de Toutes les Russies. Mais il y avait trop longtemps qu'Alix se considérait comme une proscrite en territoire ennemi pour qu'elle pût maintenant se détendre. Un rappel de la guerre vint troubler cet instant paisible quand le plus jeune des enfants demanda poliment :

— Papa, pouvons-nous emmener la dame voir les bateaux anglais en mer ?

— A la lorgnette, mon garçon, s'ils s'approchent ; pas autrement.

— Les navires britanniques ! dit Alix d'une voix faible. Sont-ils donc si près ?

— Les enfants ne tiennent plus en place, expliqua le grand-duc en souriant, parce que nous les avons emmenés hier, en voiture, voir la flotte remonter le golfe. Nous avons suivi la route côtière en carriole, avec un samovar de thé et un panier de gâteaux, et nous avons pique-niqué dans les rochers. Charmante expédition, vraiment. Les enfants y ont trouvé un autre avantage, celui de se coucher bien après

187

l'heure habituelle, de sorte que, naturellement, Alexandre
ne demande qu'à répéter l'expérience aujourd'hui.

— Alex est un sot, dit l'aîné. Moi, je ne veux pas
manquer le feu d'artifice à Peterhof.

— Tu verras la flotte, et le feu d'artifice aussi, Nikolaï,
dit, du seuil, une voix grave.

— Papa ! s'écria la grande-duchesse, saisie, en se levant
bien vite. Maman impératrice ! Que de bonté... nous ne
nous attendions pas au plaisir...

Le tsar de Russie entra dans la pièce d'un pas mesuré.
La tsarine le suivait, maigre, nerveuse et souriante, avec ce
tic bizarre, ces tressaillements de la tête, dont elle était
affligée depuis cette nuit de décembre 1825 où le tsar avait
écrasé la rébellion d'une poigne sans merci et avait patau-
gé jusqu'à son trône dans les flots du sang de tout un régiment. C'était une princesse prussienne, qui haïssait les
Français depuis Napoléon le Grand et les exécrait plus
encore au temps de Napoléon le Petit.

Aussitôt que furent terminés les révérences et les saluts
traditionnels, elle serra contre son cœur sa belle-fille.

— Marie chérie, êtes-vous en état d'assister à la fête de
ce soir ? Nous sommes venus nous en informer dès que
nous avons appris votre longue promenade en voiture d'hier
et votre pique-nique tardif...

— Je ne m'en porte pas plus mal, merci, Madame.

— C'était très imprudent, dans votre état de santé, dit
le tsar. Vous faire secouer tout au long de la côte dans
une carriole, vraiment ! Vous devriez songer à vos devoirs
envers la Russie, Marie.

— Les enfants avaient grande envie de voir de près les
Anglais, sire, dit leur père.

Il avait reboutonné sa veste de petite tenue dès l'entrée
du tsar et se tenait maintenant au garde-à-vous, comme un
jeune officier devant son colonel, ses fils debout, bien droits,
à ses côtés.

— Naturellement, fit le tsar. Je n'en attends pas moins
de mes petits-fils !

Il avait refusé de s'asseoir. Il écartait maintenant sa belle-
fille qui lui offrait des rafraîchissements. Tant qu'il demeurait debout, personne n'avait le droit de s'asseoir, pas même
la tsarine : ils faisaient tous cercle autour de l'autocrate
dont la présence avait transformé le charmant salon en
cour de caserne.

« *LA PREMIERE GOUTTE DE SANG* »

Nicolas n'était pas en petite tenue, comme son fils, mais en grand uniforme de colonel des Chevaliers Gardes. Dans les rares occasions où il n'apparaissait pas en uniforme, il avait coutume de dire qu'il avait « l'impression d'être privé de sa peau » et, même pour une visite d'après-midi à ses enfants, il exhibait trois décorations et une étoile de diamants. Comme un colonel demandant aux soldats si la soupe est bonne, il posa quelques questions à chacun à tour de rôle : des questions brèves, qui appelaient des réponses d'une précision toute militaire, bien que Mme Karamsine eût droit à un sourire particulier et à une pression de main. Il ne prêta guère attention à Alix, sinon pour s'enquérir de la santé de son père (« il n'épargne pas ses peines, pour la Russie ») ; puis il revint à ses petits-fils et à la flotte britannique.

— Oui, Nikolai, dit-il à l'aîné. Ce soir, de Peterhof, tu verras l'ennemi s'enfuir... avant le feu d'artifice ! Et, si ses navires s'aventurent encore plus à l'est, tu verras un feu d'artifice d'un autre genre !

— Les machines infernales ! s'écria joyeusement Nikolai.

Et le tsar fit taire sa mère, qui lançait vivement : « Chut, Niki ! »

— Oui, les machines infernales, dit gravement le tsar.

Il se tourna vers son fils.

— J'ai reçu, il y a une heure, le rapport de votre frère. Toutes les machines ont été lancées avec succès à midi.

— Sans accident, Sire ?

— Pas tout à fait. Deux bateaux de pêche ont sombré au cours de l'opération, mais, quand on utilise une arme nouvelle, il faut s'attendre à quelques pertes de vies humaines. Ce sera le vrai couronnement de notre fête, ce soir, poursuivit le tsar, dont les yeux luisaient étrangement, si nos hôtes voient exploser une frégate anglaise juste en face du palais de Peterhof !

« Il est fou, pensait Alix Gyllenlöve. Il veut détruire le monde — ou le russifier, ce qui revient au même ; et qui le détruira, lui ? L'un après l'autre, les Romanov ont été assassinés. Nikita subira-t-il le même sort ? Si j'avais un poignard, en ce moment, aurais-je le courage de le lui plonger dans le cœur ? »

— Lorsque Napier tournera le dos à Kronstadt, continua la voix dure qui résonnait dans la pièce silencieuse, ce qui arrivera à coup sûr, demain ou après-demain, je considérerai comme certaine notre victoire en mer Baltique. Trois ennemis, ligués contre nous, nous combattent sur deux fronts et, pourtant, nous les détruirons l'un après l'autre. L'hiver prochain, j'aurai de mon côté les deux grands généraux janvier et février. Comme le dit notre grand Derzhavine :

« Que vous importe, O Russie, un allié ?
Avancez et l'univers est à vous ! »

— Comme c'est beau ! comme c'est vrai ! applaudit la tsarine. Marie, les enfants devraient apprendre par cœur le poème de Derzhavine.

— J'en parlerai à leur percepteur, Maman impératrice.

— En parlant de poésie, dit le tsar, abandonnant son ton prophétique, c'est un remarquable poème de Topelius que vous m'avez montré hier.

— Je suis heureux que vous l'ayez apprécié, Sire.

— Avez-vous conservé le journal ?

— Oui, je crois...Tenez, le voici.

Il mit entre les mains du tsar un exemplaire du *Helsingfors Tidningar,* soigneusement plié sur la table de l'embrasure.

— Nos charmantes visiteuses de Finlande connaissent naturellement les œuvres de Zachary Topelius, dit le tsar avec un coup d'œil vers Alix et Aurora.

— *Fleurs de Bruyère...* un recueil si charmant ! dit vaillamment Mme Karamsine.

— Son thème actuel, hélas, est loin d'être aussi charmant, fit le tsar. Il déplore, comme nous tous, les souffrances que les Britanniques ont infligées au peuple sans défense du grand-duché... *Den första blodsdroppen,* tel est le titre du poème.

Il lança un regard de biais vers la tête tremblante de la tsarine. Entendre parler de sang la rendait facilement nerveuse.

— Alyssa Ivanovna !

— Sire ? dit Alix, inquiète.

— Le suédois est votre langue natale, je crois ?

— Le suédois est la langue que parlent généralement les Finlandais de la province de Nyland, où je suis née.

— Subtile distinction ! fit le tsar d'un ton sarcastique. Voulez-vous, pour notre plaisir, traduire ce poème en russe ?

Avec hésitation, Alix prit le journal qu'il lui tendait. Peu lui importe le poème, lui disait son instinct ; il a découvert un moyen de me faire souffrir. C'est bien là le même Nikita qui a torturé Ryléyév, qui a laissé Dostoievsky aller jusqu'à l'échafaud avant de commuer la sentence de mort, pour qui nul ennemi n'est trop faible pour être dédaigné...

Elle reporta son regard sur les lignes serrées et lut le titre tout haut : « La Première Goutte de Sang ». Puis elle s'arrêta net.

— Je vous en prie, continuez, ordonna le tsar, impitoyable. Je désire que les enfants entendent ce cri du grand-duché... traduit par une loyaliste finlandaise !

— « *Voici que le printemps...* » commença Alix.

Mais le souffle lui manqua.

« *Voici que le printemps tresse sa guirlande fraîche et*
                                                  [verte,
Qu'il étend sur la Finlande un tapis luisant et beau.
Et vous venez de l'océan, avant qu'ait dégelé le flot,
O étrangers, puissants et orgueilleux, pour tacher de sang
                                                [cette scène. »

Elle leva les yeux sur le sourire du tsar, sur le visage inquiet d'Aurora.

« *Savez-vous, guerriers du Sud, savez-vous combien est*
                                                [doux
Le renouveau du printemps à tous les cœurs de
                                                [Finlande ?
Quand s'en vont la glace et l'hiver, souffle et vie nous
                                                [viennent ensemble
Et voici qu'au moment où sourit la Nature... vous...
                                          [vous apportez la mort chez nous »,
termina Alix, en jetant par terre le journal froissé.

— C'est horrible... horrible ! dit-elle dans un sanglot. Je ne veux pas en lire davantage, je ne peux pas !

Et elle enfouit son visage dans ses mains pour cacher ses larmes.

— Il y a de bien faibles cœurs, dans la province de Nyland, remarqua le tsar Nikita. Nous attendons plus de courage de nos femmes russes !

CHAPITRE X

LES NUITS BLANCHES

L ES PETITS-FILS DU TSAR poussaient mélancoliquement du pied les graviers de l'allée qui passait sous les fenêtres de « Tout à Moi ». Ils étaient sous la garde de l'aide de camp de leur père, qui balançait dans une main deux paires de jumelles et faisait semblant de ne témoigner aucun intérêt au couple qui faisait les cent pas sous la pergola couverte de roses.

— Lieutenant Bernstoff, pourquoi donc ne pouvons-nous monter tout de suite voir les bateaux anglais ? demanda Nikolai d'un ton implorant.

— Vous savez bien que nous devons attendre Son Altesse Impériale, Monseigneur.

Niki et le petit Alex soupirèrent. La scène qui s'était déroulée dans le salon ne les avait en rien troublés : ils savaient par expérience que les visites de Grand-Papa l'empereur avaient toujours une fin désastreuse. Tôt ou tard, quelqu'un, l'un d'eux le plus souvent, devait fondre en larmes, de sorte qu'ils éprouvaient un sentiment de camaraderie pour cette jeune fille, cette grande personne qui avait mis Grand-Papa en colère... Elle ne faisait d'ailleurs plus tellement grande personne, avec ses joues rougies par les larmes et ses cheveux en désordre. Elle avait suspendu son chapeau à son bras par le ruban de velours. Papa lui parlait de la voix qu'il réservait aux migraines de maman et, comme ils se rapprochaient, les enfants entendirent Alix déclarer :

— J'espère que la grande-duchesse voudra bien me pardonner. Vous m'avez témoigné beaucoup de bonté en m'excusant et en m'emmenant au jardin avec les enfants.

— Ce n'est rien, dit le grand-duc Alexandre. Tout sera oublié bien avant la fin de la fête, ce soir. Le tsar, vous le savez, est avant tout un soldat ; il ne comprend pas toujours la sensibilité féminine.

— Papa, pouvons-nous monter sur le toit, à présent ? interrompit Nikolai.

Il agitait un bras pour désigner le panier, dans lequel le couple impérial était venu de Peterhof et qui attendait devant la porte d'entrée, un palefrenier tenant la bride du cheval.

— Tu crois que nous devrions nous échapper maintenant, Niki ? fit le grand-duc en souriant. Je pense que tu as raison. Venez donc par ici, Alyssa Ivanovna.

— Par ici, pour voir l'ennemi ! cria le petit Alexandre, dès que le groupe eut opéré une rentrée silencieuse dans la maison par la porte de service et grimpé trois étages pour atteindre les greniers de « Tout à moi ».

Le toit plat, auquel on accédait par une grande porte-fenêtre, avait été orné de grandes jarres de porcelaine bleue remplies de géraniums rouges et un haut parapet assurait la sécurité des enfants. L'aigle à deux têtes russe flottait au haut d'un mât.

— N'allez pas abîmer votre jolie robe, dit le grand-duc à Alexandra.

— Je ne l'abîmerai pas.

Pour ce qu'elle s'en souciait, la robe eût tout aussi bien pu être faite en toile à sac, une seule chose lui importait, cette occasion inespérée de voir les navires britanniques. Sur la terrasse, il faisait très chaud. Pas un nuage au ciel et les eaux du golfe avaient un éclat métallique. La grande forteresse de Kronstadt était située juste en face, pareille à un maigre poing serré, le long index pointant au nord-ouest, vers Sveaborg. Droit au sud, de ce qui pouvait représenter le poignet de cette main, les navires de guerre russes, embossés, étaient en sûreté dans l'arrière-port.

— Réglez les jumelles pour Niki et Alex, je vous prie, dit le grand-duc au lieutenant Bernstoff.

Avec tact, l'aide de camp entraîna les deux enfants vers

193

7

une autre partie de la terrasse, tandis que son maître portait à ses yeux la seconde paire de jumelles.

— Oui, les Anglais sont en vue, dit-il. Manifestement, ils ont l'intention de tenter une reconnaissance cette nuit. Un vapeur à aubes... ce doit être le navire hydrographe. Et deux frégates ; c'est bien ce qu'avaient rapporté nos observateurs.

— Vos observateurs sont-ils en mesure de donner un nom à chacun de ces navires, Monseigneur ? demanda Alexandra.

— Plus ou moins. L'un de nos meilleurs hommes a relâché au bassin d'Oranienbaum, il y a deux heures, avec un rapport assez complet. L'amiral Napier a transféré son pavillon à bord du *Driver,* mais j'imagine que les Français et lui resteront à Tolboukine avec les trois-ponts. Ce que nous voyons là, c'est leur escadre volante... le *Lightning,* avec le *Bulldog* et la *Magicienne.* Voulez-vous les regarder maintenant ?

— S'il vous plaît.

Pour commencer, Alix ne vit rien qu'un brouillard de ciel et d'eau. Puis, les doigts du grand-duc se refermèrent sur les siens, il ajusta les lentilles et les navires anglais se détachèrent avec netteté dans son champ de vision. Ils offraient un coup d'œil magnifique, car Napier avait ordonné à chaque vaisseau en action de hisser une flamme jaune-bleu-jaune au-dessus du pavillon bleu, à la corne, et une de l'Union Jack au grand mât. Les trois bateaux s'avançaient toutes voiles neigeuses dehors.

— Papa, verrons-nous l'un des navires ennemis sauter sur une machine infernale ?

Le petit Alexandre, dont le grand frère monopolisait les jumelles, s'était rapproché et enserrait de ses bras les genoux de son père. Le tsarévitch, en riant, ébouriffa les boucles d'or.

— Si nous avons beaucoup de chance, dit-il distraitement.

Dans la poche de sa veste blanche, il prit une paire de jumelles de théâtre, petites, mais puissantes, et les pointa sur le golfe.

— Voyez-vous une autre frégate qui arrive par bâbord, Alyssa Ivanovna ?

— Oui, Monseigneur.

— Ce doit être l'un des trois patrouilleurs de l'escadre

volante. L'*Impérieuse*, peut-être, ou le *Desperate*. Ou encore l'*Arrogant*... Mais qu'avez-vous ?

— Les jumelles sont assez lourdes.

Elle laissa, un instant, retomber ses poignets avant de porter de nouveau à ses yeux les puissantes jumelles allemandes. Elles lui cachaient presque le visage... elles devaient à tout prix dissimuler son expression !

— Est-il vraisemblable, Monseigneur, qu'un de ces navire puisse être détruit par l'arme secrète ?

— S'ils se risquent trop près de Kronstadt, c'est bien possible, dit le grand-duc.

Il était occupé à régler à sa vue les jumelles de théâtre.

— La machine infernale flotte donc sur l'eau ? insista Alix.

— Pour l'instant, elle a tendance à flotter. Certes, mon frère, en sa qualité de commandant en chef de notre flotte de la Baltique, a tout à fait raison de s'en servir, mais M. Nobel devra faire en sorte que le modèle II reste sous l'eau, tout en explosant au contact d'une coque de navire. Je ne pense pas, ajouta confidentiellement le tsarévitch, qu'à ce stade, la machine infernale soit beaucoup plus efficace que le cordeau Bickford que, selon nos abservateurs, les Britanniques ont employé au milieu de la Baltique. Enfin, nous verrons bien.

— Il semble que la Russie ait des « observateurs » partout.

— Ce n'est qu'une question d'argent, fit Alexandre, avec son rire charmant. Vous êtes toute pâle, Alyssa Ivanovna, il fait trop chaud pour vous, ici. Si nous rentrions ?

Alix eut le temps de jeter encore un long regard sur la frégate britannique, qui était peut-être l'*Arrogant* et qui venait crânement faire une reconnaissance de l'inexpugnable Kronstadt. Le camée parfait que formait le bateau blanc sur la mer d'un gris bleu resta gravé dans ses yeux bien longtemps après que le tsarévitch eut calmé les protestations des garçonnets et ramené tout le petit groupe vers l'escalier. Et, quand Alix s'arrêta devant une glace du vestibule pour remettre son chapeau, ce fut le navire de Brand et non sa propre image qu'elle vit dans le miroir.

Le panier impérial n'était plus devant la porte d'entrée.

Le grand-duc regarda ses jeunes fils avec une grimace amusée.

— Nous voilà en disgrâce, dit-il. Nous aurions dû être

là pour prendre congé de vos grands-parents. Maman sera sûrement fâchée, quand nous rentrerons.

— Faut-il que nous rentrions tout de suite alors ? demanda Nikolaï, qui avait l'esprit pratique.

— Si nous emmenions Alyssa Ivanovna faire un tour de jardin ?

Le sourire que le grand-duc adressa à Alix était sans contredit galant. Elle se rappela la pression prolongée de ses doigts, quand elle tenait les jumelles, et lui rendit regard pour regard, avec tout l'aplomb dont elle était capable. Sa conscience, censeur impitoyable, jugeait que cet homme, le charmeur, était plus dangereux, en puissance, que le tsar mégalomane. Le tsar entrait en rage, torturait ; cet homme-ci souriait. Cet homme pouvait caresser un enfant tout en exprimant son espoir de voir un grand navire coupé en deux par un invisible et silencieux ennemi. Alix dit avec soulagement :

— Voici une voiture, Monseigneur. Vous avez de nouveaux visiteurs à « Tout à Moi ».

— Ils n'ont pas été invités par moi, fit Alexandre, les sourcils froncés.

— C'est l'une des voitures de Mme Karamsine ! s'écria Alix.

Elle reconnaissait le deuxième cocher, Igor, et le blason sur les portières. Saisie d'un horrible pressentiment, elle vit Paul Demidov faire arrêter le véhicule hors de vue des fenêtres et se diriger précipitamment vers eux par l'allée de graviers.

— Monseigneur ! dit-il, en saluant rapidement le grand-duc, Alix ! Dieu soit loué, j'ai pu arriver avant votre départ pour Peterhof. Où est ma mère ?

— Mme Karamsine est dans la maison, avec la grande-duchesse, dit le tsarévitch. Que se passe-t-il, Paul ?

— Vous auriez pu le faire venir en permission, dit le jeune homme. Vous le lui aviez promis ! Foi de Romanov ! Mais vous n'avez rien fait. Vous l'avez laissé pourrir là-bas, sur le Danube et, maintenant, voici ce télégramme...

— Le colonel Karamsine ? murmura Alix.

Paul gémit :

— Je ne sais pas comment le lui annoncer, Alexandra. Il faut que tu m'aides à le lui annoncer doucement...

— Est-il tué, ou seulement blessé ?

— Mort.

LES NUITS BLANCHES

La grande-duchesse Marie, cette faible femme plaintive, fut l'héroïne de l'heure terrible qui suivit. Alors que les deux jeunes gens étaient paralysés de frayeur, elle administra un cordial à Aurora pour la ranimer après son premier évanouissement, et, quand sa visiteuse s'évanouit une seconde fois, après une crise nerveuse, elle expédia le lieutenant Bernstorff jusqu'à Peterhof, à travers les jardins, pour y quérir l'un des médecins impériaux. Le médecin déclara qu'il serait dangereux pour Mme Karamsine d'entreprendre le long trajet de retour jusqu'à la ville, et ce fut la grande-duchesse qui fit aussitôt préparer des chambres ; quand enfin Aurora eut été mise au lit, c'est elle encore qui se rappela que Paul et Alix, quelle que fût leur émotion, seraient sans doute heureux, un peu plus tard, d'avoir de quoi se restaurer.

— Pensez-vous que je devrais rester avec eux ? demanda-t-elle à son mari, après que la femme de chambre française eut rappelé à « Madame la Princesse » qu'il était temps de s'habiller pour la fête du soir.

— Ne faites pas l'enfant, Marie ! Imaginez ce que dirait le tsar !

Alexandre parlait plus brutalement que d'ordinaire. Il avait été profondément touché par la douleur d'Aurora Karamsine, qu'il connaissait depuis l'époque où il avait dix-huit ans et où elle était la ravissante demoiselle d'honneur de sa mère ; et il se sentait coupable toutes les fois qu'il se remémorait sa promesse de faire rappeler du front Andrei. Ce fut presque un soulagement pour lui que d'endosser son grand uniforme et d'escorter sa femme, à travers les pelouses, jusqu'aux terrasses de marbre de Peterhof, où sa mère, toute chargée des inestimables joyaux qu'elle adorait, attendait ses hôtes.

On entendit les petits garçons parler et rire dans l'escalier, quand ils montèrent se coucher. Puis, tout retomba dans le silence. Aurora dormait, bourrée de sédatifs, la gouvernante du plus jeune des garçons assise à son chevet. Dans le salon, de l'autre côté de la porte de sa chambre, demeurée ouverte, Alix et Paul prirent place à la petite table où le souper était servi.

— Quand est-ce arrivé, Paul ? murmura Alix.

Le jeune homme poussa un gémissement.

197

— Il y a bien des jours. C'est ça, le plus terrible ! Pendant qu'elle se promenait, qu'elle s'amusait, il était mort et elle ne le savait pas. Tu comprends, on n'a pas osé rendre publique la défaite du vieux Paskeivich à Silistrie. Mais ton père s'est informé au sujet d'Andrei et m'a télégraphié.

— C'est mon père qui a télégraphié ?

— Oui.

— Et Andrei est tombé devant Silistrie ?

— Non, dans un endroit appelé Karakala. Je suppose que c'est au cours de la retraite, mais je n'en sais rien. Il était avec un peloton de cavalerie au grand complet, disait le message, quand ils sont tombés, à Karakala, sur un puissant détachement turc ; ils ont perdu cent trente hommes et toutes leurs armes. Andrei... le corps d'Andrei était horriblement mutilé. On ne l'a identifié que par sa bague.

— Ne le dis pas à ta mère !

— Je ne suis pas complètement idiot... Elle est terriblement touchée, n'est-ce pas ?

— Elle l'aimait beaucoup, vois-tu.

— Crois-tu qu'elle aimait mon père de cette façon ?

— Elle t'aime, toi, Paul. Un peu plus tard, elle sera heureuse à l'idée que tu étais auprès d'elle, ce soir.

— Oh, Dieu, je ne peux plus en supporter davantage. Je vais me coucher. Tu ferais bien de dormir un peu, toi aussi.

— Tu ne veux plus rien prendre ?

— Je vais emporter un verre de vin.

Les serviteurs venaient desservir. Alix s'en fut jeter un coup d'œil sur Aurora et fut rassurée par le signe de tête de la vieille gouvernante, qui posa un doigt sur ses lèvres. La chambre qu'on avait préparée pour Alix était contiguë à celle d'Aurora et son petit balcon donnait sur les jardins. Il faisait encore grand jour, à dix heures, mais, dans le parc de Peterhof, elle voyait briller la lumière des bougies sur les tables de souper richement servies et elle entendait le son des violons. La fête battait déjà son plein ; après le souper, ce serait le bal, puis le feu d'artifice, pendant les deux courtes heures où, en cette saison, il faisait presque nuit sur le golfe de Finlande. Dans la penderie, elle trouva son cache-poussière, s'en enveloppa les épaules et s'installa sur le balcon, dans une chaise-longue de rotin.

Elle était bien trop lasse pour dormir. La totale prostration d'Aurora, et, quelques heures plus tôt, la scène avec le

tsar, l'avaient profondément bouleversée, mais, plus cruelle
que tout, était l'idée qu'à moins de dix kilomètres le navire
de Brand et bien d'autres couraient vers un danger imminent
et insoupçonné. Toutes les fois qu'elle fermait les yeux, elle
revoyait l'image de la frégate anglaise, aussi gracieuse qu'un
cygne sur un lac, et la flamme jaune-bleu-jaune qui contras-
tait avec le rouge-blanc-bleu de l'Union Jack. Inconsciem-
ment, elle attendait le bruit d'une explosion sur la mer. Mais
elle n'entendit que les pétarades et les sifflements du feu
d'artifice de Peterhof, quand éclatèrent les fusées et ruisse-
lèrent les pluies d'or ; bientôt, les initiales impériales, les
aigles bicéphales, les arcs de triomphe embrasèrent le ciel
de minuit, comme un défi lancé par la Russie à la flotte
de la Baltique. Alix entendit les applaudissements et les rires
s'enfler en acclamations. Elle tomba à genoux... Elle priait
pour que la douleur d'Aurora s'apaisât ; elle priait pour que
la machine infernale n'atteignît jamais son but.

Le lendemain matin, Mme Karamsine s'éveilla tard, pâle
et languissante, sous l'effet des drogues, mais bien décidée
à partir pour Saint-Pétersbourg, dès qu'elle aurait vu la
grande-duchesse dans son boudoir et l'aurait remerciée
pour sa grande bonté. Aussi, bientôt, reprenait-elle la route
côtière, encombrée de paysans, qui avaient stationné là toute
la nuit pour voir passer les joyeux équipages, et regagnait
son palais de la Morskaia, où le majordome, avec son habituelle compétence, avait déjà fait installer l'écusson funéraire
au-dessus de la porte et commandé des crêpes pour les livrées
« suisses » de tout son personnel.
Les flammes des bougies vacillaient devant les icônes de
la foi orthodoxe grecque, qu'avait professée le second mari
d'Aurora, tout comme le premier. Mais, dès que la veuve
se fut retirée dans ses appartements, elle s'assit avec un petit
livre de prières luthériennes et finit par retrouver une apparence de paix. Mais cette paix devait être de courte durée :
bientôt arriva la sœur mariée de Karamsine, la princesse
Catherine Mestjersky ; les deux femmes s'étreignirent en
pleurant, tant et si bien qu'Aurora eut une bouffée de
fièvre, tandis qu'Alix la suppliait vainement de se mettre au
lit. Dans sa terrible agitation, elle avait une idée fixe : aller
elle-même en Finlande, pour annoncer le drame avec ménagements à la mère et à la sœur d'Andrei à leur villégia-

ture à Dalsvik. Tard dans l'après-midi, elle envoya le majordome au quartier général de la police, pour y demander le *podorojna,* ou permis de sortie, sans lequel personne, pas même une dame de qualité comme Aurora, ne pouvait quitter la Russie. Alix prit elle-même le laissez-passer des mains de l'homme, quand il revint, à six heures, et le posa sur l'écritoire d'Aurora. A ce moment, Aurora avait cédé à la fatigue et avait gagné son lit, en affirmant qu'elle serait en état de faire le voyage le lendemain matin.

— C'est absolument absurde et nous devons l'en empêcher par tous les moyens, dit la princesse Catherine, quand le reste de la maisonnée se fut installé pour le dîner. Aurora ne pourrait supporter un tel voyage. D'ailleurs, il faut qu'elle soit ici quand mon autre frère arrivera de Moscou.

— Pourquoi lui n'irait-il pas à Dalsvik ? demanda Paul Demidov avec impertinence.

Il avait pris la place de sa mère, au haut bout de la table, et buvait sa troisième coupe de champagne.

— Il doit rester à Saint-Pétersbourg jusqu'à ce que la succession de ce pauvre Andrei soit réglée.

— Quelle succession ?

Alix fut presque certaine d'avoir entendu Paul marmonner cette question, mais une demi-douzaine de cousins Karamsine maniaient fourchettes et couteaux avec une telle énergie que le sarcasme passa inaperçu ; peu après, on apporta le café, et la compagnie se dispersa. Alix se rendit seule au salon doré qui, même les soirs de fête, n'avait jamais été aussi fleuri. Des bouquets n'avaient cessé d'arriver toute la journée, ravissants et coûteux témoignages de sympathie pour une femme très aimée à Saint-Pétersbourg. Les lis blancs du tsar voisinaient avec les offrandes de tous les grands-ducs, du ministre secrétaire d'Etat pour la Finlande et des humbles gens qu'Aurora avait secourus. Alix envoya chercher du papier et un encrier portatif et se mit à inscrire les noms qui figuraient sur les cartes. Plus tard, il faudrait écrire d'innombrables lettres de remerciements.

Absorbée par sa tâche, elle allait d'un côté à l'autre du salon doré et la tête commençait à lui faire mal au milieu de tous ces parfums, quand elle entendit des voix s'élever dans le vestibule voisin. Paul Demidov parut sur le seuil de la porte.

— Alix, écoute ça !

— Qu'y a-t-il encore, Paul ? Oh, non, pas un second télégramme !

— Je dois dire que ton père ne laisse pas chômer les fils télégraphiques. Personne d'autre, aujourd'hui, ne peut faire passer un mot de Moscou, mais lui... tiens, lis toi-même !

Le très actif chef de la commission des Chemins de fer avait télégraphié brièvement :

« Le corps du colonel Karamsine a été reconnu et sera ramené à Moscou. Aviserai date arrivée Saint-Pétersbourg mais suggère vous commenciez à prendre dispositions pour funérailles. Profonde sympathie. Gyllenlöve ».

— Paul, il ne faut pas lui laisser voir le corps...

— J'y veillerai, fit le jeune homme d'un air farouche. Je vais donner des ordres pour qu'il soit mis, à Moscou, dans un cercueil de plomb. Seigneur, il est mort depuis déjà deux semaines ! Mais là n'est pas le pire, Alix. Ce seront des obsèques militaires, maintenant, en présence de toute la famille impériale, et les prêtres... Je crois qu'il me faudra aller voir l'archimandrite, demain, ou le patriarche lui-même...

— Paul, pourquoi ne pas laisser le prince Mestjersky s'occuper de tout cela ?

— Pourquoi ? Parce que je suis le fils de mon père, voilà pourquoi. Je ne veux pas être gouverné par le mari de Katie Karamsine, pas plus que par le frère d'Andrei. Ils me rendent malade, ces Karamsine, ils envahissent cette maison comme des sauterelles dès que maman n'est pas bien. Ça ne va pas durer, c'est moi qui te le dis ! Je serai un jour chez moi, ici, et je veux être le maître dès maintenant !

Il s'avança vers Alix et elle se rendit compte que le jeune homme n'avait cessé de boire depuis qu'il s'était levé de table. Son haleine sentait le marasquin, ou quelque autre de ces liqueurs sucrées, sirupeuses qu'il affectionnait, et il avait le regard lourd.

— Paul, je t'en prie, ne rends pas les choses plus pénibles pour tout le monde, en un moment pareil. Tu as été si gentil, hier, pour ta mère, pourquoi ne pas continuer encore un peu ? Ce sera si affreux, pour elle, de voir ramener ici le cercueil d'Andrei...

— C'est pour *toi* que je ne veux pas rendre les choses plus pénibles, chérie.

201

Elle se mordit les lèvres, en entendant ce terme de tendresse. Paul murmura :

— Tu es si belle, en noir, Alix. Tes épaules sont si blanches, si douces...

Brusquement, impérieusement, il la prit dans ses bras, lui étreignit la taille, fourra son visage brûlant dans l'échancrure de sa robe. Il marmonna, parmi les dentelles de sa gorge :

— Toi et moi, nous pourrions être très heureux, tu sais, ma chérie. Je suis riche, je peux te donner tout ce que tu désires. Bijoux, fourrures, résidence, tout. Laisse-moi seulement t'aimer...

— Paul, lâche-moi !

Pour toute réponse, il l'embrassa comme jamais Alix n'avait été embrassée. En dépit d'une atroce répulsion sous cette bouche humide et goulue, son instinct l'avertit que ce serait folie que de tenter de lutter contre lui en cet instant. Paul n'avait plus rien du petit rustre d'Helsingfors : c'était maintenant un jeune libertin plein d'expérience qui n'hésiterait pas à la violer, si elle lui opposait de la résistance, même ici, dans le salon doré, parmi les fleurs funèbres. Elle prit le risque de faire semblant de lui céder un instant : son corps s'alanguit dans les bras de Paul, ses lèvres s'abandonnèrent aux siennes ; puis, comme le plaisir le laissait sans souffle, elle lui échappa en murmurant :

— Non, Paul, assez ! Pas ici ! Quelqu'un pourrait entrer !

Malgré son ivresse, il pouvait encore comprendre qu'elle disait vrai : il avait laissé la porte grande ouverte. Il demanda :

— Quand, Alix ? Quand ?

Sans détourner les yeux des siens, elle lui adressa un éclatant sourire, saisit le plus proche cordon de sonnette et le tira violemment.

— Apportez du champagne pour le prince Paul, dit-elle au valet de pied. Il faut maintenant que j'aille auprès d'Aurora Karlovna.

Elle monta l'escalier en courant. L'ascenseur était trop lent, il évoquait trop une prison de velours. Elle entra en trombe dans sa chambre, retourna les serviettes et les objets de toilette et, ayant trouvé de l'eau dentifrice, se rinça la bouche. Elle savait très précisément ce qui lui restait à faire et elle était bien décidée à prendre toutes les précautions : cette fois, pas de fuite intempestive, vouée à l'échec,

202

comme son escapade de Gothenburg. Elle s'en irait plus loin, cette fois, et sans Brand Endicott pour lui venir en aide... Brand ! Elle plongea ses mains dans l'eau froide, s'en aspergea la figure, se recoiffa et sonna sa servante lapone.

Anna, les yeux bridés et luisants, entra et vint silencieusement se poster en face du fauteuil d'Alexandra.

— Assieds-toi, Anna. De l'autre côté de la table, comme ça. Je veux que nous pensions ensemble au marin de l'Ouest.

— L'étranger ?

— Il est ici, non loin de nous, ce soir.

— Sur le grand bateau en mer.

La litanie de leurs questions et de leurs réponses eût déjà paru étrange si elles l'avaient récitée à la lueur d'un feu ou, l'hiver, près d'une lampe. Dans la dure clarté d'une soirée de Saint-Pétersbourg, les mots rendaient un son surnaturel.

— Dis-moi, continua Alexandra, en un murmure. Est-il en danger ? En demeurant ici, dans la maison de Mme Aurora, pourrais-je lui venir en aide, si besoin était ?

— Comment le dire ? Comment le savoir ?

— Tu as déjà donné des réponses à ce genre de questions...

— Avec le tambour, oui. Mais si j'apportais le tambour en Russie, la police me ferait fouetter.

— Alors, avec les amulettes. Regarde-moi, Anna ! Avec les amulettes ?

Comme fascinée, la Lapone détacha de sa ceinture de ganse rouge un petit sac de peau, dont elle déversa le contenu sur la table. Une pierre polie, une dent d'ours, une effigie de forme humaine sculptée dans une corne de renne... elle les manipula et secoua la tête.

— Je ne peux pas dire l'avenir ici, expliqua-t-elle. En Russie, il n'y a pas de *seite*. Et, dans cette ville de pierre, où trouver une pierre fée ? Nous devons retourner, maîtresse, aux bois que nous connaissons, et faire parler le tambour, avant de voir l'avenir.

— Anna, regarde-moi !

Alix posa ses longs doigts sur les mains brunes qui tenaient les amulettes. La Lapone, avec un frisson, plongea son regard dans les yeux gris et regarda les noires pupilles se dilater dans la froide lumière de l'été.

LA FORTERESSE

— Je ne vois rien, dit-elle d'une voix aiguë. Ici, il n'y a rien ! C'est à la forteresse, à Sveaborg, qu'est le danger !

Dans les vastes galeries, au deuxième étage du palais, on avait tiré les rideaux sur la cruelle lumière blanche et la lueur des lampes se reflétait dans les glaces placées à intervalles réguliers, au-dessus des consoles de marbre chargées de fleurs. Alexandra voyait son image se diriger vers l'appartement de Mme Karamsine : ses jupes de soie noire effleuraient le tapis persan, ses cheveux blonds étaient relevés en chignon ; le seul scintillement, sur toute sa personne, venait des perles de jais du réticule de satin noir pendu à son poignet.

Dans l'antichambre, les valets de pied ne bavardaient pas à mi-voix, comme ils le faisaient si souvent : ils se tenaient bien droits dans leurs fauteuils à haut dossier, comme les témoins silencieux d'une veillée funèbre. A l'entrée d'Alix, ils se levèrent pour la saluer. Elle leur fit signe de ne pas se déranger et tourna elle-même, silencieusement, la poignée de la porte du salon.

On n'avait allumé là que deux lampes : l'une près de la cheminée garnie de fleurs, l'autre à côté de l'écritoire. D'un coup d'œil, Alix constata que le *podorojna* était resté à l'endroit où elle l'avait posé. Elle avait déjà fait trois pas vers le bureau quand s'ouvrit la porte de la chambre voisine, livrant passage à la princesse Catherine Mestjersky.

— Qui est là ?

— Ce n'est qu'Alix, princesse. Ma marraine est-elle réveillée ?

— Oui, et elle vous demande. Entrez, Alexandra.

La princesse, femme d'un certain âge, déjà en tenue de nuit, avec sa petite coiffe et le volumineux déshabillé de taffetas, s'écarta pour laisser entrer Alix. Aurora était couchée dans le grand lit, ses beaux cheveux noirs défaits, ses mains crispées sur un mouchoir de batiste. Une veilleuse et un petit plateau portant un flacon de potion, une carafe d'eau et un verre, occupaient la table de chevet.

Alix se pencha vers le lit. Sous les traces de larmes, elle remarqua une coloration, légère, mais naturelle sur les joues d'Aurora.

— Ma chérie, te sens-tu un peu mieux ? murmura-t-elle.

204

— Je me repose. J'espère me rendormir, dans un instant.

— Elle a pris sa potion somnifère, intervint la princesse, empressée. Notre chère Aurora va avoir une bonne nuit de repos.

Alix jeta un coup d'œil sur le flacon.

— Puis-je faire quelque chose pour toi, Aurora ?

— Apporte-moi seulement ma petite bible suédoise, ma chérie. Il semble que Katie n'arrive pas à la trouver...

— Laisse-moi d'abord faire de la place sur ta table.

Alix saisit le plateau qui portait le somnifère, porta le tout dans le cabinet de toilette voisin et glissa vivement le flacon dans son réticule. La bible suédoise était bien où elle pensait la trouver, dans un des tiroirs de la grande penderie qui occupait tout un mur de la pièce ; elle la rapporta dans la chambre et la mit doucement entre les mains d'Aurora.

— Tu sais qu'on va me le ramener ? murmura Aurora.

Alix inclina la tête.

— Sa dépouille mortelle seulement, chère sœur, dit la princesse. L'âme de notre bien-aimé Andrei est saine et sauve en Paradis.

— Que la volonté de Dieu soit faite, murmura Aurora Karamsine, tandis que de nouvelles larmes montaient à ses yeux bleus. Dieu te bénisse, Alexandra chérie. Il faut que tu aies un bon et long sommeil cette nuit.

— Aurora, *je t'en prie...*

Alix prit sa marraine dans ses bras. A travers la soie de la chemise de nuit, elle sentit la chair détendue d'un corps qui n'était plus tout jeune, elle respira l'indéfinissable odeur de la fièvre et du médicament, qui triomphait de la parfaite fraîcheur des draps et du parfum des cheveux d'Aurora. Alix domina une instinctive répulsion et dit doucement :

— Y a-t-il quelque chose, quelque chose au monde, que je puisse faire pour toi ?

Aurora s'agita.

— Je suis si inquiète au sujet de la mère d'Andrei. Demain, il faudra envoyer un courrier à Dalsvik...

— Je vous en prie, Alexandra, ne la tracassez pas avec tout cela maintenant.

La princesse se rapprocha jalousement du lit et, aussitôt, Alix s'écarta.

205

— Chère Katie, fit Aurora d'une voix ensommeillée, vous prenez si bien soin de moi !

Elle pressa une main sur ses lèvres, et adressa à Alix un sourire d'adieu. La princesse Catherine, la bouche pincée, escorta la jeune fille jusqu'à la porte de la chambre et, derrière elle, tourna la clé dans la serrure.

Ainsi, Alix se retrouva seule dans le salon. Elle eut vite fait, après un coup d'œil vers l'une et l'autre porte, de prendre, sur le bureau, le permis de sortie et de le glisser plié dans son réticule. Elle gagna l'antichambre, dit à l'un des valets de pied de lui envoyer le majordome et retourna calmement à son boudoir.

— On fait beaucoup de bruit, dans le vestibule, Antoine, dit-elle à l'homme dès qu'il se présenta. Y a-t-il donc des gens pour venir signer le livre à cette heure tardive ?

Le Suisse haussa les épaules.

— Mademoiselle connaît les usages de Saint-Pétersbourg, dit-il. C'est l'heure où les théâtres ferment et beaucoup de personnes profitent de ce moment, si commode pour eux, pour témoigner leur sympathie à Mme Karamsine.

— Commode pour eux, peut-être, mais pas pour nous. Madame ne doit pas être dérangée plus longtemps par le bruit des roues de voitures et des visiteurs. Faites fermer la porte d'entrée et éteindre les lumières aux étages inférieurs, et envoyez les domestiques se coucher. Dites au *dvornik* de ne plus laisser entrer de voitures dans la cour jusqu'à demain midi.

C'étaient là les premiers ordres qu'Alix eût jamais donnés de son propre chef dans cette maison et l'homme les accepta sans discussion. Quand il l'eut quittée, après s'être incliné, elle ouvrit la fenêtre de sa chambre et dit à Anna :

— Le temps est venu, pour toi et pour moi, de rentrer en Finlande.

Avec un petit cri inarticulé, la Lapone se jeta à genoux pour baiser les mains d'Alexandra.

— Lève-toi, dit la jeune fille, il n'y a pas de temps à perdre. Tu sais que les gens de cette maison nous empêcheront de partir s'ils le peuvent. Il faut agir vite et sans bruit.

— Nous rentrons *cette nuit ?*

— Dès qu'il fera nuit. Ecoute-moi bien. Mets dans un sac ce qu'il te faut pour le voyage et attends que les horloges sonnent minuit. A ce moment, sors par la porte de

206

service, va jusqu'au relais, près de la place Isaac, cherche un homme qui ait bonne figure et deux bons chevaux à sa *telega* et loue ses services pour qu'il nous mène jusqu'au premier relais sur la route de Finlande. Pas plus loin ! Dis-lui ensuite de quitter la place et de s'arrêter près de la Neva et attends là mon arrivée.

— Maîtresse, le *dvornik* !

De son réticule, Alix sortit le somnifère et déboucha le flacon. Le liquide était incolore, inodore et, elle s'en assura en le goûtant sur le bout de son doigt, à peu près sans goût. On n'en avait encore prélevé qu'une seule dose.

— Mets une cuillerée de ce liquide dans un bol de café et porte-le au *dvornik*. J'ai ordonné qu'on ferme les grilles : aucun visiteur ne viendra le réveiller. Et *détruis le flacon !*

Les yeux étroits luisaient de malice et d'intelligence. La Lapone disparut et, avec un long soupir, Alix s'assit à sa coiffeuse et attira vers elle sa petite montre. Il n'était pas encore dix heures et demie et les bruits de la circulation estivale, au long de la Morskaïa, lui parvenaient, très nets, par la fenêtre ouverte. Alix n'avait pas dormi depuis quarante heures.

Si son plan se déroulait sans encombre et si elles parvenaient à sortir de la ville à une heure du matin, alors, ayant atteint le premier relais, elles se retrouveraient à cinq heures à Terijoki, en territoire finlandais. Trois bonnes heures avant que sa fuite ne soit découverte à Saint-Pétersbourg, ce qui devait arriver fatalement. Quelqu'un se lancerait-il à sa poursuite comme l'avait fait Erik Kruse, de Karinlund à Gothenburg ? Certes pas Paul Demidov : il avait les appétits, mais non l'énergie, du capitaine Kruse. Si Paul était redoutable, c'était maintenant, dans la demi-heure à venir.

C'était pour cette raison qu'Alix avait gardé sa robe du soir ; car, si, par malheur, Paul lui-même ou un domestique porteur d'un message prétendûment urgent se présentait à sa porte, elle devait donner l'impression d'avoir veillé, un livre à la main, et non de s'être préparée à une fuite précipitée. Si elle avait connu le secret de ces charmes lapons, auxquels elle croyait plus qu'à demi, comme elle eût volontiers plongé dans un sommeil magique la maisonnée tout entière ! Celle-ci était certainement plus calme, maintenant. Alix avait, de sa fenêtre, vu les portes se fermer et, à regret, les cousins Karamsine étaient rentrés chez eux. La longue nuit blanche cédait enfin le pas au crépuscule.

A onze heures, Alix faisait nerveusement les cent pas dans son boudoir, en revoyant en esprit chaque étape de son plan désespéré. Certes à Terijoki, elle était toujours sous le coup de la loi russe mais, une fois dans le grand-duché, elle pourrait demander aide et protection au gouverneur Mannerheim : il la mettrait certainement, en prenant les mesures de sécurité nécessaires, sur la route d'Helsingfors ! Et, après Hagasund et Dalsvik, elle partirait pour Degerby, de l'autre côté de l'eau, dans les îles Aaland, où les navires britanniques devaient relâcher, à mi-chemin de Stockholm, dans la Baltique. *Brand, je viens vous rejoindre...* à condition que je puisse quitter cette maison et sortir de Russie.

Ce n'était pas Paul Demidov qu'elle fuyait. Ses assiduités importunes n'étaient que la dernière pierre ajoutée au vaste édifice de sa haine pour la Russie et pour l'homme qui la gouvernait. Si je reste ici, j'essaierai de tuer Nikita, pensa-t-elle. Et je me vois mal dans le rôle de Charlotte Corday.

Il était plus facile de penser à Paul qu'à sa mère. Il était moins facile d'abandonner Aurora, couchée dans son grand lit, avec sa bible suédoise et sa simple piété qu'Aurora, la favorite de la cour, la femme la plus riche de toute la Russie. Aurora lui pardonnerait-elle jamais ce qu'elle allait faire ? Comprendrait-elle quel instinct avait poussé sa filleule à fuir, un instinct tout-puissant qui ne s'encombrait pas de scrupules ?

A onze heures et demie, abandonnant ces questions sans leur avoir trouvé de réponse, Alix prépara elle-même son sac de voyage, où elle enfouit les objets de première nécessité, ses bijoux, de l'argent. Elle prit dans la penderie le manteau de renard blanc et le posa sur le lit. En un sens, il était risqué de porter ce vêtement, mais il lui donnerait l'autorité nécessaire au poste de douanes et auprès des gardes-frontière. Elle ôta sa robe du soir noire pour passer une toilette de mérinos vert. Les cheveux protégés par une écharpe de soie blanche, le manteau à l'abri d'un cache-poussière... elle était prête.

Prête pour le dernier acte, le plus important. Elle ouvrit l'écritoire de cuir, en sortit une plume et de l'encre. Puis, dans son réticule, elle prit le *podorojna*.

Il y avait un terme bien laid pour désigner ce qu'elle allait faire : un faux en écritures !

Faux et déclaration frauduleuse. Elle pressa ses doigts

208

contre ses yeux brûlants et vit le navire de Brand, avec ses ailes blanches, sur la mer gris-bleu.

Elle attira vers elle une feuille de papier pour écrire à la princesse Catherine :

« Voulez-vous, je vous prie, assurer Aurora de ma tendresse et lui dire que je suis partie pour Dalsvik. Je demanderai au sénateur Walleen de m'aider à annoncer avec ménagements la triste nouvelle à Mme Nikolai Karamsine et à sa fille, et à prendre toutes les dispositions pour leur retour à Saint-Pétersbourg. Je crois qu'Aurora se sentira plus heureuse si elle sait que l'on s'occupe de cela. »

Il y avait une chance infime, se dit-elle, après avoir médité sombrement sur ce sophisme, que le nom du sénateur Walleen empêchât Aurora de lancer une expédition à sa poursuite. En tout cas, le moment d'agir était venu : les horloges de la ville sonnaient minuit ; elle pensa au *dvornik* drogué, à la porte de service ouverte, à Anna, qui courait au long de la rue Morskaia pour gagner le relais, près de la place Isaac. Elle déplia le *podorojna.*

Le majordome avait dû certainement donner plus de deux fois la somme d'un rouble et demi exigée pour un permis de sortie, car la police avait laissé en blanc aussi bien la date du départ que le lieu de destination. Seuls, le nom et le titre du porteur avaient été inscrits en caractères cyrilliques au haut de la feuille.

Alix réfléchit. La *telega,* ce misérable véhicule bourré de paille, dans lequel Anna et elle devraient s'installer, serrées l'une contre l'autre, allait être louée après minuit. Avec soin, elle incrivit la date du jour nouveau : 28-16 juin 1854.

Sans se donner le temps de penser à ce qu'elle faisait, elle signa de sa propre écriture l'instrument de sa liberté, en copiant le nom déjà inscrit sur le document :

« Signé : Eva Aurora Charlotta Karamsine, princesse Demidova.

« Destination : HELSINGFORS. »

CHAPITRE XI

MAGIE LAPONE (I)

Les FINLANDAIS DONNAIENT le nom de Ahvenanmaa, pays des Perches, au groupe d'îles habitées, au milieu d'un millier d'îlots rocheux, que la Suède et le reste de l'Europe appelaient îles Aland. Au cours de l'été 1854, le pays des Perches devint le pays de la guerre, quand les premiers navires de la flotte de Napier effectuèrent les premières reconnaissances autour de Bomarsund, la plus proche et, de loin, la plus vulnérable des trois forteresses russes en Baltique.

Un matin de la fin juillet, de bonne heure, Anna la Lapone quitta un pâturage situé dans une de ces îles, gagna Degerby en barque et débarquée sur le continent, gravit sans efforts, avec deux lourds seaux de bois pleins de lait, un sentier escarpé qui se terminait dans le jardin d'une maison de bois longue et basse, à demi cachée par les bouleaux. Elle entra dans une cour d'écurie vide, porta le lait à la laiterie et posa les seaux sur la dalle de pierre. Puis elle ressortit dans la cour pour verser de l'eau froide sur ses mains et en asperger son visage en sueur.

Il faisait chaud et tout était tranquille. Il était peu probable que Mlle Agneta Willebrand, la vénérable propriétaire de la maison de bois, ou sa gouvernante, Mam'zelle Josabeth, fussent levées de si bonne heure ; on n'entendait d'autre bruit que la chanson discordante d'une jeune servante, qui préparait le café, dans la cuisine. Les narines d'Anna

210

frémirent de convoitise. Il y avait quelque temps qu'elle n'avait savouré son plat préféré : la langue de renne fumée, et un bol de café, dégusté avec un morceau de sucre entre les dents, c'était l'un des plus grands plaisirs que la Lapone connaissait encore dans la vie.

Elle passa ses mains mouillées sur sa tête nue, pour lisser sur son crâne ses cheveux noirs et raides, fit retomber d'une secousse les jupes qu'elle avait relevées pour traire, et se trouva prête à pénétrer dans la maison. La porte d'entrée était encore fermée, par ordre récent de mademoiselle Agneta, et les pièces situées de chaque côté avaient leurs stores baissés, mais Anna se glissa, par le couloir de la cuisine, jusqu'à une petite chambre orientée à l'est, dont la fenêtre était grande ouverte et où Alix Gyllenlöve dormait encore, dans le soleil matinal.

Anna contemplait sa jeune maîtresse. Il y avait maintenant trois semaines qu'elle voyait Alix couchée dans l'étroit lit de bois, sous un drap de toile de ménage, dans la pièce blanchie à la chaux qu'égayait seulement un bouquet de fleurs sauvages, sur la commode de bois blanc ; elle l'avait vue couchée ainsi, durant son enfance, dans une chambre toute pareille, à Ekenäs. Le spectacle ne manquait jamais d'éveiller son instinct maternel frustré. Elle poussa un profond soupir et effleura d'une caresse la main d'Alexandra. La jeune fille remua légèrement, les cils noirs se levèrent sur les yeux brillants et Alix sourit.

— Anna ? Je rêvais.

— Le temps des rêves est passé, dit la Lapone. Aujourd'hui, l'étranger revient vers vous.

— Aujourd'hui ? fit Alexandra, tandis qu'une couleur plus vive envahissait son visage. Oh, Anna, en es-tu sûre ?

— La pierre fée l'a dit, maîtresse.

— Tu es allée au pâturage ? Sans moi ?

— Il vaut mieux aller seule à la *seite*. Et, pour vous, aujourd'hui est jour de fête.

— Anna, quand va-t-il venir ? demanda la jeune fille d'un ton suppliant.

— Il faut maintenant vous lever, maîtresse, et vous tenir prête pour votre destin. Dans une heure, et pas davantage, le navire anglais viendra à Degerby.

Il n'était pas question de prendre le temps de nager, ce matin-là. Alix se baigna dans l'eau de pluie et mit le simple corselet blanc et la jupe noire des îliennes, avec la ceinture

211

de tresse rouge, où pendaient une clé, un hameçon dans sa boîte tressée, et le couteau finlandais, le *puuko,* dans son lourd étui de cuir. A Degerby, Alix avait retrouvé toute la simplicité de son enfance campagnarde, le meilleur des antidotes aux fièvres de Saint-Pétersbourg ; et la vie au grand air, les longues et calmes nuits de sommeil, avaient effacé la tension qui, là-bas, commençait à aiguiser les délicats contours de son visage. Elle était toute rayonnante d'ardeur, fraîche comme une églantine, quand Brand Endicott la découvrit sous les bouleaux de Degerby, où elle l'attendait.

— Alix, ma chérie ! Mon Dieu, je ne peux y croire !

— Brand, Brand, êtes-vous sain et sauf ?

Il avait une allure magnifique, dans la tenue d'été achetée au magasin du bateau : chemise à carreaux bleus et blancs, pantalon de coutil blanc et, en lettres blanches, « *H.M.S. Arrogant* » sur le ruban noir qui pendait de son chapeau de toile cirée. Elle se couvrit le visage de ses mains, en un petit geste d'action de grâces.

— Ne me cachez pas votre visage, dit-il. Laissez-moi vous regarder... merveilleuse petite fugitive !

A ces mots, Alix se mit naturellement à rire, et Brand la prit dans ses bras pour poser un baiser léger sur ses lèvres.

— Depuis le moment où Anna est venue à ma rencontre, j'essayais de vous imaginer. Je pensais que vous alliez porter la jupe rouge et le tablier brodé que vous aviez à Marstrand, avec le bonnet jaune...

— Oh, Brand, c'était mon costume de paysanne du Bohuslän !

— Votre costume de fugitive, dit-il avec un nouveau baiser. Ma chérie ! Comme si ce n'était pas déjà formidable de faire voile vers Degerby, voilà que je trouve Anna sur le quai, toute impatiente de me dire que *vous m'attendiez,* et que je n'avais qu'à la suivre...

— Anna savait que vous viendriez aujourd'hui.

— Comment pouvait-elle le savoir ? Nous-mêmes, nous ne l'avons appris que lorsque la bordée de quart du matin a été rappelée en bas, à Kökar. Le capitaine Sulivan a fait savoir à la flotte qu'à Degerby, il y avait de bonnes sources et...

— Des indigènes bien disposés ?

— Oh, ma chérie !

Quand il la libéra de ses bras, elle soupira et demanda :

MAGIE LAPONE (I)

— Combien de temps pouvez-vous passer avec nous ?

— Deux heures seulement, Alix. Le lieutenant Sullivan — c'est notre lieutenant canonnier — m'a accordé deux heures de permission. Mais où est Anna ? Nous avons quitté Degerby ensemble et j'avais une telle hâte d'arriver que je pensais la laisser loin derrière moi, mais elle m'a montré le chemin avant de partir comme le vent.

— Oui, Anna est rentrée avec le vent, dit Alix avec un étrange regard. Elle est à la maison, en train de vous préparer du café. Ici, nous faisons tout nous-mêmes ; ce n'est pas du tout comme à Hagasund.

Brand passa un bras autour de la taille mince pour descendre le sentier entre les bouleaux ; bientôt, le petit manoir fut en vue ; un panache de fumée montait d'une des cheminées.

— On se sent chez soi.

Pour un homme qui avait passé près de quatre mois sur le pont inférieur de l'*Arrogant,* sans rien voir d'autre que le déferlement des vagues de la Baltique et les côtes rocheuses de la Finlande et de l'Estonie, la maison de bois grise, avec ses volets d'un jaune passé, au milieu de son jardin plein de lilas, de roses et de seringas tardifs, présentait un charmant spectacle. Brand, à la suite d'Alix, pénétra dans un salon frais, meublé dans le plus pur style gustavien, celui de l'enfance de Mlle Agneta : meubles peints recouverts de soie fanée, portraits des ancêtres Willebrand peints sur verre et deux paysages en *grisaille.* Le temps s'était arrêté, dans cette pièce tranquille où la vieille pendule, dans son globe pansu de style rococo, marquait de son tictac les précieuses minutes de la permission de Brand.

Il s'assit à la place que lui indiquait Alix, sur un vieux canapé rouge à six pieds, et regarda autour de lui.

— Tout est exactement comme je l'imaginais, dit-il, tout à fait comme vous me le décriviez dans votre lettre.

— Quand l'avez-vous reçue, cette lettre, Brand ?

— Au retour de la flotte du golfe de Finlande. Nous avons quitté Kronstadt, et nous avons effectué une nouvelle reconnaissance de Sveaborg. Quand nous sommes arrivés à Gotska Sandön, il y avait du courrier de Stockholm et c'est alors que j'ai appris que vous vous étiez échappée de Russie.

Il regardait Alix. Après le premier moment heureux des retrouvailles, elle semblait s'être un peu repliée sur

213

elle-même et, au lieu de venir s'asseoir près de lui, sur
le large canapé, elle avait choisi l'une des chaises droites
à haut dossier. Il avait peine à croire, en contemplant
cette petite paysanne, dont les manches de cotonnade, re-
troussées au-dessus du coude, découvraient des bras hâlés
par le soleil de juillet, qu'elle s'était sauvée pour ne plus
se trouver en présence du tsar de Toutes les Russies et
qu'elle avait observé l'escadre volante anglaise devant Kronstadt en compagnie du fils du tsar, de l'héritier du trône.

— Quand avez-vous quitté Kronstadt ? demanda Alix.

— Le trois juillet.

— Le jour de mon arrivée à Degerby !

— Mais la flotte elle-même ne s'est pas retirée
de Kronstadt ! Napier y a laissé une escadre, sous le commandement du commodore Martin, pour surveiller les bâtiments de ligne russes. Nous ne tarderions guère à engager
le combat, s'ils avaient seulement le courage de faire une
sortie !

— Mais, dans la situation présente, vous ne pouvez rien
tenter ?

— Seules des canonnières pourraient approcher tant soit
peu de l'endroit. J'ai l'impression que notre commandement
espérait envoyer des nageurs jusqu'aux navires russes, avec
des cartouches amorcées, — ils nous avaient fait faire pas
mal d'exercices avec ce qu'ils appellent le cordeau Bickford —, mais Napier y a renoncé en entendant parler des
machines infernales : il a juré qu'il ne risquerait pas ses
bateaux et ses hommes contre une telle invention du diable.
Après cela, une sorte de fièvre s'est déclarée à bord du
navire amiral. Ça a fini de l'effrayer.

— Et vous allez maintenant attaquer Bomarsund ?

— Vous êtes au courant ?

— Comment ne pas l'être ? Depuis trois jours, nous
voyons les bâtiments britanniques entrer dans le fjord de
Föglö et mettre cap au nord. Et les Anglais étaient ici au
début de juin et tiraient déjà sur le fort.

— C'est l'*Hecla* qui a tiré sur Bomarsund, dit Brand
avec un sourire. On peut faire confiance à cette « Vieille
Némésis » (c'est ainsi que nous appelons le capitaine Hall)
pour prendre des initiatives ! Il nous a rejoints à Kronstadt
sous grand pavois et a signalé : « Avons bombardé avec
succès Bomarsund », comme si toute l'affaire était terminée !
Comme nous l'avons acclamé ! Mais j'ai appris plus tard

que le patron était dans une rage noire : l'*Hecla* avait gaspillé tous ses obus de 25 sans autre résultat que d'incendier le toit du fort principal. Mais l'*Arrogant* l'a bien acclamé, c'est moi qui vous le dis !

— Et toute la flotte se dirige maintenant sur Bomarsund ?

— Avec l'infanterie française pour nous soutenir — si jamais elle arrive à temps ! Alix, il nous faut une victoire à Bomarsund ! Les hommes veulent à tout prix se battre et il faut bien que nous bousculions les Russes quelque part, avant la fin de l'été !

— Je m'inquiète terriblement à votre sujet, Brand. Quand mon père a déclaré que la flotte russe ne ferait qu'une bouchée de l'amiral Napier, j'ai été persuadée que je vous avais envoyé à la mort.

— Mais les Russes n'osent pas affronter Napier, remarqua Brand d'un ton raisonnable. Quant à moi... Oui, vous m'avez poussé à m'engager dans la Royal Navy, on ne peut le nier. Mais, maintenant que j'y suis, je tiens à voir les Russes battus à plate couture, voilà tout.

La jeune servante, aux longues nattes filasse qui pendaient sur ses épaules, entra avec un plateau chargé et dévisagea longuement le séduisant « Anglais », tandis qu'Alix disposait une table près du canapé. Il y avait une cafetière de belle porcelaine blanche, pleine de café, avec un service blanc et or assorti, une coupe de framboises avec un pot de crème épaisse, et un plat de biscuits au café, saupoudrés de sucre et de cannelle.

— Toutes les framboises sont pour vous, dit Alix en versant le café. Je les ai cueillies il y a une demi-heure.

— Je n'en ai pas mangé depuis que j'ai quitté l'Etat du Maine.

— Je n'en ai pas cueilli beaucoup depuis que j'ai quitté Ekenäs.

Brand posa sa tasse.

— Alix, vous savez que nous sommes allés à Ekenäs ? Elle hocha la tête.

— Je l'ai appris à Helsingfors. Vous avez réduit au silence une batterie russe et capturé un navire.

— Nous aurions pu en prendre trois, en débarquant et en incendiant les quais. Hall l'aurait peut-être fait, mais pas mon capitaine ! Yelverton a déclaré que ce serait une mauvaise action que de détruire des biens finlandais, et que nous en avions assez fait en neutralisant les Russes ; à mon avis, il avait raison.

— Où se trouvait la batterie ?

— Sur le cap, avant l'endroit où le *vik* de Pojo s'élargit devant la ville d'Ekenäs.

— C'est là que mon père m'a appris à nager. Notre maison n'est pas très loin. Vous auriez pu voir notre embarcadère, peint en vert, lorsque vous remontiez le chenal depuis Tvärminne.

— Je ne me rappelle pas avoir vu de débarcadère. J'étais à mon poste, près de mon canon.

Il revit le cap d'Ekenäs, inondé de sang, et la pluie de chair déchiquetée et de métal, qui était retombée sur la grève, à l'endroit où une petite fille blonde avait appris à nager. Dieu merci, c'était là une image qui ne resterait pas gravée dans l'esprit d'Alix !

— Il me semble que j'entends venir cousine Agneta, dit Alix en se levant d'un bond.

Il y eut un bruissement de jupes raides sur le plancher de sapin sans tapis du petit vestibule, le martèlement d'une canne, puis, au moment où Brand se levait, une très vieille dame entra, suivie d'une grande femme d'une cinquantaine d'années, qui portait à la ceinture le trousseau de clés d'une gouvernante.

Mlle Agneta Willebrand avait été grande, naguère, mais l'âge et les infirmités l'avaient courbée sur sa canne et les bandeaux de cheveux qu'on apercevait sous son bonnet de dentelle blanche étaient du blanc le plus pur. Mais elle répondit au profond salut de Brand avec toute la politesse d'une autre époque quand Alix dit :

— Cousine Agneta, permettez-moi de vous présenter le capitaine Endicott, de la Royal Navy.

— Vous faites partie, vous aussi, des vaillants capitaines de lord Nelson, monsieur ?

— Non, madame...

Brand jeta vers Alix un regard éperdu. Elle intervint :

— Brand, voici mam'zelle Josabeth, la dame de compagnie de mademoiselle Willebrand.

La grande femme s'inclina avec réserve.

— Pensez donc, reprit Alix, en détachant soigneusement les syllabes, cousine Agneta a connu lord Nelson quand il est entré dans les eaux de la Baltique, *il y a plus de cinquante ans,* et l'amiral Saumarez aussi, un peu plus tard.

216

MAGIE LAPONE (I)

Elle possède une mémoire merveilleuse pour tout ce qui s'est déroulé pendant la dernière guerre.

Les yeux bleus de la vieille dame luisaient d'intelligence.

— Hé oui, dit-elle, cinquante ans se sont écoulés, en effet, depuis les victoires de lord Nelson. Il semble qu'à Degerby, le temps se soit arrêté. Vous vous rendez, sans doute, au fort Bomarsund, pour délivrer les Iles du joug russe ?

— Nous espérons bien y parvenir, madame.

— On s'est déjà battu, à la forteresse, n'est-ce pas, Alexandra ?

— C'était avant l'arrivée à Degerby de Mlle Gyllenlöve, dit mam'zelle Josabeth.

— Si longtemps, déjà ? Mais alors, qu'attendent les Anglais, jeune homme ?

— Ils attendent l'empereur des Français, dit Brand, carrément. Il veut sa part de *gloire,* comme disent les Français, et il envoie des troupes pour nous aider à prendre le fort Bomarsund. Nous sommes obligés d'attendre leur arrivée pour engager le combat.

— L'empereur des Français ? Je le croyais prisonnier à Sainte-Hélène.

— Brand veut parler de son neveu, cousine Agneta, dit Alix.

— Vraiment, je m'y perds. Je vais me retirer et vous laisser à votre mutuelle et excellente compagnie, jeunes gens. Vous ne pouvez guère prendre de plaisir aux élucubrations de mon cerveau brouillé.

— Je vous remercie de votre hospitalité, madame, dit Brand en s'inclinant sur la main qu'elle lui tendait.

La vieille dame redressa son dos voûté.

— Un officier de la Royal Navy est toujours le bienvenu dans cette maison, déclara-t-elle. Je vais prier pour votre victoire à Bomarsund, monsieur. Transmettez mes compliments à lord Nelson... et faites en sorte, si possible, qu'on renvoie du fort mes ouvriers agricoles avant la moisson.

— Capitaine Endicott ! fit Brand, avec un grand sourire, quand les deux femmes eurent quitté la pièce. Dieu merci, mes camarades ne pouvaient vous entendre. Je suis Endicott matelot de première classe, sans plus... j'ai eu de l'avancement après Ekenäs.

— Oh, mon Dieu, fit Alix, je pensais au *Girdleness,* naturellement. Voilà que j'ai troublé plus que jamais les

idées de cousine Agneta, et elle était bien perdue, aujour-
d'hui, la pauvre âme. Cette guerre l'a terriblement bouleversée : l'homme qu'elle devait épouser est mort de ses blessures après la victoire de Döbeln à Juutas et, maintenant,
son esprit vagabonde entre cette époque et le temps présent... vous avez pu voir qu'elle était très au fait, pour le
fort Bomarsund. Mais elle parle vraiment comme si l'amiral
Nelson était toujours vivant !

— La moitié de la flotte de la Baltique en fait autant,
remarqua Brand en souriant.

— Le capitaine Sulivan a été merveilleux avec elle. Elle
lui a demandé, à lui, s'il faisait partie de la Compagnie des
Frères de Nelson. Il lui a répondu que non, mais que son
père avait été l'un des lieutenants de Nelson. Il lui a raconté
des histoires de Nelson dans la Baltique et lui a fait grand
plaisir.

— Sulivan, du *Lightning* ? Il est venu ici ?

— J'étais au village de Degerby, quand son bateau a
accosté. Les Anglais voulaient acheter des œufs, du lait et
des moutons de boucherie. Je leur ai servi d'interprète et
ils ont donné aux gens, en retour, du café, du sucre et un
peu de vin. Puis le capitaine Sulivan m'a accompagnée ici
pour présenter ses hommages à cousine Agneta. Et, avant
son départ, il m'a donné une bible.

— Une bible suédoise ? Je savais qu'il emportait des
nouveaux testaments et des tracts à distribuer...

— Il en a donné quelques-uns aux gens de Degerby.
Mais il m'a demandé si je disais mes prières chaque soir ;
je lui ai dit que oui, le « Notre Père ». Alors, il m'a donné
sa propre bible, avec son nom à l'intérieur. Tenez, voyez !

Elle prit sur une étagère la bible de poche, bien usagée,
dans laquelle, au fil des années, le marin avait souligné de
nombreux passages, et la tendit à Brand. La page de garde
portait une signature : « B. J. Sulivan », avec un trait ferme
au-dessous et, plus bas, d'une encre plus fraîche :

« A miss Alexandra Gyllenlöve, 19 juillet 1854.
Ecclésiaste, IX, v. 10 et 11. »

— Avez-vous recherché le passage ? demanda Brand.

— Bien sûr. C'est très beau, en anglais. Plus qu'en suédois, non ?

— Oui, je suppose.

— Voulez-vous me le lire ? Cousine Agneta désirait me

218

l'entendre lire, mais il y a certains mots que je ne pouvais pas prononcer.

Brand tournait avec quelque embarras les minces feuillets de papier bible. Il y avait des années qu'on ne lui avait demandé de lire à haute voix les Ecritures, des années, même, qu'il ne les avait lues pour lui-même. Mais la jeune fille, qui avait parlé avec une telle simplicité de sa prière du soir, le regardait de ses yeux gris et brûlants ; il se mit à lire d'une voix sourde :

« Tout ce que tu trouves à entreprendre, fais-le tant que tu le peux, car il n'y a ni œuvres, ni comptes, ni savoir, ni sagesse, dans le tombeau où tu vas.

« Je regarde encore ici-bas : or la course ne revient pas aux plus rapides, ni la lutte aux plus forts. Il n'y a pas de pain pour les sages, ni de richesse pour les intelligents, ni de faveur pour les savants ; car le temps et la chance leur arrivent à tous. »

— Que veut dire exactement : « le temps et la chance leur arrivent à tous » ? demanda Alix.

— Je suppose que cela signifie qu'à un moment quelconque de sa vie, chacun de nous trouve sa chance de gagner.

— Mais l'Ecriture dit qu'il ne gagne pas toujours ?

— Non, pas toujours.

— Oh, comme je voudrais que vienne pour moi le temps de la chance ! soupira Alix.

— Et cette nuit où vous êtes sortie de Russie ? Vous n'avez pas laissé passer cette chance-là, hein ?

— Oh, cela ! Quitter Aurora, c'était plutôt comme trahir un enfant...

— Elle a été déçue, en apprenant que vous étiez partie ?

— Oui, je l'ai bien déçue, d'après ce qu'elle m'a dit. Mais le gouverneur Mannerheim lui a écrit et aussi à mon père, en leur conseillant de me laisser désormais en Finlande. Du moins, ici, à Degerby, puis-je me rendre utile, ne serait-ce qu'en pêchant du poisson, ou en binant les pommes de terre, au lieu de combattre les Russes...

— Biner les pommes de terre, c'est un dur travail, pour une femme. N'y a-t-il pas un homme pour ce genre de besogne ?

Elle gardait le silence.

— Alix, c'est à cela que faisait allusion Mlle Willebrand,

219

en parlant de lui renvoyer ses ouvriers agricoles ? Tous ses hommes ont-ils été mobilisés au fort Bomarsund ?

— Oh, Brand, je n'avais pas l'intention de vous le dire. Mais... oui, c'est vrai. Il ne reste à peu près plus un homme à Degerby, ni dans le village de pêcheurs ni dans les fermes. Les Russes sont passés la semaine dernière et les ont tous emmenés.

— Pour combattre les Anglais ?

Alix rejeta la tête en arrière.

— Non, pas pour combattre les Anglais ! Savez-vous que les Russes ont fait lire par nos pasteurs, dans toutes les églises d'Aaland, une proclamation disant que chaque homme, chaque jeune garçon devait être prêt à se battre pour la Russie, sous peine d'être envoyé dans les mines de Sibérie ? Eh bien, malgré cela, aucun Finlandais ne s'est porté volontaire ! C'est aux *travaux forcés* qu'on les a emmenés, à Bomarsund. Ils remplacent le toit que votre capitaine Hall a incendié ! Ils achèvent la maçonnerie de la Demi-Lune ! N'allez pas croire qu'ils sont partis de leur plein gré. Ils détestent les Russes, ils veulent la victoire des Occidentaux. Mais, cette fois-ci, on ne leur a même pas donné le choix entre cela et la Sibérie. Je les ai vus de mes propres yeux, Brand, traînés de force hors de leurs chaumières, traînés de force dans les bateaux, avec une escouade russe prête à abattre le premier qui tenterait de résister !

L'émoi de la jeune fille lui fut un prétexte pour la prendre dans ses bras et l'embrasser, comme il en avait eu le désir depuis qu'ils étaient dans la maison. Puis il l'entraîna hors du salon plongé dans la pénombre, où il commençait à se sentir trop encombrant au milieu des fragiles meubles gustaviens, et la conduisit dans le jardin ensoleillé.

— Ainsi, vous n'avez même plus un aide-jardinier pour cueillir les framboises ! dit-il. Qui donc entretient tout cela avec tant de soin ? Vous ?

— Anna et moi, nous cueillons les fruits et les légumes et mam'zelle Josabeth entretient les plates-bandes fleuries. Il faut que nous fassions des confitures et que nous mettions en conserve autant de légumes que nous le pouvons, pour le cas où le blocus se prolongerait. Et puis, nous trayons les vaches, dans les pâturages de l'île. Aimeriez-vous voir l'endroit ?

Anna devait avoir prévu que Brand souhaiterait aussitôt voir le pâturage. Elle les attendait dans la barque, au bas

220

du sentier. Elle eut un sourire quand Alix sauta dans l'embarcation et que Brand prit les rames. En cinq minutes de nage régulière, il les amenait à une grève minuscule, parmi les rochers gris de la petite île. Celle-ci ressemblait à bien d'autres, parmi le millier d'îles qui composaient l'archipel des Aland : rocheuse et plate, avec, au centre, un arpent environ de pâturage. Six vaches, couleur café au lait, y paissaient ; elles avaient au cou des colliers de branches de saule entrelacées de tresses de couleurs vives. Un ruisselet d'eau douce coulait vers la mer entre des berges de langue-de-cerf. Au milieu d'un bouquet de bouleaux on voyait une petite cabane de bois non écorcé, avec un évent de pierre prolongeant le toit ; l'épilobe fleurissait à profusion devant la porte.

— Qu'est-ce que c'est ? demanda Brand.

Il regardait un mât, fait de paille tressée, haut de trois mètres à trois mètres cinquante, qui se dressait au bord du pré. Deux traverses de paille, qui se croisaient au-dessous de la pointe du mât, portaient des guirlandes de verdure fanée.

— Ça ?... le *majstäng.* Je ne connais pas le mot anglais correspondant. Les hommes le montent la nuit de la Saint-Jean, quand on allume les feux de joie, mais, naturellement, il n'y a plus personne, maintenant, pour le démonter.

— Je trouve que ça ressemble terriblement à un gibet.

— Elle ne vous plaît pas, mon île ? fit Alix, en s'asseyant au bord du ruisseau. Vous ne trouvez pas que c'est un endroit charmant ?

— Je l'adore.

Brand avait bien plus envie de dire : « Je vous adore », mais il savait déjà qu'il devait tenir la bride haute à sa passion, dans ce coin où régnait le parfum des reines-des-prés, des roses sauvages et celui de la mer. Son amour pour Alix avait pris de la force et de la profondeur, pendant les mois de séparation ; et voilà qu'il était assis près d'elle, qu'elle était à portée de ses mains, avec ses cheveux blonds, que le soleil avait décolorés jusqu'à l'or blanc aux tempes et sur les oreilles, et son teint d'abricot mûr. S'il venait à l'effleurer maintenant, rien ne pourrait plus l'empêcher de la faire entièrement sienne. La laisser ensuite au bout d'une heure, pour retourner à la guerre... c'était impossible.

— Toutes ces îles finlandaises, dit-il... elles me rappellent un peu le Maine. Là où j'habitais, dans le Maine, nous avons les îles du Calendrier... il paraît qu'il y en a une pour chaque jour de l'année.

— Vous *habitiez* sur une île ?

— Oui, l'été. On l'appelait l'île Bijou.

— Quel joli nom !

— C'est mieux que Morceau de Porc, ou Livre de Thé, ou quelques autres noms de la baie de Casco.

— Viviez-vous dans une petite maison de bois, pareille à notre *pörte*, là-bas ?

— La nôtre s'appelait « cabane » et ce n'était pas beaucoup plus grand. Elle était entourée de sapins, au lieu de bouleaux, et, en automne, les feuilles des sumacs étaient rouges ; sur les rochers, c'était la vigne vierge qui courait, au lieu de bruyère comme ici. Au printemps, les arbousiers fleurissaient, c'étaient de ravissantes fleurs roses, et j'emportais généralement le premier bouquet à Portland, pour ma grand-tante, Betsy Brand...

En s'asseyant auprès d'Alix, il s'était débarrassé de son chapeau rigide, dont les rubans portaient fièrement le nom de l'*Arrogant,* et s'était laissé aller en arrière contre le talus couvert de fougères et de jacinthes. Il sentait maintenant les doigts frais de la jeune fille passer sur son front, pour effacer la marque rouge laissée par le chapeau, comme si elle voulait faire revivre encore un peu de cette enfance américaine, dont le souvenir ressuscitait si étrangement sur ce rivage de la Baltique. Brand demeura silencieux, pour mieux sentir le contact de ces doigts et la pression légère de chacun de leurs extrémités ; finalement, Alix retira sa main et demanda :

— C'est pour cela que vous vous appelez Brand ?

— Je réponds au prénom de John et, pour mes camarades de l'équipage, je suis Yankee Jack, mais Brand était le nom de famille de la mère de mon père et il a voulu me le donner. Ma grand-mère Tarras prétend que c'est un « prrrénom vrrraiment rrridicule pourrr un chrétien » et elle m'appelle John.

— En suédois, *brand* veut dire « feu ».

— Un nom bien choisi pour un canonnier !

— Oh, pas le feu d'un tir, expliqua Alix. Le feu, tout simplement, les flammes, la brûlure... Brand, est-ce que vous nagiez quand vous viviez sur l'île Bijou ?

— Je vivais dans l'eau, pour ainsi dire.

MAGIE LAPONE (I)

— J'adore nager ici. Et il y a un rocher parfait pour plonger...

— Oh, voyons, Alix, est-ce bien sage ?

Il se redressa et prit un air sévère, pour éloigner de lui la brusque image de son corps mince et nu fendant l'air de l'été pour disparaître dans l'eau.

— Vous devriez faire attention, quand vous venez ici seule avec Anna, ne serait-ce que pour traire les vaches... davantage encore, quand vous voulez nager. Dans quelques jours, les îles vont grouiller de soldats et de transports de troupes...

— Je ne pense pas qu'on nous ennuie, dit Alix. Les rochers constituent notre meilleure défense : seul un canot pourrait aborder cette grève. De plus, nous avons nos couteaux.

Elle effleura du doigt le *puuko* qui pendait à sa ceinture.

Brand examina le couteau en silence, le tira de sa gaine, le rentra.

— Un couteau ne vaut pas grand-chose contre un fusil russe, dit-il. Supposons qu'ils débarquent des hommes dans quelque coin écarté, pour tirer sur les Anglais d'entre les rochers, comme ils l'ont fait en juin dernier ?... Je ne pense pas que vous soyez bien en sécurité à Degerby, Alix. J'aimerais que vous acceptiez l'idée d'aller à Stockholm.

— Que pourrais-je bien aller faire à Stockholm ?

— Vous pourriez aller chez les Ryan, suggéra Brand. Joe Ryan est déjà votre fervent admirateur et Mary vous plairait. C'est une petite fille si joyeuse, si amusante.

— Quel âge ?

— Seize ans, bientôt dix-sept, je crois.

— Jolie ?

— Très.

— Oh !

— Je m'inquiète de vous savoir seule ici avec votre pauvre vieille cousine. Au fait, Mlle Agneta ne peut être vraiment votre cousine ?

— C'était la cousine de ma grand-mère, expliqua Alix avec un sourire. Nous sommes tous parents à un degré quelconque, vous savez : les Mannerheim, les Stjernvall, les Willebrand et nous. Brand, il ne peut nous arriver aucun mal, si seulement les Alliés prennent le fort Bomarsund

223

très vite et brisent complètement la puissance russe dans l'Ahvenanmaa... et sans se battre contre les Finlandais.

Brand la dévisagea.

— Je vois que vous avez entendu parler de l'incident de Gamla Karleby.

Alix revit la scène qui s'était déroulée dans la maison de campagne du grand-duc Alexandre, l'horrible lecture de « La Première Goutte de Sang ». Mais elle dit seulement :

— Tout Helsingfors parlait de cette histoire.

— Il est certain que le capitaine Buckle et le capitaine Glasse ont mené l'opération d'une façon assez malencontreuse. Ils ont par deux fois envoyé leurs bateaux à Gamla Karleby, en sommant la ville de se rendre, mais entre-temps, ils ont laissé s'écouler plusieurs heures, ce qui a donné au bourgmestre le temps d'appeler les Russes à la rescousse. La seconde fois que les Anglais se sont approchés, les équipages se sont trouvés désavantagés du point de vue nombre ; c'est ainsi que l'un des bâtiments a été pris, corps et biens, et quelques hommes ont été tués ou blessés.

— Mais il n'y a pas eu que des Russes pour tirer sur les Anglais ? Les Finlandais ont tiré, eux aussi, n'est-ce pas ?

— J'en ai bien peur, Alix, dit-il à regret.

— Mais pourquoi l'amiral Plumridge a-t-il monté une expédition contre Gamla Karleby ?

— Parce que tous les entrepôts du port, qu'ils fussent ou non propriétés finlandaises, étaient bourrés de poix, de goudron, de matériaux de construction, de toutes sortes de marchandises dont a besoin la Russie pour faire la guerre, expliqua-t-il, d'une voix patiente, comme lorsqu'on parle à une enfant.

Alix couvrit de ses doigts ses lèvres tremblantes.

— Oh, Brand ! Tout est si différent de ce que j'avais imaginé !

Il lui passa un bras autour des épaules.

— Je sais, dit-il. Vous pensiez que les Finlandais allaient se soulever pour leur indépendance et se battre contre les Russes... n'est-ce pas ?

— Oui.

— J'en connais qui combattent dans notre camp. L'un de mes camarades de popote était un Finlandais ; il s'était porté volontaire à Stockholm en même temps que moi, tout simplement parce qu'il avait envie de voir les Russes vaincus. Lauri a été tué à Ekenäs, ma chérie, lors de son tout premier combat, et nous l'avons immergé ; mais il venait, lui, de Gamla Karleby, et il aurait pu être tué *là,* par le fusil d'un Finlandais, s'il avait été envoyé sur l'*Odin* au lieu de l'*Arrogant.*

— Mais cela ressemble à la guerre civile, balbutia Alix. Quelle... quelle horreur !

— Ma chérie, j'ai bien essayé de vous dire, dans ce petit parc qui fait face à Sveaborg, de l'autre côté de la baie, qu'une guerre, une fois déclarée, peut prendre toutes sortes de directions inattendues. Mais peut-être est-ce là une chose qu'un homme peut mieux comprendre qu'une femme.

Elle ne releva pas cette remarque. Le regard tourné vers la mer, elle pensait à son compatriote, qui avait donné sa vie dans la lutte contre la Russie.

— Vous disiez qu'il s'appelait Lauri ? Lauri comment ?

— Dans le registre, il était inscrit comme Larry Finn, mais il ne nous a jamais dit son nom de famille. Il a juste déclaré qu'il était originaire de Gamla Karleby. Peut-être y avait-il laissé une jeune épouse ou une fiancée, car, juste avant de mourir, il a prononcé un nom de femme. « Tuonela ! » a-t-il dit... dans son dernier souffle.

Alix s'écarta de Brand. Elle était blême.

— Oh, le pauvre Lauri, dit-elle. Affronter cela tout seul ! Tuonela n'est pas le nom d'une femme, Brand. C'est le séjour des morts.

— Vous voulez dire... le ciel ?

— Ce n'est pas ce que nous, nous appelons le ciel. Cela peut être l'enfer, l'île obscure des morts, par-delà le pont qui traverse la sombre rivière où le Cygne de Tuonela chante pour l'âme qui passe.

— Une légende, conclut Brand.

— C'est une croyance... pour bien des Finlandais, comme pour votre Lauri. Rappelez-vous, les anciens dieux n'ont jamais abandonné le pays du Nord. Autrement, comment croyez-vous qu'Anna aurait su que vous deviez venir aujourd'hui à Degerby ?

— N'importe quel pêcheur aurait pu voir les voiles de l'*Arrogant* faisant route vers l'île, et le lui dire. Il y avait même des barques de pêche aux alentours, quand nous avons levé l'ancre à Kökar.

— Elle n'a pas quitté la maison, ce matin, avant d'aller

225

vous attendre à Degerby, sauf pour venir ici, au pâturage. La pierre fée lui a appris que vous étiez en chemin.

Brand sourit. Mais, en même temps, il sentit passer un petit frisson glacé. Il jeta un coup d'œil de biais vers les guirlandes fanées de la Saint-Jean et vers le mât qui jetait sur l'herbe l'ombre d'une potence.

— Qu'entendez-vous par la pierre fée ? demanda-t-il.

— La *seite,* l'esprit de l'endroit. Les Lapons adorent des arbres et des pierres et, parfois, leur offrent des sacrifices, des offrandes de dents d'ours et de bois de rennes. Je connais la pierre d'Anna, mais je ne m'en approche jamais quand elle fait une offrande, parce qu'*ils* savent que je ne parviens pas... à croire... tout à fait...

— Croire ! répéta Brand.

Il se leva, fit lever Alix. Il n'avait jamais été capable de parler librement, simplement, de sa foi chrétienne, comme le faisaient tant de marins, qu'ils fussent du Maine ou de la Royal Navy. Mais le calvinisme fervent, hérité de ses ancêtres aussi bien Américains qu'Ecossais, lui interdisait maintenant de garder le silence. Ces croyances qu'elle évoquait, c'était du paganisme, de l'idolâtrie pure et simple, une transgression du Premier Commandement. Il dit d'un ton sévère :

— Alix, vous êtes chrétienne. Vous lisez votre bible et, le soir, vous dites vos prières. Comment pouvez-vous croire, si peu que ce soit, à ces pitoyables pratiques barbares ? Les missionnaires n'ont-ils donc jamais apporté l'évangile aux Lapons ?

— Si, en même temps qu'aux Suédois et aux Finlandais, il y a des siècles de cela, répondit-elle d'un air de défi. Mais, si Dieu existe, qu'importe que nous l'appelions Dieu ou Jumala ?

Il n'était pas suffisamment théologien pour discuter avec celle qu'il aimait. Il la laissa s'expliquer, sous le charme, comme toujours, de ces yeux, où le gris était maintenant submergé par le noir des pupilles dilatées, et de cette voix douce et légère.

— Vous êtes marin, vous savez vous-même de quoi sont capables les Lapons. Ils savent obscurcir le soleil, faire lever la tempête, vendre du vent dans un sac de cuir aux navigateurs. A Narva, les Russes ont été battus par l'effet de la magie lapone ; la magie ne pourrait-elle aider l'Occident à remporter la victoire à Bomarsund ?

226

MAGIE LAPONE (I)

Brand n'avait pas lâché les mains d'Alix depuis qu'il l'avait fait lever du talus. Elle l'attira doucement vers elle et dit, presque dans un murmure :

— Brand, si nous demandions à Anna de lire notre avenir sur le tambour magique !

— Sur un *tambour ?*

— Voyez-vous, le père d'Anna était un *näjd,* un... comment dit-on ?... le sage de sa tribu et, malgré la défense des Russes, il avait gardé le *trolltrumma* de ses ancêtres, le tambour magique. Bien que les femmes ne puissent en principe, se servir du tambour, quand toute la tribu périt par la famine, Anna conserva le tambour de son père et, au printemps dernier, elle l'a caché à Hagasund, avant notre départ pour la Russie, de crainte des châtiments russes. A présent, il est ici, sur cette île !

— Je pensais qu'il y avait de la sorcellerie dans ces rites, dit Brand. Je vois maintenant qu'il ne s'agit que de dire la bonne aventure.

— N'importe quelle vieille vous prédira l'avenir avec un jeu de cartes, ou les feuilles de thé. Anna, elle, le fait avec le tambour.

— Vous a-t-elle déjà prédit *votre* avenir ?

— Une fois, dit Alix, les yeux baissés. L'été dernier, alors que nous séjournions à Träskända, avec Aurora. L'*arpa* remuait à peine, ce jour-là. Mais Anna tremblait ; ses yeux se révulsèrent entièrement et elle a fini par dire : « De quelqu'un, dans cette pièce, viendra un enfant qui sauvera la Finlande ! »... J'ai cru entendre mon destin.

— Y avait-il d'autres personnes dans la pièce ? demanda le sceptique enfant de la Nouvelle-Angleterre.

— Seulement le jeune Mannerheim, dit Alix. Mon cousin Carl-Robert, et Aurora elle-même. Vous ne supposez pas que Paul Demidov soit l'enfant qui sauvera la Finlande, n'est-ce pas ? Il pense en vrai Russe. A ses yeux, les Finlandais sont tous des serfs.

— Mais, Alix...

— Le tambour est dans la *pörte.* Brand, je vous en supplie, laissez-le parler !

— Très bien.

Il s'agissait là, somme toute, de quelque chose qui ressemblait à la lecture des lignes de la main, ce n'était pas plus mystérieux que les roues de la Fortune en carton, que proposaient les jeunes filles de Portland aux ventes de charité de l'église, avec d'heureuses prédictions gravées en taille-douce sur chaque rayon.

Mais, déjà, Alix ouvrait la porte de la *pörte* avec la clé accrochée à sa ceinture ; à l'intérieur de la cabane, une autre sorte de magie monta et les enveloppa, en même temps que l'air lourd et chaud.

La hutte avait naguère servi d'habitation, sans doute à un vacher et à sa famille, car il y avait deux lits de bois fixés aux murs, qui contenaient à présent du foin, et les pierres d'un âtre délabré portaient des traces de fumée. Les soupiraux des murs étaient hermétiquement clos, mais, par l'évent du toit, passait un rayon de soleil qui transformait la pâle chevelure d'Alexandra en une vivante cascade d'or. Le parfum végétal du foin se mêlait à l'odeur de nourriture, de fumée, de vie humaine, accrochée aux murs de bois. Brand prit Alexandra dans ses bras. Le feu, les flammes, la brûlure, lui embrasaient les reins.

— Alix, dites-moi que vous m'aimez !

— Je vous aime, Brand.

Il trouva alors des mots pour lui dire que ses yeux avaient la couleur des nuages de tempête sur la Finlande et ses cheveux le parfum des jeunes feuilles de bouleau et, bien qu'elle parût perdre le souffle quand il l'embrassa avec violence, en lui écartant de force les lèvres, il sentit sa bouche répondre à son baiser, son corps mince se coller tout entier au sien. Il songea à un lit douillet d'herbes sè-ches, à l'amour consommé dans la chaude pénombre de la *pörte,* mais, au même instant, il crut entendre le coup de sifflet strident du maître d'équipage, à plus d'un kilomètre de là, sur le quai de Degerby.

— Alix, il faut que je parte !

— Non ! Non !

Elle s'arracha de ses bras.

— Il n'est pas encore temps, Brand ! Vous m'avez promis que le tambour parlerait !

Elle se mit à arracher des poignées de foin de l'un des lits. Le tambour apparut : une peau de renne, tendue serré, et fixée, par des liens faits de nerfs de renne, sur un cadre de bouleau en forme de tamis. Il était plus grand que ne l'avait imaginé Brand, mais il ne fit aucun mouvement pour le prendre des mains de la jeune fille. Brusquement, il avait peur de toucher cet objet.

Anna attendait sous les arbres, près de la cabane. Elle

sourit en les voyant sortir et l'Américain se demanda si elle était restée là, à les écouter, ou si elle était allée adorer sa *seite*, à l'autre bout du pâturage. Elle leur fit signe de s'asseoir sur l'herbe. Puis elle-même s'assit sur ses talons, les genoux touchant le sol, et prit le tambour magique dans la main gauche.

— Attends, lui dit Alix en suédois. Il faut que je lui dise ce que signifient les symboles.

Brand vit une représentation grossière de ce qui semblait être le soleil, avec des rayons, et, dans un cercle, de petits emblèmes colorés de rouge, avec une teinture tirée de l'écorce d'aulne.

— Le soleil est Dieu, expliqua Alix avec un respect religieux. Dieu domine Tiermes et Stuorra Passe, les dieux païens, avec la lune et les étoiles encore plus haut et, au-dessous, les symboles de la terre. Voici le renne de la magicienne, le pâturage du renne, le piège à viande, l'homme du vent, l'homme de la terre, l'homme et la femme... Quand le tambour parlera, l'*arpa* désignera l'un d'eux.

Brand hocha la tête. Il y avait quelque chose d'hypnotique dans ce cercle brun avec ses étranges figures rouges. Il se surprit à fixer un regard qui ne cillait pas sur le tambour, tandis qu'Anna faisait glisser deux anneaux de cuivre de son annulaire gauche et les posait sur le symbole du soleil. Elle souleva le tambour d'une façon rituelle, de telle sorte que son coude gauche reposait sur son artère fémorale gauche ; puis, des plis de sa jupe noire, elle tira quelque chose qui pouvait être un os d'animal ou un minuscule maillet et le passa à plusieurs reprises sur la surface de la peau de renne tendue.

— Elle chauffe le tambour, murmura Alix. Les anneaux bougeront quand le tambour commencera à parler.

Le tambour se mit à vibrer. Doucement, presque à la manière d'une caresse, le maillet commença de battre autour du soleil, qui était Dieu, sur Tiermes, qui était Thor, le dieu du tonnerre et de la guerre, en haut, en bas, autour de l'homme du renne, de l'homme du vent, le magicien avec son tambour. Les deux anneaux de cuivre se déplaçaient comme au hasard sur la surface du tambour. Les yeux d'Alexandra restaient fixés sur eux, tandis que le corps de la Lapone se balançait. Anna tenait le tambour de telle façon que la surface se présentait parfaitement à plat, face à Brand et

229

à Alix, comme une table sur laquelle ils pouvaient suivre la marche des anneaux.

— Joignez les mains, dit Anna, presque comme une plainte. L'*arpa* va s'arrêter.

Les doigts d'Alexandra et de Brand s'entrelacèrent convulsivement. Les deux anneaux de cuivre qui frémissaient sous le battement du maillet, s'écartèrent brusquement. L'un tomba en plein sur le symbole du dieu Thor ; l'autre près de l'une des étranges figures rouges qui formaient la bordure du tambour.

— La guerre et l'homme de la terre ! fit Anna d'un ton triomphant. Monsieur le capitaine, vous serez le père d'un enfant !

Brand sentit, plutôt qu'il ne l'entendit, Alix retenir son souffle. Le bourdonnement du tambour reprit. L'ombre des guirlandes de la Saint-Jean jouait sur la peau de renne et les anneaux de cuivre s'y déplaçaient convulsivement. Les sifflets de tous les maîtres d'équipage de la flotte de la Baltique, si stridents qu'ils fussent, n'auraient pas fait bouger Brand : agenouillé sur l'herbe élastique il entendait vaguement le chant du ruisselet, sentait couler la sueur froide le long de son corps frustré dans son désir, et ne pouvait faire un geste, cependant que s'écoulaient les interminables minutes.

Il entendit Alix murmurer près de lui :

— Anna ?

La Lapone essuya son visage en sueur.

— Je ne peux faire plus, maîtresse, marmonna-t-elle. Le tambour a donné son message.

— Dis-nous ce message !

— Jusque-là seulement.

CHAPITRE XII

HAUTS-FONDS ET MURAILLES DE GRANIT

B RAND ENDICOTT DUT FAIRE deux quarts à bord de l'*Arrogant,* en opposant aux questions pimentées de ses camarades le mutisme obstiné d'un natif du Maine, avant de pouvoir retrouver la tranquillité d'esprit, sinon du corps, pour revivre en pensée les précieux moments passés en compagnie d'Alix. Après avoir fait de l'eau à Degerby, le navire du capitaine Yelverton parcourut le court trajet jusqu'à Brändö, à l'entrée du fjord de Föglö, où attendaient des charbonniers, récemment arrivés d'Angleterre, chargés de combustible pour la flotte ; la bordée d'après-midi s'attela avec ardeur à la corvée du charbonnage.

L'*Arrogant* faisait route vers le sud, pour rejoindre le vaisseau amiral dans le détroit de Led, en traînant derrière lui un épais panache de fumée produit par le nouveau charbon gallois, quand la cloche piqua huit coups pour le dernier petit quart. Brand se retrouva enfin libre de descendre.

Il grimpa dans son hamac et y demeura étendu presque sans mouvement, car il n'y avait pas de vent, la mer était calme et seules les vibrations des hélices secouaient quelque peu l'*Arrogant.* Au fond de son hamac, ses larges épaules serrées dans l'espace réglementaire de 35 centimètres, Brand avait passé bien des heures agitées, au cours de ses nuits sur la Baltique, à penser à Alix Gyllenlöve. Alix sur le quai enneigé de Marstrand. Alix récitant l'inscription de Sveaborg. Il pouvait maintenant ajouter à sa galerie une nouvelle image : Alix des Iles. Il n'était guère facile de faire du sentiment sur ce portrait, pour autant qu'il eût aimé le placer dans un cadre doré orné de lacs d'amour : au cours des deux heures qu'ils avaient passées ensemble, Alix lui en avait plus révélé sur sa personnalité, mélange étrange de glace et de flamme, de foi et de superstition, qu'il n'en avait deviné auparavant. Il se sentait troublé, il ne pouvait trouver le sommeil en se rappelant que la dernière image, ou presque, qu'il avait eue d'elle, avant de lui donner un baiser d'adieu et de courir jusqu'au port de Degerby, était celle de son visage tendu, avide, penché sur les rouges symboles du tambour magique.

Brand comprenait un peu — très peu — la croyance en l'antique magie de la terre qui subsistait dans le tempérament finlandais, côte à côte avec une forte et simple piété. Sans l'intervention d'Anna, il eût peut-être été tenté de considérer les superstitions d'Alexandra comme un trait naïf et charmant, qui allait bien avec la maison silencieuse parmi les bouleaux, avec la vieille dame aux cheveux blancs, à la mémoire embrumée, courbée sur sa canne comme une bonne fée. Mais ces dessins rouges sur le tambour de peau avaient éveillé en lui un sentiment de totale répulsion. L'Homme de la Terre... est-ce lui, Brand, qu'il représentait ? Une sorte de symbole de la fécondité, qui donnait à cette sorcière lapone le droit de lui dire qu'il serait le père d'un enfant ? L'enfant d'Alexandra ? Alix elle-même considérait-elle la maternité comme un moyen de concevoir un fils qui sauverait la Finlande, et rien d'autre ?

Lui, Brand Endicott, n'avait jamais beaucoup réfléchi à la paternité, mais, si jamais il avait un fils, il espérait bien que le garçon aurait assez de jugeote pour viser la présidence des Etats-Unis pour le moins.

Mais Alix était adorable. Si douce avec cette pauvre vieille, si ardente pour répondre à son amour, si ravissante dans sa chemise blanche et sa jupe noire...

Et le *puuko* à sa ceinture, prêt à frapper...

On n'imaginait pas Mary Ryan armée d'un poignard, ni croyant, même vaguement, à l'existence du Cygne de Tuonela et de l'Ile des Morts...

Brand s'endormit et, en rêve, il aima Alix sous l'ombre d'une corde de potence.

Cette nuit-là, sur l'*Arrogant*, il y avait bien d'autres dormeurs agités. L'atmosphère, en bas, était humide et chaude. On avait ouvert les sabords, mais il n'y avait pas un souffle d'air pour agiter les manches à vent qui donnaient de l'air frais au pont inférieur ; et comme, au début de la semaine, on avait embarqué des paquets de mer, après une période de chaleur qui avait ouvert les coutures du pont principal, l'humidité suintait entre les planches, au-dessus des hamacs. Puis, quand la cloche eut piqué trois coups dans le premier quart, ce furent les allées et venues incessantes : on quittait les hamacs pour monter aux poulaines, situées à l'arrière. Les matelots n'avaient pas de commodités à l'intérieur et le fait de se rendre de nuit aux poulaines, sous la pluie ou dans la tempête, pouvait représenter une véritable épreuve ; même en cette nuit d'été, où la mer était d'huile, les poulaines, où se pressaient les hommes pris de diarrhée, offraient un tableau animé de dégradation humaine.

— Que diable avez-vous bien pu faire, tous ? demanda le capitaine d'armes.

Pour la troisième fois au cours de sa ronde, il rencontrait un groupe d'hommes en tenue légère qui se dirigeait vers l'arrière.

— On a mangé trop de fruits à terre, répondit le matelot de première classe Edgeworthy, qui avait fait partie de la corvée d'eau.

— Vous vous êtes empli le ventre de tord-boyaux, plus probablement, répliqua le capitaine d'armes.

Mais il fit mention, dans son rapport, de cette nuit agitée et, bien que, le lendemain matin, aucun homme ne se fût fait porter malade, le capitaine Yelverton tint une conférence privée avec le médecin du bord.

— Des violentes diarrhées... n'est-ce pas ainsi qu'a débuté l'épidémie de choléra sur le vaisseau amiral ? demanda-t-il.

— Si, en effet, monsieur. Mais, si vous vous rappelez, il n'y avait pas plus de deux cas avant que nous ne redescendions le golfe, et cinq seulement, pour toute la flotte, sur le *Belleisle*, ce matin.

— Cinq, c'est déjà suffisant, pour commencer, sur le navire hôpital.

— Je propose qu'on administre à tout l'équipage de l'huile de ricin et de la térébenthine, monsieur, et que, la prochaine fois que vous ferez de l'eau, vous distribuiez du savon aux hommes qui descendront à terre pour qu'ils se lavent à l'eau douce.

— A condition de ne pas mélanger l'eau du bain et l'eau potable, hein ?

233

LA FORTERESSE

— Oui, naturellement, capitaine Yelverton. L'épidémie, dans la mer Noire, s'est déclarée à cause des soldats qui se baignaient et lavaient leurs vêtements dans les cours d'eau d'où les navires tiraient leur eau potable.

Les regards de Yelverton et du médecin se croisèrent. Les nouvelles de l'autre théâtre d'opérations ne filtraient que très lentement jusqu'à la Baltique, mais la plupart des officiers savaient que la grande invasion de la Crimée traînait en longueur. Par suite de la propagation de l'épidémie de choléra et de la rivalité entre les hauts commandements français et britannique, les armées alliées piétinaient devant Varna dans l'étouffante chaleur de l'été, et la grande forteresse russe de Sébastopol, sur la côte orientale de la mer Noire, n'avait toujours pas subi l'assaut des puissances occidentales.

Le mécontentement qui régnait parmi les Alliés, sur le front de la mer Noire, gagnait, lentement, mais sûrement, la flotte de la Baltique. Les longues patrouilles, les perpétuelles « petites visites » dans des ports comme Narva et Windau, où l'on ne pouvait ni livrer combat ni faire une prise de guerre, les vaines reconnaissances de Kronstadt et Sveaborg, tout cela avait fortement entamé le moral des officiers et des équipages. L'amiral Napier était en grande partie responsable de cet état de choses. Ses commis avaient beau se montrer discrets, lui-même ne l'était guère, quand il ronchonnait, et l'on savait ainsi que ses relations avec l'Amirauté, — et en particulier, avec le Premier lord, Sir James Graham — étaient de plus en plus tendues. Dans la grande chambre à bord du *Duke of Wellington,* où les vieillards avaient tenu conseil au début de la guerre, venaient à présent des capitaines plus jeunes qui bombardaient Napier de plans d'action, de modèles de bateaux et d'espars, pour transporter les pièces d'artillerie derrière Kronstadt et engager le combat avec l'escadron de la Néva qui défendait Saint-Pétersbourg. Cooper Key, de l'*Amphion,* qui avait, en enlevant la ville de Libau, accompli le plus brillant exploit individuel du printemps ; Keppel, qui portait l'un de grands noms de la marine ; « Némésis » Hall, de l'*Hecla ;* Buckle et Glasse, qui brûlaient de venger leur humiliation de Gamla Karleby... tous ces hommes n'étaient pas de ceux dont on se débarrasse facilement. Il fallait tout le tact du contre-amiral Seymour, récemment nommé, pour maintenir la paix entre eux et l'irascible commandant en chef. Ce

fut un immense soulagement quand on annonça enfin l'attaque contre Bomarsund.

Le fort Bomarsund, création personnelle du tsar Nicolas
1er, faisait partie intégrante du plan de pénétration de l'Europe envisagé par la Russie. Avec une telle base militaire, qui
commandait la Baltique, en un point généralement libre de
glaces, le tsar s'était ouvert un chemin vers la mer du Nord
et les côtes orientales de la Grande-Bretagne.

Le détroit de Bomar lui-même, qui avait donné son nom
à la nouvelle forteresse, était une étroite passe entre l'une
des grandes îles de l'archipel Aland, semée de nombreuses
fermes et bourgades, et l'île de Prästö, beaucoup plus
petite. Le détroit débouchait dans le magnifique port naturel de la baie de Lumpar : on atteignait ce port par
des chenaux si étroits et si peu profonds que, seuls, les
plus modernes canonnières russes et les pêcheurs des îles
pouvaient approcher Fort Bomarsund.

Cependant, Nicolas 1er, dans ses calculs, avait compté
sans le capitaine Bartholomew Sulivan, du *Lightning*, et
son don magique pour guider les navires anglais dans des
passages où aucun autre bateau ne s'était encore aventuré.
En juin, il avait, à bord du navire hydrographe, fait le tour
des îles, avec un sondeur dans l'arc-boutant de martingale
et deux autres dans les chaînes, de chaque côté ; il avait
ainsi relevé chaque rocher, chaque haut-fond et balisé deux
passages : l'un pénétrait dans la baie de Lumpar par le sud,
entre l'île d'Angö et Lumparland, l'autre, par le nord,
contournait les côtes orientales de Prästö, sur laquelle les
Russes avaient érigé un fort circulaire. Quand Sulivan revint, en juillet, les Russes avaient enlevé les balises. Mais,
grâce à sa mémoire infaillible pour ce qui concernait les
voies marines, le capitaine cornouaillais put, rapidement,
faire franchir aux navires britanniques le détroit de Led qui
les amena dans la baie de Lumpar.

Il fallut, naturellement, laisser les grands trois-ponts à
l'ancre dans le détroit de Led et l'amiral Napier transféra
son pavillon sur le *Bulldog*, pour mener l'assaut contre
Bomarsund. Ce fut un étrange convoi qui prit la direction
du nord : en avant, le *Lightning* haletait et barbotait vaillamment et, derrière lui, les frégates, toutes voiles ferlées, faisaient force de vapeur. Les paysannes finlandaises, qui
trayaient leurs vaches dans les îles à pâturages, levaient des

235

yeux stupéfaits sur les hauts mâts britanniques qui dépassaient les pins et les sapins, et les enfants aux cheveux blonds filasse descendaient furtivement dans les anses rocheuses quand, en dépit des soins du capitaine Sulivan, l'un ou l'autre des navires par lui guidé venait à s'échouer. Quatre incidents semblables se produisirent, dans les quatre jours que dura la manœuvre vers le nord par la passe d'Angö.

L'*Arrogant* monta en ligne le premier jour et prit position dans la baie de Lumpar, à moins de trois mille mètres de la Demi-Lune de granit rouge, comme on appelait parfois le grand fort de Bomarsund, et ce, sans rencontrer d'opposition de la part des canonniers russes. A l'extérieur du demi-cercle, avec sa double rangée de créneaux par lesquels les pièces pointaient vers la baie, on ne distinguait aucun signe de vie, mais, derrière le fort, quelques paysans finlandais travaillaient avec flegme dans leurs champs. Selon certains rapports, ces paysans avaient été contraints d'atteler les bœufs à leurs charrettes, pour conduire en lieu sûr, dans les hameaux de Finby et de Kastellholm, bon nombre d'épouses d'officiers russes, dès que l'approche des navires britanniques fut signalée.

— Tout est fort tranquille, monsieur, fit remarquer le premier lieutenant de l'*Arrogant* au capitaine Yelverton.

— Si les Russes avaient le courage d'une souris, monsieur Haggard, leur flottille de canonnières d'Abo nous arriverait maintenant dessus par Vardö, gronda Yelverton.

Il examinait la forteresse à travers sa lunette.

— J'aimerais regarder encore une fois dans l'œil d'un canonnier russe, fit Haggard, qui pensait à Ekenäs. Ce serait une agréable diversion, après avoir passé deux mois entiers à arrêter des Finlandais apeurés dans leurs barques de pêche, pour leur demander s'ils se livraient à la contrebande !

— Le général Bodisco ne paraît guère pressé de vous satisfaire, dit Yelverton. Je m'imaginais qu'ils nous accueillerait, tout au moins, par une salve, pour se montrer plus brave que son prédécesseur. Il attend sans doute des ordres de Saint-Pétersbourg.

L'ex-gouverneur de Bomarsund avait été rappelé en Russie pour « s'expliquer » sur le bombardement de juin, si aisément mené à bien par le capitaine Hall, et l'on supposait qu'il « s'expliquait » maintenant dans une autre forteresse, la célèbre prison Pierre-et-Paul.

— Il semble qu'ils aient fait pas mal de travail sur ce toit, depuis le passage de l'*Hecla*, reprit le premier lieutenant.

— Avec des Finlandais réquisitionnés, naturellement. Passez la voix à M. Sulivan, je vous prie, M. Haggard.

— Oui, monsieur.

En conséquence de cet ordre, pendant le quart suivant, l'officier de tir réunit les équipes de servants pour leur expliquer la situation.

— Vous voyez les deux tours à la Martello, avec la double rangée de casemates, sur le terrain en pente derrière la Demi-Lune, dit-il. La tour de l'ouest est signalée sur nos cartes sous le nom de fort Tzee et celle du nord-est sous celui de fort Nottich. La pente entre les deux s'appelle la colline du Diable. Une troisième tour à la Martello se trouve sur l'île de Prästö, où les Russes ont leur hôpital et leurs magasins. Regardez bien le fort principal — la Demi-Lune. Nous sommes arrivés avant que Nicolas ait pu fermer le cercle et, par-derrière, il n'y a rien de plus important, en fait de défense, qu'un fossé. Les paysans prétendent que les murailles ne sont en granit que sur une hauteur de soixante centimètres, les deux mètres restants ne sont que blocaille. La Demi-Lune n'est donc pas inexpugnable : avec de bonnes bordées bien assurées, on peut ouvrir une brèche dans les murailles. L'amiral Chads et le général Jones pensent que la batterie de sept pièces, placée à la pointe est de Tranvik, nous donnera plus de mal, en fin de compte, que le fort principal lui-même. Espérons que l'*Arrogant* aura l'honneur d'aller la réduire au silence.

— Pour sûr, monsieur... Oui, monsieur.

Avec de grands sourires, les canonniers murmurèrent leur accord.

En moins de cinq minutes, ils avaient réduit au silence la batterie russe d'Ekenäs ; il semblait logique de penser que, si l'*Arrogant* recevait l'ordre de couvrir ces trois mille mètres critiques, la batterie de Bomarsund ne tarderait pas à tomber. Mais le jour suivant se leva, puis un autre jour, et la baie se peupla de navires britanniques, sans qu'aucun ordre de Napier ne leur parvînt. Il attendait ses alliés français.

— Qu'est-ce qu'on peut attendre, *à présent*, nom de nom ! grognaient les gars de l'*Arrogant*. Y a qu'à envoyer là-dessus c'te « Vieille Némésis » avec Yelverton : ça leur apprendra, aux Russkis !

Un beau jour, les marins britanniques et les Russes silencieux, à l'intérieur de la forteresse, entendirent résonner

237

sur la baie de Lumpar les accents de l'hymne français :
« Partant pour la Syrie » : les transports de troupes français
étaient enfin arrivés. *La Reine-Hortense* passa en revue,
avec une allure royale, les rangs de navires britanniques
sous grand pavois, et l'on tira une salve de quinze coups
de canon en l'honneur du général Baraguay d'Hilliers, autre
vétéran des guerres napoléoniennes. Les vivandières des
chasseurs de Vincennes et du 51° de ligne saluèrent coquette-
ment de la main les marins anglais, tandis que les transports
venaient jeter l'ancre dans la baie. Les matelots rendirent aux
femmes salut pour salut, avec des commentaires paillards sur
les pantalons rouges qu'elles portaient sous leurs jupes courtes ; ils leur crièrent des invitations jusqu'au moment où
retentit l'inévitable « Silence, là-bas ! ». Ces diversions ai-
dèrent même les plus intelligents parmi les marins à oublier que dix mille soldats et presque autant de marins
s'étaient rassemblés pour s'emparer d'un seul fort de granit, tenu par deux mille Russes et qu'une attente de quatorze jours, devant une forteresse parfaitement accessible
de la mer, c'était bien long.

Brand Endicott devait y songer, mais, pour le moment,
il saluait les femmes et riait avec les autres. Il y réfléchit
plus tard, alors que le crépuscule d'août se fondait avec la
nuit du dimanche : le fort parut s'animer tant soit peu et
une file de soldats russes descendit jusqu'à la baie pour s'y
baigner. Ils avaient quelque chose de pathétique, ces corps
blancs et vulnérables, vus de l'autre côté de la baie embrumée.
Les voix des Russes se propageaient sur l'eau en échos légers
et joyeux qui contrastaient étrangement avec le roulement
continu des tambours, à l'intérieur du fort Bomarsund.

Il n'y eut pas de bain pour les Anglais mais, ce soir-là,
dans les poulaines, ils se lavèrent plus consciencieusement
que d'ordinaire, comme pour purifier leurs corps, eux aussi,
en vue du sacrifice du lendemain matin.

Quarante-huit heures plus tard, Brand se retrouva couché
de tout son long dans les fougères et les broussailles piétinées
d'une pente raide, devant les défenses nord du fort principal,
à l'abri des sacs de sable d'une batterie qui devait bombarder Fort Nottich. Tout autour de lui étaient étendus des
marins, terrassés par la fatigue, après avoir passé deux jours
à hisser les pièces jusqu'à leur position, au sommet de l'émi-

nence rocheuse. Trois canons courts de 32, quatre canons de campagne et un lance-fusées avaient été montés sur deux traîneaux, avec cent cinquante hommes attelés à chacun. Cinq mille sacs de sable, des fascines, des gabions, de la mitraille et des munitions avaient également été transportés, à grand-peine, sur huit kilomètres, par les matelots les plus forts et les plus endurants, pendant les deux premiers jours du bombardement de Fort Bomarsund.

— Bon Dieu, regarde-moi ça ! dit l'homme le plus proche de Brand, d'une voix affaiblie.

L'île de Prästö, si proche d'eux, de l'autre côté de l'étroit chenal, n'était plus qu'une masse de flammes. Toute la journée, tandis que les soldats français débarquaient au sud de Fort Tzee et les Britanniques au nord de Fort Nottich, en un mouvement de tenailles gigantesques qui devaient se refermer sur les deux flancs du fort principal, la Demi-Lune avait échangé des coups de canon avec les navires alliés. Mais Prästö, pour l'instant, ne subissait pas de bombardement : les incendies que les marins pouvaient observer de leur poste élevé avaient été allumés par les Russes. Sur Prästö, seule la tour à la Martello demeurait intacte. L'hôpital et les magasins étaient la proie des flammes, tandis que, vers l'intérieur de Bomarsund, la fumée de vingt misérables fermes finlandaises montait vers le ciel. Le commandant en chef russe, le général Andrei Bodisco, avait ordonné de tout détruire par le feu autour du fort, sur des kilomètres.

— Pourquoi qu'on a pas de chevaux, nous autres ? fit une voix familière, non loin du groupe où Brand était couché à plat ventre. Les grenouilles, ils en ont, des chevaux. Hier, ils ont débarqué huit mille bonshommes et j'sais pas combien de canons à toute vitesse, et ça, grâce à leurs chevaux. Des bêtes de somme, voilà c'qu'elle a fait de nous, la Royal Navy : des bêtes de somme, j'vous dis.

— Hé, Morgan ! fit Brand Endicott.

— Tiens, mais c'est mon vieux camarade de popote, Yankee Jack.

Le Gallois se leva et s'approcha de Brand.

— J'croyais que t'étais remonté à bord avec Edgeworthy.

— Pas de danger, dit Brand en se relevant lentement. Me voilà réduit au rôle de gargoussier ; demain, il faut encore que je transporte les munitions. Et toi ?

— Ça irait pas mal, si c'était pas mes panards qui s'décarrent, fit Morgan qui, tout comme Brand, utilisait, en parlant avec ses camarades, des expressions argotiques aux rimes approximatives. Les tiens aussi ont l'air plutôt mal en point, Jack, ajouta-t-il, en regardant les pansements crasseux et trempés de sang qui enveloppaient les pieds nus de l'Américain.

— C'est la faute de vos bon dieu de fournisseurs de l'armée, dit Brand.

— Qu'ils aillent au diable, les fournisseurs, dit Morgan. Tiens, lampe un coup de ce truc-là et tu sera fin prêt pour les Russkis.

— Où as-tu trouvé ça ? demanda Brand, en buvant à même la bouteille. C'est du vrai cognac français, mon gars, et du bon.

— C'est une grenouille qui me l'a filé, dit Morgan avec un large sourire. Moi et des gars de l'*Hecla,* on s'est amenés au camp français, hier au soir, après le bivouac. Bon sang, Jack, j'voudrais qu'tu voies comment qu'ils sont installés ! Des cabanes en rondins pour les officiers, des tentes bien rangées, les chevaux alignés. Dis donc, si tu descendais maintenant avec moi, avant qu'ils fassent les rondes ?

— J'ai besoin de dormir un peu, dit Brand.

Il lampa encore une gorgée de cognac et rendit la bouteille. Il avait une soif dévorante et, toute la journée, il avait englouti de pleines poignées de mûres et de groseilles sauvages qui poussaient sur les pentes nord. Après le départ de Morgan, il but au ruisseau qui coulait au milieu des broussailles et s'allongea de nouveau sur son prélart. Il entendit vaguement l'officier de service crier quelque chose à propos de choléra dans le camp français, et annoncer que l'accès du camp français était interdit ; il s'éveilla fiévreux et toujours épuisé, au bruit strident des sifflets ; le grondement profond des bordées britanniques roulait de nouveau sur la baie de Lumpar.

Après cela, pendant deux jours et deux nuits, Brand eut l'impression de gravir indéfiniment les marches d'une roue de discipline. Il courait, courait sans cesse, dans le sable, enjambant les pierres, transportait de la poudre, transportait de la mitraille, entendait les commandements : *Amorcez ! Pointez ! Feu !*, mille fois répétés, et les hurlements de l'infanterie française qui prenait la pente d'assaut et s'emparait du fort Tzee. Il savait que la batterie de la pointe avait été réduite au silence, non par le capitaine Yelverton, mais par le capitaine Pelham... que Pelham avait encore installé une batterie anglaise sur le même emplacement et qu'il causait plus de dégâts à la Demi-Lune que n'importe lequel des navires. Il vit enfin amener les aigles russes, au Fort Nottich et, la gorge sèche, les lèvres crevassées, acclama le spectacle ; pendant toute la nuit du 15 août, qui était la fête impériale française, à la lumière de la pleine lune, il écouta les hurlements de douleur, mêlés à des cris de femmes, qui s'élevaient de la Demi-Lune, alors que les murailles de granit de Bomarsund commençaient à crouler sous le feu des Alliés. Enfin, le lendemain, au début de l'après-midi, le général Bodisco hissa le drapeau blanc et Bomarsund, forteresse russe de la Baltique, se rendit.

Le lendemain, au début de l'après-midi, Alix Gyllenlöve vint à Bomarsund.

Elle arriva dans un antique bateau à rames, assez semblable aux drakkars des Vikings, mais particulièrement bien adapté pour la navigation dans les hauts-fonds de l'archipel ; son équipage était composé de tout jeunes garçons et de jeunes femmes du village de Degerby. Il n'y avait pas eu un souffle de vent, la nuit de la victoire alliée, et, à bord, chacun à son tour avait pris les avirons pour remonter vers le nord : non par la passe d'Angö, balisée par Sulivan, qui était déjà encombrée de navires de guerre revenant vers le Détroit de Led, mais par un chemin plus long, qui contournait l'île de Vardö et qui leur permit de jeter l'ancre dans une petite anse, juste au nord du fort principal de Bomarsund dévasté.

Alix fut une des premières à sauter, et gagna les rochers, en pataugeant à travers les hauts-fonds, sans se soucier de ses vêtements.

— Quelqu'un doit rester à bord, rappela-t-elle aux autres. Quand nous voudrons rentrer, il ne faut pas que le bateau nous ait été volé !

Après quelque discussion, les jeunes pêcheurs convinrent d'un tour de garde et les deux premiers désignés, Arne et Sten, s'installèrent à contrecœur à l'avant pour dormir une petite heure. Ils avaient ramé toute la nuit, ils étaient las, mais tout le monde tenait à descendre à terre pour se réjouir du désastre russe. Une fois que les jeunes gens eurent escaladé les rochers pour atteindre la piste qui faisait tout le tour de

LA FORTERESSE

la péninsule, ils furent frappés de stupeur à la vue des dégâts.

Derrière eux, seule demeurait debout, sur l'île de Prästö, la tour à la Martello, grêlée de trous d'obus, ceinte de murailles noircies, et à droite, on distinguait, à travers les arbres, les ruines du fort Nottich. Celles du fort Tzee étaient à demi dissimulées par la colline du Diable, mais, juste en face d'eux, dans l'axe de la route, ils voyaient l'Union Jack et le drapeau tricolore flotter côte à côte sur les éboulements de granit rouge de la Demi-Lune.

— C'est bien vrai qu'ils sont vaincus, dit l'un des jeunes garçons de Degerby, dans un long soupir. Les tyrans sont à jamais écrasés.

— Oui, approuva Alix. Ecrasés !

— Vous allez m'aider à retrouver mon père, maîtresse ? supplia une fille, parmi les plus jeunes.

— Ton père va être libre, maintenant, Marie, répondit Alix avec confiance. Petit à petit, nous allons retrouver tous nos amis !

— Restez avec nous, maîtresse !

Mais, déjà, ils étaient séparés : les jeunes gens de Degerby partirent au pas de course vers le Grand Fort, en entraînant les filles avec eux, tandis qu'une vingtaine de marins britanniques, qui traînaient ce qu'Alix crut être un long tube de fer, demandaient le passage sur la piste.

« Gare là-bas ! » « Attention à vos pieds, mademoiselle ! »

Ces avertissements, jetés avec bonne humeur, refoulèrent Alix parmi les roseaux de la baie. Elle n'était pas fâchée de se retrouver seule un instant, pour renouer son foulard sur sa tête et secouer sa jupe noire, fripée par la rosée de la nuit. Cachée parmi les aulnes rabougris, elle se refit une beauté, avec son petit peigne de poche et, pour miroir, une flaque d'eau de mer. En sortant de sa cachette, elle aperçut un vieux pêcheur, assis dans son bachot, qui amorçait placidement ses hameçons.

— Hé, grand-père, cria-t-elle, avez-vous vu un navire anglais appelé l'*Arrogant* ?

— Lumpar est plein de navires, fit-il d'un air maussade. Avec des Anglais à bord, des Français, et maintenant, des Russes. Comment voulez-vous qu'un honnête homme s'y reconnaisse ?

— Les Russes sont à bord.

— Oui, ma fille. La nuit dernière, le grand général russe a rendu son épée au gros Anglais, en bas, sur la jetée, il

242

y a eu des acclamations et de la musique. On appelle ça les honneurs de la guerre, d'après ce que m'a dit un garçon, mais moi, je n'en sais rien. Les Russes ont incendié ma maison et j'ai faim.

— Bonne pêche, grand-père.

Alix poursuivit son chemin à travers les rochers. Elle n'eut pas à aller loin pour avoir sous les yeux tout l'extraordinaire spectacle : la baie emplie de navires, entourés à présent de bateaux à provisions, de bugalets et de charbonniers ; au bord de l'eau grouillaient les uniformes. Parmi les frégates, elle distingua plusieurs yachts britanniques, dont les propriétaires avaient fait la traversée pour suivre la bataille dans un esprit de joyeuse aventure, et plusieurs bateaux de touristes venus de Stockholm. Il y avait même une corvette de la marine suédoise, qui battait pavillon de l'Union, le rouge et le bleu de Norvège sur fond bleu sombre, mais aussi le pavillon aux Trois Couronnes, ce qui fit ouvrir de grands yeux à Alix. Mais son attention fut surtout attirée par les chaloupes, pleines de soldats en uniforme russe, qui semblaient pousser vers le large, au-delà du Grand Fort.

Elle fit vers la piste quelques pas hésitants. Maintenant qu'elle avait vu ces foules innombrables, où civils et militaires des forces alliées se côtoyaient en toute liberté, elle comprenait à quel point il lui serait difficile de retrouver Brand Endicott. Elle s'était demandé comment le rejoindre à bord de l'*Arrogant* ; elle se rendait compte qu'il serait pour le moins aussi malaisé de le découvrir sur terre ferme.

Il y avait un constant défilé de marins anglais sur le sentier proche ; certains, pris de boisson, titubaient mais tous étaient disposés à répondre aux questions que leur lançaient les passagers des yachts et les excursionnistes de Stockholm. Alix fit effort pour surmonter sa timidité. Qu'importe ce que ces hommes penseront de moi, se dit-elle. Brand est venu me voir à plusieurs reprises. Il faut que je le voie aujourd'hui... Il le faut !

Elle observait attentivement les marins. Ils se ressemblaient tous, dans leurs vêtements bleus poussiéreux, ils avaient tous des barbes hirsutes. Certains boitaient bas et marchaient pieds nus. Elle vit enfin un homme dont le chapeau portait un ruban au nom de l'*Arrogant* et fit un pas en avant.

— Monsieur... s'il vous plaît...

Il eut l'air stupéfait.

— Qu'est-ce que c'est, mademoiselle ? Vous êtes Anglaise ?

— Non, je... Vous êtes de l'*Arrogant* ?

— C'est bien ça.

— Connaissez-vous... le matelot de deuxième classe Endicott ?

— Je regrette, mademoiselle. Il est pas de ma bordée, non.

— Oh !

— Vous êtes sûre qu'il est sur l'*Arrogant* ? De quelle compagnie est-il ?

— Il tire le canon, je crois. Et il nage bien, aussi.

— Hé, Campbell ! cria l'homme à un autre matelot qui passait en clopinant. T'es nageur, toi ! La jeune dame cherche un gars du nom d'Endicott.

Le sombre visage de l'Ecossais s'éclaira d'un sourire.

— Yankee Jack ! Je le connais bien, on fait équipe pour certains exercices. Il est pas loin, mademoiselle : il attend le canot ; on remonte à bord.

Alice, après l'avoir remercié, partit dans la direction indiquée. Elle se rapprochait ainsi du fort principal et de la jetée, où l'on embarquait les prisonniers de guerre ; et là, dans la foule des marins et des civils, elle vit Brand Endicott.

Noirci de crasse et de fumée, la chemise à moitié déchirée, il avait un Colt à la ceinture et une gourde vide lui pendait au côté. Il parlait avec un homme de taille moyenne, au bras duquel s'accrochait une jolie fille. Le visage de celle-ci était levé vers Brand avec une expression admirative. L'homme portait un jersey de marin et de hautes bottes ; une casquette à la visière cassée était posée bien en arrière sur ses cheveux noirs et bouclés, il avait des yeux bleus d'Irlandais, une bouche souriante.

Le cœur d'Alexandra fit un bond dans sa poitrine. Avec assurance, elle s'avança vers le petit groupe.

— C'est moi, Brand, dit-elle. Et voici, je pense, le capitaine Ryan et sa fille ?

— Grands dieux, Alix !

Brand vira sur ses talons pour lui faire face et, dans son visage ravagé, Alix ne lut que la stupéfaction. Puis la tendre expression, qu'elle connaissait si bien, effaça la stupeur.

— Vous êtes venue jusqu'à moi ! dit-il.

— Je ne pouvais faire autrement.

HAUTS-FONDS ET MURAILLES DE GRANIT

— Mais je ne comprends pas...
— Moi, si, fit Joe Ryan avec aisance. La jeune dame
est venue, comme nous tous, pour applaudir à la victoire
britannique. Vous avez raison, madame : je suis Joe Ryan,
voici Mary, et vous êtes, bien sûr...
— Mademoiselle Gyllenlöve, dit Brand sottement. Mary, je vous ai parlé d'Alix...
— Un peu, dit Mary avec douceur.
Elle était plus jolie que jamais, en avait plus que jamais
conscience, et elle ne voulait absolument pas montrer son
dépit en voyant arriver cette Finlandaise moins de cinq
minutes après que son père et elle, après une longue quête,
eussent trouvé Brand Endicott.
Mais Alix ne prêtait aucune attention aux Ryan.
— Brand, êtes-vous blessé ? s'écria-t-elle.
— Blessé ? Non, je ne suis pas blessé. Nous avons eu
quelques dures journées, voilà tout. Alix, comment diantre
êtes-vous arrivée jusqu'ici ? Joe, êtes-vous passé la chercher
à Degerby ?
— Je voulais y aller, répondit Joe, un peu confus, mais
mon second que voici m'a persuadé de passer par Eckerö,
pour éviter la presse. Elle avait raison, d'ailleurs : nous avons
vendu toute notre cargaison — des oranges — au vaisseau
amiral français, une demi-heure après notre arrivée.
— Vous paraissez bien fatigué, Brand, dit doucement
Mary. Ne voulez-vous pas venir à bord de la *Molly-O*, pour
manger quelque chose avec nous ?
— Où est la *Molly-O* ? demanda Brand.
— Elle est amarrée à cinq cents mètres à l'ouest de la
jetée, dit Joe. Nous sommes arrivés de bonne heure...
— Bon, coupa Brand. Restez là, Joe. Ne jetez pas l'ancre
au sud de Tranvik et, quelles que soient vos intentions,
n'imitez pas ces imbéciles de bateaux d'excursion, qui vont
visiter le camp français.
— Pourquoi pas ?
— Il y a une épidémie à bord. Alix, je veux vous parler.
Sans même hausser les sourcils à ce ton autoritaire, elle
quitta aussitôt le sentier avec lui. Il n'y avait, à Bomarsund,
aucun endroit où l'on pût s'isoler. Les aulnes échevelés eux-
mêmes, qui poussaient au-dessus des rochers, ne formaient
qu'un bien mince écran entre eux et la foule qui passait
sans cesse. Mais Brand put enfin regarder Alix de tout près
et il lut de la compassion sur son ravissant visage. Il avait

245

l'impression qu'elle portait le même genre de robe qu'à Degerby, avec, en plus, un éclair rouge, et un éclair d'or : il
finit par reconnaître la broche qu'il avait trouvée épinglée
à l'intérieur de sa vareuse, dans la cellule de détention préventive de Gothenburg.

— Alix, vous vous rappelez ?

Il se risqua à effleurer les feuilles d'or du bout de son
doigt crevassé ; elle lui saisit la main et l'appuya contre sa
poitrine.

— Oh, mon amour, vous avez l'air si fatigué !

Immédiatement, Brand lui arracha sa main.

— Ne me touchez pas ! dit-il. Il ne faut pas ! Savez-vous
à quoi j'ai passé la nuit ?

— A quoi ?

— J'ai enterré des Russes.

— Si seulement j'avais pu être là pour vous aider !

— Au nom de Dieu ! fit-il, sans que son exclamation
évoquât un juron. Alix, vous ne changez pas, n'est-ce pas ?
Vous restez vous-même, immuable !

— Vous devez le savoir.

Elle s'habituait peu à peu à le voir en cet état : le visage
hagard, mangé par une barbe rousse de dix jours, la chemise
dont les deux manches avaient été arrachées, le pantalon
bleu, déchiré, gris du sable de la batterie.

— Mais si ce n'est pas Joe qui vous a amenée, comment
êtes-vous parvenue à Bomarsund ? demanda-t-il de nouveau.

— Je suis venue avec des jeunes gens de Degerby. Je
voulais assister à la victoire et... et vous dire combien je suis
fière de vous... Eux, les garçons de Degerby, ils sont ici
pour ramener leurs pères.

— Leurs *pères ?*

— Ces hommes que les Russes ont amenés ici pour le
travail obligatoire.

Brand ferma les yeux.

— Alix, dit-il, je veux que vous repartiez sans tarder.
La maladie règne ici et il y a aussi des spectacles qui ne sont
pas faits pour vous. Joe Ryan a vendu sa cargaison ; il n'y
a plus rien qui le retienne et je vais lui demander de vous
emmener... à Degerby, s'il le faut, à Stockholm, si vous y
consentez.

— Et vous ?

— Moi ? Je vais continuer de suivre le chemin que vous
m'avez montré, soyez-en convaincue.

246

— Oh, Brand ! dit tristement Alix.

Mais, avec lui, elle rejoignit les Ryan, qui les attendaient.

— Il faut que je parte, dit brusquement Brand. Les canots de l'*Arrogant* doivent venir nous chercher dans un quart d'heure.

— Et ensuite, où irez-vous, Brand ? demanda Mary.

— Nous irons probablement faire encore une « petite visite » à Sveaborg, répondit-il d'un ton indifférent. Dieu merci, on ne nous demande pas de transporter les prisonniers.

— J'ai entendu dire que vous en aviez ramassé dans les trois mille, dit Joe. Qu'est-ce qu'on va faire de tout ça ?

— Depuis l'aube, on les emmène en chaloupes.

— On est encore en train d'en embarquer, fit remarquer Alix.

Ils avaient marché pendant quelques instants et se trouvaient maintenant en face du Grand Fort ; une double file de fusiliers marins contenait la foule des badauds.

— Les Français ont pillé le fort toute la nuit, dit Brand. Ils n'ont guère trouvé que de la poudre à canon et des bacs de poisson salé... de la vodka, aussi. Mais on dirait que les Russes en ont gardé pour eux la plus grande partie.

— Mais ils sont tous ivres ! s'exclama Mary, avec un petit rire.

En vérité, un grand nombre des prisonniers russes, qui portaient sur leurs manteaux gris les insignes du 38e de ligne, titubaient plus qu'ils ne marchaient vers la jetée qui se trouvait à l'ouest de la porte principale de Fort Bomarsund. Quelques-uns dansaient solennellement la polka, deux par deux, en s'empoignant à bras le corps et en s'accrochant l'un à l'autre, comme des ours, et les Britanniques partirent d'un immense éclat de rire lorsque deux couples tombèrent à l'eau, et qu'il fallut les hisser à bord des bateaux. Un ou deux prisonniers, de ceux qui s'étaient défendus avec acharnement pendant cinq jours, se rebiffèrent au dernier moment et se mirent à frapper au petit bonheur leurs gardiens ; ils furent assommés à coups d'aviron et montés à bord sans connaissance.

— Mais ce sont des Finlandais, ceux-là !

Brand perçut le mouvement de révolte d'Alix et comprit qu'elle avait vu ce qu'il eût aimé lui épargner à tout prix : les prisonniers du bataillon de tirailleurs finlandais, certains avec leur femme, qu'on emmenait vers une prison de guerre alliée. Oubliant ses propres recommandations, Brand attira Alix contre lui.

— Ne vous inquiétez pas pour eux, Alix, je vous en prie !

— Mais ce sont les hommes de Degerby !

Il dut, pour la retenir, dépenser le peu de force qui lui restait et ce fut Joe qui lui saisit les mains, quand elle tenta de se sauver et de franchir le cordon de fusiliers marins pour rejoindre les îliens qu'on avait contraints, contre leur gré, à travailler pour la Russie.

— Mademoiselle Alexandra, non ! Vous ne pouvez absolument rien pour eux !

— Il faut que je leur parle : *Il faut* que je leur explique ! Les Anglais n'ont pas le droit d'emprisonner ces hommes ! Leurs *enfants* sont là, ils les attendent...

— Alix !

La voix de Brand n'était qu'un pâle écho, mais elle contenait une telle autorité qu'Alix se tut ; seules, ses mains se tordaient convulsivement sous la ferme étreinte de Joe.

— Vous rappelez-vous ce que j'ai sans cesse essayé de vous expliquer, continua Brand. On ne peut arrêter la guerre ! C'est comme un engrenage, à présent, et nous y sommes tous pris. Alix, ne compliquez pas la situation, en ce qui vous concerne !

— Mais que va-t-on leur faire ?

— Aux hommes de Degerby ? Ils seront certainement relâchés, une fois qu'on les aura interrogés sur les transports et qu'ils auront montré leurs papiers, n'est-ce pas, Joe ?

— Sans aucun doute, affirma vaillamment Joe.

— Mademoiselle Gyllenlöve, ne voudriez-vous pas venir avec moi à bord de la *Molly-O* ? demanda Mary d'un ton persuasif.

— Bonne idée ! approuva Brand. Ecoutez, ma chérie, voici ce que je vais faire : sitôt à bord, je demanderai une permission. Ils vont certainement nous permettre de descendre à terre, ce soir. Alors je viendrai vous rejoindre et j'assisterai à votre départ. Mary, veillez sur elle !

Il s'en retourna, par le même chemin, sans dire adieu, mais après avoir étreint brièvement la main d'Alexandra et esquissé un geste amical à l'adresse de Joe. Déjà, les fusiliers marins les entouraient, les faisaient circuler : le crépitement des tambours annonçait qu'une nouvelle fournée de prisonniers allait quitter le Grand Fort.

« Circulez ! » « Laissez passer les prisonniers ! » « Emmenez-moi ces femmes ! » Telles furent les plus inoffensives des remarques lancées à l'adresse de Joe ; il comprit la situation et se hâta d'entraîner les deux jeunes filles, à travers l'herbe piétinée et les débris, vers l'autre extrémité de la jetée.

— Père, j'ai l'impression que Brand n'est pas bien du tout, dit Mary, s'arrêtant brusquement.

— C'est aussi mon avis, répondit Joe, l'air soucieux.

— Pourquoi ne vas-tu pas le rejoindre pour voir si tout va bien ?

— C'est ce que j'ai envie de faire. Mademoiselle Alexandra, ne prenez pas la chose trop à cœur, mais il se pourrait bien qu'il n'obtienne pas l'autorisation de redescendre à terre... vous le comprenez, n'est-ce pas ? Et moi, j'ai certaines questions à discuter avec lui... Tenez, la *Molly-O* est là-bas. Vous pourrez y aller seules, hein ?

— Certainement, capitaine Ryan, dit Alix d'une voix faible.

Il s'éloigna et elle le suivit des yeux. Elle éprouvait la sensation écœurante de retomber brusquement sur terre.

Les deux jeunes filles se dirigèrent vers le bateau. Mary, qui regardait Alix à la dérobée, s'aperçut qu'elle était sur le point de fondre en larmes. La voilà donc, la dame qui écrivait des lettres, pensait-elle avec dédain. Avec un couteau finlandais et une sacoche de cuir à la ceinture, vêtue en paysanne ! Et ce châle rouge ! Ces horribles bas à côtes ! Cette jupe courte ! Et moi qui croyais que c'était une princesse russe ou quelqu'un de très haut placé !

Mary abaissa un regard complaisant sur sa propre robe de mousseline blanche, fraîchement amidonnée, qu'elle avait mise dès leur entrée dans la baie de Lumpar, ce matin-là. Elle avait l'agréable conviction que sa capeline de grosse paille, dont le ruban rose se nouait sous son joli menton, avait été remarquée et appréciée par tous les hommes qu'elle avait croisés... même si Brand avait à peine eu la politesse de la saluer ! Elle releva la tête avec mépris.

— C'est très aimable à vous de m'inviter à bord de votre bateau.

Alix avait retrouvé son sang-froid et son expression cérémonieuse surprit Mary.

— Mais pas du tout, dit-elle, un peu démontée. Nous prendrons un café et vous pourrez vous reposer : vous devez être fatiguée, après la longue traversée depuis Degerby. Voici la *Molly-O,* au prochain poste.

— Là où se tient cet officier suédois ?

Le visage de Mary rosit de plaisir.

— Je sais qui c'est, fit-elle, avec une modestie affectée.

— Moi aussi, dit Alix.

L'homme qui portait la courte tunique bleue et le pantalon blanc des Gardes du Corps suédois venait de se retourner pour leur faire face : c'était Erik Kruse.

— Je n'aurais jamais pensé que vous connaissiez mademoiselle Gyllenlöve, dit Mary Ryan.

— Nous sommes cousins à la mode de Bretagne, chère mademoiselle Mary, expliqua Kruse avec désinvolture. Nous nous connaissons depuis dix ans.

— Dix ans de trop, coupa Alix.

Elle examinait le visage étroit, sous la *schapska* au panache de crin blanc.

— Il serait plus logique, reprit-elle, de vous demander depuis combien de temps vous connaissez mademoiselle Ryan.

— En quoi cela vous concerne-t-il ? interrompit Mary.

— Je pense que cela me concerne un peu, dit Alix. Le capitaine Ryan est-il content de vous voir fréquenter cet homme ?

— Je n'ai pas l'honneur de connaître le capitaine Ryan, dit Erik Kruse.

— C'est bien ce que je pensais. Mademoiselle Ryan, nous allons monter et attendre votre père et Brand ; laissons le capitaine Kruse à ses devoirs militaires, si devoirs il y a.

— C'est moi qui donne les ordres, à bord de la *Molly-O,* s'écria Mary, furieuse. Si je veux recevoir le capitaine Kruse, de quel droit me l'interdiriez-vous ?

— Petite sotte, dit Alix. Vous ignorez quel homme il est !

Elle tourna le dos à la *Molly-O* et à la jeune fille en colère et, tête baissée, revint sur ses pas, le long de la chaussée pavée.

— Pas si vite, Alexandra, s'il vous plaît !

A grandes enjambées, Erik Kruse l'avait rejointe. Ils se trouvaient en un point du rivage temporairement désert : la foule s'était amassée pour suivre l'embarquement des prisonniers. Kruse posa sa main gantée sur le bras nu d'Alix, et sans effort l'entraîna à l'écart, dans un bouquet d'épicéas qui marquait l'extrême limite du camp français.

— Ainsi, fit Kruse, quand elle lui fit face, vous êtes encore en train de vous livrer à votre mascarade favorite : la petite paysanne toute simple ! Je préfère, quant à moi, le costume rouge du Bohuslän. Celui-ci est bien triste.

— Prenez garde, Erik, dit Alix à voix basse. Vous n'avez pas ici vos petits amis du bastion de la couronne ne l'oubliez pas ! Si vous m'insultez maintenant, une douzaine de marins anglais accourront à mon appel...

— Essayez donc, pour voir, ma chère.

— Et l'homme attaqué par vos héros, à six contre un, il n'est pas loin !

— Quoi, l'Américain ?

— Oui, l'Américain, celui que vous vouliez faire arrêter par les agents de la police secrète, à Helsingfors ! Il est libre et il est ici !

— Bomarsund est décidément un lieu de retrouvailles, remarqua Kruse, d'un ton qui se voulait léger.

— Et vous, êtes-vous venu ici pour retrouver cette petite sotte ?

— Qui ça ? La jolie mademoiselle Ryan, la coqueluche des gardes du Palais ?

— Ce n'est pas vrai, fit Alix avec conviction. Une jolie petite coquette, peut-être, mais sans plus... pour l'instant. A moins que vous n'ayez l'intention de la traiter comme vous en avez traité d'autres.

— A votre place, je ne gaspillerais pas ma sympathie sur mademoiselle Ryan. La résidence de sa tante, à Stockholm, commence à être bien connue comme maison de rendez-vous...

— Vous rabaissez tout à votre niveau, dit Alix. Que faites-vous ici, si ce n'est pas elle que vous recherchez ?

— Mais, voyons, je suis de service auprès de mon général. N'avez-vous pas vu la corvette, dans la baie ? Il est en conférence avec les commandants alliés, qui ont fait à Sa Majesté le roi Oscar une offre généreuse... dans l'espoir, il va sans dire, qu'il entrera en guerre sans plus tarder...

— Quelle offre ?

— Rien moins que les restes du fort Bomarsund, avec toutes les îles environnantes.

— Ils n'ont pas à offrir ce qui ne leur appartient pas. Nous sommes ici en terre finlandaise. A présent que les Russes sont chassés, les îles Aaland peuvent devenir le berceau d'une Finlande nouvelle.

— Toujours la même chanson, hein ? Les Russes ont abandonné une forteresse et deux mille prisonniers à des forces ennemies dix fois plus nombreuses. Pensez-vous qu'ils s'exposeront à perdre Sveaborg ?

251

Quelque chose, dans le visage aquilin, dans les yeux noisette au froid regard, mit Alix en fureur.

— Espérez-vous donc que la Russie gagnera la guerre ?

— Je m'y *attends.*

Tout en parlant, il avait entraîné Alix plus loin, parmi les arbres, sans qu'elle s'en aperçût. Soudain, brutalement, il la prit dans ses bras.

Aussitôt, elle baissa la tête et se raidit, sans se débattre, si bien qu'il dut dégager une main pour tenter de lui relever le visage.

— Vous ne pouvez me ramener de force à Karinlund, comme vous l'avez fait en janvier dernier, dit-elle d'une voix étouffée.

— Non, je ne peux vous emmener nulle part, mais je peux vous mater... ici même !

Elle tira le poignard de sa gaine et frappa, de bas en haut. Elle avait frappé en femme, sans viser, d'un coup malhabile, mais l'arme atteignit Kruse à l'angle de la mâchoire et lui ouvrit la joue, manquant l'œil de peu, pour enfin dévier sur le bord du casque. Il la dévisagea d'un long regard incrédule, puis la dure étreinte de sa main se desserra, tandis que le sang inondait son visage.

Alix recula, avec un cri, où se mêlaient l'horreur et le triomphe. Quant à Kruse, il la traita de garce, de folle, de diablesse finlandaise, tout en ouvrant vivement sa tunique et en déchirant sa chemise blanche, pour étancher la blessure. Mais la perte de sang ne tarda pas à l'affaiblir ; il tomba à genoux, cherchant à se retenir aux troncs d'arbres, et ses malédictions se changèrent en appels au secours. Alors, Alix lança le poignard lapon dans les broussailles et regagna précipitamment la chaussée pour se perdre dans la foule.

Elle se trouva soudain face à face avec Mary Ryan.

— Qu'est devenu Erik ? demanda celle-ci.

— Il m'a suivie. Il est... quelque part... dans le bois.

— Vous trouvez normal que tous les hommes vous courent après, n'est-ce pas ? Erik... et Brand aussi ?

Alix comprit alors ce qu'elle devait faire. Dans sa souffrance et son désarroi, elle se dit qu'elle l'avait compris depuis une heure déjà.

— Dites à Brand qu'il faut que j'aille rejoindre les hommes de Degerby, dit-elle.

Et elle partit en courant vers les portes de Bomarsund.

CHAPITRE XIII

LE CHALE ROUGE

Une lumière allait et venait au bout d'un long tunnel ; elle se balançait du même mouvement que le corps d'Alexandra et celle-ci avait parfois l'impression qu'elle était en équilibre au sommet d'un arbre ou d'un mât, très haut au-dessus de sa tête. Elle mit quelque temps à se rendre compte que la lumière brillait seulement quand elle ouvrait les yeux : soulever ses paupières lui était si pénible qu'elle préférait garder la tête au creux de l'oreiller, qui sentait les algues et la fumée, et qui était tiède. Mais, finalement, elle se retourna pour détendre son corps engourdi, et ouvrit les yeux sur une étoile.

L'étoile d'une nuit d'été en Finlande, quand, insensiblement, le bleu vire au gris, et le gris au blanc d'argent, de sorte que les étoiles se confondent, d'abord, avec le ciel et ne deviennent visibles, dans toute leur splendeur, que lorsqu'on les aperçoit entre les branches d'un sapin, ou suspendues comme une lanterne à la pointe d'un mât de bateau, en mer.

Alexandra était en mer. Elle le comprit en voyant au-dessus de sa tête les espars et les barres traversières dégréées, en percevant le battement des hélices, en entendant autour d'elle des voix, des piétinements de pieds nus ; elle se rendit compte que son oreiller était la jupe d'une autre femme et qu'elle était étendue sur les planches, la tête sur les genoux d'une inconnue.

— Vous sentez-vous mieux, ma pauvre petite ? murmura la femme.

Alix se redressa et porta la main à sa tête. Le foulard avait disparu, ses cheveux étaient en désordre, mais quelqu'un avait noué soigneusement le châle rouge sur ses épaules.

— Que m'est-il arrivé ? demanda-t-elle, abasourdie.

— Vous êtes tombée en montant à bord du vapeur. Vous ne vous rappelez pas ? Il y avait une telle cohue, une telle bousculade : vous avez tendu la main pour retenir mon petit garçon et vous êtes tombée...

— Je m'en souviens, à présent. Mais cela a dû se passer il y a des heures ?

— Nous avons presque atteint le détroit de Led, à ce qu'on dit.

Les étoiles se faisaient plus brillantes, la lune s'était levée. Les vieux trois-ponts mouillaient sur une mer peinte aux couleurs de la nuit, chaque vaisseau était paré en l'honneur de la victoire, pavillon français au grand mât, pavillons rouge, blanc, bleu de Grande-Bretagne, aux mâts de misaine et d'artimon et au coqueron. Tous les hublots des chambres, tous les sabords étaient ouverts et illuminés et, sur certains navires, la musique jouait.

— Ils sont en fête, dit la femme, près d'Alexandra.

— Où nous emmènent-ils ?

— D'après mon mari, aux transports de troupes anglais.

— Votre mari est à bord ?

— Oui, grâce à Dieu. J'ai cru que nous avions été séparés dans la cohue, mais c'est lui, là-bas, assis sur ce panneau ; il s'occupe de notre fils. Etes-vous seule ?

— Oui. Combien de temps avez-vous passé dans la forteresse ?

— Plus de trois mois. Et vous ?

— Moins longtemps.

L'agitation croissait maintenant sur le pont, on criait des ordres aux matelots. Le vapeur s'approcha lentement de la forme sombre, sans lumières, d'un grand vieux voilier du siècle précédent ; on distinguait son nom : *Royal William.*

— Cette fois, mon mari va porter l'enfant, dit la Finlandaise à Alix, avec bonté. Il faudra faire attention quand vous descendrez l'échelle.

Mais les pieds d'Alix avaient perdu leur sûreté et, prise de vertige, elle s'agrippa aux échelles de corde, pour descendre, avec les autres prisonniers, sur le flanc du vapeur, pour prendre place dans les canots et remonter sur le pont principal du *Royal William.* Devant la coupée, elle s'arrêta, hors d'haleine, et écarta les mèches folles qui lui tombaient sur les yeux. A la lumière d'une lanterne, deux officiers britanniques inscrivaient les noms de chaque homme, femme ou enfant qui montait à bord.

Dans son désarroi, Alix n'avait pas envisagé ce contretemps. Elle entendit le mari de la femme marmonner quelques mots incompréhensibles et ajouter « Henry », en désignant l'enfant que portait l'homme. On fit avancer le père, il jeta à sa femme un regard inquiet, puis l'Anglais demanda sèchement :

— Votre nom ? *Namn ?*
— Tora Kivi.
— La suivante. Votre nom ?
— Je m'appelle Anna Larsson, déclara Alix.

Le *Royal William* était le plus grand des sept transports de troupes britanniques qui devaient conduire les prisonniers de guerre de Bomarsund aux pontons d'emprisonnement, en attendant leur répartition entre la Grande-Bretagne et la France.

On n'avait rien prévu pour les femmes et les enfants, mais, grâce au talent d'improvisation de la Royal Navy, ils furent casés dans un réduit à l'arrière, qui, lorsque le *Royal William* transportait son effectif complet d'officiers, était affecté aux aspirants. C'était une cabine de trois mètres soixante au carré, sur un mètre soixante-cinq de haut — trop bas pour Alix, de plus de deux centimètres — et dont l'aération n'était assurée que grâce à la porte ouverte : deux fusiliers marins montaient la garde, pour surveiller ces prisonniers dangereux : neuf femmes épuisées et huit enfants en pleurs. Mais la première nuit, les femmes ne songèrent pas à se plaindre de la promiscuité. Elles empilèrent leurs châles et leurs ballots sur la massive table de chêne, couverte de lambeaux de drap vert, qui tenait la moitié du poste, et s'allongèrent sur les couchettes, où elles dormirent d'un sommeil intermittent, en s'éveillant dans la terreur, chaque fois que passait le capitaine d'armes au cours de sa ronde.

Durant la première moitié de la nuit, Alix dormit relativement bien. La longue traversée, de Degerby à Bomarsund, et les émotions violentes des heures qui avaient suivi l'avaient plongée dans une sorte d'engourdissement qui ne s'était même pas dissipé quand elle fut sortie de son évanouissement, à bord du vapeur. Mais quand la cloche piqua un coup pour le quart du matin, ce qu'elle traduisit très exactement par quatre heures du matin, et que les cris des quartiers-maîtres s'élevèrent sur le pont inférieur, juste au-dessus de sa tête, elle se réveilla brusquement et retrouva une complète lucidité pour faire le point de sa situation nouvelle.

Elle se refusa à penser à Brand. Les événements qui s'étaient déroulés à Bomarsund étaient si récents, si brûlants encore, que, de propos délibéré, elle les rejetait de sa pensée ; elle ne voulait pas réfléchir non plus aux conséquences de la folle décision qui l'avait amenée à se joindre aux prisonniers qu'on embarquait. Ce fut à la maison de bois de Degerby qu'elle pensa tout d'abord : à la stupéfaction de Mlle Agneta, quand le bateau reviendrait sans Alix, au désespoir de la servante lapone. La fidèle Anna demanderait-elle au *trolltrumma* de lui dire où et quand elle reverrait sa maîtresse obstinée ? Et le tambour répéterait-il son mystérieux message : *Jusque-là seulement ?*

A Karinlund, Alix avait fui, sans le moindre scrupule, la sotte et tatillonne tante Kitty. En s'évadant de Saint-Pétersbourg, elle avait imité la signature d'Aurora Karamsine sur un document officiel sans songer à mal, puisqu'il fallait bien tromper les Russes. Mais il était désagréable de songer à la pauvre Mlle Agneta, qui lui avait offert un refuge ; Mlle Agneta devait la chercher, l'appeler, dans les jardins et dans les champs et, chaque jour, elle allait confondre davantage cette guerre-ci avec la précédente. J'espère, pensa-t-elle, que mam'zelle Josabeth aura assez de bon sens pour lui raconter que je me suis fait enlever par un capitaine de Nelson. Cela arrangerait tout.

Elle chercha à se rendre compte de l'heure en prêtant l'oreille à la cloche du navire. Le poste des aspirants était vaguement éclairé par un hublot crasseux, en verre épais, inséré dans le flanc du bateau et, quand l'aide-cuisinier apporta des biscuits et un cruchon de thé, il accrocha au mur une lanterne — non sans jeter des regards soupçonneux aux femmes, comme s'il croyait les « Russkis » capables de mettre le feu au navire. Pendant l'heure qui suivit, personne ne s'approcha de la cabine des femmes. Aussi

256

échangèrent-elles quelques mots, craintivement, et Alix apprit que trois d'entre elles étaient des Russes de Nijni-
Novgorod, tandis que quatre venaient de la vieille Finlande
et de Karélie. Seule, Tora Kivi était originaire de la Finlande proprement dite et parlait le suédois.

— Tout est en ordre, ici ? cria la voix brève du capitaine.

Il faisait une « petite visite » au poste, au cours de son
tour d'inspection quotidien, en compagnie du premier lieutenant, avec le même enthousiasme que montraient les capitaines des frégates en allant rendre de « petites visites »aux
villages de pêcheurs, dans le golfe de Finlande. Cet aspect
de ses devoirs lui faisait horreur et, s'il avait été libre de
ses actes, il eût débarqué immédiatement les femmes et les
enfants.

— Capitaine ! fit Alix avec aplomb. Ce poste n'est pas
un endroit convenable pour de jeunes enfants. Nous avons
besoin de literie, de nourriture convenable et d'air frais...

— Ah oui... d'air frais ?

— Et... de commodités sanitaires, ajouta Alix.

Elle dut faire un gros effort pour prononcer ces quelques mots, mais, dans ce faible éclairage, les officiers ne
pouvaient guère la voir rougir ; or, à ce point de vue particulier, la nuit avait été abominable.

— Parole d'honneur, dit le capitaine, qu'est-ce que c'est
que cette mégère russe que nous avons embarquée là ? Où
vous croyez-vous donc, ma brave fille ? Au château de
Windsor, en visite chez la reine ?

— Eh bien, dit Alix, ne sommes-nous pas, d'une certaine
manière, les invitées de Sa Majesté ?

Le capitaine éclata de rire.

— Ça va bien. Nous ne voudrions pas que l'une de vous
revienne chez le tsar pour raconter qu'on ne vous a pas
bien traitées sur un navire de la reine.

Il appela le fusilier marin de garde.

— Passez la voix au médecin !

Le médecin était au travail depuis le milieu du quart du
matin : il examinait les prisonniers russes, pour la plupart
mangés de vermine et à demi nus, puisqu'ils avaient arraché
leurs uniformes pour les piétiner dans la boue, lors du
tumulte soulevé par la chute de Bomarsund. Après un bref
entretien avec le capitaine, il fit son entrée dans le poste

257

des aspirants et examina rapidement les femmes et les enfants, tandis qu'Alexandra faisait fonction d'interprète.

— Où avez-vous appris à parler aussi bien l'anglais ? lui demanda-t-il quand ce fut terminé.

— A Helsingfors, docteur.

— Vous êtes Finlandaise, alors ? Pas Russe ?

— J'ai vécu en Russie.

— Je vois.

Il l'examina tout à loisir, d'un regard scrutateur ; il remarqua ses mains blanches, ses manières gracieuses et soupçonna que cette fille aux cheveux blonds en désordre et à la robe de paysanne avait vécu l'habituelle et sordide aventure d'une jolie petite gouvernante, pas assez maligne pour se dérober aux avances de quelque principicule trop choyé, et qui avait fini comme fille à soldats à Bomarsund... c'est ainsi que le docteur, grand lecteur de romans populaires, voyait Alix.

— Je vais faire en sorte que vous ayez du lait pour les enfants, dit-il en se levant. Et vous aurez accès à la poulaine du poste des malades. On ne peut vous laisser aller aux poulaines de l'avant, avec tous ces hommes ! Oh ! et si vous avez besoin... euh... de médicaments ou de pansements... faites-le-moi savoir.

Là-dessus, le médecin s'en fut retrouver, avec soulagement, l'uniforme de la marine, qu'il connaissait depuis trente ans et où la physiologie des femmes et des enfants à la mamelle n'avait aucune place. Peu de temps après arriva le lait promis, en même temps qu'un ragoût mangeable, que vint seulement gâter, pour Alix, les odeurs de beurre rance et de fromage moisi qui venaient du magasin tout proche. Après avoir bu et mangé, les enfants s'endormirent, ainsi que les mères qui allaitaient ; les autres bavardèrent à mi-voix jusqu'au moment où l'un des assistants du médecin, passant la tête dans l'entrebâillement de la porte, appela :

— Mademoiselle Anna Larsson ? On vous demande immédiatement au poste des malades.

Il y eut une bonne minute de silence avant qu'Alix songeât à répondre à son nouveau nom. Puis elle sursauta, pleine de confusion et précéda l'homme, courant presque, jusqu'au poste des malades, encore vide, où le médecin écrivait devant un bureau pliant.

— Asseyez-vous, mademoiselle Larsson, dit-il avec courtoisie, en désignant un pliant. J'ai dîné avec le capitaine et, entre autres sujets nombreux et variés, nous avons un peu parlé de vous.

— Vraiment ?

— Si vous me permettez de vous le dire, vous êtes, de toute évidence, une femme instruite. Avez-vous déjà soigné des malades ?

— Non, jamais.

— Mais vous pourriez aider à donner des soins, si c'était nécessaire, avant notre arrivée à Londres ?

— Je pourrais essayer. Nous allons vraiment en Angleterre ?

— Oui, nous allons en Angleterre. Dites-moi, maintenant : au cours de ces derniers jours, avez-vous, à votre connaissance, été en contact direct avec un malade ?

Alix revit Brand, enroué, épuisé, elle songea à la main brûlante qu'elle avait tenue entre les siennes. Si seulement elle avait su, à Bomarsund, que la fièvre le tenait ! Si elle l'avait suivi jusqu'à la tête de pont, si elle avait évité Mary Ryan et la malheureuse rencontre avec Erik Kruse ! *Je l'ai suivi, mais je ne suis pas allée assez loin*, songea-t-elle. *Jusque-là seulement.*

— Pas en contact direct, dit-elle. Que puis-je faire pour vous aider ?

— Vous pourriez guetter les premiers symptômes de fièvre chez les femmes. Chez les enfants, aussi. Surveillez tout particulièrement Mme Kivi : elle est enceinte de trois mois — vous ne le saviez pas ? — et le choléra la tuerait en vingt-quatre heures. Si quelqu'un se plaint de maux de gorge, de maux de tête ou de diarrhée, faites-le moi savoir aussitôt. Dieu sait qu'on ne peut pas grand-chose contre le choléra, mais il faut toujours essayer.

— Oui, docteur.

— Que s'est-il passé pendant les cinq derniers jours, à l'intérieur de la forteresse ? Vous, les femmes, je pense qu'on vous a mises en lieu sûr ?

— Ou... oui, naturellement.

— Où étiez-vous donc ?

— Dans les cachots, répondit Alix, au hasard.

Il haussa les sourcils.

— Des cachots ? Hum... Je n'ai pas entendu parler de cachots, seulement de poudrières... De toute manière, vous n'avez pas bu de l'eau du puits principal ?

— Je... je ne crois pas.

— Vous savez, bien sûr, où se trouve le puits principal ?

— Au milieu de la cour.

— Vous parlez au petit bonheur, n'est-ce pas ?

— J'essaie de me rappeler. Il s'est passé tant de choses, à Bomarsund, en quelques jours...

— Mais pas pour vous.

Le médecin se leva.

— Je devrais peut-être vous remettre entre les mains du capitaine.

— Pour quelle raison ?

— Je vous soupçonne d'être une espionne russe.

Alix se mit à rire.

— Docteur, vous ne vous rendez pas compte à quel point cette supposition est absurde. Le tsar ne place pas ses « observateurs » dans un poste d'aspirants, sur un transport de prisonniers de guerre, quand il veut les faire entrer en Angleterre. Vous feriez mieux de chercher dans la haute société — parmi les femmes comme la princesse Lieven, et d'autres du même rang — si vous voulez démasquer les envoyés secrets du tsar Nicolas. Mais, pour de raisons qui me sont personnelles, je serais heureuse d'avoir un entretien privé avec le capitaine de ce navire.

— Ah oui, tiens ?

La jeune fille ne s'était pas levée en même temps que lui. Elle demeurait assise sur son pliant, comme si elle assistait à une grande réception et seuls ses doigts, qui tiraillaient les franges de son châle, trahissaient son agitation.

— Je vais être franche avec vous, docteur. Si je suis ici, c'est que je veux retrouver et aider des hommes de l'île de Degerby, où j'ai des amis. Ils ne se sont jamais battus contre les Anglais... jamais ! On les a réquisitionnés pour exécuter des travaux de construction dans la forteresse et ils ont été capturés à tort après la reddition. Je voudrais pouvoir compter, pour ce qui les concerne, sur la bienveillance du capitaine.

— Combien étaient-ils ?

— Dix-sept en tout. Docteur, leurs enfants sont venus hier à Bomarsund pour les ramener chez eux...

— Avez-vous une idée du nombre de prisonniers que nous avons embarqués la nuit dernière ?

— Non.

— Ils sont sept cents. Reconnaître ces dix-sept-là, même dans notre entrepont, ce serait retrouver une aiguille dans une meule de foin. Et les officiers de ce navire ont trop de responsabilités pour faire la chasse aux aiguilles.

— Mais Brand... mais quelqu'un que je connais m'a affirmé qu'ils seraient sûrement relâchés dès qu'ils auraient montré leurs papiers aux Anglais !

— On n'examinera pas les papiers à bord du *Royal William*. Les prisonniers que nous avons faits aujourd'hui sont *tous Russes*... tous ennemis de la reine, qu'ils aient tiré le canon ou porté des briques ; nous ne pouvons faire de distinctions. Ne vous faites pas trop de souci, ma chère enfant, ajouta-t-il avec bienveillance en voyant Alix se lever lentement. Vous pouvez les aider, voyez-vous, en veillant sur les femmes. Ne les alarmez pas, ne les laissez pas croire qu'elles sont en danger, et je ferai de mon mieux pour rendre confortable votre voyage jusqu'en Angleterre. Dieu vous vienne en aide à toutes ! Vous trouverez que le poste des aspirants était un paradis terrestre, quand vous aurez passé une nuit sur les pontons !

Les pontons de 1854 étaient de vieilles prises de guerre. Ancrés au large de la côte d'Essex, devant Sheerness ou Gravesend, ils servirent, pendant des années, de prison pour les criminels condamnés à la déportation à vie. Quand survint la guerre russe, les bateaux qui avaient connu tant de misères humaines étaient pourris jusqu'à l'âme. Le public britannique, qui, quelques mois plus tard, devait être soulevé dans des transports d'indignation à propos des conditions d'existence à Scutari, eût pu — s'il avait su regarder — découvrir la même dégradation et la même souffrance à Sheerness.

Ce fut sur le ponton *Devonshire,* à Sheerness, qu'on fit monter la majeure partie des prisonniers survivants et la première vision qu'eut Alexandra de la Grande-Bretagne fut la lugubre côte anglaise sous un ciel gris, et la foule assez réduite de badauds qui frissonnaient sous une pluie de fin août. C'était la première fois qu'on lui permettait de monter sur le pont, depuis le jour où ils avaient quitté le détroit de Led. Dans la Baltique, la rade avait été grouillante de navires, bien que les frégates britanniques fussent déjà parties pour effectuer une reconnaissance sur Abo. Mais, par-delà les hauts mâts et les flancs quadrillés des trois-ponts, Alix avait pu distinguer les rochers granitiques des îles, et le ciel pâle, bordé d'une large bande de turquoise à l'horizon, qui formait une voûte au-dessus de la Finlande. Là-bas, c'était encore chez elle. Mais, quand les prisonniers émergèrent sur le pont — après avoir été enfermés sous les panneaux durant toute la traversée de la Baltique et de la mer du Nord — elle vit un pays étranger et elle pleura.

— En bas, vous autres ! En bas, salauds de Russkis !

Tel fut l'ordre le plus modéré lancé aux prisonniers par leurs nouveaux gardiens, tandis qu'ils embarquaient en foule sur le *Devonshire* ; et cet ordre fut renforcé de coups de garcette et de crosses de mousquet lorsque quelques-uns des Russes se retournèrent avec un grondement de défi. Alix et les femmes, plusieurs vingtaines en tout, durent descendre, plus bas que l'entrepont encombré du vieux navire de guerre, jusqu'au faux pont, bien au-dessous de la ligne de flottaison, où, seules, deux « camoufles » dans des lanternes de corne craquelées éclairaient la cale d'arrimage fétide et les rangées de câbles graisseux.

— Vous ne pouvez pas nous laisser ici ! s'écria Alix, en voyant cet endroit immonde.

Pour toute réponse, un homme la gifla — c'était le premier soufflet qu'elle eût reçu de sa vie ; elle chancela sous la violence du coup, mais le vieil instinct primitif lui fit porter la main au *puuko* de sa ceinture. Heureusement pour Alix, le couteau lapon était enfoui dans les broussailles d'un bois de sapins, bien loin de là, car le matelot qui l'avait frappée lui immobilisa aussitôt les deux bras et la jeta à terre, parmi les chaînes.

— Voilà comment on dresse les chats sauvages de ta sorte, à bord du *Devonshire,* dit-il. C'est-y qu'il y en a d'autres qui veulent déguster ?

Ainsi commença, pour les prisonnières, un règne de terreur. Le faux pont était situé juste au-dessus de la cale, et, dans cette cale, l'eau recouvrait un lest de gravier, chargé soixante ans plus tôt, quand le ponton démâté avait été remorqué jusqu'à son mouillage de Sheerness pour y pourrir. Dans ce puisard fétide, à l'époque où le ponton servait de prison, s'étaient accumulées toutes sortes d'immondices : vêtements ignobles, excréments humains, abjects fruits d'avortements, pratiqués dans l'obscurité — et, de cette fange, montait une indicible puanteur dans laquelle devaient vivre continuellement les femmes du faux pont. Elles étaient arrivées de Finlande sans avoir contracté le choléra ; quelques jours plus tard, trois d'entre elles furent terrassées par une sorte de fièvre des prisons et en étaient mortes.

Les officiers du *Devonshire* étaient d'une tout autre race que les officiers de la flotte de la Baltique. En demi-solde, portant des grades honorifiques, ils préféraient passer leur temps dans les tavernes de Sheerness et laisser aux fusiliers marins, qui étaient de garde vingt-quatre heures sur vingt-quatre, le soin d'assurer l'ordre sur le ponton. Des fusiliers, mousquet chargé, baïonnette au canon, gardaient passerelles et passavants, et des caronades, montées sur le gaillard d'avant et le gaillard d'arrière, étaient pointées vers les ponts. Quand les prisonniers, une fois par jour, prenaient un peu d'exercice, les caronades étaient abaissées, de façon à pouvoir balayer l'embelle, et tirer à boulets ronds dans la masse mouvante, au moindre signe d'insubordination. Mais, si une querelle éclatait entre les prisonniers, il en allait tout autrement : pour les Anglais, une rixe, comme il s'en produisait presque chaque jour entre Russes et Finlandais, c'était la bataille de coqs et ils étaient toujours prêts à parier sur les Finlandais. Un jour où un Finlandais, fou de rage, tua son adversaire russe en l'étranglant avec les basques de son propre manteau, les fusiliers marins se décidèrent tout de même à tirer en l'air, au-dessus de la foule déchaînée qui se bousculait dans l'embelle, et un officier à moitié ivre, ramené en toute hâte d'une taverne des quais, menaça d'appeler l'autorité militaire pour écraser l'émeute. Il n'y eut aucune formalité de police. On descendit le mort à terre pour l'inhumer discrètement. Un Russe de plus ou de moins, quelle importance pour l'Angleterre, qui frémissait de joie à la nouvelle que l'armée alliée, forte de cinquante-huit mille hommes, s'était, à la fin des fins, embarquée à Varna pour la Crimée.

Dans une telle forcerie du vice, le mal sous toutes ses formes ne pouvait que s'épanouir, depuis le chapardage jusqu'à la prostitution. Alice couchait dans les cales aux filins, protégeant de ses mains le portefeuille de cuir qui contenait la broche aux feuilles d'or et l'argent qu'elle avait emporté de Degerby ; elle serrait le portefeuille sur sa poitrine nue, sous le châle rouge, les rares fois où une distribution d'eau de lavage lui permettait de laver et de faire sécher son corsage et son unique vêtement de dessous. Les jours de lessive, les gardiens aimaient bien apporter leurs repas aux prisonnières : ils avaient alors l'occasion de pincer et de presser des chairs nues, sous les minces châles et les caracos d'été, et ils s'esclaffaient grossièrement quand les femmes qui avaient assez de vertu pour leur résister grimpaient sur les cales à filins et les menaçaient de barres de fer et de crochets trouvés dans le fouillis du faux pont. Mais toutes les femmes n'avaient pas autant de vertu. La plupart des Russes, à l'exemple des trois femmes de Nijni-Novgorod, descendaient volontiers pour quelques pièces de monnaie ou un quart de gin, et ce, à n'importe quelle heure du jour, quand les matelots ou les fusiliers marins pouvaient se glisser jusqu'à elles. Alix, Tora Kivi et les deux Karéliennes se serraient dans un coin et tentaient d'empêcher les plus âgés des enfants de voir et d'entendre les scènes grossières qui se déroulaient à quelques mètres d'eux, tout en priant pour leur propre délivrance.

— Maman, voilà encore les rats qui me courent sur les pieds, se lamentait le petit garçon de Mme Kivi.

Alix l'attira sur ses genoux.

— Ne pleure pas, Henry. Cette situation ne durera pas toujours.

— Qu'est-ce qui vous le fait croire ? murmura la mère de l'enfant.

— Nous sommes certainement au tréfonds de l'enfer, ici. Il ne peut rien exister de plus bas...

— Ces Anglais sont des brutes, pires que des brutes. Notre petit père le tsar, il a eu bien raison de nous défendre quand ils ont déclaré la guerre...

— N'appelez pas Nikita « petit père », fit Alix avec entêtement. Tous les Anglais ne ressemblent pas à ces immondes cochons.

Elle revoyait le capitaine Sulivan, fier et courtois, et ses grands lieutenants, qui s'étaient promenés avec elle dans les jardins de Degerby. Elle se rappelait le salon frais, où Sulivan lui avait donné sa propre bible, et elle entendait — avec quelle clarté ! dans l'enfer du faux pont — la voix de Brand qui lui lisait le passage marqué dans l'Ecclésiaste :

« *Tout ce que tu trouves à entreprendre, fais-le tant que tu le peux...* »

Il n'y avait plus rien, maintenant, que pût entreprendre Alexandra, elle ne pouvait que porter de l'eau pour laver les enfants de ses compagnes de captivité et apaiser leurs larmes, la nuit ; et elle le fit, durant les quarante jours et les quarante nuits que dura leur emprisonnement dans le ponton *Devonshire*.

264

LE CHALE ROUGE

|*.
* *

Le public britannique, réconforté par la victoire de Bomarsund, se fâcha en apprenant que sir Charles Napier
jugeait la saison trop avancée pour tenter une opération sérieuse sur la forteresse clé de Sveaborg. Déjà, les Français
étaient rentrés chez eux, avec leurs navires à voiles et à
vapeur et leurs soldats, à l'exception de huit cents hommes,
qui étaient vaillamment descendus à terre à Bomarsund et
y étaient morts du choléra. Le choléra avait fait des ravages sur le transport *Hannibal,* où de nombreux prisonniers de guerre — parmi lesquels dix hommes de Degerby
— étaient morts et avaient été immergés ; il faisait toujours
rage dans la flotte de la Baltique. Le navire hôpital *Belleisle*
demeura dans la baie de Lumpar, avec plusieurs autres
vaisseaux convertis au même usage, et Brand Endicott fut
parmi les nombreux malades dont la fièvre et le délire ne
firent que s'aggraver au bruit des explosions et des chutes
de pierre, quand on rasa finalement le grand fort et les
tours à la Martello.

Lentement, aussi lentement qu'avait démarré la guerre,
on prenait en haut lieu des décisions concernant les prisonniers de guerre, dans les pontons. Le général Bodisco et
son état-major, qui avaient bénéficié d'un traitement de
faveur, partirent, avec toute leur mélancolique grandeur,
pour exciter la sympathie de la France, où la majeure partie des Russes furent également envoyés pour être empri-
sonnés à l'île d'Aix. Napoléon III les aurait bien fait défiler
à travers Paris, comme dans un triomphe romain. Il avait
bien besoin de défilés glorieux. La plupart de ses ennemis
politiques étaient en prison depuis le coup d'Etat de 1851
et, en provoquant la guerre russe, il s'était débarrassé des
officiers soupçonnés de comploter sa chute, mais toute démonstration spectaculaire qui pouvait enfler l'orgueil de son
peuple et accroître la foi aveugle qu'il avait en Napoléon
représentait un bon placement pour l'empereur des Français.
On expédia en France le plus de prisonniers possible et,
seules, cent soixante-quinze personnes, qui avaient déclaré
devant les commissaires britanniques qu'elles étaient Finlandaises et non Russes, furent enfin transférées du ponton
Devonshire à la prison de Lewes, dans le comté de Sussex.

— Avez-vous déjà pris le train, Anna ? demanda le petit
Henry Kivi.

265

LA FORTERESSE

Ils attendaient, sur le quai de Sheerness, les voitures qui allaient les emmener à Londres.

— Oh, oui, très souvent. C'est très amusant ! lui assurat-elle.

Henry était déjà très excité. Il était le dernier enfant qui restât sur le *Devonshire* et quelques braves garçons, parmi les matelots, lui avaient offert, comme cadeaux d'adieu, un ou deux jouets et un sifflet de maître d'équipage.

— Où êtes-vous allée par le train ?

— A un endroit appelé Tsarskoié-Sélo.

— Ce n'est pas là qu'habite le tsar de Toutes les Russies ?

Henry était un enfant de cinq ans, très intelligent.

— Je crois, en effet, qu'il y habite parfois.

— Vous l'avez déjà vu ?

— Oui, Henry, j'ai vu le tsar.

— Aimeriez-vous être maintenant à Tsarskoié-Sélo ?

— Non, je préfère aller à Lewes.

— Mais nous allons être mis en prison, à Lewes, mon père l'a dit. Où aimeriez-vous le mieux aller ?

Alix hésita. Puis elle se pencha vers le petit garçon pour lui murmurer à l'oreille :

— A l'île Bijou.

— Où est-ce ?

— Dans l'Etat du Maine.

— Pourquoi votre voix est-elle toute drôle pour dire ça ?

— Parce que c'est ainsi que parlent les gens, dans l'Etat du Maine.

— C'est sur la route de Londres ?

La route de Londres fut longue et froide et Alice frissonnait, dans son châle rouge et ses minces vêtements. Mais le train omnibus pour Lewes était bondé ; il y faisait donc chaud. Et ce mode de locomotion assionnant, qui représentait pour tous un tel changement, un tel sujet d'alarme, aussi, pour les jeunes soldats finlandais, pendant les premiers kilomètres, agit comme un dérivatif sur ceux qui venaient d'être claquemurés dans le *Devonshire* infesté de rats. Les gardes militaires s'émerveillaient de la docilité des prisonniers qui demeuraient assis, silencieux, les yeux fixés sur la verte campagne anglaise qui défilait de chaque côté de la

266

voie ferrée. C'était une belle journée d'octobre et le soleil brillait.

— Anna, regardez tous ces gens ! articula Tora Kivi, saisie. Sont-ils... ont-ils l'intention de nous faire du mal ?

— Oh, certainement pas !

Mais Alix elle-même eut un mouvement de recul — les semaines passées dans l'obscurité du faux pont l'avaient rendue timide — à la vue du groupe remarquable assemblé sur le quai. Le chef-lieu du comté de Sussex avait été profondément troublé en apprenant que des « prisonniers russes » allaient être détenus dans la vieille prison du comté. Quelques jours seulement s'étaient écoulés depuis qu'était parvenue en Angleterre la nouvelle de la bataille de l'Alma — la grande victoire en Crimée, que le public souhaitait depuis si longtemps, et qui, avec la nouvelle de la charge de la brigade légère, semblait mettre Sébastopol à portée de la main des Alliés. Cela seul suffisait à donner aux citoyens de Lewes le désir d'avoir des « prisonniers russes ». Les personnages officiels de la municipalité, portant la robe de leur fonction, étaient présents avec leurs épouses, sur le quai de la gare, aux côtés du gouverneur de la prison, qui devait prendre livraison des dix officiers et des cent cinquante-quatre hommes confiés à ses soins.

Le lieutenant-colonel Gustaf Grahn, officier du plus haut grade, se montra digne des circonstances. En bon anglais, il déclara que « les officiers finlandais au service de la Russie » et les épouses de deux de ces gradés étaient très heureux d'arriver à Lewes, où ils devaient être prisonniers sur parole, car ils avaient une confiance absolue en leur noble et généreux ennemi. On applaudit, une musique se déchaîna, et les « prisonniers russes » furent emmenés pour défiler à travers les rues noires de monde, où aucune voiture ne pouvait circuler jusqu'à ce que les captifs fussent passés.

Alix marchait avec Tora Kivi et le petit Henry, juste devant les deux jeunes Karéliennes qui ne les avaient pas quittés depuis le début de leur emprisonnement. Elle levait haut sa tête blonde. Cette lente montée depuis la gare jusqu'à la grand-rue constituait une dure épreuve elle comprenait la plupart des remarques des badauds et le sarcasme occasionnel lui était moins pénible que les pitoyables : « Pauvres gars, ce sont encore des enfants ! Comme ils sont maigres, comme ils ont l'air d'avoir faim ! » Elle ne savait que trop combien les grands Finlandais avaient l'air pathétique. Presque tous avaient moins de vingt ans et ils étaient si faméliques que les manteaux militaires de grossière étoffe grise, qui leur battaient les talons, pendaient en plis lâches sur leurs carcasses. Ils étaient coiffés de petits bonnets à quatre pointes, en tissu vert, et portaient sur leur dos des musettes qui contenaient toutes leurs possessions. Leur teint clair, leurs fins cheveux blonds, accentuaient encore leur apparence de jeunesse.

— Eh ben, on a pas grand-chose à craindre, si c'est un échantillon de l'armée russe! cria un jovial fermier du Sussex.

Et le cœur d'Alexandra s'enfla d'un amour protecteur. Ils sont misérables, avait-elle envie de crier, ils ont faim, ils sont vaincus. Mais attendez que les Finlandais deviennent une nation et nous vous montrerons de quoi nous sommes capables! La triste procession s'engagea dans la grand-rue, où la foule était particulièrement nombreuse. Les gens de Lewes regardaient les femmes et l'enfant. Le châle rouge d'Alexandra jetait une note de couleur éclatante parmi les gris ternes et les noirs. Depuis des semaines, la presse populaire expliquait la Russie aux Anglais : l'autocratie du tsar, les relais peints en rouge, les barrières rouges des postes de douane, les bornes kilométriques rouges qui symbolisaient son autorité à travers Toutes les Russies. Le rouge était devenu la couleur de l'ennemi. Ce fut le châle, saisi dans un moment de joie à Degerby, tout autant que son visage bouleversé, qui fit d'Alix la personnification du rouge pour la foule et suscita des murmures :

— En voilà une qui ne manque pas d'aplomb, celle qui a le châle rouge !

— Et elle n'a même pas de corset !

Car la brise d'octobre plaquait sur les membres d'Alexandra ses minces vêtements et les contours des seins et des cuisses se révélaient aux yeux avides des valets et des entraîneurs venus des écuries des Downs toutes proches.

— Une vraie drôlesse, que c'est !

— *Sale Russki !*

Un enfant, percevant le sentiment de la foule, avait jeté une motte de terre. Elle vola par-dessus les têtes des garçons d'écurie qui s'alignaient au long d'Albion Street, traversa la chaussée et atteignait Alix à l'épaule. C'était de la terre meuble, une touffe d'herbe arrachée au talus ; la terre humide se répandit sur le châle rouge qui avait excité la colère primitive de cette foule, et un gros rire éclata.

Alix continua d'avancer péniblement. Elle sentait de la boue sur sa joue, mais l'orgueil lui interdisait de l'essuyer et, à la vue de son visage figé, le rire s'éteignit. Tora lui prit la main.

— Etes-vous blessée, Anna ?

La brave femme était en larmes.

— Non... ne leur laissez pas voir qu'ils nous blessent ! Oh, avons-nous encore loin à aller ?

Pas très loin. Il ne restait plus que East Street et North Street et ils eurent devant eux la prison de guerre, derrière ses hautes murailles surmontées de pointes. Trois étages de fenêtres à barreaux, ouvertes dans la brique rouge, avec deux ailes entre lesquelles une cour de récréation remplaçait l'« écureuil » d'une époque révolue. Les geôliers attendaient, prêts à les diriger vers leurs cellules. La porte se referma, séparant les prisonniers finlandais de la rumeur de la ville, des senteurs de la campagne automnale et de l'air frais d'octobre. Alix dut monter vivement un étroit escalier en colimaçon, aux marches de pierre, à la rampe de fer, qui menait à un couloir sombre au plafond voûté. On la poussa par une porte si basse qu'elle dut se courber pour entrer. Tora et l'enfant la suivaient. La clé tourna dans la serrure et ils se retrouvèrent seuls dans leur cellule.

Le sol était de pierre nue. L'endroit avait à peine trois mètres de long sur deux de large. Deux lits de planches, garnis de paillasses, de chaque côté de la cellule, occupaient un mètre vingt. Les prisonniers ne devaient sortir de là à aucun moment, comme en témoignait le guichet pratiqué dans la porte et par lequel était passée la nourriture. Ce guichet se fermait de l'intérieur mais, au-dessus, se trouvait un judas sans volet, par lequel les geôliers pouvaient à tout instant surveiller les deux femmes. C'était pire que l'obscurité du faux pont : ici, l'on pouvait les épier quand elles dormaient, quand elles s'habillaient, quand elles faisaient leur toilette dans un angle de la cellule, quand elles utilisaient la chaise percée dans l'autre angle. Dans cet espace réduit, trois être humains devaient vivre dans une intimité forcée, pendant Dieu seul savait combien de jours et de nuits, acceptant leur nourriture comme des animaux engraissés à l'étable, et sans jamais savoir si un homme ne les épiait pas, dans le corridor obscur.

LA FORTERESSE

Ils avaient peut-être déjà connu le fin fond de l'enfer, mais il leur restait encore d'autres cercles à explorer.

— Il était une fois, racontait Alexandra au petit Henry Kivi, une jeune fille qui avait grande envie de combattre un ours.

— Vous voulez dire une princesse, dit Henry, qui aimait les formes traditionnelles. Sa mère était à l'infirmerie auprès de son mari malade.

— Bon, une princesse, si tu veux.

— Et elle était très belle.

— Certains la trouvaient belle. Mais elle ne laissait pas beaucoup de gens le lui dire ; elle était bien trop occupée à penser à l'ours.

— Est-ce qu'elle avait vu l'ours ?

— Oh, oui, elle l'avait vu. Elle savait combien il était grand et fort, comme ses yeux étaient terribles et fixes, combien il aimait à torturer des êtres humains, et non des ours comme lui...

— Alors, qu'est-ce qu'elle a fait ?

— Eh bien... elle était un peu sotte... elle a d'abord essayé de forcer des tas d'autres gens, et une personne en particulier, d'aller combattre l'ours dans sa tanière.

— Et ils l'ont fait ?

— Oui, mais l'ours était très fort et très malin, et ce n'était pas facile de le vaincre.

— Est-ce qu'elle n'aurait pas pu le tuer toute seule ?

— Une fois, elle aurait pu.

Les bras d'Alexandra resserrèrent leur étreinte autour de l'enfant.

— Une fois, elle était si près de l'ours et il l'avait mise tellement en colère qu'elle aurait été capable de lui plonger un couteau de chasse en plein cœur...

— Pourquoi elle ne l'a pas fait ?

— Parce que les trolls lui avaient jeté un sort, si bien que, tout en désirant faire de son mieux, elle ne put y réussir et, ensuite, tout alla de travers. Elle voulut aider des gens que l'ours avait attirés dans l'une de ses horribles tanières ; oh, elle essaya de combattre l'ours de toutes les façons. Mais à la fin, devine un peu tout ce qu'elle fit ?

— Quoi ?

— Elle s'occupa d'un seul petit garçon pas très sage.

270

LE CHALE ROUGE

Avec dignité, Henry se laissa glisser par terre et battit en retraite jusqu'au lit qu'il partageait avec sa mère.

— Je pense que c'est moi, ce petit garçon ?

— Ça pourrait être toi, non, quand tu fais marcher ce sifflet ?

— Je trouve cette histoire très bête. Racontez-moi plutôt l'histoire d'Otto von Fieandt.

— « Qui, avec dix-sept cents Finlandais, tint en respect trois mille Russes à Karstuba ? » Tu parles de cet Otto-là ?

— *Oui !* Et aussi l'histoire du lieutenant Sandels.

— Ce soir, peut-être.

Quand le geôlier vint chercher le petit garçon pour le conduire auprès de sa mère, Alix demeura assise sur sa couchette pendant quelques instants de bienheureuse solitude. En l'absence de la pauvre femme avec laquelle elle passait tous ses jours et toutes ses nuits, elle put se laisser aller à penser à Brand.

Elle était certaine qu'il était vivant. On ne pouvait absolument pas admettre que l'athlétique vigueur de l'Américain eût succombé à une fièvre qui, certes, faisait mourir beaucoup d'hommes, mais dont tant d'autres réchappaient. Et, puisqu'il était vivant, il devait se trouver encore quelque part dans la Baltique, avec cette magnifique escadre qui, les geôliers le lui avaient dit, devait tenir l'entrée du golfe de Finlande jusqu'au tout dernier moment, jusqu'à l'époque des glaces. C'était la pensée de Brand Endicott en service commandé et, plus encore, de Brand en prison, qui avait donné à Alix la force de vivre durant les deux premières semaines à Lewes, alors qu'aucun des prisonniers de guerre n'avait le droit de quitter sa cellule, fût-ce pour une heure. Il est allé en prison à cause de moi, telle était sa constante pensée. Je dois lui prouver que je puis, moi aussi, supporter la prison.

Tora fut ramenée de l'infirmerie, pâle, le visage marqué par les larmes, et Alix laissa la pauvre femme parler de son Erik et de l'opération qu'il devrait bientôt subir. Elle savait combien Tora s'assoupissait rapidement, à présent, le soir : avec un peu de chance, elle s'endormirait tout de suite après souper et elle aurait une bonne nuit de sommeil avant d'apprendre le pire.

— Maman, tu ne veux pas venir à l'atelier de jouets, ce

soir ? demanda Henry, d'un ton d'importance, dès que leurs écuelles à soupe vides eurent été rendues par le guichet.

— Maman a mal à la tête, mon chéri. Va avec Anna, une heure seulement, et reviens te coucher de bonne heure, comme un bon petit garçon.

Tora parlait avec autant de calme que si elle avait donné des ordres dans sa propre maison et Alix rendit grâces au ciel : dans les jours qui allaient suivre, ce flegme sauverait peut-être l'enfant que portait Tora, malgré les violentes émotions qu'elle allait éprouver. Quant à Alix, elle attendait avec plaisir l'heure de travail en commun que, sur sa propre insistance, le gouverneur Mann avait fini par accorder. Elle n'était pas douée pour les travaux manuels, mais elle tenait à jour les états du matériel distribué, des travaux réalisés par chacun des hommes et des recettes produites par les coffrets sculptés et les jouets en bois que la Société Féminine de Bienfaisance vendait en ville au profit des prisonniers.

On fabriquait les jouets dans ce qui avait été la cuisine de l'ancienne prison du comté : après la conversion des bâtiments en prison de guerre, c'était devenu la buanderie. Il y faisait bon : les grandes chaudières de cuivre gardaient longtemps leur chaleur, l'appartement bien chauffé du gouverneur était tout voisin et plus de cent personnes travaillaient ensemble dans la pièce. Alix se glissa à une place libre, entre les deux jeunes Karéliennes, qui brodaient des serviettes de table pour une commande de la Société de Bienfaisance de Lewes, et salua de la tête ceux des hommes qui cherchaient timidement son regard. Elle se sentait le cœur presque brisé, à voir leur patience, leur satisfaction même, tandis que les minces copeaux de sapin blanc glissaient sous leurs couteaux : dessins compliqués sur les boîtes à ouvrage, mâts de la Saint-Jean en miniature et — entre les mains des plus habiles — petites figurines de Lapons, de pêcheurs et de rennes. Ce seraient là les seules traces de leur pays que les Finlandais laisseraient en Angleterre.

— Anna, vous m'avez *promis* de raconter l'histoire d'Otto von Fieandt !

Le petit Henry n'avait rien d'un enfant pleurnicheur, mais les gâteries de la salle de garde lui montaient à la tête et il tenait à prouver (ses amis, les geôliers observaient la scène de tous les coins de la salle) qu'il pouvait obtenir de

272

mam'zelle Anna qu'elle laisse ses comptes pour lui faire plaisir.

— Pas tout de suite, Henry. Sois sage.

— Ah-h-h ! Je veux que vous racontiez les *Récits du lieutenant Stäl !*

— Pas tous ! s'écria Alix, avec un effroi bien joué qui fit rire les voisins.

— Alors, Sandels au pont de Virta, insista l'enfant. C'est l'histoire que je préfère.

— Moi aussi, petit, dit l'un des sergents finlandais. Fais une grosse bise à mam'zelle de notre part à tous et demande-lui de nous redire l'histoire.

— C'est honteux, Henry ! dit Alix en riant.

Elle cherchait à éviter les lèvres humides que le petit lui plaquait sur la joue.

— Devant tous ces messieurs qui nous regardent !

— Vous pourriez, si vous connaissez une chanson ou un poème, le dire pour nous, mam'zelle Anna, fit l'un des plus jeunes soldats, d'un air mélancolique.

Elle comprit aussitôt sa pensée. Il aurait l'impression de se retrouver chez lui, de passer une soirée dans sa petite *pörte* en pleine forêt, au bord du lac, avec toute la famille assise devant le feu pour écouter quelque saga du nord. Elle avait déjà entendu quelques-uns des hommes réciter des passages du *Kalevala,* mais d'instinct, elle sut que ce n'était pas cela qu'il leur fallait, à ce moment. Ces jeunes gens étaient de la même génération qu'elle. Ils étaient enfants en 1848, l'année de la révolution ; ils vivaient une guerre qui les avait envoyés en prison et en exil et les héros mythiques du *Kalevala* étaient trop étrangers à leur univers. *Le lieutenant Stäl* — le grand cycle poétique de Runeberg sur la guerre russe de 1808, les chants qui avaient fait d'Alix Gyllenlöve, comme de tant d'autres jeunes de sa génération, des nationalistes — *le lieutenant Stäl*, en effet, répondrait mieux à leur besoin actuel.

Alix se leva. Les deux jeunes Karéliennes levèrent vers elle un regard surpris. Quelques hommes se mirent à applaudir.

— « Sandels » ! réclama le petit garçon avec vivacité.

— Non, Henry, attends.

Alix réfléchissait rapidement. Le premier poème du cycle, elle n'osait pas essayer de le leur dire. C'était depuis six ans l'hymne national finlandais, chanté pour la première fois, sur une musique de Pacius, lors d'un festival d'étudiants à Helsingfors et, depuis lors, mis à l'index et rigoureusement interdit par les autorités russes : en fait, Alix se demandait si beaucoup de jeunes gens l'avaient jamais entendu. Il en allait de même de la *Lamentation pour Sveaborg* : elle craignait que sa voix ne pût tenir jusqu'à la fin du poème. C'est alors qu'elle se rappela par bonheur « Sven Dufva » et, aussitôt, elle entama l'histoire de la recrue malhabile qui plaisait aux jeunes gens. Chacun d'eux, au régiment, avait connu un Sven Dufva, l'avait été lui-même, peut-être ; chacun se sentit amusé, ému, quand vint le dénouement ; Sven, alors que le sergent criait : « En retraite ! », continua d'avancer et aida ainsi la Finlande à remporter la victoire au Pont de Virta.

— Encore, mam'zelle, encore !

— Mais il est l'heure, non ? Voici le gouverneur ! dit Alix.

C'était bien le gouverneur Mann, surpris de trouver les silencieux Finlandais si extraordinairement animés. Il adressa au gardien-chef un signe indulgent qui accordait quelques minutes de grâce.

— Racontez-nous l'histoire de Döbeln à Juutas, mam' zelle, *s'il vous plaît !*

Alix acquiesça d'un signe. C'était le plus magnifique de tous les récits, celui que tout enfant finlandais entendait dès le berceau. L'histoire du général patriote qui se leva de son lit de douleur et se rendit à cheval jusqu'à Juutas, au moment le plus crucial de la guerre de 1808, inspirant ainsi à ses hommes assez de courage pour remporter la victoire; le chant des soldats en haillons ; le chant de la foi en la Finlande... oui, elle pouvait le dire. Alix vit le pauvre appentis dans lequel ils étaient réunis, avec ses chaudières, ses fils d'étendage, ses calandreuses ; la double rangée de tables en bois blanc, couvertes des matériaux pour fabriquer les jouets; les jeunes visages hâves, patients, au-dessus des uniformes gris : tout disparut à ses yeux. Elle revit Helsingfors, par un matin d'été, le dôme bleu qui montait au-dessus de la place du Sénat, et Sveaborg, de l'autre côté de la baie.

« A Juutas, tous les canons étaient silencieux,
La mort y faisait sa première moisson.
Les Finlandais, désormais prêts à mourir,
Et non plus à vaincre, rompaient les rangs, effarés... »

LE CHALE ROUGE

Le grandiose prélude commençait. Les profondes notes d'orgue de Runeberg annoncèrent l'entrée en scène de Döbeln, venu ranimer l'ardeur des soldats abattus. De nouveau, les Finlandais s'élançaient en avant, la bataille de Juutas était gagnée.

« Et, avant que le soir eût envoyé ses ombres,
En pleine déroute étaient les forces russes... »

Il y eut alors, dans la salle de la prison, un frémissement, un soupir de satisfaction qui agita les prisonniers comme la brise agite un champ d'orge. Alix y prit à peine garde. Son cœur battait la chamade tandis qu'elle se hâtait vers la grande invocation qui termine l'histoire. Son seul espoir était que sa voix ne faiblirait pas, ne se briserait pas, afin qu'elle pût faire honneur à ces lignes immortelles. Elle était là-bas, sur ce champ de bataille, à la lumière des étoiles, et non point en prison, et les jeunes gens en gris y étaient avec elle, leurs cœurs brûlants d'amour pour l'avenir de leur patrie...

« O Finlande, qui peut prévoir ton destin ?
Au livre de l'Avenir, caché à nos yeux,
Un jour t'attend, heureux ou malheureux.
Mais, que tu te réjouisses alors, ou que tu souffres,
Tu te souviendras pourtant, parmi tes plus belles heures,
Eternellement de celles-ci: les heures de Döbeln! »

CHAPITRE XIV

JACK-EN-DERIVE

B RAND ENDICOTT DESCENDIT
du train de Portsmouth et considéra le tohu-bohu de la gare
de Waterloo. Il était à peu près six heures du soir, le 23
décembre, un samedi : la fin d'une semaine de travail, le
début du congé de Noël. Les hommes, qui se frayaient un
chemin à travers la foule jusqu'aux trains en partance, portaient des dindes et des oies, plumées ou non, des paniers de
fruits ou de vins, et des cadeaux de Noël gonflaient leurs
sacs de voyage ; les dames elles-mêmes, qui relevaient déli-
catement leurs jupes cloches pour leur éviter le contact du
quai malpropre, avaient un petit air de fête, avec les bou-
tonnières de houx ou de violettes d'hiver épinglées à leurs
chaudes pelisses et à leurs cols de zibeline. C'était là une
foule prospère, une foule en liesse : John Bull et sa dame
s'en allaient passer Noël dans quelque maison de campagne
du Surrey, ils apportaient des présents, ils se préparaient au
genre de réjouissances que Dickens et le prince consort
avaient depuis peu mises à la mode. Les agents eux-mêmes
étaient de bonne humeur : ils tournèrent un regard indulgent
vers une bande de chanteurs dépenaillés qui interprétaient
des noëls près de la sortie principale de la nouvelle gare.
Les vendeurs de journaux criaient : « Napier amène son
pavillon ! » Brand, après une brève hésitation, écarta d'un
geste le vendeur et reprit son chemin. Il en savait autant là-
dessus que le correspondant du journal — ou davantage ;

276

il n'avait pas le cœur à s'offrir une resucée londonienne de la scène qui s'était déroulée la veille à Portsmouth, après que le vieux Charley Napier eut reçu la note de l'Amirauté qui mettait fin à son commandement en Baltique. Il s'intéressa davantage aux affiches placardées près des horaires des trains ; surtout à l'une d'elles, un appel pour la souscription au Fonds Patriotique « afin d'alléger les souffrances de nos troupes en Crimée », et aussi à un hardi « Engagez-vous dans la Légion étrangère ! » Ce dernier placard l'informa qu'on allait, en exécution de la loi sur l'enrôlement des étrangers, lever une troupe de dix mille étrangers, qui seraient instruits en Grande-Bretagne, « afin de poursuivre avec succès la guerre contre la Russie ».

Brand lut ces lignes avec ce qu'on eût pu prendre pour un sourire. Ce n'était en réalité qu'un rictus, les lèvres étirées sur la blancheur des dents, et la signification de la grimace était incertaine. Il jeta sur son épaule son sac de marin et prit la direction de York Road. Les lettres affectueuses qu'il avait reçues après sa guérison du choléra lui avaient apporté la certitude qu'un accueil cordial l'attendait chez son oncle et il avait tout le temps d'attraper un omnibus qui le conduirait directement à la jolie maison de Camberwell Green. Mais Brand ne se sentait pas de goût pour Camberwell, les conversations sur la Tarras Line et les minauderies de miss Bell et de miss Flora. Ce qu'il voulait, c'était passer la soirée en ville.

Le York Arms Hotel, où il prit une chambre, était aussi neuf que la gare de Waterloo, si l'on en jugeait par l'éclairage au gaz et les inquiétantes crevasses du papier de tenture, au-dessus de la cheminée, dans la salle à manger. Pourtant, la suie londonienne, la crasse londonienne l'avaient déjà patiné d'une couche si épaisse qu'il eût fort bien pu compter au nombre des vieilles auberges du Borough où les passagers des diligences descendaient depuis plus de deux cents ans. Brand commanda un grog au rhum et le but au coin du feu, dans la salle à manger. Le feu s'étouffait sous les cendres et le rhum était d'un degré bien inférieur à celui de la Royal Navy.

Il avala le grog insipide et passa dans la salle à manger à moitié vide, où il commanda un potage aux fèves, une patte de poulet étique garnie de pommes de terre bouillies et de choux de Bruxelles. Maigre chère, mais suffisamment savoureuse pour un homme qui, peu de jours auparavant, doublait le cap Skagen par un fort vent de nord-ouest, avec toutes les tables de popotes de l'*Arrogant* prêtes à se renverser entre deux bouchées, et la purée de pois mélangée à la ration de rhum, sur le pont. Il n'y avait pas encore quarante-huit heures que Brand était à terre, mais il savait déjà que tout ce qu'avait fait la Royal Navy dans la Baltique, depuis le blocus des ports russes jusqu'à la prise de Bomarsund, s'était effacé de la mémoire d'un public qui ne pouvait, à présent, penser qu'à l'héroïsme de miss Florence Nightingale et aux souffrances des troupes devant Sébastopol. Impassible, il se consacra à son pudding aux raisins.

A Camberwell Green, pour le jour de Noël, il y aurait un pudding, de l'oie rôtie, et une dinde, car Mme Arthur Tarras avait une bonne cuisinière et sa table était bien servie. Brand songea qu'il ferait bien de se présenter le lendemain chez son oncle et de faire son possible pour participer aux réjouissances. Il avait plus de chance que la plupart de ses camarades d'équipage : une famille l'attendait, impatiente de l'accueillir.

Mais la seule famille qu'il voulût vraiment, c'était Alexandra, et il l'avait perdue. En disparaissant de sa vie, elle avait emporté tout l'enthousiasme, toute l'ardeur qu'il eût pu ressentir en dressant de nouveaux plans, après le licenciement de la flotte de la Baltique. Son unique lien avec Degerby était Joe Ryan. Après avoir laissé Mary à terre, à la fin de la saison d'été, Joe était allé à Degerby, sur la *Molly-O,* pour retrouver la trace d'Alix ; et il la cherchait toujours. Brand avait dans sa poche une lettre adressée poste restante, à Portsmouth, et il en savait par cœur chaque mot :

« Je suis repassé à Degerby le 10 décembre. Les femmes font de leur mieux pour accomplir les travaux d'hiver et j'ai parlé avec un certain nombre d'entre elles. Toutes m'ont dit qu'on était sans nouvelles de la vieille Mlle de Willebrand et de sa maisonnée, depuis qu'elles avaient fait leurs paquets pour s'installer sur le continent, sans doute à Ekenäs, à la fin d'août. Je suis allé à sa maison ; les fenêtres étaient condamnées et je n'ai vu nulle part signe de vie. Si une lettre me parvient, soyez sûr que je vous la ferai suivre aussitôt. »

Il n'en doutait pas. Mais, en quatre mois, bientôt cinq, aucune lettre de Finlande n'était arrivée pour Brand.

— Qu'est-ce que vous suggéreriez, comme distractions,

à un étranger dans cette ville ? demanda-t-il à l'individu minable préposé à la réception.

— Distractions publiques ou... privées, monsieur ?

— Commençons par les publiques.

— Eh bien... de nombreux visiteurs vont se distraire au Haymarket, ou bien dans les cafés-concerts du Strand, monsieur. Evans', à Covent Garden, ou le Trou à charbon sont très à la mode aussi. Mais, de ce côté-ci de l'eau, monsieur, nous avons Astley's et le Canterbury Music-Hall — un grand établissement de plaisir, qui vient de rouvrir cette semaine, avec une décoration nouvelle. Mais, vraiment, monsieur, le mieux que vous puissiez faire, c'est de faire un tour dans Westminster Bridge Road... quel que soit le genre d'amusement que vous cherchiez.

— C'est bon, dit Brand, sans paraître voir le sourire sournois de l'homme.

— Mais si je peux me permettre une recommandation, monsieur : à votre place, je ne garderais pas d'argent à même mes poches — pas même un mouchoir — dans ce quartier-là.

Brand regagna sa chambre glaciale. Il mit deux souverains dans la poche de son gilet et le reste dans une ceinture spéciale qu'il avait achetée à Portsmouth en même temps que ses vêtements neufs. Il avait sur lui plus d'argent qu'on n'eût pu s'y attendre, après la noce de vingt-quatre heures que s'étaient offerte les marins réchappés du choléra de l'été et des gelures de l'hiver, après le licenciement de la flotte de la Baltique. Il ne se souvenait plus guère des établissements où ils avaient fait ribote, à Pompey ; il savait seulement qu'il s'était contenté de boire de l'alcool et qu'il avait refusé les plaisirs de la volupté. Mais à quoi bon continuer ainsi ? Il avait envie de coucher avec une femme, et pourquoi ne le ferait-il pas, puisque Alix, qui fuyait tout le monde, l'avait fui, lui aussi ? Il passa son manteau et sortit dans le froid de la rue.

On allait avoir un Noël doux, pas froid, mais humide et brumeux ; au long du fleuve, les réverbères se reflétaient dans la Tamise en cercles d'or vagues et mouvants. Brand songea un instant à traverser le Hungerford Bridge, pour passer sur la rive gauche, mais les caves du Strand ne l'attiraient pas davantage que les petits salons intimes de Covent Garden. Il voulait du monde autour de lui, et la gaieté tapageuse des nouveaux music-halls. Il alla donc rôder du côté de Lambeth où la marée venait lécher les piles des ponts, où des escaliers de bois descendaient vers le bief de Stangate. A travers le brouillard, il descendit au « Marais », ce marécage des premiers âges d'où était sorti Londres. Il brillait maintenant de mille feux : lampes à acétylène des vendeurs d'anguilles en gelée, fours et braseros des marchands de marrons et de frites, vitrines des boutiques où les dernières volailles de Noël se vendaient au rabais. Brand fut heureux de se perdre dans la foule bruyante. De temps à autre, le bruit se noyait dans un rugissement et une pluie d'étincelles retombait sur le nouveau talus du chemin de fer : c'était un train qui arrivait au terminus de Waterloo.

Dans le Haut Marais, près du viaduc qui enjambait la route, il tomba sur le Canterbury Music-Hall. Il avait remplcé le vieux Canterbury Arms, qui faisait le commerce des spiritueux au temps où les fleurs sauvages poussaient encore dans le marais de Lambeth ; le quartier était, pour l'instant, terrain vague, en attendant que les anciens taudis s'écroulent et que démolisseurs et bâtisseurs-spéculateurs viennent s'y installer. Depuis deux ans, l'établissement connaissait un extraordinaire succès.

Brand se paya un verre dans la taverne du rez-de-chaussée et monta ensuite au music-hall, où il donna six pence d'entrée. Le balcon en fer à cheval, où les places étaient à neuf pence, était déjà occupé par les éléments les plus respectables de l'énorme foule du samedi soir, ou, du moins, de gens qui portaient le surtout noir des employés de bureau de la City et qui avaient amené leurs femmes pour passer une joyeuse soirée. Dans la salle proprement dite, la société était très mélangée. On y trouvait des hommes en vêtements de travail — mécaniciens ou maçons — des jeunes femmes sans escorte, avec des capotes emplumées et du rouge aux joues ; des groupes familiaux fort convenables et quelques jeunes gens portant la tunique bleue de la Royal Navy. Tout ce monde fort gai chantait en chœur les refrains des chansons populaires. La nouvelle scène du Canterbury avait été décorée, comme disait l'affiche, « sans regarder à la dépense » et des toiles de fond appropriées descendaient pour chaque numéro, aux applaudissements nourris des spectateurs. Il n'y avait pas de rampe ; le directeur et ses amis étaient assis à une longue table, face au public, le dos à la scène. Les autres tables groupaient quatre ou six personnes et, pendant les numéros, les garçons se hâtaient au long des allées, avec des plateaux chargés de chopes et de bouteilles d'alcool.

— Vous permettez que je m'asseye ici ? demanda Brand à un gros homme qui avait une traînée noire sur le front et qui tenait enlacées deux jolies filles.

— Personne ne vous en empêche, mon vieux, dit l'homme aimablement.

Brand tira vers lui la chaise vide, avec un salut à l'adresse des jeunes femmes. Le directeur venait de lancer son cri habituel : « Du calme, messieurs, s'il vous plaît ! » qui ponctuait chaque intervalle entre deux numéros ; il frappa un coup de marteau, avala une rasade de bière et se déclara très fier de présenter...

— ... pour vous... rien que pour vous... Votre Dévoué *Sam Cowell* !

Les rideaux s'écartèrent, découvrant une vue de la Tamise et du Parlement et, sous les applaudissements déchaînés, un petit homme au visage carré plein d'humour fit son entrée sur le plateau. Il portait un chapeau haut de forme et des culottes courtes et, tout en chantant, faisait tournoyer en mesure un gourdin.

— Tra-la-la, rugit la foule. Tra-la-li, tra-la-li-la-la !

— Voulez-vous une frite ? dit une petite voix modeste, près de Brand.

Il baissa les yeux vers la jeune fille, dont la présence l'avait vivement ému, et vit que le gros homme avait lâché sa taille mince. Elle était très blonde, presque comme Alix, avec des cheveux bouclés et de grands yeux bleus pleins de gaieté, et sa voix voilée plut à Brand.

— Non, je ne pense pas, répondit-il gravement. Je viens de dîner. Mais pourrais-je vous en offrir une ?

— Oh, non, merci. Je vous ai demandé ça parce que vous aviez l'air d'être étranger et que les frites, c'est tout ce qu'on peut manger chez Charlie Morton. Il aime mieux que ses clients se rabattent sur l'alcool.

— Je n'en doute pas, dit Brand. Alors, voulez-vous me permettre de vous offrir quelque chose à boire, à vous et à vos amis ?

— Quoi, à tous les trois ? Mazette, vous êtes plein aux as !

Tous commandèrent du gin. Brand paya les quatre doubles gins avec un souverain, ramassa la monnaie et garda son sérieux devant le regard de connivence qu'échangeaient les deux filles. Il consacra une partie de son attention à écouter « La fille du chasseur de rats ». Il voulait forcer la blonde à parler la première.

— Vous êtes Américain, hein ?

— Bien sûr.

— Mon amie a fait la connaissance d'un Américain, la semaine dernière. Il est venu dans le magasin de chapeaux où elle travaille et, après avoir acheté un chapeau pour sa femme, il en a acheté un pour mon amie aussi. Drôlement généreux qu'il était.

— Tant mieux, fit Brand. Est-ce qu'il a continué de se montrer généreux ?

La fille croisa son regard et étouffa un petit rire.

— Je vous crois !

— Dites-donc, mon vieux, dit le gros homme, c'est ma tournée, maintenant. Qu'est-ce que vous prenez ?

M. Cowell salua, bissa, se lança dans « Villikins et sa Dinah ». Quatre nouveaux doubles gins firent naître une atmosphère d'euphorie autour de la table.

— Comment vous appelez-vous ? demanda la jeune fille.

— Si nous disions Jack ? répliqua Brand.

Elle lui lança un coup d'œil averti.

— Vous êtes marin ?

— Je suis marin.

— Bon, alors, comment qu'on vous appelle ? Jack-à-Terre ou Jack-en-Dérive ?

— Va pour Jack-en-Dérive, dit Brand. Et vous, comment vous appelez-vous ?

— Milly. C'est le diminutif d'Amelia. Amelia Chester, comment vous trouvez ça, pour les affiches ?

— Vous faites du théâtre, miss Chester ?

— Non, pas encore, mais j'ai l'intention d'en faire. Voici mon amie Fanny, et *son* ami, Ben. Et maintenant, on est tous copains comme cochons. C'est pas amusant ?

— Plus amusant que la Baltique, fit Brand. Hé, garçon, la même chose !

Il commençait enfin à se dégeler, après toutes ces semaines où il avait subi une température de vingt degrés au-dessous de zéro, où chaque mât, chaque espar de l'*Arrogant* s'enveloppait d'une gaine de glace, tandis que le navire allait et venait, dans sa sempiternelle patrouille entre Port Baltique et le cap de Hangö. Il promena son regard à travers la salle comble. On bâfrait des frites, on avalait de la bière... Personne, parmi ces gens, ne se souciait de la guerre, que ce fût dans la Baltique, en mer Noire ou à Baltimore. « Le *Chesapeake si courageux*... » Il s'aperçut qu'il chantait.

— Chut, Jack ! murmura Milly en le poussant du coude. Ecoutez l'artiste jusqu'au bout !

Il n'avait pas entendu le coup de marteau et le « Pour vous... rien que pour vous... » suivi d'un nom quelconque ; mais il ne pouvait pas ne pas voir la toile de fond. C'était une caricature déformée, insensée, mais il reconnut ce que cela voulait représenter, de même que les aspirants qui occupaient la grande table à sa droite. L'un d'eux se leva et cria quelque chose qui se perdit dans les applaudissements.

C'était la forteresse, Sveaborg.

Brand en demeurait abasourdi. Il n'entendit pas un mot du premier couplet que le chanteur, en veste bleue et pantalon à pont, lançait à pleine voix. Il avait les yeux fixés sur ces îles grotesques, qui s'élevaient aussi haut que le mont Blanc, sur la toile de fond, mais que dominait encore le dôme de la Nicholas Kirk, tel qu'il l'avait si souvent aperçu du large. *Postérité !...* Il entendait la voix d'Alexandra. *Postérité ! Tiens fermement ton propre sol et ne fais pas confiance à l'aide de l'inconnu !* »

Brand frappa du poing sur la table.

— Ils ne devraient pas faire ça, dit-il. Nom de Dieu, ce n'est pas drôle...

— Ecoutez, dit Milly, c'est bon !

« *A Helsingfors, ils se tiennent tapis et à Kronstadt, sous*
                             [la digue ils se serrent :
« *Ils ne veulent pas rencontrer l'ennemi qu'ils défiaient*
                             [pourtant naguère.
« *Pareil à un vieux ponton délabré, chaque vaillant et si*
                             [hardi navire
« *Derrière les batteries se tient caché : LES RUSSES NE*
                    VEULENT PAS SORTIR ! »

— Et c'est une sacrée chance pour le vieux Charley Napier ! cria une voix, du poulailler.

Brand regarda vivement du côté des aspirants. Il en avait reconnu un, du navire amiral, qui était monté plus d'une fois à bord de l'*Arrogant* pour apporter des ordres du commandant en chef. Le jeune homme était à moitié ivre et totalement déchaîné : il parlait furieusement à ses amis.

« *Tous deux ensemble, l'*Arrogant *et l'*Hecla *leur ont*
[*donné une rude leçon :*
« *Sans avoir eu l'habitude du combat, ils furent malins et coriaces, nos garçons...* »

— Ils n'en ont pas vu beaucoup, de combats, ceux-là ! souligna la voix avinée, du haut du poulailler.
— Ferme ça, espèce de sale fripouille ! cria l'aspirant du *Duke of Wellington,* en se levant d'un bond.
— Silence ! Silence !
Le marteau du directeur résonna sur la table.
— Alors, faites cesser cette chanson, vous m'entendez ? Ne les laissez pas se moquer de la Royal Navy...
— Personne se moquait d'la Navy !
— Ferme donc ta gueule toi-même, espèce de petit coq de combat !
— Silence, messieurs, s'il vous plaît !
Ce fut une bouteille de bière vide, lancée du balcon, qui amorça la véritable bagarre dans le parterre du Canterbury Music-Hall. En un instant, les six jeunes gens vêtus de bleu étaient debout, vociférants ; l'instant d'après, ils frappaient dans toutes les directions et grognaient sous les coups des compagnons maçons et des gaziers, toujours heureux d'une occasion de bagarre, le samedi soir.

Les femmes poussaient des cris, comme il se devait, les garçons chargeaient dans la cohue. Brand, avec un hurlement, arriva juste à temps près de l'aspirant du vaisseau amiral pour empêcher un meurtre.
— Non, monsieur, pas votre poignard ! Contentez-vous de taper... dur !
Brand lui-même frappait dur. Il avait l'impression que son nouvel ami, Ben, se battait du côté de la Royal Navy, mais un coup manqua son œil de justesse et lui fit voir double ; après cela, il se mit à frapper sans retenue, tandis que les sifflets des maîtres d'équipage commençaient leur perçant concert. Il avait tout juste eu le temps de se rendre compte qu'il devait s'agir des sifflets de la police métropolitaine, quand un grand arrimeur lui décocha un direct à l'estomac qui le projeta contre un mur, avec une violence

telle que les becs de gaz en tremblèrent dans leurs supports, au-dessus de sa tête.

— Jack ! Ne faites pas l'idiot ! Venez !

La voix amusée de Milly Chester lui parvenait de très loin. Mais sa petite main était là, tirant sur la sienne, et elle s'arrangea pour le faire sortir tout doucement de la mêlée ; ils franchirent une petite porte et descendirent un escalier métallique.

— Venez donc, Jack ! Vous ne voudriez pas qu'on prenne votre nom et qu'on vous mette au bloc pour rixe !

— Mais les aspirants ?

— Ils ne risquent rien. On peut faire confiance à Charlie Norton pour les faire disparaître rapidement. Il n'a pas envie d'avoir des ennuis avec leur capitaine.

Ils se retrouvèrent dans la cour des écuries, où un valet stupéfait les accueillit par un : « Que diable ?... », et ce fut enfin le Haut Marais : les écuries étaient entre eux et la foule qui assiégeait la porte du Canterbury et, au coin, cet autre îlot de lumière et de bruit, c'était le Bower Saloon.

— Ça va, Jack ?

— Oui, très bien. Ai-je le visage marqué ?

— Ça commence à enfler, quelque chose de terrible, juste là...

— Non, n'y touchez surtout pas !

— Pauvre Jack. Si seulement on avait un bout de beef-steak ou un bon couteau bien froid, quelque chose...

— Ou quelque chose à boire, acheva Brand, en l'entraînant vers le Bower.

— Vous avez bien assez bu, Jack. Ecoutez, j'habite pas loin, dans Stangate Street. Laissez-moi vous soigner un peu ce visage, hein ?

— Que dira votre famille ?

Elle se mit à rire.

— Je suis toute seule.

— Et Ben et Fanny ?

— Miséricorde ! ils ne vont pas s'en faire pour nous, ils ont dû rentrer. Ils sont à la colle, et ils vivent de l'autre côté de Stangate Bank... Ben est débardeur.

— A la colle ?

— Oui, quoi... en ménage. Ben s'occupe d'elle, si vous voyez ce que je veux dire.

285

LA FORTERESSE

— Alors, Milly-la-Malicieuse, fit Brand en l'attirant dans ses bras pour l'embrasser, je pense que vous feriez bien de vous occuper de *moi*.

Le débit de boissons du Bower, dans Stangate Street, où Brand tint à dépenser un shilling pour une bouteille de gin, marquait une très ancienne frontière entre le Haut Marais et le bief de Stangate. Au milieu des ruines et du délabrement du vieux quartier de Lambeth, Stangate Street avait su conserver une note d'élégance : les petites maisons à deux étages, aux étroites fenêtres voilées de rideaux sales, avaient encore des heurtoirs en fer forgé, des frontons ornés de guirlandes géorgiennes et des urnes de stuc lépreux.

— Joseph Grimaldi a habité la maison voisine de la mienne, chuchota Milly.

— Qui ça ?

— Jack ? Où avez-vous été élevé ? C'est l'un des clowns les plus fameux qui aient jamais existé... on peut même dire que c'était un acteur, en réalité.

— Pardon, Milly. Je ne connais pas grand-chose à la vie de théâtre.

— Ne faites pas tant de bruit, dit-elle d'un ton de remontrance. On n'est pas dans un quartier de plaisir, ici, vous savez !

Elle ouvrit sans bruit la grille d'une cour en sous-sol et fit descendre quatre marches à Brand. La porte ouvrait directement sur « l'appartement » de Milly : une seule pièce, avec une lueur de feu qui rougeoyait dans la grille de la cheminée et, devant le feu, deux fauteuils bien attirants. Les murs étaient couverts d'un papier cloqué rouge, sur lequel se détachaient plusieurs reproductions en couleur d'actrices et de danseuses. Des découpages de petits chiens, de petits chats et de guirlandes de fleurs avaient été soigneusement collés sur le paravent qui dissimulait en partie un grand lit de cuivre.

— Asseyez-vous, dit Milly, en se débarrassant de sa capote et de son châle. Je vais voir si je trouve un petit morceau de bœuf cru, et je nous ferai une bonne tasse de thé.

— Ne vous inquiétez pas pour la viande, petite fille.

Brand était à peu près convaincu qu'elle n'avait pas chez elle une miette de bœuf.

— Mon visage n'a pas trop mauvais aspect, dans votre glace.

— Alors, essayez d'appuyer sur le bleu la lame du couteau à pain.

Milly se laissa tomber à genoux et ranima le feu à l'aide du soufflet. Une bouilloire qui chantonnait déjà ne tarda pas à bouillir ; Milly alla chercher, dans une souillarde, tasses et soucoupes et servit le thé avec toute la grâce d'une duchesse de comédie.

— Et maintenant, dit-elle en ébouriffant de sa main libre ses boucles blondes, dites-moi pourquoi vous et les gars de la Royal Navy, vous avez fait tout ce boucan, ce soir, au Canterbury !

— C'est à cause de cette satanée chanson, expliqua Brand. Et après ça, cette fripouille du balcon, qui se fichait de nous en nous accusant de ne pas nous être battus. Est-ce notre faute si ces salauds de Russes refusaient le combat ?

— A mon avis, vous avez pris ça trop au sérieux.

— Oh, mais non ! Cette idée, de faire une chanson comique sur l'*Arrogant*... c'était *mon* bateau, vous comprenez, la meilleure frégate de la flotte. Elle a été engagée à Ekenäs, à Bomarsund, et, en août dernier, pendant que j'étais malade, à Köpmansgrund...

— C'est en Crimée, tous ces coins-là ?

Brand reposa sa tasse.

— Non, Milly. C'est dans la Baltique.

— Ah, oui, fit-elle d'un ton vague. Je sais qu'on se battait là-bas aussi. Je ne suis pas tellement la guerre. J'aime bien lire, pourtant, de temps en temps, quand je tombe sur une bonne histoire d'amour... Eh bien, je suis ravie qu'on se soit tiré du Canterbury, si c'est seulement à cause de ça que vous avez fait tout ce charivari. Vous pensez bien, je ne veux pas que Charlie Morton dise à ses gars de m'interdire l'entrée de sa salle, sous prétexte que j'ai été mêlée à une bagarre et que j'ai perturbé l'ordre public ! Il m'a fallu des semaines, c'est moi qui vous le dis, pour obtenir qu'il me laisse chanter dans le concours d'amateurs qu'il va organiser pour le réveillon du jour de l'An !

— Vous allez donc vraiment paraître sur cette grande scène et chanter, Milly ?

— Il faut bien commencer quelque part, répondit-elle d'un ton bref. C'est ma chance.

— Chantez-moi quelque chose maintenant, suggéra Brand.

— Vous n'en avez pas encore entendu assez, ce soir ? répliqua-t-elle.

L'Américain se mit à rire. Il ne savait trop quel genre de sons cette voix rauque, voilée, produirait sur une scène ; tout ce dont il était sûr, c'est qu'elle serait agréable à voir, avec son petit visage piquant — nez retroussé, grande bouche rieuse et le reste — et qu'elle était assez habile, assez coriace pour tenir en respect un public comme celui du Canterbury : elle l'avait bien prouvé en prenant, dans la salle, la situation en main.

— Vous aurez un triomphe, lui prédit-il et je serais désolé si vous manquiez votre chance, parce que vous avez accepté, ainsi que vos amis et vous, de prendre tranquillement un verre avec moi.

— Tranquillement ? fit Milly en riant. Vous êtes un vrai dur, Jack. Voyez-vous, au début, quand vous avez donné un jaunet au garçon, pour payer les verres, Fanny et moi, on a pensé que vous vous laisseriez facilement avoir, vous comprenez ? Et j'allais vous raconter l'histoire de mon amant qu'était parti soldat en me laissant avec un gosse, juste pour voir comment vous prendriez la chose, quoi ! Mais, dès que vous avez commencé à vous battre, j'ai compris que vous n'étiez pas si facile que ça...

— Est-ce vrai que votre amant est parti pour être soldat, Milly ?

— Lequel ? demanda-t-elle avec effronterie.

— Oui, au fait, lequel, Milly ?

Le joli visage animé se durcit légèrement.

— Vous croyez que je fais le turbin, hein ? Eh bien, c'est pas vrai. J'ai une bonne place, complètement indépendante, chez une couturière du Strand, et un jour, je serai, moi aussi, chanteuse de music-hall... qui sait ? Quand je laisse un type me raccompagner, c'est parce qu'il me plaît... pour moi, c'est une partie de rigolade, comme pour lui...

— Vous n'avez jamais été amoureuse, Milly ?

— Vous voulez savoir si j'ai pleurniché pour un gars ? Pas de danger !

— Mais vous aimez qu'on vous aime ?

— Quelquefois.

— Venez ici.

Malgré sa taille fine, Brand la sentait bien potelée entre

288

ses bras, avec des seins hauts d'où semblait émaner une odeur de fruit, et, sous ses mains, les hanches étaient rondes et fermes, elles aussi, des hanches magnifiques. Pendant quelques instants, il savoura le plaisir de s'abandonner dans le grand fauteuil, près de la cheminée, dans la tiède chambre rouge ; il tenait Milly serrée contre lui et il sentait son poids au long de ses bras. La lumière de la bougie dora la joue de la jeune femme quand elle offrit ses lèvres à Brand. Il enfouit son visage dans la chevelure blonde et respira le parfum de jeunesse et de féminité, laissant son esprit dériver sur une vague de sensualité. « Je ne veux pas de tragédie, je ne veux que l'oubli, le repos. » Mais les exigences de son corps se faisaient impérieuses et, au souffle précipité de Milly, à ses mains qui s'accrochaient à lui, il comprit qu'elle était prête à y répondre de tout son être. Après cela, il n'y eut plus au monde que le grand lit blanc et la poitrine de Milly sous la sienne.

— L'amour, ça a ça de curieux, fit Milly, pratique : ça vous donne faim, le plus souvent.

La bouche pleine, Brand acquiesça d'un signe de tête. Il était deux heures du matin et, au coin du feu, ils mangeaient du pain et du fromage.

— J'ai pas soupé, hier soir, continua la jeune femme. Il était plus de huit heures quand je suis rentrée de mon travail et je me suis dépêchée comme une folle, pour aller au Canterbury...

— Contente d'y avoir été ?

— Et pas qu'à moitié !

— J'ai bien fait d'acheter du gin, dit Brand.

— Ne m'en donne plus, chéri. J'ai pas envie de devenir une vieille haridelle, toujours prête à faire le grand écart pour une goutte de tord-boyaux.

Brand se mit à rire. La vieillesse, le vice, semblaient bien éloignés de ce visage rayonnant, rénové par le sommeil, et de la gorge magnifique que ne cachait pas le peignoir de coton blanc ruché. Quand ils s'étaient levés, elle avait mis son jupon, mais pas de corset ; pourtant, ses boucles en désordre et le sein qui s'offrait au regard n'avaient rien de choquant. C'était une fille de plaisir, belle et disciplinée, une fille qui savait où elle allait et qui parviendrait à ses fins. Brand, en cet instant, saluait en Milly la future vedette.

289

Il soupira, les yeux fixés sur le cœur pourpre du feu, et ils demeurèrent tous deux silencieux.

— Tu pensais à une autre fille, n'est-ce pas, chéri ? dit enfin Milly.

— Je pensais à toi, Milly. Tu es bien placée pour le savoir.

— Oh, je ne parlais pas de quand nous... de ce moment-là. Je parlais de *maintenant*. Et peut-être aussi de l'instant où tu as passé la porte du Canterbury.

Brand garda le silence. Il admirait sa perspicacité.

— Qu'est-ce qui s'est passé, Jack-en-Dérive ? Elle t'a repoussé ?

— Elle s'est sauvée, dit-il, du fond de son cœur doulou-reux.

Milly se leva sans bruit et emporta leurs assiettes dans la souillarde. Puis elle revint, se prépara un grog avec très peu de gin et de l'eau bouillante, et dit :

— Si tu me racontais toute l'histoire ?

Ce fut un nouvel épanchement, un nouveau réconfort, presque aussi bienfaisant, dans son genre, que la satisfaction de son désir physique : il conta à la petite Londonienne l'histoire de son amour perdu. Milly l'écouta jusqu'à la fin sans parler.

— Combien de temps as-tu été malade, Jack ? demanda-t-elle enfin.

— Deux ou trois semaines environ, je pense.

— Et c'est après que tu as été dans cet endroit, Degaby ?

— Degerby. Oui. J'ai eu l'occasion de descendre à terre en allant rejoindre mon bateau, dans le détroit de Barö.

— Et tu n'y es jamais retourné depuis ?

— Non, mais le capitaine Ryan y est passé deux fois.

— Tu pourrais aller dans cet autre endroit, où on croit qu'ils sont tous partis ?

— Ekenäs ? Difficilement. C'est maintenant une place forte russe.

— Alors, tu trouves ça vraisemblable qu'elle soit allée là-bas ? Après ce que tu m'as dit de ses sentiments pour les Russkis ?

Mais oui, bien sûr. Milly avait mis le doigt, son petit doigt habile, sur le point qui l'avait toujours tracassé dans cette histoire de départ pour Ekenäs.

— Tu prends tout pour parole d'évangile, hein, Jack ?

— Que veux-tu dire ?

— Voyons, cette fille, cette Mary, qui a prétendu qu'Alice avait l'intention de retourner à Degaby... Est-ce que le *père* de Mary a entendu la même chose ?

— Non. Il était parti à ma recherche. Il n'était pas là.

— Alors, comment sais-tu que c'est vrai ? Peut-être qu'Alice n'a jamais rien dit de pareil ! Les filles sont capables de mensonges gros comme elles, tu sais, quand un homme leur plaît bien, à elles aussi.

— J'ai l'impression que je ne sais pas grand-chose des filles, Milly.

— Tu en sais bien assez comme ça, riposta-t-elle. Ce que tu devrais faire, c'est réfléchir à d'autres gens qui pourraient savoir où Alice est allée. C'est bien Alice, son nom ?

— Non, c'est Alix, avec un x. Il y a des tas de gens qui sont au courant, je suppose, mais ils sont tous à Saint-Pétersbourg ou à Helsingfors et je ne peux pas les joindre. C'était justement ça, le sujet de cette sacrée chanson !

— Personne ici, à Londres ? insista Milly.

Brand la regarda fixement. Il avait presque oublié ce que lui avait dit Alix, à Helsingfors, du mariage de sa sœur avec un diplomate suédois, attaché à la légation à Londres.

— Il y aurait peut-être quelqu'un, dit-il lentement. Je me suis tellement tracassé en croyant Alix en Finlande que je n'ai pas même pas eu une pensée pour les amis qu'elle possède ici, à Londres. Merci, Milly. Merci, plus que je ne saurais dire !

Milly sourit.

— Ta tasse est vide ?... Eh bien, mon petit Jack, je crois qu'il faut que tu te cavales. Il est drôlement tard... et demain, c'est Noël.

Sa joue contre la poitrine de la jeune femme, Brand murmura ;

— Tu ne veux pas que je reste jusqu'au matin ?

— Vaut mieux pas. Oh, Jack, vraiment pas ! Parce que, maintenant, je sais que c'est à elle que tu penseras... même quand...

Elle échappa à son étreinte et alla chercher son manteau. Quand elle revint vers la cheminée, Brand avait posé sur la table une petite pile de souverains.

— Dis donc, qu'est-ce que c'est que ça ?

— Un petit cadeau pour toi, Milly.

Elle lui fit face, en tenant dans ses bras ronds et nus le

manteau, maintenant minable, qu'il avait acheté des mois auparavant à Gothenburg.

— Tu n'es pas assez riche pour ça, Jack.

— Mais si, je t'assure.

— Rappelle-toi ce que je t'ai dit : je ne fais pas le turbin. Je t'ai ramené chez moi parce que tu me plaisais, tu piges ? Tu as casqué pour les verres, et pour la bouteille de gin. Tu ne vas pas me laisser cinq jaunets pour du pain et du fromage !

— Ça représente ma contribution à ta carrière, dit-il en essayant de sourire. Tu t'achèteras une jolie robe, que tu mettras pour chanter au Canterbury !

— Je suppose que tu ne viendras pas m'encourager, le soir du réveillon ?

— Mon petit, je ne sais même pas où je serai, le jour de l'An.

— Alors, adieu, Jack-en-Dérive !

— Adieu, ma douce petite Milly. Que Dieu te garde.

Milly ouvrit la porte du sous-sol. Le brouillard s'était levé. A la lumière de l'unique réverbère, on voyait l'aspect désolé du Marais, les pans de murs des maisons à moitié démolies, le talus du chemin de fer, fraîchement remblayé.

— Londres change sans cesse, dit Milly. Veux-tu parier que je chanterai moi-même au Canterbury, d'ici au prochain Noël ?

— Dis-moi, fit Brand, le pied sur la première marche de l'escalier, comment donc s'appelait cet acteur, qui habitait la maison voisine ?

— Joe Grimaldi.

— Peut-être qu'un jour, Stangate Street sera célèbre à cause de toi.

Milly releva le menton.

— Regarde bien les têtes d'affiches, dit-elle, et n'oublie pas le nom. Amelia Chester !

CHAPITRE XV

LA PRESIDENTE DE LA TARRAS LINE

Q UELQUES HEURES PLUS
tard, quand le fiacre de Brand s'engagea dans South Street,
à Mayfair, les cloches des églises de Londres avaient cessé
d'appeler leurs fidèles au culte dominical. South Street était
très silencieuse, aussi silencieuse que Stangate Bank, quand
Brand était revenu à pied, le long du fleuve, jusqu'à l'hôtel
proche du chemin de fer.

Le fiacre s'arrêta. Tout en payant le cocher, Brand compa-
ra l'adresse hâtivement griffonnée sur l'enveloppe qu'il avait
en main avec le numéro d'une aimable demeure du dix-
huitième siècle. C'était une haute maison, et les fenêtres de
l'étage supérieur — celles de la nursery, sans doute — étaient
protégées par des barreaux, tandis que les autres se voilaient
discrètement de tulle, au lieu de la guipure alors en vogue.
C'était encore la discrétion qui marquait le pâle visage du
valet de pied qui vint ouvrir la porte et prit le nom de
Brand. Le salon qui ouvrait sur le vestibule témoignait de
la même réserve. Papier de tenture gris, à rayures satinées,
tapis gris, quatre fauteuils d'acajou ornés de coussins de
laine prune, une aquarelle du château de Drottningholm,
dans un cadre doré, au-dessus de la cheminée où brûlait
un petit feu de charbon : avec cela, la pièce fournissait
le moins d'indices possible sur les goûts et les intérêts de
son propriétaire.

— Que puis-je faire pour vous, M. Endicott ?
— M. Gunnar Falk ?
L'homme qui venait d'entrer dans le petit salon s'inclina.
Trente-cinq ans environ, entièrement rasé, les cheveux
blonds à peine grisonnants, il portait une redingote noire
et une cravate également noire, au nœud impeccable.
— Je suis enchanté de vous connaître, M. Falk. Je crai-

gnais que vous ne fussiez absent, parti pour l'église, peut-être, avant mon arrivée. J'ai dû aller jusqu'à Halkin Street pour me procurer votre adresse.

— A la légation de Suède ? Vous n'avez pas dérangé Son Excellence, j'espère ?

— Je crois n'avoir dérangé personne. J'ai simplement demandé au concierge de me dire quel était l'attaché qui avait épousé une demoiselle Gyllenlöve et, aussitôt, il m'a donné votre nom et votre adresse.

— Vraiment !

— Ecoutez-moi, M. Falk, je sais bien que le moment n'est guère choisi pour une visite : un dimanche matin, veille de Noël, et caetera. Mais je servais dans la flotte de la Baltique et je ne suis à Londres que depuis hier. Je suis venu vous trouver dès que cela m'a été possible, pour vous demander des nouvelles de Mlle Alexandra Gyllenlöve.

— Des nouvelles d'Alix !

Le calme diplomatique de M. Falk semblait enfin ébranlé.

— Seriez-vous, par hasard, cet Américain qui s'est trouvé mêlé à une aventure qui a fait beaucoup de bruit, il y a bientôt un an, à Gothenburg ?

— C'est bien moi, monsieur. Depuis, j'ai revu Mlle Gyllenlöve à Helsingfors, puis, plus tard, à Degerby, et, enfin, à Bomarsund, le lendemain de la reddition de la forteresse. Depuis, je suis sans nouvelles. Pouvez-vous me dire où elle est ?

M. Falk toussa.

— Je ne saurais vous répondre que sous toutes réserves : Mlle Gyllenlöve ne m'a donné aucune autorité pour satisfaire ce genre de curiosité. Mais, pour autant que je sache, elle est toujours chez Mlle Willebrand, à Degerby.

— Non, elle n'y est pas.

Quand Brand eut raconté brièvement ses visites à l'île, les deux hommes se regardèrent fixement.

— Se peut-il vraiment qu'elle soit retournée à Ekenäs ? demanda Brand.

— Le manoir d'Ekenäs est aux mains des Russes depuis septembre. Les Russes y ont transféré leur quartier général pour le district après avoir eux-mêmes détruit leurs forts de la pointe de Hangö.

— Mais alors, où peuvent-elles bien être ? Puisque la maison de Degerby est fermée et Ekenäs occupé, où peuvent bien être allées Mlles Agneta et Alexandra ?

— Les Mannerheim les ont peut-être accueillies à Villnäs, suggéra M. Falk, sans conviction.

— Mme Karamsine a-t-elle regagné la Finlande ? demanda Brand, avec une lueur d'espoir. Alix peut l'avoir rejointe à la villa Hagasund.

— Mme Karamsine n'est pas en Finlande. Elle est à Paris, chez sa belle-sœur, la princesse Mathilde Bonaparte.

— Pardonnez-moi, monsieur Falk, mais tout cela a pour moi une grande importance. Au printemps dernier, avant de m'engager dans la Royal Navy, j'avais demandé à Alix de m'épouser. Elle avait refusé, alors, mais depuis... depuis cette époque, j'ai été convaincu... qu'elle avait pour moi un tendre sentiment.

C'était bien difficile, de raconter son histoire à cet homme grisâtre, au long nez inquisiteur de suédois, mais Brand, désespérément, alla jusqu'au bout !

— Quand avez-vous entendu dire, pour la dernière fois, qu'Alix se trouvait à Degerby ? De quand date la dernière lettre que Mme Falk a reçue d'elle ?

Gunnar Falk soupira.

— Vous abordez là un problème délicat, dit-il, tout en actionnant une sonnette. Pardonnez-moi, je vous prie, de vous tenir ainsi, debout. Votre visite est tellement inattendue ! Permettez-moi de vous offrir quelque rafraîchissement.

Le pâle valet de pied apporta, sur un plateau d'argent, du madère et des biscuits au carvi. M. Falk mit à profit l'interruption pour examiner à loisir son hôte impromptu. Son expérience diplomatique lui avait appris à évaluer rapidement les hommes et il fut favorablement impressionné par l'Américain.

— Monsieur Endicott, dit-il, ce que je vais vous confier va à l'encontre des conventions, mais c'est nécessaire à notre compréhension mutuelle. Si vous m'avez trouvé chez moi, ce matin, alors que j'aurais dû me trouver, comme d'ordinaire, à l'église suédoise, c'est que ma femme n'est pas très bien. Euh... nous attendons, d'ici peu, un heureux événement. Par malheur, la santé de Mme Falk laisse à désirer depuis la naissance de notre petite fille, il y a un an, et ses médecins redoutent à présent que ses poumons ne soient atteints. Ils recommandent, pour l'instant, la plus grande prudence et tout le repos possibles ; dès qu'elle sera en état de voyager, j'ai l'intention de l'emmener à San Remo.

— Je suis navré d'apprendre vos inquiétudes pour Mme Falk, monsieur mais...

— Vous comprenez maintenant pourquoi je ne puis permettre qu'on la trouble en la questionnant ou en l'inquiétant à propos de sa sœur. Nous devons, par-dessus tout, lui éviter toute poussée de fièvre... et s'il est quelqu'un au monde qui soit en mesure de produire de telles poussées, c'est bien Alexandra Gyllenlöve !

— Sa propre sœur !

— Oui, monsieur Endicott, sa propre sœur. L'héroïne des fiançailles Apraxine, de l'escapade de Gothenburg, de la fuite de Saint-Pétersbourg ! Savez-vous qu'Alix a imité la signature de Mme Karamsine sur un permis de sortie de Russie, de sorte que la police a passé au Palais Demidov les deux jours suivants et a cuisiné toute la maisonnée pour savoir comment la « princesse Demidova » avait pu passer la frontière tout en étant alitée chez elle, à Saint-Pétersbourg ?

— Je l'ignorais, dit Brand, mais je suis persuadé que Mme Karamsine s'est fort bien tirée d'affaire. Elle a des amis puissants.

— Puissants, oui. Et les policiers ont été escamotés par la plus haute autorité du pays ; mais Mme Karamsine était tout de même au bord de la dépression nerveuse ! Je ne veux pas qu'il advienne la même aventure à ma femme et je ferai en sorte que cela n'arrive pas !

— Voulez-vous dire que, si Alix se présentait aujourd'hui à votre porte et vous demandait asile, vous la repousseriez ?

— Je veillerais à lui procurer un refuge, s'il en était besoin. Mais pas nécessairement ici.

— Mais vous, monsieur Falk, où cherchez-vous refuge ? Dans le mauvais état de santé de votre femme... ou bien dans la neutralité de votre pays ?

L'expression de Gunnar Falk se fit plus sévère.

— Vous êtes Américain, je crois, monsieur Endicott ? Parfait : je n'ai pas l'intention d'entendre critiquer la neutralité de mon pays par un citoyen d'une république neutre.

— Je me considère comme neutre belligérant, dit Brand. Mais je vous demande pardon d'avoir soulevé le problème de la neutralité. Je suppose que j'étais en colère parce que vous paraissiez vouloir déprécier Alix...

— Je ne déprécie pas Alix... personne ne le pourrait. C'est une fille ravissante et charmante, qui a été irrémédiablement mal élevée. Une mère délicate, un père intelligent et ambitieux, une enfance de sauvageonne à Ekenäs, la liberté, ensuite, de fréquenter les éléments nationalistes extrémistes de Finlande — les Runeberg, les Snellman et leurs prétendus cercles littéraires... tout cela a contribué à former une jeune personne fort hardie et bien fatigante. Je crains que vous ne soyez que le dernier inscrit sur la longue liste de ceux qui ont souffert des caprices d'Alexandra.

— Je l'aime, dit Brand.

Gunnar Falk toussota.

— Si elle... euh... payait votre tendresse de retour, elle aurait certainement trouvé le moyen de vous donner de ses nouvelles ?

Brand négligea délibérément cette remarque.

— Et son père ? Fait-il partie, lui aussi, de ceux contre lesquels vous protégez votre femme ?

— Puisque nous en sommes aux confidences, monsieur, je veux bien admettre que le comte Gyllenlöve constitue l'un de nos problèmes familiaux. Vous savez, naturellement, qu'il fait partie de l'administration russe et qu'il est tenu en haute estime, à Saint-Pétersbourg. Aux dernières nouvelles, mon beau-père s'était remarié.

— Remarié !

— Le mois dernier. Il était, depuis quelque temps, très... euh... attaché à une certaine Mme Ourov, épouse d'un banquier moscovite. Or, le mari complaisant a fait preuve d'un tact exceptionnel. M. Ourov est mort en août dernier. Sa veuve n'a guère perdu de temps pour convoler de nouveau.

— Je leur souhaite bien du bonheur, fit Brand. Est-ce que cela change quelque chose pour vous ?

— Dans la mesure, simplement, où ma femme s'en est trouvée fort affligée, dit Gunnar Falk d'un ton solennel. La nouvelle comtesse Gyllenlöve n'a pas encore atteint la trentaine, de sorte qu'on peut à juste titre envisager la venue d'autres enfants. Ce n'est jamais une perspective bien agréable pour les enfants déjà adultes.

— Il en arrive de bien pires en mer, fit Brand.

Il sourit.

— Je commence à saisir votre véritable problème, monsieur Falk. Vous êtes pris entre deux feux, entre le père de votre femme, fonctionnaire russe, et la sœur de votre femme, patriote finlandaise. Situation bien délicate ! Eh bien, je ne vais pas vous ennuyer plus longtemps. Je vais retourner à

Halkin Street et voir si un autre attaché suédois aura assez de courage pour m'aider !

— A quoi faire ?

— A découvrir où l'on a emmené les prisonniers finlandais après Bomarsund.

Gunnar Falk se leva. Il avait rougi.

— Vous ne pensez tout de même pas retrouver Alexandra parmi eux ?

Brand se leva à son tour.

— Ce n'est pas impossible, dit-il d'une voix rauque. Je... elle était très bouleversée... J'avais reçu un message qui... Mais hier soir, justement... (il avait été sur le point de dire : « très tôt ce matin », et s'était repris juste à temps) on m'a laissé entendre que le message en question était faux. Si, au lieu d'avoir « rejoint Degerby », elle avait rejoint « les prisonniers de Degerby » ? Comment puis-je découvrir où ils se trouvent ?

— Inutile, pour cela, d'aller jusqu'à la légation suédoise, dit le diplomate. Tous les prisonniers finlandais survivants sont à la prison de Lewes.

Les mots cruels flamboyèrent dans la pièce grise, dont les rideaux de tulle épais interdisaient l'entrée au pâle soleil de cette veille de Noël.

— Les... survivants ? articula enfin Brand.

— Trente d'entre eux sont morts avant la mi-décembre, de pneumonie ou de blessures mal soignées — ou des deux.

— Comment savez-vous tout cela ?

— La communauté suédoise à Londres n'est pas aussi dépourvue de cœur que vous semblez le croire, monsieur Endicott. Le pasteur de notre église luthérienne — qui se trouve être de mes relations — a rendu visite à Lewes et, par l'entremise d'un ecclésiastique de l'endroit, fait distribuer aux prisonniers des dons et des douceurs. Les membres de l'Eglise suédoise ont ouvert une souscription à cet effet et ma femme, qui est née en Finlande, s'est montrée très généreuse.

— Naturellement, souligna Brand, sans intention sarcastique. Y a-t-il encore... des malades, des blessés parmi eux ?

— Ils ne souffrent plus d'aucune privation. Leur seule épreuve est la réclusion. Le gouverneur Mann est un personnage très humain et les prisonniers s'entraident beaucoup. Le prêtre anglais a parlé d'une jeune femme remarquable qui aidait à soigner les malades et soutenait le moral des autres, lors des récréations, en leur racontant des légendes finlandaises et en leur récitant des poèmes patriotiques... vous voyez ce que je veux dire...

— Je crois voir Alix, dit Brand.

Gunnar Falk serra lentement les poings.

— Vous ne voulez pas dire... Vous ne pensez pas qu'il puisse s'agir d'*Alix !*

— *Postérité, garde ton indépendance...* dit Brand. Ne pouvez-vous l'entendre ?

— Impossible ! De toutes les manières, impossible ! Il s'agit là d'une jeune Finlandaise, d'une paysanne ; le nom que le curé a donné ne ressemble aucunement, même de très loin, à Gyllenlöve. C'est un nom tout à fait ordinaire, le genre de nom très courant à Stockholm ; si seulement je pouvais m'en souvenir...

— Moi, je le peux, dit Brand d'une voix qui se brisait. C'est Anna Larsson !

Le Scotch Express avait du retard, à l'arrivée à Aberdeen, mais il faisait encore nuit dans la cité du nord quand Brand Endicott y débarqua, l'avant-dernier matin de l'année. L'Ecosse se transformait tout comme le marais de Lambeth : douze mois s'étaient écoulés depuis la dernière visite de Brand, et le chemin de fer n'aboutissait plus à l'ancien terminus de Ferry-hill, mais à une gare couverte toute neuve à Guild Street ; une nouvelle voie pour le transport des marchandises était en cours de construction le long du quai.

Brand confia sa valise et son adresse à un porteur tout ridé, coiffé d'un béret écossais bleu. Il voyageait, cette fois-ci, en bien meilleur équipage, avec des bagages de cuir véritable et un superbe manteau de cheviote épaisse, le tout acheté aux frais de Tarras & C°.

— Nous te devons des excuses pour cette affaire de Gothenburg, mon garçon, lui avait dit M. Arthur Tarras. Je t'inscris sur les registres comme étant en demi-solde depuis février dernier, en qualité de capitaine du *Girdleness.* Nous nous devons de récompenser les marins qui se battent pour la Grande-Bretagne, telle est mon opinion.

— Tous les marins n'ont pas autant de chance que moi, remarqua Brand.

Il songeait aux camarades qu'il avait laissés à Portsmouth. Morgan et Campbell étaient morts et reposaient dans la fosse commune des victimes du choléra, à Bomarsund, mais Edgeworthy et combien d'autres matelots de deuxième classe avaient été licenciés juste avant Noël, sans espoir de retrouver un emploi jusqu'à la débâcle des glaces de Finlande, en avril. Il empocha d'un air pensif l'argent des Tarras.

Et voilà qu'il était en route pour rendre visite à la présidente de la Tarras Line, cette vieille dame obstinée, bourrée de préjugés, qui tenait toujours les cordons de la bourse de la compagnie. Il s'éloigna au long de Market Street en se répétant ce qu'il allait lui dire. Le ciel commençait à s'éclairer, derrière les toits d'ardoise et les fins clochers d'Aberdeen. C'était là une cité nordique, comme Helsingfors, mais sans l'harmonie classique d'Helsingfors, et l'eau du port, avec sa frange de glace, évoquait vaguement le golfe de Finlande. Alix pourrait-elle jamais se sentir heureuse, ici ?

Il s'engagea dans Union Street, l'artère principale de la ville ; il remarqua qu'on posait, au long de la vieille rivière Denburn, les nouvelles voies ferrées qui allaient vers le Nord, et s'arrêta un moment pour observer les ouvriers qui arrivaient sur le chantier, en soufflant sur leurs doigts et en se tapant la poitrine, en ce glacial matin de décembre. C'était ce qui l'avait le plus intéressé, lors de son arrivée en Europe : le réseau de voies ferrées qui commençait à se former derrière les principaux ports de mer. Il avait même entrevu là une possibilité d'assurer son propre avenir commercial, la première fois que, sur le *Girdleness,* il avait doublé le quai Nord, pour aller vers la Norvège. A présent, sa vie, son amour, son avenir, tout était lié à la guerre contre la Russie.

Brand prit à gauche et se dirigea vers une haute maison sombre, à l'extrémité de Dee Street, où Isabella Tarras, bien que sa demeure fût devenue trop vaste pour une veuve, ses deux servantes et son jardinier, avait passé cinquante ans de sa vie. Il y avait un jardin, maintenant couvert de glace, entre la solide bâtisse de granit et le trottoir. On y entrait par une lourde grille, sous un arc où pendait une lampe à acétylène, encore allumée, qui se balançait au vent d'hiver. En la voyant, Brand évoquait toujours l'entrée d'un cimetière.

Rien de funéraire, pourtant, dans le vestibule, où il pénétra à la suite d'une servante d'âge mûr, qui lui avait ouvert la porte. Une onde de chaleur, un parfum de bonne cuisine vinrent envelopper l'Américain, tandis que la femme de chambre faisait sa révérence à l'ancienne mode, en disant:

— Venez vite, monsieur, venez vite ! Nous avons reçu les *télégraphes* de M. Arthur, et madame est comme un chat sur braise : elle vous attend, elle veut son petit déjeuner...

— Le train avait du retard, Betty, dit Brand.

Il rejeta les épaules en arrière et ouvrit la porte de la salle à manger.

Quand il se représentait sa grand-mère par la pensée, Brand la voyait toujours comme une femme mesurant pour le moins un mètre quatre-vingts. Mais la dame qui venait vers lui en balayant le tapis de ses jupes de velours noir n'était que de taille moyenne, bien que son fin bonnet blanc, au point de Malines, lui ajoutât bien deux pouces, et son port très droit pour le moins un de plus. A soixante-treize ans, Isabella Tarras ne comptait que quelques fils gris dans sa chevelure noire et, dans son visage bien en chair, ses yeux bruns, aussi observateurs que ceux d'une jeune fille, avaient un regard pénétrant. Il ne serait jamais venu à l'idée de la vieille Ecossaise d'embrasser son petit-fils, mais elle échangea avec lui une chaude poignée de main et s'écria :

— Viens vite, John, viens vers le feu ; tu vas mourir de froid !

Puis, comme le jeune homme pénétrait plus avant dans la pièce, la grise lumière matinale qui entrait par la baie tomba sur son visage décharné. Mme Tarras hésita dans ses paroles de bienvenue et dit d'une voix changée :

— Eh, petiot, tu commences à ressembler beaucoup à ton grand-père.

— Vous me trouvez donc changé, madame ? dit Brand, en essayant de prendre un ton léger.

— Tu es fatigué, voilà ce qu'il y a, dit Mme Tarras, toujours de la même voix hésitante. Ça ne te fera pas de mal de boire une goutte pendant que Betty prépare le thé. Ce train, ça vous tuerait, pour un peu.

Neuf heures du matin, c'était encore tôt pour boire un whisky, mais Brand accepta avec plaisir le petit verre et, après avoir prononcé la formule habituelle, le vida d'un trait. Sa grand-mère, quant à elle, emplit son verre moins qu'à demi et but à petites gorgées.

— J'espère que votre santé a été bonne, toute cette année, madame ? dit Brand poliment.

LA FORTERESSE

L'année de la guerre russe, cette année si capitale pour Alexandra et pour lui-même, n'avait laissé de trace ni sur la vigoureuse vieille femme ni sur la pièce où elle le recevait. Les chaises d'acajou avaient leur disposition coutumière, au long des murs, la desserte d'acajou portait les habituels carafons de whisky, de porto et de xérès ; le grand bureau de son grand-père, auquel travaillait maintenant Mme Tarras, occupait toujours la plus grande place devant la fenêtre et — il ne put s'empêcher de jeter un coup d'œil de ce côté-là — les silhouettes noires de John Tarras et de Harry Tarras, lieutenants dans la Royal Navy, pendaient toujours de chaque côté de la cheminée de marbre.

— Je me suis fort bien portée, John. Tiens, voici Betty. Viens t'asseoir et manger quelque chose.

Quand la servante eut quitté la pièce, Brand déclara :

— Il y a une affaire que j'aimerais régler avant le petit déjeuner, madame.

— Quelle affaire ?

— Je veux vous rendre l'argent que j'ai emprunté sur votre lettre de crédit. J'en avais besoin pour certaines dépenses urgentes avant de m'enrôler dans la Royal Navy.

— J'ai reçu les effets de Stockholm, dit-elle avec réserve.

Brand posa de l'argent sur le bureau.

— Je pense que ça fait le compte. Merci.

— Tu m'as donné trop.

— Ça représente l'intérêt, à trois pour cent, sur dix mois.

— Fort bien.

Sans autre commentaire, Mme Tarras balaya d'un geste les souverains dans le premier tiroir du bureau. Brand remarqua que les télégrammes qu'il avait rédigés avec son oncle étaient empilés avec soin sous un presse-papier de granit.

Il fit asseoir la vieille dame au haut bout de la table et posa la question qui, depuis dix mois, avait toujours été présente à son esprit.

— Grand-mère... quand vous n'avez pas protesté ma lettre de change, en février dernier... ce n'était pas parce que vous aviez oublié, n'est-ce pas ? En réalité, vous vouliez me laisser toute liberté de décider ?

Mme Tarras leva vers lui un visage rosé où passait un soupçon de juvénile espièglerie.

— Mets cela au compte de l'expérience, petiot. Je voulais simplement voir ce que tu allais faire. Et maintenant, raconte-moi la traversée, depuis le golfe jusqu'à Portsmouth.

Brand, qui avait pris place à l'autre bout de la table, chargée d'un bon petit déjeuner écossais, obtempéra. Il y avait du thé pour Mme Tarras et du café pour lui et, entre eux, tout un étalage de plats d'argent étincelants, contenant des œufs au bacon, des harengs fumés, un jambon froid et une luisante terrine brune de fromage de tête. Brand mangeait avec appétit. Mme Tarras buvait son thé en croquant des toasts et l'écoutait. S'il avait fait plus clair dans la pièce, il aurait vu ses mains trembler. Mais il était bien engagé dans ce récit que personne, depuis son retour, ne lui avait encore demandé.

— Nous avons eu quelques jours de gros temps, fin novembre, madame. Après le départ des navires de ligne, le capitaine Rundle Watson, sur l'*Impérieuse,* a pris le commandement de l'escadre. Nous patrouillions de Alvsnabben à Hangö et de Hangö, vers le sud, jusqu'à Dager Ort, pour maintenir le blocus dans les deux golfes. Ce qu'il a pu neiger, au large de Dager Ort! Nous avions jour et nuit de gros coups de vent d'est...

« Mon capitaine poussait souvent vers l'est jusqu'à Nargen, même quand les glaces ont commencé à se former. Il était le seul capitaine à oser le faire, après le début des tempêtes de neige.

— Quand donc avez-vous reçu votre ordre de départ ?

— Le 1er décembre. Le rendez-vous était fixé à Kiel, mais nous nous sommes séparés de l'escadre à l'est de l'île de Bornholm.

— Et vous avez jeté l'ancre le 20. L'*Arrogant* a pris tout son temps.

— Nous avions pour mission de rassembler les traînards. Le capitaine Yelverton avait décidé que l'*Arrogant* serait le dernier bâtiment à quitter le golfe, le dernier à franchir le Kattegat. Et ça n'a pas manqué !

Il était plus facile qu'il ne l'avait imaginé de parler à Mme Tarras. Alors qu'il n'avait trouvé naguère que froideur et esprit critique, il lisait maintenant dans ses yeux sombres un vif intérêt et même une certaine douceur. Elle s'enquérait avec sympathie de sa maladie après Bomarsund.

— D'après les docteurs, quelle en était la cause ?

— L'un d'eux a déclaré que c'étaient les fruits crus et

les légumes que nous avions mangés, un autre que c'était l'eau contaminée. Je ne pense pas qu'ils soient encore très fixés.

— Mais tu t'en es bien tiré. Tu as une solide constitution, tout comme moi... Et maintenant, si tu n'as pas envie d'une autre tasse de café, nous allons nous asseoir près du feu, et nous ne sonnerons Betty, pour desservir, que lorsque nous en aurons terminé avec notre conversation.

Brand alla chercher un pouf que la vieille dame, il s'en souvenait, aimait avoir sous ses pieds, et il s'installa dans le fauteuil qui avait été celui de son grand-père.

— Ton oncle m'a bombardée de télégrammes, dit la présidente de la Tarras Line. Le dernier parlait d'une « proposition précise de ta part qu'il approuvait chaleureusement ». Arthur et toi, vous avez dû être fort occupés, pendant quelques jours, à Londres.

— Après les fêtes, oui... certainement.

— Quand j'ai eu la première dépêche d'Arthur, où il disait simplement que tu étais de retour avec de nouveaux projets, sais-tu que j'ai plus ou moins pensé que tu voulais peut-être faire carrière dans la Royal Navy ?

— Oh, non, madame. Nous autres, de la Baltique, nous sommes des marins d'eau douce, ainsi qu'on me l'a déjà rappelé une bonne vingtaine de fois depuis mon retour. Nous sommes tous sur le sable, à présent, même mon capitaine, et le capitaine Sulivan, et les autres... y compris l'amiral Napier.

— Napier est un homme fini.

Mme Tarras parlait d'un ton distrait. Ses yeux étaient fixés sur les silhouettes de ses fils morts. Elle avait l'impression d'écouter un autre garçon, son John à elle, lui parler de « mon capitaine ». Elle se rappelait combien il admirait le capitaine Curzon, qui avait écrit une si belle lettre à son sujet, après Navarin...

— La Royal Navy garde les sept mers, John, et pas seulement la Baltique. Tu t'es si bien conduit qu'il serait tout à fait possible de te faire décerner un brevet, si tu aimais mieux la Navy que la Tarras Line.

— Je me suis bien conduit ? Que voulez-vous dire ? J'ai été nommé matelot canonnier, avec deux pence de plus par jour, mais je ne suis pas taillé pour faire un officier de marine. Et je ne tiens pas à passer ma vie entière dans la marine britannique. Vous oubliez sans cesse que je suis citoyen américain.

304

LA PRESIDENTE DE LA TARRAS LINE

Mme Tarras feignit de n'avoir pas entendu.

— Après cela, j'ai reçu un nouveau message, plus obscur que le premier, qui m'a donné la vague idée que tu avais envie de commander de nouveau le *Girdleness.*

— Il est bien à l'abri, à son poste de mouillage de Regent Quay, n'est-ce pas, avec le *Devanha,* le *Balgownie* et le *Cornhill ?*

— Tu sais parfaitement qu'aucun de mes navires de la Baltique ne peut appareiller, avec cette guerre. Ou plutôt, tu sais que je ne veux pas leur faire courir de risques.

— Comme l'amiral Napier. Non, je n'ai pas envie de commander le *Girdleness.*

— Mais alors, que veux-tu donc ?

— Je veux continuer à me battre contre la Russie.

Mme Tarras, sans détourner les yeux du visage de Brand, releva, avant de parler, le bas de sa jupe de velours, révélant quinze centimètres de jupon de taffetas noir.

— Alors, que vas-tu faire ? Reprendre du service au printemps ?

— Et me tourner les pouces jusque-là ? Ou, pis encore, continuer à me les tourner une fois embarqué, en attendant que le nouveau commandant de la flotte de la Baltique prenne enfin la décision d'attaquer Sveaborg dès que l'Amirauté lui aura fourni les canonnières et les mortiers nécessaires !

— Alors ?

— Je veux commander en mer mon propre bâtiment. Attaquer les Russes et leurs machines infernales partout où je le pourrai et, par la même occasion, en retirer profit pour vous.

— Comment cela ?

— Vous savez très bien que les seuls bâtiments qui puissent actuellement circuler librement dans la Baltique sont des bâtiments américains. Le président Pierce vient tout juste de préciser, dans son message sur l'état de l'Union, que les navires américains et leurs capitaines étaient appuyés par toute la puissance des Etats-Unis. Votre flotte d'Aberdeen est immobilisée et vos cargos de Londres font du cabotage. Mais mon oncle a entendu parler d'un bateau immatriculé en Amérique, qui va se rendre à Londres ; si l'on transférait l'immatriculation à mon nom, moi, citoyen américain, je pourrais appareiller pour n'importe quel port de la Baltique qui soit libre de glaces, avec le chargement

305

qu'il vous plairait, et revenir avec du chanvre et du lin pour les filatures d'Aberdeen ; et cela, malgré le blocus.

Sa grand-mère se frottait le nez.

— Tu as vraiment quelque chose en vue ? Qu'est-ce que c'est ?

— Un senau... exactement ce qu'il faut pour le commerce en Baltique.

— Il te faudrait un équipage de six à huit gars, pour ça. Tu engagerais naturellement quelques matelots de la *Tarras* ?

— Si je peux trouver un ou deux hommes rompus à la discipline de la Royal Navy et capables de manœuvrer un canon léger.

— Dieu me vienne en aide ! Tu ne penses tout de même pas te servir d'un canon pour faire sortir de Malmö une cargaison de chanvre !

— Je vous ai dit, grand-mère, que je voulais *combattre les Russes.*

— Et tu crois qu'un senau armé d'un canon léger peut engager le combat avec un navire de guerre russe, garçon ?

— Ce n'est pas aux navires de guerre que je pense. « Les Russes ne veulent pas sortir... » j'ai entendu, à ce sujet, une chanson comique, à Londres ; mais leurs agents ne demandent pas mieux ! Votre M. Svensson, pour ne citer que lui, qui utilise les ports prussiens pour expédier des armes en Russie et envoyer des articles de contrebande de guerre, au nord, à Haparanda, et, de là, dans le grand-duché...

— Nous avons retiré à Sven Svensson sa commission d'agent de la Tarras Line à Gothenburg dès que nous est parvenu ton rapport disant qu'il trafiquait avec l'ennemi.

— Cela ne règle pas mes comptes avec lui, madame. J'ai envie de me retrouver en face de lui le jour où il transportera des marchandises pour le compte de la Russie et de lui expédier un boulet par l'avant.

— Et si les contrebandiers naviguent en convoi, tu as de grandes chances de te faire toi-même harponner.

— Mon ami Joe Ryan connaît toutes les anses, toutes les criques de la Baltique. Personne ne nous harponnera.

— Tu ne vas pas embarquer ce Ryan, non ?

— Si, comme second, s'il le veut bien.

— Ce serait, à mon avis, une grosse erreur que d'engager un propre à rien d'Irlandais...

— Joe n'est pas un propre à rien. Il n'a pas créé une

grande affaire comme la Tarras Line, mais il gagne bien sa vie et il connaît le commerce dans la Baltique du point de vue des petits magasins et des foires campagnardes. C'est un homme sur qui je peux compter, et cela, c'est important. Voyez-vous, je ne suis plus le benêt que j'étais, à mon arrivée des Etats-Unis. Il y a un an, j'écoutais tout le monde, je prenais conseil de tout le monde, et où cela m'a-t-il mené ? En prison, à Gothenburg. Joe a été la première personne, la seule personne, à me témoigner alors un peu de bonté, de charité. C'est l'homme qu'il me faut comme second à bord de la *Duchesse*.

— C'est le nom du brick en question ?

— Son nom actuel : *Hertiginnan av Finland*.

— Eh bien, fit Mme Tarras, c'est une drôle d'histoire, que tu avais à me conter.

Brand la regardait avec espoir.

— L'achat d'un nouveau bâtiment est une affaire vraiment sérieuse, pour une compagnie qui en a déjà quatre immobilisés. Toutefois, je n'ai jamais été de ces gens qui mettent tous leurs œufs dans le même panier. J'ai de l'argent placé chez les négociants en thé d'Aberdeen, ainsi que dans la laine australienne et les paquebots des voyageurs. Je n'en suis pas à mon dernier sou, mais savoir si je dois financer un bateau corsaire, c'est une autre histoire.

— Mon grand-père a bien un peu fait la course, dans le temps, non ?

Mme Tarras se mit à rire, et la jeune femme pleine d'entrain qui avait connu les guerres napoléoniennes revécut dans ses yeux bruns.

— Ouais, c'est vrai, du temps qu'il était un jeune capitaine et faisait du cabotage. En ce temps-là, il ne descendait jamais à terre sans un pistolet passé dans sa ceinture, de peur que les racoleurs ne lui tombent dessus dans un port anglais. « Isabella », me disait-il souvent, « ils ne me racoleront jamais vivant. »

— Eh bien alors, grand-mère...

— Je vais y réfléchir, répondit la vieille dame. Certes, j'aimerais bien te voir flouer les Russes et forcer le blocus ; car, fais attention à ce que je vais te dire : le blocus a fait plus de mal au commerce anglais qu'au tsar de Russie. Mais si ce n'est qu'une question d'immatriculation américaine, ne pourrions-nous conclure un arrangement avec ce Ryan, pour affréter la *Molly-O* ?

— Elle n'est pas assez forte pour être armée. Et je veux pouvoir monter une caronnade.

— Pourquoi pas un canon ? Penses-tu donc te choisir une caronnade chez le premier fournisseur venu ? Et même sans parler de l'armement, il y a la question du transfert de l'immatriculation. Il faudra que tu voies la Légation américaine à ce sujet. Et il y a aussi les lettres de marque, à te faire délivrer. Non, non, ce n'est pas là une affaire à régler à la hâte.

— Grand-mère, pour l'amour du ciel !

Brand perdit tout sang-froid. Il enfouit son visage dans ses mains et son long soupir douloureux ressembla fort à un sanglot.

— Qu'est-ce qui ne va pas, petiot ?

Mme Tarras secoua sa jupe de velours et se leva, inquiète. Debout près de son petit-fils, elle laissa un instant sa main en suspens au-dessus des épais cheveux blond-roux. Il ne bougea pas, et elle transforma la caresse prévue en une brève tape sur l'épaule.

— John, tu es à bout de forces, et ça n'a rien d'étonnant. Monte te coucher, dors bien ; nous en reparlerons au dîner.

Brand, alors, leva la tête et lui prit la main, et le jeune visage dur, bronzé par les vents de la Baltique, rappela si intensément à Isabella Tarras celui de son mari défunt qu'elle crispa sa main libre dans les plis du fichu de dentelle croisé sur sa vieille poitrine, là où brûlait toujours la flamme de rébellion. Brand insista :

— Mais il n'y a pas de temps à perdre !

La vieille femme, sans ôter sa main de la sienne, dit lentement :

— Pourquoi donc ? Y a-t-il quelque chose, dans toute cette histoire, que tu ne m'as pas dit ?

— Grand-mère, il y a une jeune fille.

Dans un éclair de compréhension, Mme Tarras s'écria :

— La jeune fille de Marstrand !

— Non, je ne vous ai pas sonnée, Betty, et vous le savez très bien, dit calmement la maîtresse à la vieille servante. Mais puisque vous êtes là, vous pouvez desservir. Et remettez donc un peu de charbon sur le feu.

308

Cette interruption donna à Mme Tarras le temps de se reprendre. Elle s'assit au grand bureau, mit ses lunettes et feignit de relire les télégrammes de Londres. Une fois la porte refermée sur la servante, elle dit d'un ton bref à Brand, qui l'avait suivie :

— Prends une chaise, garçon, et assieds-toi. Les bureaux ne sont pas faits pour s'y asseoir.

— Je vous demande pardon, madame.

— Ainsi donc, c'est cette jeune personne de Marstrand ? Je pensais aussi que nous n'avions pas fini d'en entendre parler... Tu ferais bien de tout me dire.

Pour la seconde fois en une semaine, Brand conta à une femme l'histoire d'Alexandra. Il en dit plus qu'il n'en avait confié à Milly Chester : il ne passa aucun détail, sauf sa fuite de Saint-Pétersbourg et insista sur la haine d'Alexandra pour la Russie, sa foi en une Finlande libre et le dévouement qui l'avait poussée à le suivre à Bomarsund. Impossible de savoir ce qu'en pensait sa grand-mère. Elle l'écouta jusqu'au bout avec calme, comme si, après s'être entendu proposer de faire la course, l'idée d'une jeune fille en prison n'avait rien qui pût la surprendre. Son premier commentaire fut d'ordre purement pratique :

— Mais es-tu bien sûr que ce soit elle, cette fille de Lewes ?

— Aucune erreur possible. M. Falk et moi sommes allés en voiture ensemble jusqu'à l'église suédoise pour questionner le pasteur. Il n'a lui-même jamais vu Alix, mais le curé anglais la lui a décrite avec précision... et... et elle lui a fait parvenir une broche à vendre, pour acheter certaines choses aux prisonniers : je l'ai reconnue au premier coup d'œil. Des feuilles d'or... j'ai déjà vu cette broche, dit Brand, dont la voix s'enroua.

— Mais tu n'es pas parti immédiatement pour Lewes toimême ?

— Falk me l'a déconseillé. Il a fait aussitôt le nécessaire, par l'intermédiaire de la Légation suédoise, pour se faire donner un ordre de levée d'écrou. Dès que nous l'aurons, nous partirons pour Lewes et nous l'emmènerons.

Mme Tarras changea de place le presse-papier de granit.

— Qu'est-ce qui a bien pu la pousser à partir avec les prisonniers de guerre ? Je n'ai jamais rien entendu de pareil !

— Moi non plus. Mais Alix est ainsi ! La Finlande est tout pour elle. Elle était tellement persuadée que les Finlan-

dais se soulèveraient contre la Russie, et voilà qu'ils n'en
ont rien fait...

Son geste malhabile évoquait tant bien que mal la profonde détresse morale d'Alix.

— Il n'y a aucune chance de révolte finlandaise ?

— Oh,... si Napier, en avril dernier, était allé jusqu'à
Sveaborg et s'était emparé des navires de guerre russes qui
s'y trouvaient... ou bien si l'escadre de Plumridge n'avait pas
déclenché cette attaque imbécile sur Gamla Karleby, il y
avait peut-être une chance. Mais nous avons commis là deux
grosses fautes que nous n'avons pu réparer, même après
Bomarsund.

— Et c'est là ce qui préoccupe le plus Alice ?

— La Finlande et l'avenir de la Finlande ? Oui.

— Ce n'est pas naturel, fit Mme Tarras.

— Moi, je trouve que si. Je me rappelle les histoires que
me contait ma mère, sur William Wallace, et Robert Bruce
le libérateur, quand les Ecossais ont conquis leur indépendance sur l'Angleterre... Selon Alix, c'est exactement la position des Finlandais à l'heure actuelle.

— Je te dis que ce n'est pas naturel, répéta la vieille
dame. Une jeune fille comme ça a besoin d'un homme et
de deux ou trois marmots, plus que de politique.

— J'ai l'intention d'être cet homme.

— Tu es sûr ?

— Elle est la femme de ma vie, je le sais.

— Moi, je n'aime guère toutes ces fuites, dit Mme Tarras avec un soupir. Que vas-tu faire d'elle, quand elle sera
remise en liberté ? Ne pourrait-elle demeurer tranquillement
chez son beau-frère pendant quelque temps, jusqu'à ce que
nous sachions comment la guerre va tourner ? Tu auras
bien assez à faire, quand tu reprendras la mer — si toutefois tu la reprends — sans avoir encore à faire la cour à
une jeune personne !

— Falk prétend qu'il est peu probable que la grâce soit
accompagnée d'une autorisation de séjour en Angleterre.
Voyez-vous, officiellement, Alix est Russe. C'est pourquoi je
tiens à l'épouser sans délai.

— Ces sacrés Russes ! s'écria Mme Tarras. Ils ont
chambardé tous les plans !

— C'est pour cela que nous les combattons, pour qu'ils
ne soient plus en mesure de les chambarder.

— Ouais, mais en attendant...! John, je ne te mentirai

310

pas : tout ça ne me plaît guère. Quand nous t'avons fait venir en Europe, je pensais que tu te choisirais une gentille fille que nous connaîtrions tous — l'une des filles d'Arthur, peut-être. Voyons, Bell, ou même Flora, serait pour toi une bonne épouse. Et ce serait une excellente chose pour la Tarras Line.

— Dès que j'ai vu Alix, j'ai complètement oublié la Tarras Line.

— Ouais, tu l'as prouvé à Gothenburg, dit la vieille dame d'un ton acerbe. A ce que je vois, il te faut tout de même l'argent Tarras, pour te lancer ! Où te retrouverais-tu si je te déclarais tout net que je refuse de financer ton affaire ? Il faudrait bien, alors, que tu attendes un peu pour te marier.

— Oh, non, pas du tout, répondit Brand froidement. Je Je suis venu vous voir la première, grand-mère, parce que oncle Arthur juge mon projet intéressant. Il est disposé à le soutenir de son argent et je pensais que, vous aussi, vous seriez intéressée à forcer le blocus. Mais, si je me suis trompé, je trouverai ailleurs l'argent pour la *Duchesse.*

— Comment ?

— J'hypothéquerai ma maison de Portland.

— La maison que t'a laissée miss Brand ? Ce serait dommage. C'est une bonne maison bien solide, m'as-tu dit ; tu devrais tâcher de conserver ton titre de propriété libre de contrainte.

Brand haussa les épaules.

— J'aurai une bonne hypothèque bien solide.

— Ouais, tu es très obstiné, John. Très décidé ! Et que feras-tu de ta femme, pendant que tu seras en mer, à faire la chasse aux agents russes ?

— Elle naviguera avec moi.

— Dieu me garde ! Emmener une jeunesse en Baltique au cœur de l'hiver, sur une mer dangereuse et l'ennemi partout ?

— Ne naviguiez-vous pas avec mon grand-père, au début de votre mariage, quand vous évitiez les Français dans le Channel, sur le vieux lougre qui fut le premier bâtiment de la Ligne ?

— Ah, mon petiot ! C'était une autre guerre, un autre monde que ceux-ci.

— Pour vous, oui, dit Brand Endicott. Aujourd'hui, c'est notre monde et notre guerre. Pour Alix et moi, il n'y a... qu'aujourd'hui.

CHAPITRE XVI

LES BONAPARTE CHEZ EUX

APRES CE NOEL VERT VINT un nouvel an blanc.

A Londres, la neige se mit à tomber dans la soirée du jour de l'an et ne cessa pas de tout le mardi et d'une partie du mercredi, cependant que les pompes gelaient et que les propriétaires répandaient des cendres dans les rues glissantes. Puis un fort vent de sud-est chassa la tempête vers le Kent et le Sussex, si bien que la neige recouvrit les contreforts des Downs sur lesquels était posée la ville de Lewes. Quand, le vendredi après-midi, le gouverneur Mann envoya chercher Alix Gyllenlöve, la neige avait adouci le rouge trop dur des briques de la prison de guerre et tissé une fantastique dentelle sur les pointes qui garnissaient le mur, haut de dix mètres.

Si l'on avait envoyé vers elle l'un des gardiens les plus sympathiques, Alix eût peut-être tenté de découvrir la raison de cet appel. Mais l'homme était bourru et Alix elle-même agissait dans une semi-torpeur : à mesure que s'affaiblissaient les prisonnières, elles dormaient davantage et, depuis la mort de son mari, Tora Kivi passait des heures à sommeiller, la tête enfouie dans l'oreiller, comme une bête malade. Sans rien dire, donc, Alix suivit d'un pas lourd le corridor balayé de courants d'air, se laissa pousser sur le seuil du bureau du gouverneur et fit la révérence exigée des pri-

312

sonnières, avant même de soulever ses paupières alourdies.
— Eh bien, ma fille ! fit le gouverneur Mann.

Il était nerveux et, en conséquence, pompeux. Le médecin de la prison, à ses côtés, haussa les sourcils en entendant sa voix saccadée.

— Ces messieurs sont venus de Londres pour une affaire qui vous concerne. Redressez-vous et répondez aux questions qu'ils pourraient avoir à vous poser... Elle parle anglais, messieurs.

Alix se retourna, pour se trouver en face d'un inconnu en manteau noir... et du mari de sa sœur.

— Est-ce bien là la femme en question, monsieur ? demanda l'inconnu.

Alix leva vivement sa main vers ses lèvres tremblantes. Gunnar Falk ne lui laissa pas l'opportunité de parler. Il s'inclina légèrement, froidement, dans sa direction et répondit aussitôt :

— C'est bien Anna Larsson. Je la reconnais comme originaire du grand duché de Finlande, née à Ekenäs, dans la province de Nyland, en l'année 1834. Je déclare en outre que son père et sa sœur sont vivants et que je les connais personnellement l'un et l'autre.

— Je vous remercie, M. Falk. Cela me paraît constituer une complète et valable identification.

— Dois-je comprendre que le Home Office est d'accord ? s'inquiéta le lieutenant Mann.

— C'est exact, monsieur. Je vous remets à présent l'ordre de levée d'écrou concernant Anna Larsson et vous requiers formellement de l'élargir de la prison de guerre de Lewes pour la remettre à la garde de sa famille et de ses amis.

— Sa famille étant, je présume, en Finlande, fit remarquer le gouverneur en prenant le rouleau de papier rigide. Je dois vous dire, au nom du maire et des conseillers de Lewes, qu'un prisonnier libéré ne peut en aucun cas devenir une charge pour la municipalité.

— N'ayez aucune crainte à ce sujet, monsieur, dit le représentant du Home Office avec un sourire. M. Falk se charge de la tutelle de cette jeune femme.

— Eh bien, Larsson, fit le gouverneur en se tournant vers Alix. Mes félicitations ! N'avez-vous rien à dire, devant cette bonne nouvelle ? Pas un mot de remerciement pour M. Falk qui est venu ici pour vous ?

— Je vous suis reconnaissante à tous, dit Alix d'une voix faible. Que... que dois-je faire, maintenant ?

— Vous allez attendre dans l'antichambre que les documents officiels soient signés, déclara le gouverneur.

Alix se retourna, comme aveuglée, et faillit trébucher sur une chaise que le médecin de la prison, qui devait faire office de témoin pour la signature du gouverneur, écarta juste à temps de son chemin.

— Vous avez une autre visite !

Il lui murmura ces quelques mots, avec un regard significatif, en ouvrant pour elle la porte qui donnait dans l'antichambre. Alix rassembla ses forces. Elle s'était attendue à se trouver en face de sa sœur. Ce furent les bras de Brand qui l'enveloppèrent.

Alors, la gangue de glace qui enserrait le cœur d'Alix fondit et elle se mit à sangloter désespérément, comme une enfant, la tête sur la poitrine de Brand, ne sentant plus rien que ses baisers, n'entendant que sa voix qui murmurait :

— Alix, ma chérie... petite folle !... Saine et sauve, je vous ai retrouvée saine et sauve !

— Voyons, Alix ! dit derrière eux la voix froide de Gunnar Falk. J'imagine que vous n'avez aucun désir de vous attarder en ces lieux ?

Elle s'avança timidement vers lui, la main tendue.

— Merci, cher beau-frère. Vous avez été bien bon de venir. Comment... comment avez-vous su où me trouver ?

— Demandez-le-lui, fit le Suédois, avec un geste du menton vers Brand. Plus tard, il vous racontera toute l'histoire. Ah, docteur Burton ! reprit-il à l'entrée du médecin. Sommes-nous libres de partir dès maintenant ? Mlle Larsson a-t-elle... euh... des affaires personnelles qu'il nous faut chercher ?

— Je n'ai rien, déclara Alix. Mais Tora... je ne puis partir sans dire adieu à Tora et au pauvre petit Henry !

— Doucement, ma chère enfant.

Le Dr Burton s'était carré au seuil de la porte qui donnait accès à la prison.

— Une scène de larmes avec Mme Kivi ne fera de bien ni à l'une ni à l'autre ! Tout ira bien pour elle : la nature prend remarquablement soin d'une femme en de pareils moments. Et je ne serais pas étonné que vous puissiez faire bien davantage pour elle et pour tous les autres prisonniers, une fois que vous aurez franchi ces grilles. Mlle Larsson a été mon bras droit, monsieur, ajouta-t-il à l'adresse de Falk. Elle mérite bien sa liberté.

Gunnar Falk s'inclina. Il prit une cape rouge, qui attendait sur une chaise, et en enveloppa les épaules d'Alix.

— Le gouverneur souhaite que vous sortiez par la porte de la cour, dit le docteur. Ce sera moins remarqué que par l'entrée principale.

Par un long couloir, ils gagnèrent la cour à ciel ouvert où les prisonniers prenaient leurs récréations. D'instinct, Alix leva les yeux en disant :

— C'est ici que nous pouvions voir le ciel.

Le ciel était gris et promettait encore de la neige. Le monde, au-delà des murs de la prison, ne révéla, quand les guichetiers eurent ouvert à grand-peine les lourdes portes, qu'une route boueuse, quelques petits campagnards qui traînassaient en sortant de l'école et un valet d'écurie qui ramenait un cheval de chez le maréchal-ferrant. Alix aspira son premier souffle de liberté.

— Docteur, demanda-t-elle, est-ce le cimetière Saint-Jean, de l'autre côté de la route ?

— Oui, ma chère enfant.

— Vous m'aviez dit que c'était tout près. Je voudrais... Je vous en prie !... avant de partir, voir où sont enterrés les prisonniers.

— Idée morbide et tout à fait saugrenue ! ragea Gunnar Falk.

— Vingt-huit Finlandais sont enterrés là, lui dit-elle. Il y aura, un de ces jours, un petit monument. Mais aucun de nous n'a jamais vu la tombe. Nos amis ont été portés là par des inconnus.

— Si elle le désire vraiment ! fit Brand brusquement. Docteur, montrez-nous le chemin.

Le cimetière, qui s'étendait au pied du clocher de l'église Saint-Jean, était ancien et pas bien vaste. Il n'y avait pas loin jusqu'à la tombe où les prisonniers finlandais avaient été enterrés, bien protégés des vents du sud-est par des taillis et des haies d'épine noire. Une mince couche de neige s'accrochait à la terre fraîchement remuée.

— Est-ce là le monument ? murmura Alexandra.

— Cette plaque de bois ? Certainement pas, fit le docteur, d'un ton rassurant. Le monument proprement dit sera en pierre. Mais le colonel Grahn a pensé, et le pasteur est tombé d'accord avec lui, qu'une tombe comme celle-ci devait être marquée dès le début.

— Et tous leurs noms seront inscrits sur la pierre ?

— Tout comme vous les voyez ici.

Alexandra lut à haute voix :

« ERIGE PAR LES FINLANDAIS,
PRISONNIERS DE GUERRE RUSSES.
A LA MEMOIRE DE LEURS COMPATRIOTES
ET COMPAGNONS DE CAPTIVITE
MORTS PENDANT LEUR SEJOUR
DANS LA PRISON DE GUERRE DE LEWES. »

Les trois hommes s'étaient découverts. Le vent soufflait de nouveau de l'est et quelques flocons égarés tombèrent sur la cape d'Alexandra. Brand, qui l'observait, vit ses lèvres remuer. Falk et le docteur pensèrent qu'elle priait. Brand, qui l'aimait, sut à quoi s'en tenir en voyant se crisper ses mains amaigries. Dans cette antique région, au pied du mont Caburn, où subsistaient des vestiges du camp romain et la tour du conquérant normand de Warenne, où flottaient encore les invisibles bannières des anciens combats qui avaient eu lieu dans les Downs saxonnes, Alexandra pensait à la guerre, si éloignée encore d'un heureux dénouement.

— Le bout de la route de Bomarsund, dit-elle d'une voix étrange.

Puis elle ajouta :

— Même sur leur pierre tombale... « Prisonniers de guerre *russes* » ! La Finlande vengera cette insulte... un jour.

— Où m'emmenez-vous ? A Londres ? demanda-t-elle, quand elle se trouva dans le fiacre qui avait attendu près de la prison.

Ils se dirigeaient lentement vers la grand-rue.

— J'ai retenu des chambres au White Hart Hôtel, dit Falk. Vous y trouverez des vêtements propres et nous pourrons discuter de l'avenir en toute tranquillité, en dînant de bonne heure.

— C'est à Kristina, cette cape, n'est-ce pas ? Je reconnais son parfum.

316

— Oui. J'ai emprunté pour vous quelques affaires à Kristina. Elle n'en a pas besoin pour le moment.

— Pourquoi cela ? Elle n'est pas malade ?

Falk parla par euphémisme d'« heureux événement » et de « situation intéressante » et Alix sourit.

— Vous voulez dire qu'elle attend encore un bébé, si tôt après le premier ? Oh, Gunnar, ne prenez pas cet air choqué ! Nous avons appris à ne pas avoir peur des mots, à la prison de guerre de Lewes.

La fameuse auberge de relais brillait encore de toutes ses décorations de Noël, car on n'était encore qu'à l'avant-veille de la fête des Rois ; dans un salon du premier étage, retenu par Falk, des branches de houx remplissaient des cruchons de cuivre et le flamboiement d'un feu de bois se reflétait sur les boiseries de chêne.

— Cette brave femme va s'occuper de vous, dit Falk à Alix. Vous trouverez dans la chambre du porto et des biscuits. Je tiens à ce que vous buviez un peu de vin avant de changer de vêtements : cela vous fera du bien.

— Vous êtes plein d'égards, cher beau-frère.

Après un regard pensif pour Brand, Alix se laissa emmener par la servante. L'Américain avait l'impression qu'elle avait à peine conscience de sa présence.

— Alors ? dit-il à Falk, une fois la porte refermée. Que pensez-vous d'elle ?

— Ce que j'en pense ? Je pense que le donquichottisme d'Alexandra lui a coûté cher, cette fois-ci — sans parler de ce qu'il me coûte, à moi.

— Je me fiche de ce qu'il vous coûte. Je voulais vous demander ce que vous pensiez de son état de santé. A mon avis, elle est épuisée, affamée et certainement pas en état de faire la traversée jusqu'en France ce soir.

— Je crains bien que nous n'ayons pas le choix. La mascarade d'Anna Larsson a bien marché avec ces imbéciles de la prison, mais le ministre au Home Office connaît son véritable nom ; et si le bruit se répandait qu'on a secrètement fait sortir de prison la fille du comte Gyllen-löve, président de la Commission russe des chemins de fer, il y aurait un beau scandale dans les journaux. Mon intention était de lui faire quitter l'Angleterre sans retard.

— Une seule nuit de repos ! dit Brand.

— Mon cher Endicott, c'est déjà un extraordinaire coup de chance que d'avoir découvert à Newhaven un cargo suédois qui veuille bien nous emmener sans formalités, et le capitaine Ericsson doit profiter de la marée.

— Alors, permettez-moi de lui exposer notre plan.

— Légalement, c'est à moi de le faire.

— Au diable la légalité, fit Brand. Depuis une heure, vous n'avez pas cessé de la traiter en criminelle ! Elle ! Elle est commotionnée, à bout de forces, trop mal en point pour ce genre de traitement...

— L'avez-vous entendue, dans le cimetière ? interrompit Falk. « La Finlande vengera cette insulte », et ainsi de suite. Je ne crois pas que vous connaissiez la puissance de récupération de cette jeune personne. Attendez un peu qu'elle se soit rafraîchie, qu'elle ait absorbé une tranche de roast beef et un verre de bourgogne... alors, écoutez-moi bien, Alix se sentira parfaitement de taille à se mettre en route pour faire sauter le Palais d'Hiver !

... Brand parvint enfin à se débarrasser du Suédois en lui rappelant qu'il fallait absolument louer une voiture pour le trajet de nuit jusqu'à Newhaven. Après son départ, il resta un moment debout devant la fenêtre : il regardait l'élégante façade des édifices municipaux, dans la grand-rue envahie par le crépuscule. En bas, dans la vallée, il entendit le sifflet d'une locomotive. Cela lui rappela un entrefilet paru dans les feuilles populaires de Londres : à la Grande Nuit des Amateurs du Canterbury Music-Hall, le troisième prix avait été attribué à « une charmante comédienne, miss Amelia Chester, qui avait chanté, avec beaucoup de verve et d'esprit, « La joyeuse Jane en chemin de fer ». Il se rappela les trains qui secouaient régulièrement au passage les murs du Canterbury et pensa que la petite Milly avait bien choisi sa chanson. Amelia Chester, en route pour le haut de l'affiche ! Milly... curieux qu'elle évoquât pour lui Mary Ryan, qui voulait, elle aussi, se faire un nom en chantant. Toutes deux savaient où elles allaient. Mais Alix... ?

Ce ne fut qu'au bout d'une demi-heure qu'Alix vint le rejoindre. Entre-temps, il avait entendu, dans la pièce voisine, des bruits qui semblaient indiquer que les domestiques de l'hôtel charriaient des seaux d'eau et remuaient la lourde valise apportée de Londres par Falk et lui. Enfin, Alix apparut dans une robe de mérinos assortie à la cape écarlate et assez lâche, qui révélait combien la jeune fille avait maigri. Ses cheveux paraissaient plus sombres qu'autrefois et se plaquaient à son crâne. Ce fut seulement quand il la serra dans ses bras, sur le grand canapé recouvert de percale, près du feu, que Brand se rendit compte que la servante avait lavé les cheveux de la jeune fille et les avait sommairement séchés avec une grosse serviette.

— Alix, Alix chérie, j'ai cru vous avoir à jamais perdue !
— J'étais bel et bien perdue, Brand. Mais je m'étais perdue moi-même !

Il serra contre lui sa fugitive, perdue et retrouvée, il la berça dans ses bras, à la lumière du feu, comme une grande enfant, dans une étreinte dépourvue de toute fièvre sensuelle. Elle semblait trouver sa présence toute naturelle ; sans poser la moindre question sur son navire ni sur son départ de la Baltique, elle se détendait simplement, l'embrassait, en murmurant à son oreille. Puis, brusquement, comme si son cerveau s'était remis à fonctionner, elle leva la tête du creux de son épaule.

— Brand, avez-vous été malade, après Bomarsund ? Avez-vous attrapé ce terrible choléra ?

— Il m'a terrassé le soir-même. Mais ne vous tracassez pas, ma chérie : on m'a transporté sur le navire hôpital et je n'ai pas été trop atteint. La seule chose qui me tourmentait, c'était la pensée que, si j'avais pu rester auprès de vous, j'aurais su vous empêcher de partir... Alix, dites-moi : Quel message avez-vous vraiment laissé à Mary Ryan, ce matin-là ? Que vous retourniez à Degerby... ou bien quoi ?

Alix releva la tête.

— A Mary Ryan ? Je sais que je lui ai demandé de vous dire quelque chose... Peut-être lui ai-je dit que je rejoignais les hommes de Degerby ?

— Elle a soutenu que vous vouliez retourner à l'île de Degerby. Ou alors, comme Joe l'a supposé, que vous rejoigniez le bateau qui vous avait amenée de Degerby.

Elle le regardait, un peu perplexe.

— Quelle importance cela a-t-il ? Je ne m'en souviens vraiment pas. Il s'est passé tant d'événements, depuis ! Les pontons, et l'épidémie de pneumonie, et tout le reste.

— On vous a emmenée aux pontons ? Je l'ignorais !

— Nous sommes restés pendant six semaines sur le *Devonshire,* au large de Sheerness.

— Oh,... mon Dieu !

— Vous aussi, vous êtes allé en prison, à cause de moi.

— Pendant dix jours, souligna-t-il, horrifié. Dix jours dans une prison ordinaire, et seulement parce que j'avais fait l'imbécile ! Vous, vous avez subi *quatre mois* de ce traitement, parce que vous ne vouliez pas abandonner vos compatriotes dans leur malheur...

— Ce n'est pas l'unique vérité, interrompit Alix. De tous les Finlandais incarcérés à Lewes, j'étais sans doute la seule qui méritât vraiment d'être condamnée à la prison.

— Alix !

Un instant bouleversé, Brand crut que le fanatisme et les privations lui avaient fait perdre la raison. Mais elle s'écarta de lui, sur le canapé, et la lueur du feu révéla son visage parfaitement calme et raisonnable.

— Ce jour-là, à Bomarsund, j'ai poignardé Erik Kruse !

— Kruse était donc là ?

— Il était de service auprès de son général. Il savait apparemment que les Ryan allaient aux Iles et il rôdait autour du bateau, pour voir la jeune fille. Mais il m'a suivie et tout a recommencé comme en Suède... Alors, j'ai perdu la tête, j'ai tiré mon *puuke* et je lui en ai assené un coup en plein visage.

Brand poussa un profond soupir.

— Mon Dieu, je croyais que vous l'aviez tué !

— Oh, non. Il saignait énormément, mais ce n'était qu'une blessure dans les chairs.

Et, tandis que Brand la dévisageait sans rien dire, Alix se leva, prit une bougie, la présenta aux flammes et alluma les chandeliers de la cheminée.

— Gunnar serait scandalisé s'il nous trouvait dans l'obscurité, dit-elle.

Brand se leva, lui aussi, et, d'un geste brusque, tira les rideaux sur la fenêtre. Il regarda Alix. Dans la pièce bien chauffée, ses cheveux séchaient rapidement : la nappe d'or pâle se balançait de nouveau autour de son visage et de son cou.

— Eh bien, tant mieux, dit-il enfin. Je suis heureux que vous ne l'ayez pas tué. J'ai moi-même un compte à régler avec le capitaine Kruse. Mais je me demande si cet incident a influé sur la décision du secrétaire au Home Office.

— Quelle décision ?

— Cela expliquerait plus ou moins l'inquiétude de Falk. Après tout, Kruse était un officier suédois, en mission officielle à Bomarsund. Si on l'a découvert blessé et que, de retour en Suède, il ait fait comprendre ce qui s'était passé...

— Brand, *quelle* décision ?

LES BONAPARTE CHEZ EUX

— Ma chérie, les Britanniques n'ont accepté de vous libérer qu'à une condition. Vous devez quitter l'Angleterre immédiatement. Ce soir-même.

Brand songea qu'il n'avait pas été plus habile que Falk, en regardant avec désespoir le visage bouleversé d'Alix. Celle-ci parcourut des yeux la pièce agréable, comme si elle allait disparaître comme une toile de fond, au théâtre, pour faire place, une fois de plus, à la cellule de la prison.

— Et où dois-je aller, à présent ?

— Alix, Mme Karamsine est à Paris. Elle demande que vous alliez la rejoindre, chez sa belle-sœur... toutes deux vous réclament.

— Gunnar ne veut donc pas que je voie Kristina ?

— Je crois vraiment qu'elle n'est pas bien...

— Aurora est sans rancune. Et chacun sait que la princesse Mathilde est... hospitalière.

— Alix, ne prenez pas cet air malheureux ! Vous pouvez bien les supporter pendant trois semaines, guère plus ?

— Pourquoi trois semaines ?

— Nous pourrons nous marier dans trois semaines, avec une dispense spéciale britannique.

— Mais... je suis luthérienne !

— Je sais. Et moi, presbytérien. Mais Gunnar affirme que le Collège des docteurs en droit nous accordera malgré tout la licence. Il faudrait, peut-être, moins de trois semaines, mais je ne pense pas avoir mon bateau avant cela.

— Brand, qu'est-ce que vous racontez là ? Vous n'êtes donc plus dans la Royal Navy ?

— Oh, non. Nous avons été licenciés, tous jusqu'au dernier, dès le retour en Angleterre de la flotte de la Baltique. Est-il un système plus bête, un gâchis plus évident, que d'entraîner des hommes à se battre pour les congédier ensuite ! Alix, les Anglais tiennent à gagner cette guerre, mais ils font tout leur possible pour la perdre. Même pour ce bateau dont je vous parle, il va y avoir des retards à n'en plus finir : personne, pas même ma grand-mère, ne semble capable de prendre une décision pour quoi que ce soit. Mais les lettres de marque me seront accordées la semaine prochaine...

— Un bâtiment corsaire ? fit-elle, incrédule. Et vous en serez le capitaine ?

— Voulez-vous naviguer avec moi, être la femme du capitaine, Alix ?

321

Elle plaqua ses mains sur ses joues en feu.

— Brand, il ne faut pas me presser ! Songez qu'il y a seulement deux heures, j'étais en prison, à Lewes, et que je vous croyais à des centaines de kilomètres. Et me voilà dans vos bras, et vous parlez de mariage, de dispense spéciale... d'engagements à prendre, l'un envers l'autre, pour toute une vie...

Brand la saisit aux épaules et plongea son regard dans les yeux brillants.

— Je ne demande qu'une seule promesse, dit-il : c'est que plus jamais vous ne me fuirez.

— Oh, Brand !

Elle se penchait vers lui, ses lèvres toutes proches des siennes, mais il poursuivit :

— Parliez-vous sérieusement, dans le cimetière, à propos de la vengeance finlandaise ?

— Vous le savez bien !

— En voulez-vous aux Anglais de la mort de ces jeunes Finlandais ?

— Je n'en veux qu'à la Russie, pour la guerre et toutes ses conséquences.

— Alors, voulez-vous m'épouser et combattre les Russes sur mer, Alix ?

Son visage s'illumina, elle pressa ses lèvres contre les siennes, en disant :

— *Je le veux !*

La princesse Mathilde Bonaparte, belle-sœur d'Aurora Karamsine, occupait une position assez exceptionnelle, parmi ceux qui menaient la guerre entre la Russie et l'Occident. Elle était la cousine germaine de Napoléon III, qui, en tant que Président de la République Française, s'était emparé du pouvoir en décembre 1851 et, un an plus tard, s'était fait plébisciter empereur ; jusqu'au mariage de Napoléon avec Eugénie de Montijo, elle avait fait chez lui fonction d'hôtesse. D'autre part, elle était étroitement apparentée à la famille impériale russe, puisque sa mère, née princesse Catherine de Wurtemberg, était la cousine germaine du tsar Nicolas 1er. En même temps, elle était l'épouse, juridiquement séparée, du prince Anatole Demidov, duc de San Donato, dont le frère Paul avait été le premier mari d'Aurora Karamsine. Un fait suffisait à donner la mesure du tact et de l'habileté politique de la princesse Mathilde : alors que tant de gens qui avaient des relations russes, se voyaient dans l'obligation de quitter Paris pour un temps, elle pouvait, sans donner prise à la critique, recevoir chez elle, rue de Courcelles, Mme Karamsine qui pleurait son mari.

A trente-quatre ans, la princesse Mathilde, dont le profil de jeune fille avait quelque peu évoqué la sévère beauté du jeune Bonaparte, avait beaucoup grossi et son teint marbré de rougeurs lui donnait un aspect dissolu. Lord Clarendon, ministre aux Affaires Etrangères, l'avait surnommée « La Cuisinière » et son frère, le prince Napoléon, « L'Assassin », mais, en cela, il était loin de se montrer juste envers la princesse. Les Anglais pouvaient bien se gausser de Mathilde, avec son amant, ses carlins et son salon pour littérateurs à l'esbrouffe. C'était l'une des personnes les plus douées à la cour de Napoléon III et, après l'empereur — qui lui avait toujours été supérieur par sa subtilité et son don de ne voir, en la France, qu'un prolongement de son « moi » monstrueux — elle était de loin la plus intelligente de cette génération de Bonaparte.

Telle était celle qui peignait dans son atelier, sur un appui-main, en fredonnant un petit air entre ses dents serrées, en ce matin où la lumière était excellente et où l'un des bien-aimés carlins posait pour son portrait, quand on annonça Alix Gyllenlöve.

— Miséricorde ! Mais vous êtes une véritable beauté, mon enfant ! s'écria la princesse Mathilde, tandis qu'Alix, après une révérence, s'avançait respectueusement pour lui baiser la main. Aurora ne m'avait jamais dit — par terre, les chiens ! — à quel point vous étiez ravissante. Robe écarlate et cheveux blonds... hum, ça me plaît, c'est à peindre. Où est votre tuteur ?

— Il a demandé à voir madame Karamsine, madame la princesse.

— « Princesse » suffira, jusqu'à ce que nous ayons fait plus ample connaissance. Bon ! je suis ravie qu'il ne vous ait pas déposée devant ma porte comme une enfant trouvée. Qui est-il, exactement ? Votre beau-frère ? Depuis quelques jours, il donne bien du travail à la légation suédoise en lui expédiant des dépêches chiffrées à votre sujet. Qu'avez-vous donc fait ? Vous vous êtes enfuie avec le valet de pied, hein ? Allons ! ne faites pas attention, je m'amuse. Dénouez donc mon tablier. Pfff ! Je ne peux plus faire le tour de ma taille.

— S'il vous plaît, madame, dit Alix en pliant le tablier de toile aussi vaste qu'une tente, ma marraine est-elle très fâchée contre moi ?

La princesse Mathilde reprit sa gravité.

— Pas fâchée, non. Tendrement mélancolique... Vous connaissez son style ? Elle prétend que vous l'avez abandonnée en une heure difficile.

— Oh ! elle avait autour d'elle une demi-douzaine de personnes pour faire ses trente-six volontés, quand son mari est mort !

— Eh bien, ici, elle n'en a pas une demi-douzaine. On ne mène pas, au 24 de la rue de Courcelles, le même train qu'en Russie. Elle n'a même pas son cher Paul, pour l'instant : après les funérailles, il s'est querellé avec les Karamsine et on l'a expédié chez mon ex-mari, à Florence. Ce qui, de toute évidence, acheva la princesse Mathilde en effaçant une tache de peinture sur sa joue avec un chiffon trempé dans la térébenthine, est le plus court chemin que puisse prendre un jeune homme pour aller en enfer. Voyons, êtes-vous prête à affronter la belle Aurora ?

Au cours du voyage vers Paris, Alix en était venue à mieux comprendre le caractère de son beau-frère. Le formalisme inquiet de Gunnar Falk dissimulait un cœur plein de bonté. Quand ils eurent mis la Manche entre eux et le ministre au Home Office, il écarta bravement de son esprit ses inquiétudes sur la santé de sa femme et interrompit leur voyage pour permettre à Alix de se reposer, tout un jour et une nuit, dans un hôtel de Dieppe, avant de continuer par coche jusqu'à Paris. Soit que sa persuasion diplomatique eût agi sur Aurora, soit qu'elle eût été désarmée en voyant apparaître Alix dans sa robe trop large, Mme Karamsine n'eut pas un mot de reproche pour la fugitive.

— Mon enfant chérie, je suis si heureuse que tu sois revenue.

Ce fut là tout ce qu'elle dit, en tendant les deux mains à Alix et en adressant à Gunnar Falk son charmant sourire, la tête un peu penchée. La jeune fille embrassa Aurora avec une affection spontanée et fut reconnaissante de son pardon.

En la joviale présence de la princesse Mathilde, on n'avait guère l'occasion de se livrer aux examens de conscience, mais Mathilde s'absentait souvent et Alix passait alors de longues heures avec sa marraine, tout en se remettant de ses expériences en prison. Mme Karamsine se préoccupait plus de sa santé et de sa beauté que du vivant de son mari et elle ne tourmentait pas Alix pour connaître tous les détails de sa vie sur le ponton et dans la cellule de la prison. Elle avait pris un peu d'embonpoint, depuis l'été précédent, et la ligne de son menton avait tendance à se détendre, de sorte que masseuses et corsetières prenaient maintenant une grande partie de son temps. Le miroir qu'Aurora consultait rarement, du temps qu'elle était sûre de sa beauté, était toujours à portée de sa main. On eût dit que les pétales de la rose épanouie commençaient à se friper sur les bords et que la chute inévitable n'était plus loin.

Néanmoins, Aurora montrait une tranquille bonne humeur et répétait souvent combien elle se réjouissait à l'idée d'aller dans la maison de campagne de la princesse Mathilde, à Saint-Gratien, et comme on s'amuserait aux réceptions et aux pique-niques.

— Le séjour à San Donato de mon cher Paul prendra fin en mai, dit-elle à Alix, un après-midi, dans son boudoir. Il sera si heureux de te retrouver à Saint-Gratien, ma chérie. Il a besoin de jeunes pour lui tenir compagnie.

— Mais je ne serai plus là, cet été, Aurora.

— Pourquoi donc ?

Les yeux gris s'élargirent. Alix rougit.

— Je serai mariée avec Brand bien avant cela.

— Ma chérie, est-ce bien sage ?

— Il *faut* que je fasse ce que Brand désire, Aurora, affirma la jeune fille, avec sa fougue et sa passion d'autrefois. J'ai de si bonnes intentions et tout ce que j'entreprends se termine en désastre ! Je t'ai déçue, toi aussi, et on ne m'a pas même permis de voir ma propre sœur... mais je ne peux pas décevoir Brand...

Aurora passa un bras autour des épaules d'Alexandra.

— J'ai été si triste quand tu m'as quittée, ma chérie, dit-elle, mais je t'ai pardonné depuis longtemps. Et Kristina est bien trop égoïste pour s'inquiéter de toi — tout à fait comme ta pauvre maman. Son petit garçon a maintenant une semaine et tous deux se portent à merveille d'après ce cher Gunnar ; Kristina doit être parfaitement satisfaite.

— Mais les autres, Aurora ! Tante Kitty est toujours fâchée, il y a ce pauvre vieux Carl, qui ne pourra plus jamais retrouver du travail à Karinlund, et la chère Mlle Agneta...

— Saine et sauve chez les Mannerheim, avec Josabeth et ta propre femme de chambre pour s'occuper d'elle.

— Et la pauvre Tora Kivi et son petit Henry, que j'ai laissés là-bas.

— Ma chérie, tu sais bien que Gunnar Falk a obtenu la libération sur parole de toutes les prisonnières finlandaises ; et je me suis chargée personnellement du petit garçon et du nouveau-né de Mme Kivi.

— Tu es très généreuse, Aurora.

— Je suis très riche. L'argent ne signifie donc rien pour toi, Alexandra ?

— Rien, à côté de ce que j'éprouve pour Brand. Je l'aime, Aurora ! Dis-moi, avec toutes ses richesses, aimais-tu vraiment le père de Paul ?

C'était la première fois qu'Alix se sentait suffisamment adulte pour poser une telle question à Aurora. Sa marraine marqua quelque hésitation avant de répondre :

— Les Demidov sont vraiment une famille impossible. Et le père de Paul était un homme très difficile. Il buvait, vois-tu... avec excès et il était alors très violent. Mais il n'a pas tardé à mourir, ajouta Aurora plus gaiement, et, naturellement, j'avais mon bébé. Ensuite il y a eu mon André chéri. De sorte qu'en fin de compte, tout a bien tourné.

— Et il en sera toujours de même pour toi, Aurora.

— Et pas pour toi, chère enfant ?

— Le tambour dit : « Jusque-là seulement ».

Au 24 de la rue de Courcelles, la vie devenait fort gaie, les soirs où la princesse recevait. Dans son salon, les hommes de lettres et les artistes avaient la première place et l'on ne faisait qu'effleurer les affaires publiques. Il y avait une crise de cabinet en Grande-Bretagne et le gouvernement de Lord Aberdeen semblait en danger d'être mis en minorité, à la suite d'un projet de loi d'intérêt local... cela, bien sûr, constituait un excellent sujet de moquerie. Le royaume de Sardaigne avait déclaré la guerre à la Russie et avait l'intention d'envoyer une armée en Crimée... c'était d'un comique incomparable. Et les terribles souffrances des hommes devant Sébastopol n'étaient presque jamais mentionnées. La France s'était jetée nue aux pieds de son séducteur et, sous le despotisme de Napoléon III, il n'y avait aucune opposition parlementaire possible à son autorité personnelle, et un William Howard Russell français n'aurait pu écrire sur la Crimée des articles semblables à ceux qui avaient soulevé la colère en Grande-Bretagne ; et, par-dessus tout, il n'y avait pas de Florence Nightingale. Alix ne comprenait pas grand-chose à l'influence de l'empereur, mais elle se sentit de plus en plus encline à considérer Napoléon III comme le libérateur qui rendrait peut-être un jour son indépendance à la Finlande.

La princesse faisait le portrait d'Alexandra, et, tandis qu'Aurora consacrait ses matinées aux traitements de beauté, Alix passait des heures sur le fauteuil du modèle, les carlins couchés en boule sur ses jupes. Alix aimait l'atelier, avec son fatras poussiéreux de toiles empilées, de plateaux de cuivre où brûlaient des pastilles d'encens, sa grosse salamandre, toujours remplie et portée au rouge, les copies de Chardin, les faux Boucher et tous les échantillons du talent réel, mais désordonné, de la princesse Mathilde, sur les murs. C'était là un monde que la jeune fille n'avait jamais connu.

— Voilà ! Je suis assez satisfaite de celui-ci, dit Mathilde Bonaparte. De profil, les cheveux défaits, c'est la pose qui vous convient. Si je vous donnais une esquisse, pour l'envoyer à votre futur ?

— Il serait flatté de posséder quelque chose de votre main, Princesse.

— Prenez garde, Alix, vous devenez très courtisane. Vous devriez réserver ce genre de compliments à l'impératrice Eugénie.

— Je n'ai jamais eu l'occasion de voir Sa Majesté Impériale.

— C'est vrai. Elle n'est pas sortie des Tuileries depuis Noël. Cette petite sotte d'Espagnole, maladive, incapable de mener une grossesse à terme, passe la plus grande partie de son temps allongée sur son sofa, les pieds plus haut que la tête, comme si la position pouvait favoriser la conception ! Elle a dit à mon cousin qu'il était de son devoir de faire la guerre pour les lieux saints, mais elle n'a pas fait son propre devoir en donnant un héritier à la dynastie. Bah ! Elle me met hors de moi.

— Les lieux saints, madame ?

— Oui, fit Mathilde d'un ton sarcastique. Vous ne vous rappelez pas ? A qui revient la garde, les clés du saint

327

sépulcre ? Voilà le motif de la guerre russe. Comme me l'écrivait la pauvre princesse Lieven, après son départ précipité de Paris : « Tout ça pour quelques prêtres grecs ! » Vous-même, à ce que je vois, avez maintenant oublié les prêtres grecs.

— Je croyais que c'est le désir du tsar de repousser les frontières russes en Europe qui avait déclenché la guerre, madame.

— Si c'est vrai, il le paie cher. Je sais bien qu'il est maintenant l'ennemi de la France, mais tout de même, dit-elle avec un soupir, je ne peux oublier combien Nicolas aimait ma mère ni combien il s'est montré bon pour moi. J'ai horreur de penser qu'il est seul à Gatchina avec tous les souvenirs de son dément de père et de son enfance malheureuse ; très malade, aussi, à ce qu'on me dit.

— Le tsar est-il de nouveau à Gatchina ?

— Il prétend qu'il ne peut supporter Saint-Pétersbourg cet hiver. Les souffrances de ses soldats en Crimée ont fort éprouvé Nicolas. Il ne peut oublier le massacre de novembre. Votre père est un homme très habile, Alix, mais lui-même ne pouvait, en six mois de temps, poser plusieurs centaines de kilomètres de voies ferrées à travers les steppes jusqu'à Sébastopol ! Le retour des troupes d'Inkermann à Moscou, ce devait être un spectacle aussi affreux que la retraite de mon oncle à travers la Russie avec la Grande Armée.

— Puis-je descendre et me détendre, à présent, princesse ?

Les mois de dures épreuves avaient à ce point discipliné Alix qu'elle n'éclatait plus en paroles violentes contre le tsar ; mais, en sautant à bas du fauteuil, elle exultait en pensant à Nikita, en train de ressasser à Gatchina ses regrets et ses lugubres souvenirs, avec, pour toute compagnie, l'ombre de Paul, le tsar fou. Puisse-t-il vivre assez longtemps pour voir notre victoire, pensait-elle, en aidant la princesse Mathilde à ranger ses crayons. Puisse-t-il vivre assez longtemps pour que toutes ces souffrances retombent sur sa tête.

— Essayez donc de me trouver un peu de bristol, ma chère enfant, dit la princesse, qui fouillait dans le désordre de son bureau. Et vous pourrez ensuite préparer le croquis destiné au capitaine Endicott. Il mérite bien une récompense pour toutes les lettres qu'il vous envoie ! Une par jour, n'est-ce pas ? Qu'est-ce qu'il vous écrit... des poèmes ?

— Il a beaucoup à dire sur son nouveau bateau, répon-

328

dit Alix, avec une feinte réserve. Tonnage... largeur... tirant d'eau... équipage... toutes sortes de précisions de ce genre.

— Mais il vous dit bien qu'il vous aime ?

— Oui. Il le dit et le répète.

— Et vous, l'aimez-vous vraiment ?

— Oh, princesse, *oui !*

Mathilde poussa un grognement.

— Hum ! je m'en rends compte, en effet. Alors, tenez bon, enfant, ne laissez pas Aurora vous persuader de ne pas l'épouser au plus vite.

— Elle n'y parviendrait pas !

— Non, mais elle pourrait réserver son consentement au mariage, tant que vous n'êtes pas majeure. Elle est votre marraine, elle remplace votre père aussi longtemps qu'on ne peut le joindre, et, si elle fait jouer ses influences, le capitaine Endicott aura, sans doute, beaucoup de mal à obtenir une dispense spéciale.

— Le croyez-vous vraiment ? J'ignore tout des lois anglaises.

— Je ne dis pas qu'elle agira ainsi. Je vous engage seulement à... veiller au grain ! Aurora est très féminine, vous le savez, et je pense qu'elle a envie de vous rendre la monnaie de votre pièce, juste un peu, pour votre fuite de juin dernier.

— Je n'y avais pas songé.

— Je le sais bien. Vous n'êtes pas fille à songer à ce genre de chose. En fait, vous n'avez rien d'une jeune fille moderne. Vous auriez dû vivre il y a soixante-dix ans, pendant la révolution ; ou alors, il y aura peut-être des jeunes filles pareilles à vous, dans votre bien-aimée Finlande, d'ici soixante-dix ans. Mais vous n'appartenez pas à l'Europe de notre époque et c'est pourquoi je pense que vous devriez épouser votre Américain et même, un jour, retourner avec lui dans son propre pays.

— Je ne quitterai pas la Finlande avant que nous ayons gagné la guerre ! dit Alexandra, chagrinée.

Il était pénible de s'entendre dire qu'on était inadapté à sa propre époque.

Mathilde haussa les épaules.

— Nous verrons. Si j'étais jeune et belle comme vous, je ferais passer l'homme avant la patrie. Oh ciel ! comme il est triste d'être trop grosse et déjà mûre ! Mais quand j'avais seize ans, mon enfant, et que j'étais aussi mince que vous l'êtes, j'ai eu l'occasion d'être une heureuse épouse. J'ai connu mon premier amour. Mais quand il... a échoué dans une tâche qu'il s'était fixée, mon père m'a commandé de renoncer à lui. J'ai épousé donc Anatole Demidov, et la conduite des Demidov à l'égard de leurs épouses, c'est quelque chose qu'Aurora et moi, nous nous efforçons d'oublier... Si j'avais suivi mon étoile, comme Louis a suivi la sienne... Bah, c'est une vieille histoire, à présent, dit la princesse Mathilde en se reprenant. Mais vous avez votre vie devant vous, Alexandra. Ne vous battez pas seulement pour votre patrie ! Battez-vous pour votre bonheur !

Un jour de la fin de janvier, la princesse Mathilde, qui avait déjeuné en tête à tête avec son frère, fit son apparition dans le boudoir d'Aurora ; elle était d'excellente humeur et son visage couperosé était plus coloré que jamais après le cognac du déjeuner.

— Eh bien, Alexandra, dit-elle avec une gaieté bruyante, l'un de vos désirs les plus chers est en passe de se réaliser. On m'annonce que Sa Majesté — et l'impératrice — nous feront ce soir l'honneur d'une visite.

— Grands Dieux, Mathilde ! Un dîner d'apparat, dans un si court délai ?

— Rien de tel. Une simple visite familiale, comme mon cousin m'en faisait si souvent, le soir, après dîner, quand il était président et qu'il habitait l'Elysée. Il désire me demander conseil sur une ou deux questions importantes.

— Mais n'avez-vous pas une réception, ce soir ?

— J'enverrai un billet à quelques-uns de mes fidèles, et il faudra que le valet de pied renvoie les autres. Je désire que vous seule, ma chère belle-sœur, et, naturellement, notre petite Alix, soyez présentes quand je recevrai Leurs Majestés.

— Mathilde, il faut que vous me pardonniez, mais je ne me montrerai pas, dit Aurora d'un ton décidé. Il y a trop peu de temps que mon pauvre André est mort... Oui, je sais bien ce que vous pensez : André est mort en combattant les Turcs. Mais la campagne eût été terminée et mon mari épargné, si les alliés n'avaient pas pris le parti de la Turquie... Je suis Russe par mon mariage et je ne dois pas, pour l'instant, rencontrer l'empereur des Français.

— Comme il vous plaira, dit Mathilde sans plus discuter. Mais j'insiste pour qu'Alix soit là. On peut difficilement présenter aux Tuileries la fille du comte Gyllenlöve, mais rien ne s'oppose, certainement, à ce que Mlle Alexandra, mon invitée, rencontre mon cousin tout tranquillement, au coin du feu ?

Aurora acquiesça d'un doux hochement de tête. A mesure qu'approchait la soirée, elle devint en fait presque aussi excitée que la jeune fille et choisit avec Alix la toilette qu'elle porterait pour cette grande occasion. Elle sortit une broche de diamants pour orner le grand décolleté de la simple robe blanche. Puis la nouvelle femme de chambre française de Mme Karamsine coiffa à la dernière mode les blonds cheveux lisses : les détestables « anglaises » ne se portaient plus du tout à Paris, le style en vogue était le style « Eugénie », raie médiane, cheveux relevés et rejetés en arrière. Alix n'avait pas été aussi resplendissante, aussi pomponnée depuis la dernière grande soirée au Palais Demidov.

A dix heures, alors qu'elle tenait compagnie, dans le grand salon, à la princesse Mathilde — superbe, vêtue de satin violet et coiffée d'un diadème —, elles entendirent une voiture à deux chevaux s'arrêter devant le 24 de la rue de Courcelles ; quelques instants plus tard, Alix faisait une profonde révérence devant l'empereur et l'impératrice des Français.

— Nous sommes heureux de vous connaître, mademoiselle. La princesse Mathilde nous a parlé de votre dévouement à la cause alliée.

— Vous me comblez, Sire.

Alix leva les yeux vers son héros, l'ennemi du tsar. En se redressant, après sa révérence, elle constata qu'il était à peine plus grand qu'elle, grisonnant à quarante-six ans, portant une grosse moustache tachée de nicotine et une petite impériale grise. Napoléon III était en tenue de soirée ordinaire, sans décorations, et, d'un air affable, il pria les dames de s'asseoir, avant de prendre place sur un sofa de velours, près du feu.

Tout cela ne rappelait en rien les manières du tsar Nicolas, de même qu'on ne pouvait comparer la tsarine grisonnante, agitée de tics, avec la rayonnante créature qui était entrée au bras de Napoléon. L'impératrice Eugénie, à vingt-huit ans, était au point culminant de son extraordinaire beauté. Elle portait une robe de soie grise, garnie de petits nœuds roses depuis le grand décolleté jusqu'à l'ourlet et entièrement recouverte de point d'Alençon ; et, avec son

331

audace toute personnelle pour lancer une mode, elle avait piqué un camélia rose dans les ondes épaisses de ses cheveux d'or roux. En comparaison, toutes les grandes-duchesses de Russie prenaient l'allure de laveuses à la journée.

— Votre séjour à Paris est-il agréable, mademoiselle ? Resterez-vous pour l'exposition ?

La voix d'Eugénie était aussi délicieuse que son visage et parfaite son attitude à l'égard d'Alexandra. Elle était parfaite même à l'égard du valet de pied, auquel elle permit de faire glisser de ses épaules sa petite cape d'hermine, et même avec le petit « chien de Cuba », comme elle l'appelait, qu'elle tenait sur son bras. Le chien s'appelait Linda, Alix aimait-elle les chiens ? Que pensait-elle des carlins de la princesse Mathilde ?

La conversation à ce niveau, le champagne et les fruits confits qu'on servit, occupèrent les dix premières minutes de cette tranquille réunion familiale. Alix, qui n'avait d'yeux et d'oreille que pour l'empereur, remarqua qu'il parlait presque sans interruption et à voix très basse à sa cousine et que, plus d'une fois, Mathilde dissimula son visage derrière un petit écran destiné à se préserver de la chaleur du feu. Enfin, les valets sortis, tandis que l'impératrice dégustait son champagne en silence, la princesse prit la parole à haute et intelligible voix :

— Eh bien, si ces quinze mille Sardes sont prêts à embarquer à Gênes, je vous conseille, je vous supplie de les laisser partir ! Des troupes fraîches de cette importance pourraient mener à bien un nouvel assaut contre Sébastopol et mettre fin aux souffrances de ce terrible hiver.

— Mais, ainsi que je viens de vous le dire, je ne peux absolument pas me rendre en Crimée avant mars. Les Sardes devraient être tenus en réserve jusqu'au moment de mon arrivée.

— Et moi, Louis, je vous le répète : vous ne devriez pas aller en Crimée. Quoi qu'il arrive, il faut que vous demeuriez à Paris.

— Mais, intervint Eugénie, ne croyez-vous pas que nos braves soldats seraient encouragés en voyant leur empereur devant Sébastopol, en entendant sa voix ?

— Il est permis d'en douter, ma chère Eugénie. Louis en Crimée ne retrouvera pas l'enthousiasme qui accompagne ses visites d'apparat à Troyes ou à Chaumont, quand les enfants des écoles et leurs maîtres ont pour consigne d'agiter des drapeaux et d'applaudir ses discours...

— Il vous plaît de vous montrer sarcastique, chère Mathilde, dit Napoléon, cependant que l'impératrice prenait un air offensé et que la princesse Mathilde agitait son petit écran.

Alix jetait à l'un et à l'autre des regards incertains. Elle n'était pas sûre d'avoir bien entendu. L'empereur pouvait-il vraiment désirer retenir les troupes de son nouvel allié, la Sardaigne, et prolonger la guerre jusqu'à ce que lui-même pût se rendre en Crimée et récolter toute la gloire d'une victoire ? Il gardait un air imperturbable pour allumer une cigarette et l'ôter de sa bouche, dissimulée derrière la grosse moustache. Ses yeux froids avaient une curieuse opacité.

— Si Louis se rend en Crimée, Sébastopol cédera, déclara Eugénie d'un ton convaincu. Et alors... mon rêve serait qu'il poussât jusqu'à Jérusalem. Imaginez ce que cela signifierait, pour le monde chrétien, de voir un empereur français délivrer les lieux saints, à la fois des infidèles et des superstitions de l'Eglise grecque !

Napoléon se tourna vers sa femme, l'ombre d'un sourire sur son visage impassible.

— Merci, chère amie, dit-il. Vous êtes une constante inspiration... Mathilde, votre charmante invitée me regarde avec de grands yeux. Vous êtes la fille du comte Gyllenlöve, n'est-ce pas, mademoiselle ? Votre père, en quelques mois, a rendu son nom aussi fameux que ceux de Mentchikov et de Gortchakov.

— Je ne partage pas les opinions de mon père, Votre Majesté, dit Alix.

L'empereur eut un geste d'approbation qui fit tomber sur son habit une averse de cendres grises.

Dans ce salon, où chaque pouce de mur disponible était occupé par des souvenirs et des portraits de la famille, le neveu formait un étonnant contraste avec Napoléon le Grand. On pouvait voir Bonaparte à Arcole, maigre et triomphant, et Bonaparte tenant entre ses mains la couronne, tout alourdi de majesté... et l'homme assis sous ces portraits était, par comparaison, commun, quelconque, avec son gros nez, son ventre bedonnant et les gros doigts de manœuvre qu'il étalait sur ses genoux. Alix, en considérant son héros, se sentait le cœur serré.

— Quand la guerre sera finie, j'espère que le comte

Gyllenlöve viendra à Paris, dit-il avec bonté. Il y aura place pour un bon technicien, dans la reconstruction de mon pays.

— Vous êtes trop bon, Sire. Mon père souhaitera sans nul doute réparer tout d'abord les dommages causés à sa propriété en Finlande, qui a été cruellement malmenée par ses amis russes.

— Où se trouve cette propriété ?

— A Ekenäs, Sire.

— Ah, Ekenäs ! le théâtre d'un exploit avorté des Anglais, je crois.

— Avant l'arrivée des Français dans la Baltique, dit Alix.

— Il est vraiment fort regrettable, fit l'empereur d'un ton rêveur, que la campagne britannique en Baltique ait été si complètement nulle et sans effet. Ils ont perdu tout leur ancien prestige de maîtres des mers. Personne n'a plus peur, aujourd'hui, de la Royal Navy.

— Je pense que les Russes en ont peur, Votre Majesté, dit Alix.

L'impératrice eut un léger rire incrédule.

— Pardonnez-moi, Sire, poursuivit Alix avec l'énergie du désespoir, mais j'ai vu la Royal Navy en action ! J'étais à Bomarsund et je sais combien nombreux, terriblement nombreux, sont les soldats français qui y ont laissé la vie pour vous. Mais, d'un hiver à l'autre, ce sont les Anglais qui ont empêché les navires russes et les troupes russes de sortir de la Baltique et ils seront de nouveau présents, je le sais, dès que les glaces auront disparu. La Royal Navy, Sire, est le meilleur bouclier de la France !

— Je suis contente que vous ayez dit tout ça, à propos de la Royal Navy, dit la princesse Mathilde, une heure plus tard, après les révérences qui avaient accompagné le départ des hôtes impériaux. Il y a maintenant bien trop de gens, dans l'entourage de mon cousin, qui n'osent jamais être d'un avis contraire au sien.

— J'étais terrifiée, avoua Alix. Pour moitié moins, le tsar m'eût envoyée en Sibérie.

— Allons, allons, vous êtes trop dure pour ce pauvre Nicolas. Mais je vais maintenant vous demander d'oublier cette conversation, Alix. N'en répétez pas le moindre fragment à Aurora.

— Bien sûr que non.

— Espérons seulement, dit Mathilde Bonaparte, et son gros visage rougeaud était bien triste, que les Anglais eux-mêmes l'empêcheront de commettre une action aussi... dangereuse que ce voyage en Crimée. *Elle* n'a aucune influence sur lui.

— Elle est ravissante.

— Oui, c'est vrai. Mais il a changé, bien changé, depuis qu'il est empereur. Je redoute ces nouvelles idées sur sa destinée mystique... Oh, Louis !

Les yeux de Mathilde étaient pleins de larmes.

— Ce n'était pas ainsi que vous parliez, près du lac d'Arenenberg, quand nous étions jeunes, vous et moi !

Devant la soudaine compréhension qu'elle lisait sur les traits d'Alix, elle sourit.

— Vous ne saviez pas de qui je parlais, l'autre jour, hein, quand je vous ai dit de vous battre pour votre bonheur et d'épouser l'homme que vous aimez ? Oui, Louis-Napoléon Bonaparte a été jadis mon fiancé. Si je lui avais été aussi fidèle qu'il est resté fidèle à lui-même, c'est moi, et non pas cette belle poupée, qui aurais été impératrice des Français !

CHAPITRE XVII

LA DUCHESSE DE FINLANDE

I

APRES SA RENCONTRE AVEC l'empereur des Français, Alix passa une nuit agitée. Pour la première fois, elle comprenait que Napoléon III menait la guerre contre la Russie, non comme une croisade pour le bon droit, mais pour ses propres fins égoïstes, et que le machinateur des Tuileries utilisait, avec d'excellents résultats, les hommes et les femmes pareils à elle, attachés exclusivement à l'avenir de leur patrie. Elle répondit brièvement aux questions avides d'Aurora. La toilette d'Eugénie et le petit chien cubain d'Eugénie furent décrits, par Alix, avec beaucoup plus de précisions que les projets de Napoléon concernant la Crimée.

Par bonheur, un sujet nouveau ne tarda pas à passionner les dames de la rue de Courcelles. En Grande-Bretagne, l'enquête parlementaire sur la conduite de la guerre avait abouti à la chute du gouvernement de lord Aberdeen. Le 6 décembre, lord Palmerston, devenu Premier ministre, baisait la main de la reine Victoria.

Lord Palmerston était l'enfant chéri du public anglais. A soixante-dix ans, il avait gardé l'exubérance et la jeunesse d'esprit de ses vingt-cinq ans, de l'époque où il avait été ministre de la Guerre et l'ennemi de Napoléon Bonaparte. Il avait fait partie de nombreux cabinets (avant sa nouvelle désignation, il avait été le terrible ministre au Home Office, qui avait inspiré à Gunnar Falk un respect craintif) et s'était fait de nombreux ennemis au cours de sa longue carrière, mais, pour le citoyen moyen, sa voix était l'authentique voix de la Grande-Bretagne. Lord Aberdeen avait gazouillé, lord Aberdeen avait apaisé ; lord Aberdeen, dans un discours, au mois de juin, avait presque fait devant le Parlement une apologie de la Russie. Lord Palmerston, qui n'avait pas pour habitude de mâcher ses mots, était tout juste l'homme qu'il fallait pour flanquer à l'ours un bon coup sur le museau.

Brand arriva à Paris moins d'une semaine après la nomination par lord Palmerston de l'amiral sir Richard Saunders Dundas au poste de commandant en chef de la flotte de la Baltique. Il avait dans une poche les lettres de marque pour le senau américain et, dans l'autre, une dispense spéciale pour le mariage. Follement amoureux, il était d'une exubérance déchaînée et, littéralement, souleva de terre Alix dans sa première étreinte.

— Ça y est, ma chérie, ça y est ! s'écria-t-il, tout exalté. Ma grand-mère a aligné le prix d'achat du senau dès qu'elle a su que le nouveau commandant en chef serait Dundas !

— Mais comment ? Pourquoi ? Je ne comprends pas ! fit Alix en s'accrochant à lui.

La princesse Mathilde les avait laissés seuls dans le salon aux portaits de Bonaparte, et le vainqueur d'Arcole semblait, en agitant son chapeau à plume au-dessus de la fumée des canons, acclamer l'audace et le courage de Brand.

— Mais si, voyons ! Grand-mère n'approuve pas qu'un fonctionnaire de l'Amirauté prenne un commandement en mer ! Elle dit que, même avec Palmerston à la tête du gouvernement, il faudra des mois pour obtenir les canonnières et les bateaux armés de mortiers qui seront nécessaires pour bombarder Sveaborg. D'autre part, la loi maritime l'a rendue folle de rage : elle prétend qu'avec ces lois nouvelles, les armateurs britanniques vont être battus par des étrangers dans leur propre cour, de sorte qu'elle est ravie de placer de l'argent dans une cargaison sous pavillon américain. Ma chérie, êtes-vous contente ?

— Mon aimé, êtes-vous bien sûr ? dit-elle comme en écho.

— Sûr de vouloir partir tout de suite ? Si le printemps est aussi précoce que le dernier...

— Sûr de vouloir m'épouser ?

Brand en était sûr, naturellement. Il était amoureux d'Alix. Jamais auparavant, il n'avait été amoureux. Les Milly

Chester de son existence (une nuit avec Milly et nombre d'autres nuits du même genre dans d'autres ports) ne pouvaient pas être comparées à la jeune fille qui s'était introduite dans son cœur en montant du quai glacé de Marstrand à bord de son bateau. S'il n'éprouvait plus tout à fait, rue de Courcelles, la même vénération qu'à la villa Hagasund, c'était entièrement dû aux neuf mois passés dans la Royal Navy qui lui avaient appris, entre bien d'autres choses, que c'était avec des armes supérieures, et non avec des sentiments passionnés, qu'on battrait le tsar. *Postérité ! tiens fermement ton propre sol...* La phrase sonnait bien, surtout quand c'était la voix charmante d'Alexandra qui la prononçait, mais, aux yeux de l'Américain, un senau armé d'une caronade serait beaucoup plus utile quand il faudrait affronter les Russes.

— Assez sûr pour vous avoir apporté ceci, dit-il en tirant de sa poche un anneau d'or. Gunnar a dit que je ne devais pas encore vous donner de bijoux, rien que deux anneaux d'or. Voulez-vous porter le premier pour moi, dès maintenant, ma chérie, et me permettre de vous passer le second à l'église ?

Alix donna à Brand un baiser plein de gravité, tandis qu'il lui glissait au doigt l'anneau des fiançailles.

— Gunnar et Kristina vous envoient un cadeau, et ils y ont joint une lettre. Voulez-vous la lire ?

— « Ma chère belle-sœur », lut Alix à haute voix, « l'un des avantages de la neutralité, c'est que l'on peut communiquer avec les deux camps. Par l'intermédiaire de Stockholm, j'ai informé votre père de l'heureuse délivrance de Kristina et, en nous adressant ses félicitations, il m'écrit : « Dites à Alix que je consens à son mariage. Nadine et moi, nous espérons qu'elle sera aussi heureuse qu'elle mérite de l'être. » Ceci supprime toute difficulté concernant la dispense spéciale... »

Alix replia la lettre en haussant les épaules.

— La bénédiction paternelle ! dit-elle irrévérencieusement. Gunnar va être ravi. Je crois qu'il redoutait de voir lord Palmerston interdire la publication des bans. Venez, allons montrer à Aurora ce compliment équivoque.

Aurora, comme toujours, fit montre d'un tact apaisant et Brand, quand ils se retrouvèrent pour le déjeuner, lui témoigna beaucoup de déférence ; il tint bon, cependant, pour ce qui concernait les questions de la cérémonie et des cadeaux de la marraine. Pour la robe de mariée, il était d'accord, pour toute la toilette de mariée, à condition qu'ils ne perdent pas de temps à courir les couturières, mais il ne voulait pas d'autres colifichets. Brand était satisfait d'avoir de l'argent en poche, car M. Tarras s'était montré fort généreux pour son neveu américain. Il avait l'intention d'acheter à Alix tout ce dont elle aurait besoin, aussitôt qu'elle serait sa femme.

Quand il se retrouva devant l'autel et déclara que lui, John Brand, prenait pour épouse cette femme, Alexandra, Aurora, Paulina, Brand n'eut pas l'impression qu'il épousait une étrangère au nom pompeux, mais tous ses rêves rassemblés en un seul. Près de lui se tenait la jeune fille de Marstrand dans un nuage de voiles blancs, pareil au brouillard qui pesait, cette première nuit, sur la baie de Saint-Erik, vêtue d'une robe de soie blanche moirée qui lui rappelait l'étincellement de la neige sous les arbres de Brunnsparken, et la main d'Alexandra n'était pas plus froide, quand il glissa le second anneau d'or au-dessus du premier, que lorsqu'il l'avait touchée pour la première fois, dans la cabine du *Girdleness*. Dans l'église vide, où une poignée d'amis de la princesse Mathilde semblaient perdus, Alix était moins une mariée resplendissante qu'une lumineuse vision. Rien de plus simple que sa robe ni que la bible suédoise qu'elle portait, selon la tradition, au lieu du bouquet ; mais elle était littéralement couverte de joyaux, tels que l'église de l'ambassade britannique n'en avait jamais vus. Tout en déplorant que la couronne nuptiale des Gyllenlöve fût enfermée dans un coffre, à Helsingfors, où elle avait été déposée après le mariage de Kristina, Aurora Karamsine avait insisté pour prêter à Alexandra l'un de ses diadèmes de diamants, pour tenir le voile. C'était d'un si ravissant effet qu'on y ajouta une rivière de diamants, puis la broche de diamants qui était le cadeau de mariage des Falk, et enfin des boucles d'oreilles et des bracelets de diamants, prêtés par la princesse Mathilde. Après quoi, Aurora avait exhibé le grand Sancy lui-même, le cadeau de noces que lui avait fait Demidov.

— Mais je ne veux pas porter les bijoux d'Aurora ! protesta Alix, alors que sa marraine avait quitté la pièce un moment. Que va penser Brand ? Je veux l'épouser comme je suis !

— Portez-les pour faire plaisir à Aurora, ma chère enfant, dit la princesse d'une voix apaisante, et ne vous inquiétez pas pour votre jeune homme. Il vous paiera des diamants aussi beaux que ceux-ci bien avant que vous ne fêtiez vos noces d'argent !

— Dans vingt-cinq ans... je ne puis l'imaginer !

— Vous n'avez certainement pas besoin de regarder au-delà de ce soir, fit Mathilde, avec le coup de coude et le rire paillard qui glaçait toujours les sentiments d'Alix.

Ce fut à peine si elle osa lever le regard sur Brand, presque étranger avec son habit noir et son camélia blanc, lorsque Gunnar plaça sa main dans celle de Brand pour la bénédiction nuptiale. Elle était froide, comme ses diamants d'emprunt, pâle comme une princesse des neiges, quand, la cérémonie terminée, Brand la conduisit hors de l'église.

Mais la petite rue d'Aguesseau était baignée de soleil, un soleil qui teintait d'un crème plus foncé le stuc écaillé des vieux immeubles du Faubourg ; et il y avait encore du soleil, mêlé à la lumière du gaz et à celle du feu, dans les salons de la princesse Mathilde, où s'étaient rassemblés tous ses amis écrivains — ils subodoraient de loin une réception — pour boire à la santé de la mariée et serrer la main d'un Américain qu'ils n'avaient encore jamais vu et ne reverraient jamais.

Les jeunes mariés ne s'attardèrent pas bien longtemps. Alix monta dans sa chambre, pour ôter tous les bijoux sauf la broche de diamants, alors que la seconde relève d'artistes faméliques arrivait de la rive gauche. Puis elle passa sa mante neuve, couleur de violettes impériales, et redescendit timidement pour embrasser ses amis et les remercier.

Brand avait réservé un appartement à l'hôtel Meurice. Il faisait encore jour quand on les introduisit dans le salon ; assez pour qu'Alix demandât qu'on ouvrît les rideaux déjà tirés car elle voulait admirer la vue sur les jardins des Tuileries, de l'autre côté de la rue. Brand jeta un regard rapide sur l'appartement et adressa au personnel de l'hôtel un signe de tête approbateur. Ils s'étaient rappelé les fleurs, bon ; le champagne dans un seau à glace, avec des coupes, très bien ; et tout le reste semblait parfait, merci beaucoup. Il se retrouva seul avec sa jeune épousée.

Seul, à cinq heures de l'après-midi. Et Brand Endicott connut l'embarras de tant de jeunes mariés de son époque et de sa génération. Il n'avait fait aucun projet, au-delà du repas de noces ; il n'avait pas réservé de loge à l'Opéra, ni de table dans l'un des restaurants fameux ; de toute manière,

340

ni théâtre ni restaurant n'ouvriraient leurs portes avant neuf heures. Devait-il, sans plus tarder, céder au désir qu'il avait d'elle ? Et, dans ce cas, comment fallait-il approcher cette mince silhouette, comme insaisissable encore dans la robe nuptiale ? Pouvait-il ouvrir une bouteille de champagne et lui demander d'en boire une coupe avec lui ? Ou bien fallait-il...

— Il y a encore de la lumière, dit Alix d'une voix contrainte. Quelle belle journée nous avons eue !

— Oui, en effet.

Il traversa la pièce, la rejoignit à la fenêtre et passa un bras autour d'elle.

— Les Parisiens appellent ça « le faux printemps ». En Finlande, c'est encore le plein hiver.

— Il n'y a rien eu de faux en ce jour de notre mariage, n'est-ce pas ?

— Non.

Alix tourna la tête vers lui et reçut son léger baiser sur sa joue.

— Ma chérie... je n'ai pas su trouver plus tôt les mots qu'il fallait.. ni dans la voiture, ni au milieu de tout ce tohu-bohu, rue de Courcelles... pour vous dire combien vous étiez belle, aujourd'hui. Je ne l'oublierai jamais, jamais ! Tous ces diamants étincelants, et vos yeux si sombres quand vous avez dit : « Oui »... Je n'avais jamais imaginé que quelque chose d'aussi ravissant... pût être à moi.

— Alors, je suis heureuse qu'Aurora m'ait fait porter ses bijoux. Et ma broche de Londres, n'est-elle pas jolie ?... Mais ce sont mes anneaux d'or que je préfère.

Brand put alors baiser la main qui les portait, et les lèvres d'Alix et la serrer plus étroitement, mais toujours avec douceur, dans son étreinte. Alix murmura :

— Il n'y a qu'une chose à moi que j'aurais aimé porter aujourd'hui.

— Quoi donc, mon cœur ?

— Un manteau de renard blanc que j'ai eu à Saint-Pétersbourg.

— L'avez-vous laissé là-bas ?

— Non, il est à Helsingfors. Je l'ai laissé à la villa en allant à Degerby.

Pétersbourg, Helsingfors, Degerby. Ces noms de guerre tombèrent comme des pierres dans la pièce silencieuse.

— Quand nous irons en Finlande sur la *Reine des Neiges ?*

— La... ?

— Le bateau de votre grand-mère.

Brand sourit en posant un baiser sur ses cheveux. Si elle avait confondu « senau » et *Snow Queen,* tant mieux ; dans ce domaine, il lui réservait une surprise, aux Docks de Londres.

— Ma grand-mère vous a envoyé un cadeau de mariage, dit-il.

— Brand ! Pourquoi ne pas me l'avoir donné plus tôt ?

— Parce qu'il était adressé à Mme John Endicott. Je ne pouvais décemment le remettre à mademoiselle Gyllenlöve.

A la dernière lueur du faux printemps, il la vit rougir.

— Je suis Mme Endicott, à présent...

— L'êtes-vous vraiment ? Ou dois-je garder ceci jusqu'à demain matin ?

Comme à regret, il plongea la main dans sa poche.

— Brand, ne soyez pas taquin !

Il lui donna le petit paquet et, sans permettre à Alix de quitter le cercle de ses bras, il monta la flamme de la lampe posée sur une console.

— Oh, Brand, encore des diamants !

A l'intérieur de la lettre d'Isabella Tarras, il y avait une bague, un large anneau d'or orné de trois pierres un peu jaunies mais qui venaient d'être nettoyées et qui étincelaient.

— « Ma chère Alice », lut Alexandra à haute voix :

« Je vous adresse, à vous et à John, tous mes vœux et mes bénédictions, en ce jour de votre mariage. Je vous envoie la bague que m'avait donnée le grand-père de John pour célébrer la bataille de Waterloo. J'espère qu'elle vous fera victorieuse dans votre guerre contre la Russie. »

— Est-ce tout ? demanda Brand.

— Sa signature, seulement. N'est-ce pas suffisant ?

— Par Dieu, oui.

Il regarda Alix mettre la bague de Waterloo à sa main droite encore nue.

— Elle vous fera victorieuse, dit doucement Alix. Est-ce là du bon anglais ?

— Bon ou pas bon, c'est leur hymne national.

« Fais-la victorieuse,
Heureuse et glorieuse... »

Le ravissant et froid visage, si proche du sien, s'anima

342

brusquement de chaleur et de rire. Il serra Alix contre lui
et pensa que tout allait bien, qu'il pouvait l'aimer, à présent,
cette nuit, toute la nuit, toute leur vie...

— Heureuse et glorieuse ! répéta-t-elle, au moment où
il l'enlevait dans ses bras. Oh, Brand ! Je le suis ! Je le suis !

Heureux et glorieux furent les jours qui suivirent. Le
faux printemps continuait et tout Paris était un lieu de
divertissement pour Brand et Alix. Il la mena partout : souper
au Café Anglais ; voir les travaux de construction de la
Grande Exposition, qui constituait la réjouissance prévue
par Napoléon en 1855 ; rendre la cérémonieuse visite de
noces que leur avaient faite, au Meurice, « Madame la Princesse Impériale et Madame la Princesse Demidova » (c'était
ainsi que le personnel de l'hôtel avait pompeusement annoncé les visiteuses) ; et faire des emplettes rue de Rivoli.
Dans l'une des boutiques enchanteresses qui s'ouvraient sous
les arcades, Brand acheta à sa femme un chapeau : c'était
la première fois qu'il achetait un article d'habillement pour
une femme et l'emplette était d'importance en cette saison
où la ravissante impératrice se mettait à lancer la mode
et où la capote cédait le pas au chapeau.

Celui d'Alexandra était blanc, naturellement, avec une
voilette en point d'esprit et un petit bouquet de perce-neige
fixé sur le côté.

Selon son mari, elle était « jolie comme un rêve », ainsi
coiffée et toutes les fois que, dans leur appartement, ils se
préparaient à sortir, il lui demandait avec instance :

— Ne veux-tu pas porter ton chapeau ?

Ils étaient aussi gais, aussi extravagants que pouvaient
l'être deux heureux innocents en lune de miel à Paris. Brand
s'étonnait même de la gaieté de sa femme ; il l'attribuait à
la réaction qui devait suivre les terribles mois précédents,
mais la raison en était plus profonde. Pour la première fois
depuis plus d'un an, Alix jouissait du plaisir d'aller et de
venir à sa guise, de se promener à pied ou en voiture et
d'admirer sans avoir à se conformer aux désirs d'une femme
plus âgée ; et, pour la première fois de sa vie, elle bénéficiait
de la compagnie, en même temps que de l'admiration, d'un
homme de son âge. Elle trouvait Brand très séduisant, et il
l'était en effet : sa démarche un peu nonchalante avait été
corrigée par la discipline de la Royal Navy et le but qu'il

s'était fixé donnait une nouvelle fermeté à son visage. Lui, bien sûr, trouvait sa femme magnifique. Quand il l'emmena à l'Opéra, pour leur dernière soirée parisienne, bien des jumelles se pointèrent sur la beauté blonde en blanche robe nuptiale et d'autres hommes que Brand oublièrent un moment, au profit d'Alix, les péripéties de l'œuvre : *l'Etoile du Nord*. La musique ennuyait un peu Brand, mais il fut charmé de sa soirée. Pourquoi pas ? N'avait-il pas, toute proche et plus exquise que jamais, son Etoile du Nord à lui ?

Son orgueil de propriétaire prit encore plus de force à Londres, où ils se rendirent quatre jours après leur mariage. Le petit hôtel de Jermyn Street où il amena Alix n'avait rien de comparable avec le Meurice et Brand crut devoir s'excuser pour les chambres aux plafonds bas, aux tapis usés presque jusqu'à la corde. C'était la première matinée ; ils avaient dormi tard, après leur traversée de la Manche et Brand, qui cherchait son nécessaire à barbe, tomba sur Alix, en peignoir, totalement déconcertée par une cheminée anglaise et le maussade charbon anglais.

— Appelle la servante, ma chérie, et demande-lui d'allumer le feu. Fais-lui aussi apporter immédiatement le petit déjeuner. Je vais être terriblement en retard.

— Puis-je venir avec toi ?

— Au bureau ? Pas de danger ! Je veux dire : pas aujourd'hui, en tout cas.

— Mais n'iras-tu pas voir la *Reine des Neiges ?*

— Peut-être.

Il la laissait dans son erreur, s'en amusait secrètement. Il ajouta :

— Tu seras assez occupée ce matin, à défaire les bagages, non ? Je n'ai pas l'impression qu'il y ait beaucoup de place pour ranger. Ma chérie, vas-tu pouvoir te contenter de ces chambres ?

— Bien sûr ! Si nous n'avons pas beaucoup de place, c'est un bon entraînement pour quand nous serons à bord. Et je préfère être ici plutôt que de séjourner dans la famille, pas toi ?

Brand acquiesça avec énergie. Mais il n'était guère possible, évidemment, de négliger la famille. Ils étaient invités à un grand dîner à Camberwell. Mme Arthur Tarras, qui nourrissait des ambitions mondaines, était secrètement intimidée par Alexandra. Elle souhaitait tirer tout le prestige possible de cette jeune mariée qui habitait, au jour de ses

344

noces, chez la cousine de l'empereur des Français et qui était la filleule de l'une des femmes les plus riches au monde ; mais, en même temps, elle ne savait trop comment expliquer à ses relations de Camberwell que le jeune couple, au lieu de monter son ménage et de choisir rideaux et tapis, établissait des plans pour naviguer ensemble sur un senau et gagner la Baltique ! Elle supplia « Mme Brand » de ne pas faire allusion à ces projets devant les amis et les voisins, une trentaine en tout, invités à la soirée musicale qui devait suivre le dîner de douze couverts.

Brand n'avait jamais autant apprécié la perfection de l'éducation mondaine d'Alexandra qu'en observant sa grave admiration et ses applaudissements polis, tandis que se succédaient les médiocres attractions. Le numéro vedette de la soirée — celui de tout salon anglais, à l'époque — était une récitation de « La Charge de la Brigade Légère », qui devait, en cette occasion, être dite par miss Flora Tarras. C'était fort drôle de voir déclamer la rondelette Flora, dans sa robe de soie écossaise, son visage joufflu rouge d'énervement ; du moins était-ce drôle pour Brand. Mais tout au long des six interminables strophes du poème, Alexandra ne se départit pas un instant de sa gravité. Un peu plus tard, quand ils se retrouvèrent seuls dans la chambre d'amis glaciale, Brand remarqua :

— C'est ridicule de faire réciter la « Brigade Légère » à une gosse comme Flora !

— Pourquoi ?

— Elle ignore totalement de quoi il est question. D'ailleurs, c'est un poème d'hommes.

— Y a-t-il des poèmes particuliers pour les hommes et pour les femmes ? J'ai trouvé que Flora le disait fort bien. Avec conviction... c'est l'essentiel.

Après cette plaidoirie, Brand fut exaspéré en retrouvant cette même Flora faisant les honneurs de la fontaine à thé, quand il descendit déjeuner de bonne heure, l'esprit critique encore en éveil.

— Comment va cousine Alix, ce matin, Brand ?

— Très bien, je te remercie, Flo. Elle descend dans un instant.

— La cuisinière lui fait du café. Maman dit que les Finlandais boivent beaucoup de café. Est-ce exact ?

— Parfaitement.

— Brand... Cousine Alix n'est pas vraiment Finlandaise, n'est-ce pas ?

— Ne va surtout pas dire ça devant elle !

— Bell croit que c'est une princesse russe, *incognito*.

— Bell et toi, vous êtes deux petites filles romanesques.

Brand tira les boucles de sa jeune cousine en passant derrière sa chaise pour aller jusqu'à la desserte, où il se servit d'œufs au bacon.

— Oh, nous trouvons Alexandra ravissante, lui affirma Flora, tandis qu'il regagnait la table. *Absolument* ravissante, et si élégante, dans cette robe de moire blanche. Mais... Brand, est-ce qu'elle a toujours cet air... comme si elle voyait quelque chose par-dessus votre épaule ?

— Ne sois pas ridicule, Flora ! Alix regarde les gens bien en face, comme toi et moi.

— Oh, mon Dieu, je ne voulais pas te mettre en colère ! Bien sûr qu'elle vous regarde, quand on lui parle. C'est quand on ne lui parle pas... je ne sais pas m'expliquer. Mais nous la trouvons toutes deux très belle... vraiment.

Ce n'étaient là que sornettes de gamines, naturellement ; néanmoins Brand se surprit à guetter ce regard. Il crut le surprendre une fois ou deux, ce même soir, dans leur appartement, tandis que le vent d'est secouait les mitres des cheminées de Jermyn Street. Mais, quand il prononça son nom, les yeux gris, étincelants et pleins d'amour, croisèrent son regard et, cette même nuit, dans leur lit sous les combles, elle fut à lui plus complètement que jamais, s'abandonna à sa passion avec une violence encore inégalée. Le lendemain matin, il jugea le moment venu de lui dire :

— Tu aimerais voir le senau aujourd'hui ?

— Oh, Brand, enfin ! C'est merveilleux !

Il faisait encore grand vent, car le faux printemps parisien était devenu, à Londres, un mois de février glacial, et il y eut quelques averses tandis que leur fiacre roulait lentement vers les docks. Mais Alix était d'excellente humeur, avide de connaître tous les détails sur la « *Reine des Neiges* » et l'engagement de son nouvel équipage.

— Vois-tu, c'est un bateau qui a été construit à Greenock, dit le capitaine. Immatriculé en Amérique, mais construit à Greenock ; deux cent trente-huit tonneaux, gréement carré, mât de senau sur l'arrière du grand mât. L'effectif normal permet deux novices, mais je ne veux pas de gamins à bord pour un tel voyage, de sorte qu'il y aura six hommes dans le gaillard d'avant : Gordon et Webster, qui étaient sur le *Balgownie* de la Tarras Line, et quatre vieux matelots, descendus du *Tribune*, de la Royal Navy. Il y a ensuite Joe Ryan...

Il marqua un temps.

— Ce sera lui, le second ?

— Oui, et j'ai appris qu'il sera là demain, Alix : il arrive de Copenhague par le bateau-poste. Tu n'y vois pas d'inconvénient ?

Elle ouvrit de grands yeux.

— Pourquoi en verrais-je ?

— Je ne sais trop. Mais il y a bien eu cette confusion à Bomarsund, tu te rappelles ? Je n'ai jamais bien compris comment Mary avait pu me donner ce message, au sujet de ton départ pour Degerby.

— Quelle importance, à présent ? Je suis bien certaine que Mary n'a pas cru mal faire.

Alexandra parlait avec une telle indifférence que Brand en fut légèrement irrité. Mais ils arrivaient aux Docks et, après avoir longé les quais sur une courte distance, ils trouvèrent le senau à son poste de mouillage, la bannière étoilée pendant à son mât de pavillon.

— La voici ! s'écria Brand, avec un regard triomphant à l'adresse d'Alix. Qu'en penses-tu ? Mais... qu'as-tu ?

— Je croyais qu'il s'appelait la *Reine des Neiges* !

— C'est toi qui lui avais inventé ce nom, ma chérie. Son vrai nom ne te plaît donc pas ?

Après avoir fait effacer l'ancien nom, *Hertiginnan av Finland,* Brand en avait fait peindre la traduction, *Duchesse de Finlande.* On avait repeint aussi la figure de proue, une femme, les mains jointes sur la poitrine, qui portait la jupe noire et le corsage blanc des paysannes finlandaises ; dans un louable effort pour rendre la blonde chevelure décrite par Brand, le peintre l'avait dotée d'un chignon d'or cuivré.

— Brand, à mon avis, c'est peut-être un nom de malheur.

— Veux-tu, s'il te plaît, me dire pourquoi ?

— Vois-tu... c'est le titre d'un livre, d'une histoire vraie... celle d'une Finlandaise qui trahit sa patrie.

— Grand Dieu !

— Elle s'appelait Eva Merthen. On l'a surnommée la duchesse de Finlande parce que, pendant l'occupation, elle s'est éprise d'un officier russe...

— Quelle occupation ?

— Durant la Petite Colère... vers 1741.
— C'est bien un grand retour en arrière, même pour toi, dit Brand.

C'était la première fois qu'il employait un ton sarcastique à l'adresse d'Alix, mais il était « agacé », comme disent les Yankees : il s'était senti si fier de son nouveau commandement, il s'était fait une telle joie de montrer à Alix la menuiserie et les peintures refaites à neuf dans la chambre du capitaine qu'il était exaspéré de la voir se fourvoyer de nouveau dans l'histoire douloureuse de la Finlande. La voyant silencieuse et consternée, il se sentit poussé à lui parler plus sévèrement encore.

— Viens, montons à bord. Et écoute-moi, Alix : à ta place, je ne me soucierais pas des légendes ni de toutes ces superstitions que tu as empruntées à Anna. Le brick a été immatriculé sous le nom de *Duchesse de Finlande,* un point c'est tout. Quant à la chance, elle dépend de toi et de moi.

« *Courage, les gars, courage ! On connaît notre histoire.*
Au nom de la patrie, nous allons vers la gloire... »

C'était une chanson nouvelle, un refrain de music-hall ; une chanson que Votre Dévoué Sam Cowell aurait pu présenter au Canterbury. Mais, chose surprenante, c'était la foule qui la chantait, dans Piccadilly, en regardant défiler des soldats.

— Seigneur ! dit Joe Ryan à Brand. Regardez-les donc ! Qu'est-ce que c'est... un régiment de ligne ?
— Ce sont des officiers de la Garde, d'après les journaux. Ils vont au Palais, se faire décorer par la reine.
— S'ils peuvent arriver jusque-là, les pauvres diables...

Le cortège vêtu de rouge clopinait péniblement. Ces hommes étaient les blessés, encore capables de marcher, du premier contingent réformé, rapatrié de Crimée. Leurs visages, tout autant que leurs pansements, témoignaient des ravages du terrible hiver.

— La foule est pleine d'admiration pour eux, hein ?
— Les salauds !

Brand observait d'un regard froid la cohue londonienne.
— Ils ont suivi les soldats depuis le Strand et c'est tout ce qu'ils verront, eux, de la mer Noire. Dans Londres,

348

vous rencontrez un homme sur deux qui porte la barbe « à la Crimée » et fume une longue cigarette à bout de paille, mais il n'en est pas pour autant un héros de la guerre. C'est ici que nous tournons, Joe.

Ils laissèrent derrière eux les échos de « Courage, les gars, courage ! » pour se diriger vers Jermyn Street. C'était la première fois que Joe Ryan venait à Londres et il regardait d'un œil avide les vitrines du West End, songeant déjà à y acheter quelque cadeau pour Mary. C'était aussi la première fois que Brand le voyait sans sa casquette à visière et son jersey de marin : Joe s'était fait beau, pour la circonstance, et portait un manteau neuf en serge bleue et un haut-de-forme en castor. Son visage habituellement réjoui était grave.

— Voici notre hôtel, dit Brand. Si seulement vous aviez apporté votre sac. Je vous avais dit que je vous faisais réserver une chambre.

— Je ne voudrais pas troubler l'intimité d'un couple de jeunes mariés ! D'ailleurs, je pense que je devrais coucher à bord de la *Duchesse*, pour avoir l'œil sur cette caronade.

— Ne pensez plus à vos histoires d'empiétement et accrochez votre hamac dès que nous aurons dîné. Alix se réjouissait à la pensée que vous alliez passer la soirée... Alix !

Le salon, qu'Alix avait égayé de quelques fleurs printanières précoces, était désert, mais on avait allumé le feu, qui brûlait gaiement.

— Elle doit être dans la chambre. Otez votre manteau, Joe.

Mais Alix n'était pas dans la chambre. Le chapeau parisien était à son support devant la glace de la coiffeuse, et tout était dans un ordre parfait. Brand vint retrouver Joe Ryan.

— Je pensais qu'elle serait de retour à cette heure. Il commence à faire nuit.

— Vous m'avez bien dit qu'elle passait la journée chez sa sœur, n'est-ce pas ? Il y a de grandes chances pour qu'elles aient, en bavardant, perdu le sens de l'heure.

— Oui, bien sûr, dit Brand. Qu'est-ce que vous voulez boire, Joe ? J'ai tout, sauf du brännvin.

Il servit le scotch à l'eau, l'oreille tendue vers le pas d'Alix dans l'escalier. C'était la première fois, dans leurs deux semaines de mariage, qu'Alix sortait sans lui et Brand se surprit à redouter une nouvelle fuite, sans retour. Absurde ! Il dit à Joe, d'un ton décidé :

— Je pense que nous devrions pouvoir appareiller lundi. Nous monterons jusqu'à Hull, prendre la cargaison de textiles, nous irons la livrer à Copenhague, nous passerons à Malmö pour prendre le lin et nous reviendrons. Nous ferons un petit tour à Skagen et à Fredrikshavn, à l'aller comme au retour, histoire de les accoutumer à nous voir, et, pour le voyage suivant, nous tenterons notre chance entre Lübeck et Stockholm.

Joe hocha la tête.

— C'est le parcours à suivre, si vous cherchez la bagarre, Brand.

— C'est pour ça que je pars. Et vous ferez bien d'en prendre tout de suite votre parti si vous avez l'intention de naviguer avec moi.

— C'est déjà fait, vous le savez. L'hiver a été cruel, pour un homme qui n'a qu'une petite affaire, et je commençais à me demander comment j'allais pouvoir surnager. Mary est une merveilleuse petite ménagère, mais il faut bien avouer qu'elle aime les jolies toilettes — comme toutes les jeunes filles — et que ses leçons de chant me coûtent pas mal d'argent.

— A-t-elle toujours l'intention de remplacer Jenny Lind ?

— Ça pourrait bien se faire, dit le père de Mary. Elle a fait des progrès énormes, depuis qu'elle travaille avec ce nouveau professeur. Il lui donnera peut-être l'occasion de chanter en public, la saison prochaine.

Comme Milly Chester, pensa Brand. Encore une fille en route vers la tête d'affiche !

— Vous l'avez laissée à Queen Street, chez sa tante ?

— Il a bien fallu, fit Joe. Je ne pouvais pas la laisser toute seule passage Bollhus. Vous avez entendu quelque chose ?

— C'est Alix, dit Brand avec soulagement.

Il bondit pour ouvrir la porte qui donnait sur le palier sombre.

— Tu es en retard, ma chérie ! Joe est là.

— Je vous demande pardon, dit-elle, en s'immobilisant sur le seuil. Capitaine Ryan, je suis navrée d'avoir été retenue. Mon beau-frère est rentré à l'improviste de la Légation... avec une nouvelle...

— Alix, au nom du ciel, qu'est-il arrivé ? Viens t'asseoir !

LA DUCHESSE DE FINLANDE

Mais elle demeurait immobile, adossée au chambranle, une effrayante expression de triomphe sur son visage.

— Leur ambassadeur à La Haye a télégraphié à Londres, dit-elle. Le tsar est mort à une heure, ce matin.

Il y avait déjà un certain temps que Nikita était malade, bien que, naturellement, on l'eût tenu secret, raconta Alix, hors d'haleine, aux deux hommes. Il avait été anéanti par la nouvelle d'une bataille à Eupatoria, où les Russes avaient subi de grosses pertes. Cette victoire avait ajouté un tel poids au fardeau de sa culpabilité, pour tous les morts de Crimée, tous les malades et les blessés qui rentraient tant bien que mal à Moscou, qu'il ne trouvait plus le sommeil. La nuit, il parcourait des kilomètres à travers les salles vides, les corridors glacés de Gatchina, où son père dément, avant lui, avait poursuivi le sommeil. Des imprudences amenèrent une apoplexie et, à la première heure du 2 mars 1855, la mort était venue prendre l'empereur Nicolas Ier.

— Alors, dit Joe Ryan après un silence, le massacre va-t-il cesser ?

— Que voulez-vous dire ? demanda Alix.

— Je pense aux vétérans de Crimée que nous avons vus dans la rue, cet après-midi. L'avant-garde, pourrait-on dire, de ceux qui auront la chance de rentrer vivants. J'ai toujours entendu dire que le grand-duc Alexandre était plus humain que son père.

— Un Romanov, humain ? fit Alix avec mépris. Eh bien, que le tsar Alexandre II sollicite la paix et je croirai en lui. En attendant, le combat continue !

Brand hocha la tête. Il n'avait pas attendu une autre réaction de la part d'Alix. Elle les regardait l'un et l'autre et pourtant — comme l'avait fait remarquer Flora Tarras — elle semblait voir autre chose, juste derrière eux, quelque chose qui appartenait à la nuit, au vent, à la Finlande. La jeune mariée, si timide et gracieuse, avait disparu ; il retrouvait à sa place l'ancienne Alix, tout entière vouée à sa haine de la Russie. Gothenburg et Lewes sont loin derrière nous, pensa-t-il, mais nous restons quand même des prisonniers de guerre.

II

Quand la *Duchesse de Finlande* appareilla, le 5 mars 1855, les côtes de Suède et de Norvège étaient encore couvertes de neige vers le sud, jusqu'à Gothenburg et le vent du norois soufflait aussi fort que pendant le retour vers Portsmouth de l'*Arrogant*.

Durant la traversée de la mer du Nord, le mal de mer accabla Alix, mais elle se sentit revivre dès que le brick eut doublé le cap Skagen et atteint les eaux plus calmes, entre le Jutland danois et la Suède occidentale. Cependant, même dans le Kattegat, on rencontrait encore des glaces flottantes, en cette rigoureuse fin d'hiver. Alix se sentit assez bien pour venir à l'avant, en vareuse et ciré, quand Brand fit l'appel de son équipage de six hommes et qu'à ses côtés, Joe eut lu tout haut les Lettres de Marque qui l'autorisaient à « faire campagne contre les navires de commerce ou de guerre de l'ennemi ». Ce genre de Lettres appartenait à une époque révolue et, si les bateaux corsaires demeuraient autorisés, c'est qu'aucun réformateur n'était encore parvenu à les rayer du code maritime. Brand, pour faire bonne mesure, ajouta quelques extraits des « Articles of War », pour le cas où la légalité de ses opérations viendrait à être contestée. Il faisait de son mieux pour imiter le capitaine Yelverton en souvenir de la lecture qu'il avait faite du communiqué de guerre, apporté à la baie de Kioge.

Brand était décidé à mener son bateau selon les méthodes réglementaires, et, par le judicieux dosage de la routine et de la discipline de la Royal Navy qu'on lui avait inculquées, il fut bientôt en passe d'en faire un navire modèle. Les quatre anciens matelots de la Navy se pliaient remarquablement bien aux ordres d'un capitaine qui, trois mois plus tôt, était matelot canonnier sur l'*Arrogant,* et les deux Ecossais étaient des amis de l'ordre et ne tardèrent pas à améliorer les connaissances qu'ils avaient acquises sur la Tarras Line. Alexandra se conduisait avec l'équipage d'une manière parfaite, ni trop distante, ni trop familière. Elle paraissait rarement à l'avant mais se cantonnait à l'arrière, avec les deux officiers et, durant la première semaine, elle eut naturellement beaucoup à faire pour aménager leur carré. Dans un brick qui mesurait huit mètres de large sur trente-huit de long, on n'avait pu faire grand-chose pour assurer son confort, mais elle vivait dans les mêmes conditions que bien d'autres épouses de capitaines, en temps de paix, et elle en tira vite le meilleur parti. Tout ce qui se consommait à bord était préparé, dans la cuisine du gaillard d'avant, par Gordon, l'un des gars d'Aberdeen, qui s'y entendait à merveille pour frire le poisson. Mais, dans les docks de Londres, Brand avait fait installer pour Alice une cuisine miniature, où elle préparait surtout d'innombrables pots de café. Elle avait laissé la plus grande partie de ses fanfreluches parisiennes dans deux malles, à l'hôtel de Jermyn Street ; sous son ciré, elle portait un jersey de pêcheur avec une vieille jupe et elle était heureuse.

Brand suivit, sans s'en écarter, la route qu'avait prise la flotte de la Baltique en 1854, jeta l'ancre, pour procéder à des exercices de tir, non loin de Vingäsand et fit enlever les prélarts qui couvraient la petite caronade. Les beaux jours de cette arme, appelée la caronade, remontaient à l'époque de Nelson, mais elle se montrait assez efficace, en tir direct, pour avoir gagné le surnom de « canon du diable » et, avec une élévation de 4°, elle pouvait toucher une cible à neuf cents mètres. La pièce de 32, montée sur le pont de la *Duchesse*, était longue d'un mètre vingt, tirait des boulets de cinq livres et, placée sur un affût de bois à glissière, était légère et d'un maniement assez facile pour une équipe de quatre hommes. Les anciens matelots, qui possédaient tous quelque expérience du tir au canon, formaient cette équipe de servants, avec Goode comme chef de pièce, cependant que Brand, Joe et les deux gars d'Aberdeen participaient à l'exercice comme auxiliaires. Comme toutes les caronades, leur pièce n'était pas sans danger pour leur propre bateau : elle évitait de justesse le seuillet de bâbord, quand on la mettait en batterie ; Alexandra eut son rôle dans l'exercice : elle devait apporter quatre seaux d'eau, en cas d'incendie.

La première croisière de Brand, jusqu'à Copenhague et

353

Malmö et retour à Londres, fut sans histoire. Il devait bien cela à sa grand-mère et, en apportant la preuve que ni l'ennemi ni ses « infernales » (comme on appelait maintenant les machines infernales) ne se trouvaient dans les parages à l'ouest de Bornholm, il ouvrit aux bateaux de la Tarras Line les eaux de la Baltique, alors que les forceurs de blocus, tout comme les navires de guerre, étaient encore à leurs ports d'attache.

Les patrouilles effectuées par les escadres de Napier avaient réduit le nombre des forceurs de blocus. Les plus audacieux et, en même temps, les plus chanceux, étaient les contrebandiers danois : un jour mémorable de juin, alors que Napier se dirigeait vers Kronstadt, l'*Archer* avait capturé trois bâtiments qui transportaient du matériel de guerre sous pavillon danois et qui faisaient voile tous ensemble vers le port russe de Riga. L'*Archer,* naturellement, avait accompli cet exploit grâce à ses machines à vapeur et Brand Endicott, qui ne possédait pas de machine auxiliaire à bord de la *Duchesse,* savait qu'il ne pouvait guère espérer jeter le gant soit à la bande qui s'intitulait la Compagnie Anglaise de Navigation à Vapeur et qui opérait à partir de Dunkerque, soit — du moins en pleine mer — à la *Lorelei* ou au *Wotan,* qui appartenaient à Muller & Fils, de Lübeck. Restait le *Sealark,* le fameux trois-mâts barque, aperçu au large de Kiel et, encore, au large de Bornholm, depuis que Brand était entré dans le Kattegat ; mais, au cours de ses croisières d'été entre Anvers et Memel, il n'avait jamais laissé même entrevoir ses barres traversières aux patrouilles britanniques.

A leur second voyage, Brand débarqua Joe à Gothenburg, pour qu'il demande certains renseignements à ses vieilles relations commerciales, et s'amarra au quai Stigberg, à un mille de l'ancien poste d'amarrage de la Tarras Line, au quai de Pierre.

— Mais vous ne descendrez pas à terre ici, madame Endicott ! dit-il à Alix. Vous risquez d'être reconnue et je me retrouverais aux mains du guet !... Rien n'a beaucoup changé, ici, en douze mois, hein ?

— On dit que les candidats à l'émigration sont encore plus nombreux, ce printemps. Jusqu'à présent, je n'ai rien remarqué...

Le quai Stigberg était presque désert, la neige était

aussi épaisse qu'en cet après-midi de février où Brand et Alix, en suivant le quai de Pierre, avaient engagé tout leur avenir. Ils virent venir Joe de très loin. Il était chargé de paquets et de colis. Dès qu'il se retrouva dans la chambre avec eux, Brand lui demanda, tandis qu'il se réchauffait les mains devant le poêle :

— Alors, Joe, quelles nouvelles ?

— Nous avons manqué le *Sealark* de vingt-quatre heures exactement.

— Quoi ! Voulez-vous dire qu'il a relâché à Gothenburg ?

— Pour embarquer son propriétaire, ou l'un de ses propriétaires. M. Svensson.

— Il se trouve maintenant à bord du *Sealark ?* Il se dirige vers Memel ?

— D'après les bruits qui courent, sur les docks, dit Joe, le *Sealark* irait à Copenhague. C'est peut-être là que Svensson veut descendre. D'après ce que vous m'avez dit de lui, je le vois mal entreprendre le voyage de Memel par ce temps.

— Pourquoi pas ? Il a sans doute des affaires à traiter avec ses amis russes. Quelle est la cargaison du *Sealark ?*

— Des cartouches venant de Liège et embarquées à Anvers, son port d'attache.

— Malédiction ! dit Brand. Nous aurions pu l'intercepter en mer du Nord. Mais nous n'aurons pas à regretter ce retard, si Svensson est encore à bord quand nous rattraperons le bateau. Qu'en penses-tu, Alix ?

— Je pense qu'il y sera, dit Alix, sans bien comprendre la question. Et s'il a décidé d'aller se fixer en Russie définitivement ?

— En abandonnant sa situation à Gothenburg ?

— Ce n'est plus ce que c'était, intervint Joe. J'ai entendu dire que Mme Tarras s'était bien démenée, depuis que vous avez prouvé qu'il était acoquiné avec les Prussiens. Elle l'a fait mettre sur la liste noire de toutes les firmes anglaises qui l'employaient comme agent et il n'était pas en mesure de supporter une telle perte. Voilà des années qu'il vit au-dessus de ses moyens.

— Eh bien, qu'il aille en Russie et qu'il y reste, peu m'importe, dit Brand, à condition que je puisse lui dire un mot en route. Le *Sealark* se dirigeait vers les Belts ou vers le Sound ?

— Les Belts.

— Très bien. Il a donc le vent contre lui. Si nous prenons le Sound nous pouvons le rattraper à Copenhague. Rassemblez l'équipage, Joe, nous allons lever l'ancre.

— Capitaine, fit Joe, comme l'Américain se levait. Attendez cinq minutes ! Me permettez-vous de vous dire quelque chose, non pas en tant que second, mais en ami ?

— Pour l'amour du ciel ! fit Brand avec impatience. Quand nous sommes ici ensemble, Joe, vous pouvez dire tout ce qui vous plaît, vous le savez bien.

— Eh bien alors, écoutez-moi ! Partez-vous à la poursuite du *Sealark* pour capturer une cargaison russe, ou pour régler vos propres comptes avec ce Svensson ?

— Les deux.

— Brand, Svensson par lui-même ne vaut pas la poudre et les cartouches. C'est un vieillard, qui voulait vous empêcher de piétiner ses plates-bandes, et voilà tout. Si vous utilisez la *Duchesse de Finlande* pour l'éliminer de la guerre, c'est en quelque sorte comme si vous imitiez Napier : vous utilisez une force considérable pour venir à bout d'une petite forteresse.

— Je suis mieux placé que vous pour savoir ce qu'il a fallu pour s'emparer de Bomarsund, dit Brand, pris de rage. Rassemblement, monsieur ! Alix, mets ton manteau le plus chaud et monte sur le pont pour voir disparaître Gothenburg.

Il manqua le *Sealark*, à Copenhague, mais de deux heures seulement ; il le retrouva à Bornholm, par un matin de brouillard, et vit le forceur de blocus virer au nord entre l'île d'Oland et la côte orientale de la Suède.

— Où peut-il bien aller, pour remonter le détroit de Kalmar ?

— A Stockholm ? suggéra Joe.

— C'est peu probable. Peut-être veut-il gagner l'une de vos petites cachettes près de Mönsteräs, ou peut-être le détroit de Farö. Quoi qu'il en soit, il ne nous donne pas grand mal jusqu'à présent. La dernière fois que je me suis trouvé au large de Kalmar, je jetais la sonde sur le *Lightning* et j'annonçais les profondeurs au capitaine Sulivan. Je me demande où peut bien être à présent ce vieux Sulivan.

LA DUCHESSE DE FINLANDE

Où étaient-ils tous, à présent, ses camarades de l'an passé ? Lentement, inévitablement, à mesure qu'ils pénétraient dans la Baltique proprement dite, Brand se remémorait les hommes qui n'allaient plus jamais faire route en ces eaux. Lauri, le premier tombé ; Morgan, le grossier, qui avait prétendu que Lauri était le « petit ami » de Brand ; Campbell, le nageur, toujours à demi paralysé par le froid, mais qui ne songeait jamais à abandonner ; et tous les autres, qui s'étaient escrimés avec lui pour haler les canons, qui avaient bombardé Fort Nottich, et qui étaient morts en délirant, dans les sombres salles du navire-hôpital *Belleisle*. La *Duchesse* entrait maintenant dans les eaux que les hommes qui avaient navigué sur le *Tribune* connaissaient aussi bien, sinon mieux, que Brand : la vaste étendue de pleine mer, entre Alvsnabben, où Napier s'était trop souvent et trop longtemps attardé, et Gotska Sandön, où Campbell et lui avaient, pour la première fois — et tant de fois, par la suite — expérimenté les cordeaux Bickford. Et le *Sealark* rôdait au long de la côte orientale de Gotland, principale zône de croisière de la Marine suédoise ; il s'engourdit dans le vent à l'entrée du Sound et jeta finalement l'ancre dans le port de Farö, toujours presque invisible dans le brouillard.

— Nous jetterons l'ancre dans la rade, dit Brand, et nous nous amarrerons à une bouée de corps mort. Joe, vous pourrez aller jusqu'à Farö dans le canot.

— J'y vais aussi, dit Alix. Si nous sommes deux à parler suédois, nous rapporterons plus de nouvelles.

— Tu feras mieux de parler anglais, déclara Brand. Il y a, à Farö, un petit magasin tenu par un Anglais du nom de Grubb. De fait, j'ai conseillé à ma grand-mère de racheter son affaire pour ouvrir là un chantier et un magasin de fournitures, après la guerre. Il a deux filles, à peu près de ton âge. Tu vas te lier d'amitié avec les demoiselles Grubb et découvrir ce qu'elles savent du *Sealark*, mais surtout, ne t'approche en aucun cas de la barque, ne te fais reconnaître de personne qui soit à bord. Attends Joe au magasin jusqu'à ce qu'il puisse te ramener à bord.

C'était la première fois qu'elle descendait à terre sans lui et Brand était à demi fou d'impatience quand le canot accosta la bouée et que Joe aida Alix à monter à bord.

— Que diable avez-vous bien pu faire, tout ce temps ?

LA FORTERESSE

éclata-t-il dès qu'il les eut fait entrer dans la chambre.
Alix débarrassait ses cheveux mouillés d'une écharpe
humide de brouillard.

— Vous m'avez fait une peur affreuse.

— Pas moyen de persuader les jeunes personnes de
laisser partir Alix, dit Joe. Elles prenaient le café en
grand tralala et un seul homme ne pouvait pas grand-
chose là-contre.

— Alors, à vous deux, qu'avez-vous découvert ?

— Le *Sealark* a un capitaine prussien et un second
belge, déclara Joe. Son équipage compte six hommes, comme chez nous, et j'ai eu confirmation de la cargaison. Ce
sont des cartouches pour les carabines Minié, qu'il intro-
duit en Russie depuis l'an dernier.

— Deux officiers, six hommes... et un passager, dit
Alix, les yeux brillants. Les petites Grubb connaissaient
Svensson de vue et elles l'ont aperçu au magasin ce ma-
tin. Il va à Hapsal.

— *Hapsal ?* Pas Memel ?

— Sur la côte occidentale de l'Estonie, précisa Joe.

— Je sais où se trouve Hapsal, fit Brand avec impatience. A l'est de Dagö. J'ai passé le mois de novembre
entre la pointe de Hangö et Dager Ort, si vous voulez
bien vous en souvenir. Mais Hapsal ! Il y a bien là une
petite garnison russe, mais quelles facilités pour débarquer
des marchandises de contrebande ?

— Hapsal était naguère une plage à la mode, expliqua
Alix. Il y a une bonne route carrossable qui va jusqu'à
Reval. Pour quelqu'un qui voudrait pénétrer discrètement
en Russie, c'est un chemin aussi bon qu'un autre.

— Je ne m'inquiète pas pour M. Svensson. Mais comment mettre la main sur ces cartouches belges, une fois
que le bateau sera sorti de Farö...

— Vous allez donc poursuivre le *Sealark ?*

— Certainement.

— J'ai appris aujourd'hui qu'ils ont à bord deux pièces de seize. Si nous leur commandons de mettre en panne,
il y a de fortes chances pour qu'ils nous tirent dessus.

— Et la caronade ne fera rien pendant ce temps-là,
hein ?

— Brand, pour l'amour du ciel !

— Vous ne seriez pas en train de faiblir, Joe, n'est-
ce pas ? fit Brand d'un ton froid. Après tout ce bon tra-

358

vail que vous avez fait en rôdant du côté des docks, à Stockholm, après avoir découvert qui était propriétaire du *Sealark* et fait confirmer que le bateau transportait à Memel des carabines Minié, vous n'allez pas me dire que vous voulez, maintenant, renoncer à la poursuite ?

Le regard de Joe allait de l'Américain à Alix. Assise, le menton dans ses mains, elle regardait Brand en souriant ; on ne pouvait rien faire de lui, bien sûr, tant qu'il avait à ses côtés ce ravissant visage d'hallucinée.

— Rappelez-vous cette belle lettre que vous m'avez écrite l'été dernier, avant Ekenäs, continua Brand. Vous disiez que vous étiez fou de rage à l'idée que des forceurs de blocus s'abritaient derrière la bannière étoilée. Avez-vous toujours les mêmes sentiments, à présent que les dés sont jetés ?

— Oui, par l'enfer, dit Joe Ryan. Et vous le savez bien.

Le trois-mâts barque des forceurs de blocus se faufila hors du détroit de Farö à minuit et fit route vers le nord-est. Brand suivit son feu de ton de mât à distance respectueuse ; il courut une bordée vers le sud pour que la proie ne se doute pas qu'elle était poursuivie, et en courut une autre vers le nord quand se leva le jour livide. Le *Sealark* filait à bonne allure. Au cours de la matinée, Brand dut mettre toutes voiles dehors, et Joe écoutait avec inquiétude les craquements du gréement.

« Une chasse de poupe doit être longue », capitaine, se hasarda-t-il enfin à remarquer.

— Je ne refais pas Trafalgar, monsieur. Je garde l'ennemi en vue.

— Bien, capitaine.

Il se mit à neiger comme ils approchaient du golfe de Finlande, où la grande barrière de glace s'allongeait d'une rive à l'autre. Alix vint rejoindre Brand, qui faisait son tour de barre. Le vent d'est colorait les joues de la jeune femme et Brand la contemplait avec adoration. Vue ainsi, le regard fixé, à travers la neige, sur le *Sealark*, coque noyée à l'horizon, et, au-delà du *Sealark*, sur la Finlande, elle lui rappelait la duchesse dressée sous le beaupré, avec sa chevelure d'or peint et ses mains sculptées croisées sur sa poitrine battue des flots.

Plusieurs heures après, alors qu'il avait depuis long-temps renvoyé Alix à la tiédeur de la cabine et que chacun des hommes sur le pont avait le visage raidi par le sel de l'écume et par la neige, ils virent leur proie modifier légèrement sa route et amorcer une manœuvre compliquée de virement de bord.

— Pare à virer ! cria Brand, par-dessus l'ululement du vent. Puis à Joe :

— Où veut-il aller, maintenant, par tous les diables ? Il ne va tout de même pas mettre cap au sud, vers le détroit de Siele ?

— Sûrement pas. Il ne voudrait pas courir le risque de s'échouer sur Palmer Ort par ce temps. Il va attendre le grand jour pour entrer à Hapsal et il prendra ensuite le chenal au long de l'île Worms.

— Terre ! cria l'homme de veille.

— C'est Dager Ort, dit Brand en refermant d'un coup sec sa lorgnette. Vous avez raison, Joe. Il va passer la nuit au large de Dagö. S'il pénètre dans le port de Dagö, je crois que nous le tenons. Mettez en panne et envoyez l'équipage dîner.

Le dîner ne fut pas très confortable, ni dans le gaillard d'avant ni dans la chambre, avec les courants contraires qui arrivaient à toute vitesse de la pointe de Dagö, le Dager Ort, où des longues patrouilles avaient été effec-tuées par l'*Arrogant ;* mais une double ration de rhum donna du cœur à l'équipage et Blyth, promu maître d'équipage en vertu de sa qualité de matelot de seconde classe sur le *Tribune,* sourit de toutes ses dents à l'idée d'un engagement, quand Brand lui exposa son plan.

Le plus pénible était la longue attente, entre le crépus-cule et dix heures du soir, l'heure limite, selon Brand, pour lancer sur la barque une attaque surprise. Il déclara franchement que, si elle avait été chargée de fusils au lieu de cartouches et si l'un de ses hommes avait été aussi bon nageur que Campbell, son vieux partenaire, il eût été tenté d'utiliser un cordeau Bickford — il en avait plusieurs dans la cale — et d'essayer de faire sauter le *Sealark.* Une telle tentative, cependant, aurait été un sui-cide et, même si elle avait réussi, la mort de neutres à bord du *Sealark* eût pu « amener des ennuis ». Il se pro-posait donc d'aborder la barque et de la saborder, en don-nant à ceux qui la montaient une chance d'appeler à leur aide les pêcheurs hostiles du village et de continuer leur voyage jusqu'à Hapsal par les mauvais chemins, à travers une île qui ne possédait ni chevaux ni voiture.

— Dites-moi encore une fois comment ils étaient mouillés à Farö, Joe.

— Il n'y avait sur le pont que l'homme de quart au mouillage, quand nous avons fait le tour du trois-mâts. Amarré au quai principal, tranquille comme Baptiste, tous les panneaux condamnés, tous feux éteints. Pas un signe de vie.

— Ils deviennent imprudents. Ils sont huit et nous sommes huit : pas mal. Seulement, il faut que je laisse Gordon à bord avec Alix, et Webster devra rester dans le canot. Venez, allons mettre ça au point avec les hommes.

Brand embrassa rapidement Alix, passa son caban pardessus son jersey épais et gagna le gaillard d'avant où l'équipage attendait. Une fois de plus, il exposa le plan, derrière la porte bien fermée, car, par une nuit venteuse, les voix pouvaient porter jusqu'à la baie de Dagö et il était à peu près sûr que le *Sealark* ne se savait pas encore poursuivi. Les hommes reçurent des colts, des crampons, des grattes et des barres d'aspect. On mit le canot à la mer, avirons emmaillotés et, après quelques paroles rassurantes pour Alix, Brand suivit Joe et les quatre anciens matelots de la Royal Navy.

Il fallut ramer plus longtemps qu'il ne l'avait escompté, pour traverser la baie. Le *Sealark* avait poussé jusqu'à Dagö même, où les maisonnettes de pierre des pêcheurs étaient sombres et silencieuses, et la faible lueur de son feu de mouillage révélait l'homme de quart, enroulé dans une couverture, assis sur une baille retournée, le dos contre le mât, le visage tourné vers le village. Les cordages du *Sealark*, les amarres des bateaux de pêche, ancrés un peu plus loin, le long du quai, craquaient dans le vent et couvraient le bruit des rames.

Brand s'accrocha aux vaigres, se hissa hors du canot et bondit comme un chat par-dessus la lisse. Jenkins, le plus jeune et le plus leste de l'équipage, le suivit, à l'instant précis où l'homme de quart poussait un cri et allait s'écraser à plat ventre sur le pont, aux pieds de Brand. Joe et les trois autres matelots grimpaient déjà à bord, et Blythe, comme convenu, se précipitait à la tête de ses camarades vers le gaillard d'avant.

L'opération faillit échouer, à cause de l'homme de garde. C'était un gars solide, aussi grand et aussi lourd que Brand Endicott, et il offrit à l'Américain plus de résistance que Brand ne s'y attendait. Brand entendait, venant du gaillard d'avant, les hurlements de l'équipage du *Sealark,* à travers le bruit de tambour que faisait le sang dans son crâne, tandis que l'homme de quart cherchait à lui enfoncer les doigts dans les yeux et dans la gorge. Soudain, il reprit le dessus, saisit à deux mains la tête de l'homme et la cogna contre le bois du mât jusqu'à ce que son adversaire eût perdu conscience. Il se relevait, hors d'haleine, quand il entendit des coups de feu et le cri de Joe.

Le capitaine prussien et son second avaient eu le temps de charger leurs pistolets, tandis que Brand se battait, et Joe avait trop longtemps hésité avant de foncer, l'arme haute, dans la cabine. Il n'était pas tombé, mais il chancelait contre le bastingage, sa main droite serrée sur son bras gauche. Il avait cependant gardé tous ses esprits : quand Brand attrapa le jeune second aux genoux et le plaqua brutalement sur le pont, ce fut Joe qui, d'un coup de pied, fit sauter dans les dalots le pistolet que venait de lâcher sa main. Mais ce fut Blythe, le maître d'équipage, qui immobilisa le capitaine : au moment où celui-ci s'élançait hors de sa cabine, il lui envoya une balle dans l'épaule par-dessus la tête de Brand.

— Apportez-moi une corde, Blythe ! Comment ça va, au gaillard d'avant ?

— Tout est calme, monsieur. On les a repoussés à la pointe du pistolet dans la cuisine et on a bloqué la porte. Vous voulez qu'on vous attache ceux-là, monsieur ?

— Et l'homme de quart aussi. Jenkins ! La cale ?

— Pleine de cartouches, monsieur, et d'un tas de trucs en métal, avec des tubes en verre par-dessus le marché.

— Ça va bien. Vite, maintenant, mais postez un gars à la porte de la cuisine. Ces types-là vont tenter une sortie d'une minute à l'autre... Joe ! Comment ça va ?

— Bien !

— Alors, tenez-moi en respect ces trois jolis cocos. J'ai à parler à M. Svensson.

Brandissant le colt, qu'il venait tout juste de tirer de

sa poche, Brand ouvrit d'un coup de pied la porte battante de la cabine. Personne à l'intérieur. La porte du double cadre, que partageaient, sans doute, les officiers, était grande ouverte. Une seconde porte était fermée.

— Lâchez votre arme, monsieur Svensson, cria Brand, et sortez de là.

— Je ne suis pas armé, répondit de l'intérieur du cadre une voix étouffée.

— Moi, si, fit Brand. Sortez, si vous ne voulez pas me voir forcer la porte.

Il y eut le bruit d'un verrou qu'on tirait à regret. Sven Svensson, le Bon Samaritain de Gothenburg, apparut en manches de chemise ; la belle pelisse dont Brand se souvenait était jetée sur ses épaules voûtées.

— Qui a prononcé mon nom ? demanda-t-il.

— Moi, fit Brand. M'auriez-vous oublié ?

Avec une sorte d'humiliation, Brand se rendit compte qu'en effet, Svensson avait oublié l'Américain naïf qui, un peu plus d'un an auparavant, s'était si facilement laissé convaincre de se faire mettre en prison. Il ne pensait pas que lui-même avait changé physiquement et qu'il était grossièrement vêtu ; tout ce qu'il constatait, c'est que Joe avait eu raison : ce vieil homme chancelant, paralysé de peur, ne valait pas la haine qu'il entretenait contre lui depuis un an.

— Je suis Brand Endicott.

— Pas... le petit-fils... pas l'Américain ?

— C'est bien moi. L'Américain que vous pensiez avoir expédié loin de la Baltique, le jour où vous m'avez vu conduire en prison, à Gothenburg. Où est votre complice ?

— Je... je ne comprends pas.

— Disons votre associé, alors. Le capitaine Erik Kruse.

Pour la première fois, un peu de son ancienne assurance apparut sur le visage livide de Svensson.

— Ah ! fit-il. Il est là où vous ne le retrouverez jamais !

— Alors, il est en Russie ou bien en enfer. Vivant... ou mort ?

— Vivant. Vous vous en rendrez, peut-être, compte un jour, à vos dépens... chien ! Que faites-vous à bord de mon bateau ?

— Ecoutez ! dit Brand. Vous pouvez presque le sentir sombrer, hein ?

En effet, le bruit des coups qu'assenaient ses hommes sur les grattes et les crampons, la gîte du plancher qui s'accentuait, tout révélait l'opération en cours.

— Au nom de la reine ! déclara Brand. Nous sabordons le *Sealark*. La vie de l'équipage dépend de vous, monsieur Svensson ! Détachez vos officiers, libérez les hommes, et vous aurez tous une chance de voir le soleil se lever demain. Je vous souhaite bonne chance dans l'Empire russe !

Il regagna le pont en courant. Joe braquait d'une main ferme son pistolet sur les trois prisonniers. Il était d'une pâleur mortelle et le sang filtrait à travers le grossier pansement de son bras.

— Blythe ! cria Brand. Vous tous ! Par-dessus bord, immédiatement !

Ils lui obéirent précipitamment. Le *Sealark* s'enfonçait rapidement et Webster éloignait le canot pour éviter d'être entraîné dans le tourbillon. Du côté de la porte de la cuisine, il y eut un bruit de verre et de bois fracassés. Là-haut, au village, deux ou trois bougies venaient tout de même de s'allumer.

— Et M. Ryan, capitaine ! demanda Blythe, haletant.

— Je m'en occupe. Joe ! Tenez bon !

Brand enfonça son colt dans sa ceinture et courut vers l'avant, tout en dégainant son couteau. Il se pencha le plus loin possible par-dessus le beaupré pour arracher à sa hampe, intact, ce qu'on y avait indûment accroché.

— Tenez, Joe, dit-il, à bout de souffle, en mettant le pavillon dans la bonne main de Joe. La bannière étoilée... elle est à vous, par droit de prise !

CHAPITRE XVIII

SOUS LE DRAPEAU BLANC

A LA FAVEUR DE LA NEIGE et de l'obscurité, la *Duchesse de Finlande* put sortir sans être vue de la baie de Dagö. Durant cette nuit d'angoisse, tandis qu'Alix s'improvisait infirmière, pour étancher le sang qui coulait du bras de Joe, Brand mit cap au sud, jusqu'à l'île Osel et, au petit matin, descendit lui-même à terre, au port de pêche d'Arensburg, pour ramener un médecin auprès du blessé.

Joe avait perdu beaucoup de sang, bien que sa blessure fût plus une déchirure superficielle qu'une plaie profonde. Il passa toute la journée sur sa couchette. Quand il se leva, il fut silencieux et pensif, mais il en était ainsi depuis son arrivée à Londres ; seulement, maintenant, il brûlait de voir le navire corsaire attaquer de nouveau l'ennemi qui avait fait couler son sang irlandais. Cet état d'esprit convenait parfaitement au capitaine Endicott. Brand était d'humeur inquiète ; il regrettait déjà d'avoir sabordé le *Sealark* et de n'avoir pas eu assez d'hommes pour mettre à bord du trois-mâts barque un équipage de prise, afin de le ramener en Angleterre. Ou alors — quand le bon sens lui rappelait que le chemin, du golfe de Riga au port de Londres, était trop long pour qu'un senau à voile pût ramener sa prise par ses propres moyens — il songeait que, si la Royal Navy s'était trouvée dans la Baltique, au lieu d'être encore à Spithead, il aurait pu remettre sa prise, le trop célèbre forceur de blocus *Sealark,* à l'un des navires de guerre ou à l'une des frégates. Il aimait à s'imaginer l'expression du capitaine Yelverton, s'il avait remis la barque à l'*Arrogant.*

Tandis que Joe se remettait de sa blessure, la *Duchesse* louvoya à travers la Baltique jusqu'à Slite, le principal port de guerre du Gotland, où il était entendu avec M. Arthur Tarras qu'il passerait régulièrement chercher son courrier. Puis il mit le cap au sud-est, vers Karlskrona et fut assez heureux pour tomber sur un deux-mâts qui se préparait à pénétrer dans le détroit de Kalmar avec une cargaison de poudre à canon destinée à la Russie, via Haparenda ; avec une telle cargaison à son bord, le capitaine amena son pavillon dès que le premier boulet de la petite caronade passa par-dessus son avant. Pour les contrebandiers ayant un faible tirant d'eau, le détroit de Kalmar était un passage rêvé vers le nord et, en conséquence, un excellent terrain de chasse pour le corsaire. Ainsi qu'il s'en était vanté naguère, Joe connaissait vraiment toutes les criques du Blekinge et du Småland ; à Mönsterås et à Figeholm, ils débusquèrent coup sur coup deux hollandais et un belge, chargés de carabines Minié et de sacs de mitraille, un trois-mâts barque de Hambourg qui transportait du zinc et des tubes de verre, semblables à ceux de la cale du *Sealark,* et qui servaient à fabriquer les « infernales », et — plus au nord, à Västervik — un norvégien chargé de bois de construction pour les nouveaux ouvrages russes de Bomarsund. Après cette capture, il y eut une bonne provision de bois pour le poêle de la cabine et le fourneau de la cuisine du gaillard d'avant car, avec l'aide d'Alix, Brand ramassa tout ce qui lui tomba sous la main. Dans le temps, le capitaine Yelverton et autres officiers de marine aux nobles sentiments, avaient dédaigné de faire des prises aux dépens de « pauvres pêcheurs » ou de « pauvres paysans », que la perte de leur bateau pouvait ruiner à jamais. Mais Brand n'avait pas de ces scrupules. Puisqu'il ne pouvait capturer les bateaux des contrebandiers, il s'emparait de tout ce qui pouvait être utile aux Russes, ou bien le détruisait.

On n'entendit pas parler de la disparition du *Sealark* dans les neiges, au large de Dager Ort. Mais il était impossible de tenir secrète la capture de tant de contrebandiers au large d'une côte peuplée, et le corsaire américain qui naviguait avec des Lettres de Marque anglaises ne tarda pas à devenir légendaire dans la Baltique. Il n'y avait pas d'autre navire britannique pour partager la gloire avec la *Duchesse de Finlande :* en effet, alors que l'amiral Napier avait appareillé trop tôt, sir Richard Dundas, vice-amiral de la Flotte, paraissait devoir appareiller trop tard. Les apparitions du senau dans le port de Slite étaient toujours observées avec intérêt par l'énorme garnison suédoise qui se déclarait à présent « de tout cœur avec l'Angleterre ». On regardait beaucoup Alix, Brand et Joe, quand ils descendaient tous trois à terre. La ravissante jeune femme blonde en jersey de pêcheur, le grand Américain qui la tenait toujours par la main et le gars sec et nerveux aux noirs cheveux bouclés, constituaient le trio dont on parlait le plus dans tout le Gotland.

La *Duchesse* était encalminée au large de Slite quand la première division de la flotte de Dundas entra dans la Baltique. Brand amena ses huniers une douzaine de fois, salut réglementaire du navire marchand au navire de guerre, au passage des premiers des vingt-cinq cuirassés à vapeur en ligne. Il reconnut le pavillon de l'amiral Dundas sur le vieux trois-ponts de Napier, le *Duke of Wellington,* et le pavillon bleu carré de l'amiral Seymour au mât de perruche de l'*Exmouth ;* il chercha en vain l'*Arrogant* et l'*Impérieuse.*

— Je me demande s'ils ont l'intention d'aller reconnaître en premier Sveaborg ou Kronstadt, dit-il après le passage du majestueux convoi.

— Le golfe de Finlande doit être ouvert, à présent, s'écria Alix avec animation. Si nous les suivions pour voir !

— Je n'y manquerai pas, ma chérie, dès que j'aurai pu munir le bateau d'une drague, pour les « infernales » !

— Je voudrais voir votre tête, dit Joe, si nous retrouvions l'*Arrogant* dans le golfe et que le capitaine Yelverton vous menaçât de monter à bord pour voir si, vous aussi, vous ne faites pas de la contrebande !

— Le capitaine Yelverton n'interpellerait pas la bannière étoilée, pas après le discours du président Pierce sur le droit de recherche. « Némésis » Hall, lui, le ferait, et avec empressement.

— Hall, de l'*Hecla ?*

— L'*Hecla* a été envoyé en Crimée. Le vieux « Némésis » a le *Blenheim,* avec soixante canons, et le capitaine Sulivan a le *Merlin,* avec six. On monte en grade, dans la flotte, en ce moment.

— Est-ce que vous regretteriez le pont inférieur, par hasard ? demanda Joe d'un ton sarcastique.

Brand se mit à rire. Il appréciait, de temps à autre, les railleries de l'Irlandais ; elles lui rappelaient le langage dru du Maine.

— Moi, m'ennuyer de la Royal Navy ! s'écria-t-il. M'ennuyer du navire-hôpital *Belleisle !* La brise se lève, Joe. Allons chercher le courrier à Slite.

— En haut, les hommes, pour établir les perroquets et les basses voiles !

Joe s'était emparé du porte-voix posé sur les garcettes du gouvernail ; la *Duchesse* largua ses voiles et se dirigea gracieusement vers le port sur des eaux que le premier soleil de mai transformait en une plaque de verre d'un bleu sombre. Tout en sifflant « Nancy Dawson », Brand se changeait pour descendre à terre.

— Nous appareillerons pour Kökar demain matin, Joe. Voulez-vous prendre le dernier petit quart, avec Jenkins, Smith et Webster ?

— Bien, capitaine.

— Tu descends à terre, Alix ?

— Non, mon chéri, je ne pense pas. Je suis un peu lasse et je veux chercher des vêtements plus légers pour demain. Il a fait chaud, aujourd'hui. Plus que six semaines avant la Saint-Jean !

— Bon, ne te fatigue pas trop : tu parais lasse, en effet, ce soir. Je serai de retour dans une ou deux heures.

Alix l'embrassa, lui sourit et resta seule dans la cabine. Joe l'entendit ouvrir et fermer des couvercles de coffres, tandis qu'elle sortait les chemises légères de Brand et ses propres corsages de cotonnade blanche. Puis il l'entendit passer dans la petite cuisine et, bientôt, elle parut sur le pont en disant :

— Café, Joe ?

— Merci, m'dame !

La chambre du capitaine, sur la *Duchesse,* n'avait pas les vives couleurs, l'atmosphère féminine que Mary Ryan avait apportées à la cabine de la *Molly-O.* Elle était propre et parfaitement rangée, sans plus. Les portes des deux

368

cadres étaient ouvertes, ainsi que les hublots au-dessus des couchettes, de sorte que la tiède brise de mai circulait librement.

— Votre poêle est presque éteint, remarqua Joe. Vous voulez du bois ?

— Non, merci ; il va faire chaud, cette nuit.

Les yeux fermés, elle s'abandonnait dans le massif fauteuil de bureau de Brand, qui n'était certes pas conçu pour le repos. Joe l'observait ; il remarqua que, sous le hâle, le visage d'Alexandra révélait des signes subtils de lassitude et que la ligne de ses pommettes hautes était plus saillante que jamais.

— Fatiguée ?

Elle se redressa aussitôt.

— Non... pourquoi le serais-je ?

— Je me demande, moi, pourquoi vous ne le seriez pas ! Vous venez de connaître deux mois assez pénibles, à circuler d'un bout à l'autre de la Baltique. Cela n'avait rien de commun avec votre vie passée.

— Si vous saviez combien j'adore ça ! s'écria-t-elle, rayonnante. Si vous saviez comme j'étais malheureuse, il y a tout juste un an, dans cette grande maison de Saint-Pétersbourg !

— Croyez-vous pouvoir être heureuse, en femme de capitaine d'un brick marchand, une fois la guerre terminée, quand Brand se remettra à faire le transport des marchandises pour Tarras & C° ?

— Je n'y pense jamais, dit-elle, les yeux élargis. Je ne pense jamais à rien de ce qui se passera après la guerre !

— Allons, je ne voulais pas vous bouleverser ! Brand est heureux comme un roi, pour le moment, il aime se sentir libre d'aller et venir à son gré — Köbar demain et, ensuite, la traversée jusqu'à Eckerö, puis retour au détroit de Kalmar... Et il ne sera pas patron de bateau marchand, comme moi, quand il approchera la quarantaine. Pas de danger ! Mais c'est à vous que je pense. Après tout, vous n'allez plus pouvoir endurer cette existence d'ici quelques mois.

Dans la lumière du soir, qui entrait à flots par les hublots ouverts et par la porte de la cabine, Joe vit Alexandra rougir brusquement.

— Au nom du ciel... que... voulez-vous dire ?

369

— Je veux dire qu'il n'est pas une seule femme qui puisse supporter la Baltique après les premiers jours de septembre ! Mary ne le peut pas, et aucune des femmes des capitaines de Stockholm ne restent en mer après l'apparition des premières glaces dans les golfes. Et pourtant, elles sont depuis toujours accoutumées à cette vie... ce n'est pas comme vous.

Il vit la rougeur disparaître petit à petit, laissant une marque disgracieuse sur le cou blanc.

— Alix...

— Oui ?

— Non, rien... Avez-vous encore un peu de cet excellent café ?

— Dans la cuisine.

Joe remplit pensivement sa tasse et revint dans la cabine. Alix n'avait pas bougé. Elle était accoudée au bureau de Brand dans son attitude favorite, le menton entre les mains.

— Vous avez le cafard, ce soir, Alix, hein ? Dommage que Mary ne soit pas ici avec sa guitare ! C'est elle qui saurait trouver des chansons capables de vous remonter le moral !

— Des chansons irlandaises ?

— Irlandaises ou suédoises, des chansons de marin... tout ce que vous voulez ! Elle est en train d'apprendre à chanter en italien.

Alix parut heureuse de changer de sujet de conversation.

— Elle vous manque, Joe.

— Bien sûr qu'elle me manque. Mon petit Colporteur de la Mer ! Ça va être le premier été depuis qu'elle a atteint ses dix ans, que je n'aurai pas Mary comme second.

— Mais elle tenait à rester à Stockholm pour ses leçons de chant, n'est-il pas vrai ?

— Oui, bien sûr. Mais je ne sais pas... Elle n'a pas l'air tellement heureuse, chez sa tante, cette fois-ci.

Alix prit son courage à deux mains. Elle et Joe Ryan étaient devenus de bons amis, mais une certaine réserve persistait entre eux et elle avait eu quelque hésitation à la briser et à paraître critiquer la jeune fille que son père adorait.

370

— Etes-vous... inquiet au sujet de Mary ? Vraiment inquiet ?

— Je... c'est seulement qu'une fille aussi jolie, aussi intelligente que Mary attire beaucoup d'hommages, voyez-vous. Et des hommages qui viennent parfois de gens peu recommandables...

— Des gens comme le capitaine Kruse ?

Joe lui lança un vif coup d'œil.

— Brand vous en a parlé ? Elle s'en est expliquée très franchement, le jour où il s'est engagé dans la Royal Navy et qu'il nous a emmenés à la Trêve d'Or. Elle a expliqué qu'elle avait fait sa connaissance chez sa tante et tout...

— Et c'est la raison pour laquelle vous êtes inquiet de savoir Mary chez sa tante, à présent ?

— Oh, Dieu ! fit le pauvre homme. Où vouliez-vous que je la laisse ? Pas dans notre appartement... où elle passe la journée à surveiller ce miroir... à guetter les officiers qui ont quartier libre...

— Joe !

Alix se leva d'un bond, choquée et bouleversée au-delà de toute expression.

— Joe, que puis-je faire pour vous aider ?

— Voudriez-vous être une amie pour elle, Alix ? Voudriez-vous demander à Brand de passer prochainement par Stockholm ? Si Mary pouvait parler avec une femme telle que vous...

Alix arracha sa main à la brusque étreinte de Joe.

— Chut ! fit-elle. J'entends le canot qui revient.

Brand entra dans la cabine, les cheveux ébouriffés, son visage basané plus coloré que d'ordinaire.

— Ça souffle un peu, dit-il, après avoir embrassé Alix... Les Britanniques sont en route pour le golfe de Courlande, Joe. Cooper Key sur l'*Amphion*, Rundle Watson sur l'*Impérieuse,* et tous les anciens. Le blocus commence officiellement demain.

— Dans le golfe de Courlande seulement ? Pas dans le golfe de Finlande ?

— Pas pour l'instant. Et voici le courrier... une lettre pour toi, ma chérie, et une pour Joe.

Après un coup d'œil à l'écriture de sa fille, Joe Ryan enfouit la lettre dans sa poche.

— Merci, dit-il. Je vais faire ma ronde, à présent, et veiller à l'extinction des feux. Je pense qu'ensuite,

371

j'irai me coucher, pour lire ce que miss Molly a à me raconter. Bonsoir, vous deux.

— Bonsoir, Joe.

Brand alluma la lampe à huile et jeta sur son bureau un paquet de lettres de la Tarras Line avant de s'asseoir sur l'accoudoir du fauteuil d'Alexandra.

— Falk est bien rentré à Londres ? Comment va Kristina ? demanda-t-il.

— Beaucoup, beaucoup mieux. Oh ! mais, Brand, écoute ça :

« Gunnar et moi, nous avons reçu une lettre de père », lut-elle à haute voix, « transmise par l'intermédiaire de l'ambassade de Russie à Stockholm. Il a réussi à faire retirer les troupes du manoir d'Ekenäs et Anna, notre servante lapone, y a été installée pour tout remettre en ordre. L'un des Mannerheim, qui a amené A. d'Abo, dit que tout est à peu près en état, mais, naturellement, les plus beaux meubles de maman ont disparu. Papa ajoute qu'on a retiré d'Ekenäs la garnison russe. Il pense qu'après le *fiasco* de l'an dernier à Gamla Karleby, *les Britanniques n'oseront pas* s'en prendre de nouveau à une ville finlandaise ! Gunnar dit... » Tout le reste concerne son mari, acheva Alix.

— Ekenäs évacué ! Cela signifie que les Russes concentrent leurs forces à Helsingfors.

— Ils se préparent à défendre la forteresse, dit Alix.

— Mon chéri, Joe m'inquiète.

Brand et Alix étaient allongés côte à côte parmi les fleurs sauvages d'un pré qui n'avait jamais vu paître aucun bétail, dans l'un des si nombreux îlots de l'archipel finlandais. Ils entendaient vaguement, montant d'une crique éloignée, les cris de l'équipage, descendu à terre pour prendre un bain d'eau douce et nager un peu, après l'une des semaines les plus dures de la longue croisière.

Le contre-amiral Dundas, ex-Second Lord de l'Amirauté, paraissait avoir pris là le goût de temporiser. Après avoir effectué une reconnaissance prolongée sur Sveaborg, il passa pas mal de temps à attendre les Français qui, en l'occurrence, mirent trente-sept jours pour venir de Cherbourg jusqu'au golfe. Le contre-amiral Penaud, sitôt arrivé de France, menaça des pires calamités les citoyens d'Helsingfors car son impérial maître, Napoléon III, à qui les An-

glais avaient déconseillé d'aller faire des discours en Crimée, était altéré de sang. L'empereur des Français avait
conçu un nouveau projet : une arme de son invention, qui
devait s'appeler la fusée incendiaire et qui, grâce à son
autopropulsion, devait, une fois lancée d'un point donné,
exploser en un autre point, situé à une distance déter-
minée. Et tandis qu'il mettait au point ses fusées, pour
la prétendue gloire de la France, les Anglais, dans la Baltique, continuaient obstinément à « traîner et draguer »
à la recherche des mines russes.

Mouillée au large des récifs de Kökar, la *Duchesse de
Finlande* avait intercepté une goélette prussienne qui se
dirigeait vers Abo avec un important chargement de zinc
et des tubes de verre utilisés pour la fabrication des mines
russes, et, après une dure poursuite et un tir de réglage
de la caronade, Brand avait pu la remettre à l'un des
navires de la flotte de la Baltique. Non point à l'*Arrogant*, ce qui eût mis le comble à sa satisfaction, mais au
Cossack, bâtiment qui, en cours de construction à North-
flete pour satisfaire une commande du feu tsar, avait été
confisqué par les Britanniques dès le début de la guerre.
Le capitaine Fanshawe s'était montré d'une grande amabi-
lité vis-à-vis du jeune capitaine corsaire ; il l'avait invité
à trinquer dans le salon orné de l'aigle bicéphale et d'autres décorations exécutées selon les goûts de Nikita et, quand
Brand avait pris congé, il avait fait rassembler les hommes de coupée et les sifflets des maîtres d'équipage avaient
retenti, tout comme pour un officier de la Royal Navy.
L'Américain avait regagné la *Duchesse,* rouge d'orgueil et
de plaisir. A présent, épuisé, il dormait à moitié. Alix
n'était pas même sûre qu'il eût entendu ce qu'elle venait
de dire à propos de Joe Ryan.

— Brand, tu m'écoutes ?
— Hmmm.

Elle vit ses yeux gris lui sourire entre les longs cils
d'un blond roux.

— Alix, tu es vraiment ravissante. Quand j'étais sur
le navire-hôpital, je te voyais souvent en rêve exactement
comme tu es là. En corsage blanc, les bras nus...

Il posa sur son sein une main brûlante.

Alice remua légèrement, dans un contentement assoupi.
Ils avaient nagé et plongé pendant une heure et, pour
Alix, c'était toujours une joie quand Brand admirait son

habileté de nageuse et sa grâce dans l'eau. A présent, une certaine lassitude, qui envahissait de plus en plus souvent son corps, poussait Alix à se serrer contre Brand pour dormir tout l'après-midi entre ses bras. Une pensée interdite — impalpable, rien d'autre, sûrement, qu'un caprice de son imagination — trottinait comme une souris dans le dédale de son cerveau. Elle se redressa à regret.

— Brand, *je t'en prie !* Je te disais que Joe m'inquiète.

— Mais oui, j'ai bien entendu. Joe va très bien. Il n'y a plus à s'inquiéter pour son bras. En fait, ce coup de feu était un coup de chance : il a fait le plus grand bien à Joe Ryan. Au début, j'avais l'impression qu'il n'était venu avec nous que pour toucher la grosse somme, afin de pouvoir payer les leçons de chant et les souliers de bal de la jeune Mary. Mais depuis que son sang a coulé, Joe est aussi acharné que toi et moi à poursuivre les forceurs de blocus.

— Oh, mais ce n'était pas de son bras que je voulais parler ! Le pauvre Joe se désole tellement au sujet de Mary...

— Qu'est-ce que Mary a encore fait ?

— Elle n'est pas heureuse avec sa famille de Stockholm.

Alix était incapable de répéter, même à Brand, toutes les confidences de Joe à propos de sa fille : il n'était pas dans sa nature de trahir une autre femme. Mais Brand, l'air vaguement ennuyé, renonça à toute idée de sommeil, se redressa et alluma l'une de ces nouvelles cigarettes dont la réputation s'était répandue jusqu'au Gotland.

— Tout ça, c'est l'affaire de Joe, dit-il raisonnablement. Pourquoi t'a-t-il importunée avec ses histoires ?

— C'est peut-être notre problème à nous aussi, mon chéri, d'une certaine façon. Si tu n'avais pas rencontré les Ryan à Gothenburg, Joe ne naviguerait pas avec toi maintenant ; et si je n'avais pas perdu la tête à Bomarsund, j'aurais peut-être pu aider Mary à se délivrer d'Erik Kruse, au lieu de la dresser contre moi...

— Kruse a donc un rôle là-dedans ?

— J'espère que non, Brand. Mais je ne cesse de me remémorer ce qu'il a dit de Mary, cet affreux jour : que c'était la chérie de la garnison, ou quelque chose de ce genre, et que la maison de sa tante avait une réputation...

— Oh, ça n'a pas de sens commun. Les Engström sont des gens parfaitement respectables. Il y a sans doute un peu de flirt, avec tant de filles, mais sans plus. Joe a dû vouloir essayer sur toi un peu de ses boniments à l'irlandaise. Il ne faut pas te laisser impressionner, ma chérie.

— C'est plus fort que moi.

Il avait horreur de voir cet air triste, cette tête blonde baissée. Peut-être avait-il trop présumé d'Alix, ces derniers temps. Elle faisait un si merveilleux compagnon de bord qu'il ne s'était, peut-être, pas montré assez câlin, assez caressant ? La fatigue seule en était cause... rien d'autre ! Même en dehors de la chasse, l'effort nécessaire pour piloter la *Duchesse* à travers ces îles et ces récifs, qu'il connaissait mal, commençait à se faire sentir. Il devenait impatient, irritable, et, pour ce qui était de prouver son amour à Alix... depuis des nuits, malgré la splendide vitalité de ses vingt-quatre ans, Brand était si las qu'il s'écroulait sur sa couchette et passait à dormir chaque minute bénie des quarts dont il ne faisait pas partie. Tout en enroulant les longs cheveux blonds d'Alix autour de son doigt, il demanda :

— Bon, à ton avis, que faut-il faire ?

— Ne pourrions-nous passer par Stockholm quand il sera temps de revenir à Slite ? Joe pourrait ainsi passer un jour ou deux avec Mary et s'assurer qu'elle va bien, qu'elle est heureuse. Ce serait pour lui une telle joie...

— Je n'en doute pas. Et, si Mary ne va pas bien, si elle est malheureuse, faudra-t-il que nous l'emmenions ?

Elle sauta sur cette idée.

— Pourquoi pas ?

— Dieu bon, fit Brand. Deux filles à bord ! Les matelots vont penser que je commande une cage à poules !

— C'est l'argot de la Royal Navy ? Ça a l'air dégoûtant !

— Ecoute, Alix, avoir à bord la femme du capitaine, c'est une tradition consacrée. Mais une jeune fille, c'est différent. Surtout une jeune fille comme Mary, qui minaude et qui fait les yeux doux à tous les hommes !

Il eût aimé qu'Alix lui demandât, d'un ton provocant : « T'a-t-elle jamais fait les yeux doux, à toi ? ». Mais elle se contenta de sourire en secouant la tête. Brand ajouta, pour en finir :

— D'ailleurs, où coucherait-elle ?

— Elle pourrait prendre le cadre de Joe, qui déménagerait à l'avant, dans le cadre des apprentis, là où l'on entrepose le bois pour le feu.

— Je vois que vous avez tout prévu, madame Endicott ! Mais ça demande réflexion, avant que nous allions à Stockholm. Si Joe doit dépérir loin de sa fille — et attention ! je ne crois pas qu'elle ait été bien loyale envers toi ! —, alors peut-être ferait-il mieux de se remettre à colporter ses oranges sur la *Molly-O,* et je nommerai Blythe second de la *Duchesse de Finlande.* C'est la guerre, Alix, tu le sais, et pas une croisière de tourisme.

— Oui, je sais.

Les yeux d'Alix dévièrent imperceptiblement avec ce regard qu'il commençait à reconnaître.

— Mais tu iras quand même à Stockholm, n'est-ce pas ?

— Si tu y tiens à ce point...

Brand éteignit soigneusement sa cigarette dans la jeune bruyère et attira Alix dans ses bras.

— Je crois que tu as surtout envie que je t'achète encore un chapeau !

— Et moi, je crois que tu vas t'endormir pour tout de bon.

— Ça sent bon, ici, sous les pins, dit-il d'une voix assoupie. Ça me donne l'impression d'être de retour sur l'île Bijou...

— Là où tu cueillais les arbouses que tu rapportais à tante Betsy ?

— Hmmm.

— T'est-il souvent arrivé de t'endormir avec une fille dans tes bras, sur l'île Bijou ? Et t'embrassait-elle ainsi ?

— Non !

— Alors, comme ça... ?

Naturellement, Mary Ryan était à bord, quand la *Duchesse* appareilla de Stockholm. Il eût fallu un cœur plus endurci que celui de Brand pour résister au regard de Joe ou à la reconnaissance de Mary, délivrée de la maison de son oncle et de ce qu'elle appelait l'ennui de Stockholm, à présent que ses leçons de chant avaient pris fin.

376

Elle ne les gêna cependant pas par des manifestations de gratitude. Mary avait beaucoup changé, au cours de l'année écoulée. Elle était, en vérité, plus grande et même plus jolie : les rondeurs de l'enfance avaient disparu de son visage et les boucles noires étaient disciplinées par des peignes et une résille, en une fort honnête version de la coiffure « à l'Eugénie ». Elle avait également acquis des manières blasées qui déconcertèrent quelque peu Alix, et elle garda presque constamment le dé de la conversation pendant le dîner qu'ils prirent tous les quatre. Mais, quand les deux femmes se retrouvèrent seules, au moment de se mettre au lit, Mary déclara, un peu timidement :

— Madame Endicott, vous êtes très bonne de me permettre de venir avec vous. Je veux vous demander pardon pour toutes les horreurs que je vous ai dites à Bomarsund.

— Je vous en prie, dit Alix, tout cela est passé, oublié. Brand et moi, nous sommes heureux de vous avoir parmi nous, à présent.

— Voyez-vous, à cette époque, j'étais terriblement jalouse de vous.

— A cause de Brand ?

— Oui, un peu. C'était plus fort que moi, il me plaisait tant ; mais j'ai toujours su qu'il aimait une jeune fille d'Helsingfors. En réalité, c'était à cause d'Erik Kruse.

— L'avez-vous revu, ce jour-là ? demanda Alix avec effort.

C'était une question qui, depuis longtemps, la tourmentait ; elle était déjà préparée à la réponse.

— Oui, bien sûr, voyons ! J'ai suivi le chemin dans lequel je vous avais rencontrée et je l'ai trouvé... ruisselant de sang, presque évanoui...

— Il n'était pas grièvement blessé !

— Il en a gardé la cicatrice. A Stockholm, il a fait passer ça pour une cicatrice de duel.

— Et après ?

— Après, je l'ai ramené directement sur la *Molly-O*. Je savais que je ne risquais pas grand-chose : papa resterait bien encore une heure à bavarder et à boire sur la jetée. Je lui ai lavé le visage, je l'ai pansé, je lui ai donné du cognac et c'est ainsi que tout a commencé.

— Qu'est-ce qui a commencé ?

— Notre liaison.

— Vous ne voulez pas dire que...

— Si, précisément, fit Mary, d'un air de défi. Ecoutez-moi ! Jusque-là, il n'y avait eu qu'un flirt entre Erik et moi. Des billets dans des bouquets, des danses en ca-chette à Gröna Lund... ce genre de choses. Mais, après que je l'eus soigné, cet après-midi-là, il me sembla qu'il m'appartenait davantage et il se montra plus doux, et si reconnaissant. Peu de temps après, quand nous fûmes de retour à Stockholm...

Elle eut un petit geste de faiblesse.

— Mary !

— Et après ? Je vous avais vus ensemble, Brand et vous. Je voulais avoir mon amant, moi aussi. Je n'ai simplement pas eu de chance de tomber sur Erik Kruse.

— Mary, vous ne voulez pas dire...

— Que je vais avoir un enfant de lui ? Bien sûr que non. Pas si bête ! Je savais que ça ne pouvait pas du-rer... du moins l'ai-je compris au bout de quelques se-maines. L'affaire était terminée avant même qu'il soit parti pour s'engager dans l'Armée russe...

— Erik s'est engagé dans l'Armée russe ?

— Oui, comme conseiller militaire sur la Baltique. Vous ne le saviez pas ? Il a eu des ennuis avec son gé-néral suédois et on lui a demandé de donner sa démission. Ils avaient entendu parler du trafic d'armes et ils étaient furieux.

— Pas étonnant ! s'écria Alix avec indignation. On ne lui laissera jamais remettre les pieds en Suède !

— Oh, croyez-vous ? fit Mary d'un ton indifférent. L'Oc-cident et la Russie ne seront pas éternellement en guerre, vous savez, et ensuite, il sera libre d'aller où bon lui semblera. Mais j'espère que Brand et vous, vous ne vous trouverez jamais face à face avec lui : il vous hait l'un et l'autre. Je ne sais trop ce qui se passerait si vous veniez à vous rencontrer tous les trois...

— Et vous, pauvre petite, vous ne le haïssez pas ?

— Oh, je vous en prie, madame Endicott, ne vous appuyez pas sur vos deux anneaux d'or et votre dignité pour me donner du « pauvre petite » ! Pour moi, tout va bien ! Avant longtemps, j'aurai un bon engagement dans un théâtre de Stockholm et, après ça, je partirai pour Paris. J'en ai par-dessus la tête de la *Molly-O* et d'être le merveilleux petit lieutenant de papa, toutes ces sornettes sentimentales ! Et si jamais je rencontre de nouveau Erik Kruse...

— Eh bien, Mary ?

Le joli petit visage buté se couvrit de larmes.

— Si seulement je pouvais avoir l'espoir qu'il me reviendrait !

Alix se mit au lit fort malheureuse. Son cœur sans partage se révoltait aux réflexions de Mary Ryan sur la Russie et ces paroles mélancoliques : « Je voulais avoir mon amant, moi aussi ! » réveillaient en elle toute son ancienne répulsion à l'égard d'Erik Kruse. Mais, le lendemain, la jeune fille ne fit aucune allusion à leur brève conversation. Elle se montra gaie et d'humeur charmante, se consacra presque entièrement à son père, au grand ravissement de celui-ci, et les amusa tous — surtout le jeune Jenkins qui tenait la barre — en nommant chaque écueil, chaque récif du chenal de l'archipel de Stockholm que suivait la *Duchesse,* entre les rochers de Bogskaren et le Kopparsten, pour gagner la haute mer. C'était le deuxième jour de juin et, seul, un imperceptible souffle de vent agitait les voiles du senau. Après le déjeuner, Mary et Alix, installées à l'avant, sur un tas de couvertures, parlèrent de Paris, des modes nouvelles et de la grande exposition en perspective — propos superficiels que Brand se plut à écouter de loin. Il pensait que la présence à bord d'une autre femme apportait à Alix une agréable distraction et, jusqu'à présent, Mary avait à peine eu un regard pour l'équipage. Pour être franc, l'équipage — Jenkins mis à part — avait à peine regardé Mary ; mais c'était probablement dû au fait que tous les hommes subissaient encore les effets de l'inévitable noce qu'ils avaient faite à Stockholm.

Brand, de son côté, ne manquait pas de sujets de réflexion. Il avait trouvé une lettre de Mme Tarras chez ses banquiers de Stockholm — une lettre qu'elle avait jugée assez importante pour l'envoyer à la fois à Stockholm et à Slite. Elle commençait par le féliciter des trois mois passés sous ses Lettres de Marque que l'astucieuse vieille dame daignait appeler « un bon placement ». Elle poursuivait en disant qu'avec l'énorme force navale stationnée dans la Baltique (sans plus de résultats, hélas, cette année que la précédente), elle jugeait que le « navire armé » acquis par Tarras & C° trouverait désormais un meilleur emploi en convoyant les bâtiments de la Tarras Line jusqu'aux ports de la Baltique qu'en faisant la chasse aux forceurs de blocus, tâche qui revenait de droit aux nouvelles canonnières de la Royal Navy. Brand était donc invité à rejoindre les quatre bateaux de la flottille d'Aberdeen à Fredrikshavn, dans le Jutland, le 21 juin ou l'un des jours suivants, pour les convoyer ensuite dans tous les ports situés entre Fredrikshavn et Sundsvall, en Suède.

En faisant les cent pas sur le pont de la *Duchesse,* Brand songeait que Mme Tarras avait tout à fait raison. Elle devait envisager l'avenir — son avenir commercial ; en effet, quel avenir les Britanniques pouvaient-ils désormais espérer, dans la Baltique, si la forteresse de Sveaborg n'était pas prise ? Sveaborg même n'avait pas grande importance, aux yeux du public, en comparaison de Sébastopol, qui bénéficiait de l'auréole de la souffrance, de la chevalerie, du romantisme. Brand savait néanmoins qu'il s'acquitterait à regret de sa tâche de convoyeur... pendant que l'*Arrogant* et les autres frégates remonteraient le golfe en direction d'Helsingfors.

Dans la soirée, Mary chanta pour eux. La saison des longues nuits blanches était de retour et le soleil s'attardait sur le pont de la *Duchesse* jusqu'à dix heures et au-delà ; il nimba d'or la tête de Mary quand elle se leva pour chanter, adossée au mât. Elle interpréta naturellement les « chansons italiennes » qu'elle venait d'apprendre, en commençant par un air tiré d'un opéra nouveau, *la Traviata,* qui mettait en valeur toute la puissance et la souplesse de sa voix à moitié travaillée. Mary n'était pas coloratura, comme son idole Jenny Lind, mais elle possédait un soprano aigu et pur, que fit énormément valoir « Home, Sweet Home » (réclamé par Joe, comme « quelque chose que nous pouvons tous comprendre ») et que toutes les oreilles inexercées de son public étaient en mesure d'apprécier.

— Je chanterai encore demain, si vous voulez, dit-elle quand on lui demanda de continuer. Pour l'instant, Mme Endicott est fatiguée, je crois, et moi aussi.

— Puisque vous appelez Brand par son prénom, il faut m'appeler Alix, ma chère Mary.

Ce fut presque tout ce que put dire Alexandra, en guise de « bonne nuit ». Elle était lasse, en effet, et la tête lui faisait mal, mais elle oublia sa fatigue quand

SOUS LE DRAPEAU BLANC

Brand entra et dit que la voix de Mary lui avait rappelé l'Opéra de Paris, où ils avaient vu *l'Etoile du Nord* ; et comme Alix était belle, ce soir-là, dans sa blanche robe nuptiale ; et comme elle était encore belle, à présent, et combien plus à lui, dans l'étroite couchette de la *Duchesse de Finlande...*

Elle dormit, après l'amour, si près de Brand, si serrée contre le rebord de bois de la couchette qu'elle s'éveilla, quand il la quitta pour aller prendre le quart de minuit à quatre heures, et resta là, très calme, la joue appuyée sur sa main. La lumière laiteuse inondait la couchette et la *Duchesse* fendait l'eau rapidement. Alix se sentait bien éveillée et reposée ; et en meilleure forme physique qu'elle ne s'était sentie depuis des jours. Elle se convainquit que ses récents pressentiments étaient sans fondement.

Dans le silence, elle entendit un faible son, qui provenait du cadre de Mary, à l'autre extrémité de la cabine. Ce pouvait être un soupir ou un sanglot, et il fut suivi par les craquements du bois, quand la jeune fille se retourna sur sa couchette. Le cœur d'Alix se contracta. Elle n'avait jamais eu conscience de la présence de Joe, quand il occupait le cadre du second. Dans les bras de Brand, elle s'isolait toujours du reste du monde. Mais elle prenait à présent conscience, avec une gêne profonde, de la présence d'une autre jeune femme, inquiète et malheureuse, et que tourmentait peut-être le désir. Cela lui apparut comme une violation de leur intimité. Elle se leva, passa sa jupe et son jersey et monta sur le pont.

Tout était calme. Une odeur agréable venait de la cuisine du gaillard d'avant et Brand, les yeux fixés sur le compas, avait en main une grosse tasse de café fumant. Blythe, le maître d'équipage, était au gouvernail. Là-haut, des mouettes planaient au-dessus des blanches voiles déployées et le parfum des bois de sapins flottait sur l'eau à la rencontre du bateau.

Souriant, Brand prit Alix par l'épaule et, doucement, la fit tourner vers l'est. Elle vit devant elle des sapins dressés vers le ciel, les rochers rouges et lisses qui descendaient vers une anse, des maisons blanches éparpillées autour d'un champ de trèfle.

— C'est la Finlande, dit-il. Te voilà chez toi !

⁎⁎

— Nous avons passé une merveilleuse journée, dit Mary Ryan.

— Charmante pour vous deux, peut-être, mais pas pour nous ! riposta Brand.

En arrivant dans les eaux finlandaises, la *Duchesse* avait dû sans cesse louvoyer, parcourir la moitié du chemin, vers la pointe de Hangö et revenir, remonter le chenal entre Korpö et Nagö, dans la direction d'Abo ; là, un pêcheur leur apprit que toute l'escadre britannique, après son rendez-vous à l'ancien mouillage de Nelson, à Nargen, avait remonté le golfe pour effectuer une reconnaissance sur Sveaborg et qu'une escadre française allait l'y rejoindre. Là-dessus, Brand avait jeté l'ancre par neuf brasses d'eau claire, dans une baie abritée, bordée de rochers escarpés, de l'une des mille îles, et les deux femmes étaient descendues à terre, avec Joe et le maître d'équipage, pour aller acheter du ravitaillement dans une ferme amie.

— Peut-être pourrons-nous nager, demain, dit Alix.

— Demain, je vais lever l'ancre aux premières lueurs de l'aube pour retourner à la pointe de Hangö, ma chérie.

— C'était trop beau pour durer, remarqua Mary.

Elle s'était occupée de cent choses, ce jour-là : elle avait raccommodé les vêtements de son père, aidé Alix à remettre en ordre la cabine, à faire cuire, avec une sauce persil et des oignons sauvages, les poulets achetés sur l'île. Elle avait même découvert un maigre chat ratier, dont Alix n'avait jamais soupçonné la présence dans la cale. A la vive surprise reconnaissante de l'animal, Mary l'avait promu au grade de chat de pont, avec un bol de lait personnel et un ruban autour du cou.

— Nous sommes au sud de Korpö, n'est-ce pas ? dit-elle en se penchant sur la lisse.

— Plein sud, répondit son père.

— Alors, c'est l'endroit où la reine Blanka a jeté sa couronne, dit gaiement la jeune fille.

Alix s'étonna :

— Je ne crois pas connaître cette histoire.

— Oh, ce n'est pas une histoire vraie, Alix, c'est une légende dont l'héroïne est Blanka, la reine suédoise, qui quitta son pays et traversa la mer. Quand elle se trouva parmi ces îles et que, pour la première fois, elle aperçut la Finlande, elle s'écria : « Il faut que je rende hommage à tant de beauté ! ». Alors, dit la légende, elle ôta sa couronne et la lança au loin dans la mer. Et depuis le voyage de la reine Blanka, toute cette étendue d'eau s'appelle la Couronne d'Or.

— Que c'est joli ! s'exclama Alix. Mary, n'y a-t-il pas de poème là-dessus ?

— Pas que je sache.

Brusquement, Mary parut éteinte, indifférente. Mais elle reprit son animation quand le maître d'équipage vint à l'arrière et, après avoir salué Brand, demanda poliment « si la jeune dame aurait la bonté de nous faire la grâce d'une autre chanson. Jenkins, il a sa clarinette. Il serait bien content de faire l'accompagnement. »

— Dites à Jenkins que nous connaissons trop bien sa clarinette, dit Brand. Miss Ryan a sa guitare. Nous pourrons, peut-être, la convaincre de s'accompagner elle-même.

— Merci, capitaine !

Les hommes se rassemblèrent autour du gaillard d'avant. Mary alla chercher sa guitare, passa le large ruban autour de son cou et se mit à jouer les chansons préférées des marins, vieilles romances et refrains de mer. Brand et Joe s'adossèrent à la lisse pour l'écouter, tandis qu'Alix, assise à l'avant sur des couvertures, se sentait transportée par la beauté de la scène. Elle avait l'impression que c'était là une soirée à jamais mémorable, cette Couronne d'Or sur laquelle tombait le crépuscule bleu, tandis que les étoiles s'allumaient au-dessus de la Finlande et que Mary tenait les rudes marins sous le charme de sa voix pure et vibrante.

— Encore une, demanda Brand, quand s'éteignirent les derniers applaudissements du gaillard d'avant.

— Oh,... mais je ne sais plus de chansons.

Tout en parlant, Mary Ryan toucha les cordes de la guitare et en tira quelques accords.

— Tiens, fit Brand, et ça, ce n'est pas une chanson ? Il me semble avoir déjà entendu cet air.

— Ceci ?

— Je suis sûr de l'avoir entendu. J'avais un copain de popote, dans le temps, un nommé Lauri, qui le jouait tout le temps.

— Oh, dit Mary, c'est un air finlandais. On l'appelle

383

« La Chanson du Petit Lapon ». Je la chantais souvent, dans les foires, en été.

— Chantez-la maintenant, dit Alix. Je vous en prie.

— Alors, il faut que je me lève.

Souriante, Mary quitta son pliant en secouant sa jupe de cotonnade jaune. Les marins, à présent, ne formaient plus qu'une masse confuse, dans l'ombre du gaillard d'avant.

— C'est une chanson pour la fin du jour, dit Mary.

Sa voix, qu'elle avait à peine haussée, pouvait être entendue clairement de l'autre côté du pont et sur la mer silencieuse. En l'écoutant, Alix fut frappée par le charme et l'autorité de la petite silhouette appuyée au mât. Mary Ryan ne serait peut-être jamais une prima donna, mais elle avait déjà l'étoffe d'une vedette.

— C'est une chanson que je chantais quand notre éventaire était à moitié vide et que les femmes et les enfants étaient fatigués par la chaleur, poursuivit-elle, en égrenant quelques notes fraîches. Alors, ils faisaient silence pour m'écouter et, ensuite, nous avions presque toujours des clients. Père, tu te rappelles Halmstad ?

— Bien sûr, que je me rappelle Halmstad, mon petit, dit Joe en se raclant le gosier.

— Tu te rappelles la crique où nous avions amarré la *Molly-O*, non loin d'une petite place plantée de tilleuls, auprès de l'église ? C'est là que nous nous étions arrêtés, la dernière fois que j'ai chanté « La Chanson du Petit Lapon ».

Quelques notes, aussi douces que l'eau battant contre le flanc du senau.

> « *Cours, mon gentil renne,*
> *Par les monts et les champs,*
> *Avec la tente de ma mie.*
> *Gratte, gratte la neige.*
> *Sous sa toison trouve la mousse.*
> *Vite, vite, partons :*
> *Ici ne vivent que les loups.*
> *Le jour est si court,*
> *Le chemin est si long.*
> *Cours avec ma chanson.* »

— C'était merveilleux, Mary, dit Alix, quand les deux femmes se retrouvèrent seules dans la cabine. Vous avez vraiment une très belle voix.

Mary rangea la guitare dans son cadre et se retourna.

— Alix, Brand sait-il que vous allez avoir un enfant ?

— Que... qu'est-ce qui vous fait croire cela ?

— Eh bien, ce n'est pas vrai ?

— Je n'en sais rien.

— Oh, Alix ! Je l'ai compris tout de suite en vous voyant, rien qu'à votre figure...

— Je me demande comment ce serait possible.

— Mais si, fit Mary avec un rire sans joie, je le vois très bien. Ainsi, vous n'en avez rien dit à Brand ? J'en ai eu peur, ce soir.

— Peur ? fit Alix, avec hauteur.

— Alix, vous m'avez traitée de sotte, à Bomarsund, et je sais, à présent, que j'étais bel et bien une sotte de continuer à croire en un homme comme Erik Kruse. Mais vous êtes plus sotte encore, si vous ne parlez pas sans retard de l'enfant à votre mari, pour lui permettre de prendre soin de vous et d'en être heureux...

— Je ne veux encore rien dire à Brand, Mary. Je vais attendre un mois de plus, pour être tout à fait certaine. De toute manière, je tiens à rester en mer jusqu'en septembre...

— Septembre ! dit Mary. Et nous sommes au début de juin ! Qu'est-ce qui a bien pu vous mettre septembre en tête ?

— *Il faut* que la campagne de la Baltique soit terminée d'ici-là.

— Oh, grand Dieu ! s'écria Mary, croyez-vous qu'un bébé attende qu'on ait remporté les batailles ? Laissez les hommes se battre contre la Russie, ça les amuse, ils peuvent continuer ainsi pendant des années encore, mais vous, dites à Brand qu'il va être père, allez vous établir en quelque endroit, sur la terre ferme, et restez-y. Et si vous alliez tomber malade en mer ? Brand ne se le pardonnerait jamais, si quelque chose tournait mal...

— Mary, je vous en prie, c'est mon affaire...

— ... et, qui plus est, il ne vous le pardonnerait, peut-être, jamais, à vous non plus.

***

385

13

LA FORTERESSE

Le lendemain matin, Alexandra évita Mary, dans la mesure où le permettait l'exiguïté du bateau. Elle était fâchée contre la jeune fille, plus fâchée encore contre elle-même, pour s'être laissé entraîner dans une conversation aussi intime, d'autant qu'elle savait fort bien que certains des arguments de Mary étaient fondés. Brand, lui aussi, était irritable ; il y avait maintenant des jours et des jours qu'il cherchait vainement une proie et il n'avait guère de chances d'en trouver une en plein jour, dans les parages de la pointe de Hangö.

— Je me demande si ça vaut la peine d'aller jusqu'à Dagö, dit-il à Joe. Nous avons pas mal travaillé, au large de Dager Ort, avec le *Sealark.*

— Par un temps comme celui-ci, ça fait soixante-quinze milles, en tirant sans cesse des bordées.

— Je m'en doute.

— Navire en vue ! lança l'homme de veille.

Brand porta sa longue-vue à l'œil immédiatement.

— On dirait un navire de la Royal Navy, dit-il... Oui, c'en est un.

— Je croyais qu'ils étaient tous partis pour Nargen.

— Peut-être ramène-t-il des malades. Rappelez-vous : il y a des cas de variole sur le *Duke of Wellington.*

— En attendant, il ne sort pas du golfe. Que je sois pendu s'il ne se dirige pas vers Hangö.

— Et c'est le *Cossack,* dit Brand en refermant sa longue-vue. Je pense que nous allons mouiller un moment au large de la rade de Hangö, pour voir ce que le capitaine Fanshawe a en tête.

La pointe de Hangö, extrémité méridionale de la Finlande, prenait un aspect de plus en plus sinistre à mesure qu'on la découvrait. Une attaque britannique, en mai 1854, à peu près au moment où l'*Arrogant* et l'*Hecla* entraient en action à Ekenäs, avait partiellement détruit deux des petits ports du fort ; d'autres fortifications, plus récentes, avaient été détruites par les Russes eux-mêmes, pour leur épargner le sort de Bomarsund. Naturellement, le phare placé sur Hangö-*udd* avait été démantelé par les Russes dès le début de la guerre et, un peu plus tard, on avait retiré de la petite ville la garnison russe. Tandis que la *Duchesse* s'approchait de la côte, aucun signe de vie ne se manifestait sur le rivage de Hangö.

— Homme de sonde, donnez la profondeur ! cria Brand.

386

SOUS LE DRAPEAU BLANC

— A la marque, neuf brasses !

— Le *Cossack* met en panne, capitaine ! cria la voix, au haut du mât. Ils descendent un canot à la mer !

— Ils doivent aller au ravitaillement, dit Joe.

— Sous un drapeau blanc ? demanda Brand en lui passant sa longue-vue.

— Vous avez raison, il y a un drapeau blanc sur le canot !

— C'est peut-être un retour de prisonniers. Le *Cossack* en a fait plusieurs au cours du combat, il y a dix jours. Joe !

— Capitaine ?

— Je n'aime pas beaucoup ça. Pourquoi le *Cossack* lui-même ne bat-il pas pavillon blanc ? Pourquoi les Russkis ne sont-ils pas placés de façon qu'on les voie du canot ? Je vais me rapprocher un peu pour jeter un coup d'œil. Homme de sonde !

— A la marque, sept brasses, monsieur.

— Ça va bien ! fit Brand en réponse au regard de Joe. Sulivan a relevé le port à cinq brasses et nous sommes encore loin du port.

Mais il gardait les yeux fixés sur les brisants, à l'endroit où la mer bouillonnait sur les écueils de la pointe de Hangö.

— Brand, allons-nous descendre à terre ? demanda Alix, derrière lui.

Enveloppée dans un caban, elle paraissait pâle et abattue.

— Non. Viens donc voir ça. Où est Mary ?

Mary les rejoignit sans rien dire. Il n'était plus besoin de longue-vue, à présent, pour suivre le canot du *Cossack,* que les rameurs propulsaient énergiquement vers le rivage, drapeau blanc haut levé.

— Fanshawe a une curieuse idée de ce qu'est une trêve, remarqua Brand. Certains de ces satanés idiots portent des mousquets.

Un instant après, il ajouta :

— Ils ont envoyé le médecin... c'est peut-être habile ! Il s'appelle Easton... c'est l'un des officiers dont j'ai fait la connaissance.

— Il y a six... non, sept Finlandais dans le canot, annonça Alexandra.

— Homme de sonde !

LA FORTERESSE

— A la marque, cinq !

— La barre à M. Ryan, Webster.

Le matelot d'Aberdeen s'écarta sans se faire prier.

— Essayez le chenal entre Gustafsvärn et le vieux fort, monsieur. Ce canot est maintenant masqué par l'île Rysön. Fanshawe ne peut avoir la moindre idée de ce que deviennent ses hommes.

Les trois bateaux formaient à présent un triangle : le *Cossack* était dans le golfe, son canot allait entrer dans le port démantelé et la *Duchesse* s'approchait très lentement du vieux fort, sur la pointe de Hangö. Les hommes du canot, sous le commandement d'un jeune lieutenant, ramaient toujours vigoureusement.

— Maître d'équipage, rassemblez les servants ! Mettez la caronade en batterie ! Gordon, remplissez les seaux d'eau ! Vous, les femmes, dans la cabine !

Elles ne lui obéirent qu'à moitié et se tapirent dans la petite cuisine, serrées l'une contre l'autre, et saisies de frayeur.

Le canot du *Cossack* abordait le rivage ; les hommes le traînèrent sur les galets en pataugeant dans l'eau peu profonde. Le jeune lieutenant déploya le drapeau blanc qu'il leva très haut au-dessus de sa tête. Les jeunes femmes entendirent Joe s'écrier :

— Mon Dieu !

De l'une des bâtisses abandonnées venait de jaillir une vingtaine de Russes, sous le commandement d'un officier qui portait les épaulettes vertes bien connues ; il brandissait son épée et désignait les Anglais.

— Nous venons sous le drapeau blanc ! cria le lieutenant du *Cossack*.

— Allez au diable, vous et votre drapeau blanc ! hurla le Russe en anglais. Fusiliers, tirez !

— Amorcez ! cria Brand à ses canonniers. Pointez !

Il ne put donner le dernier commandement : sur la plage de Hangö, amis et ennemis formaient maintenant une inextricable masse, dans une lutte acharnée. Les Britanniques avaient jeté le drapeau blanc pour se précipiter sur les Russes, et les frapper à coups de crosse, cependant que deux Finlandais tentaient désespérément de remettre le canot à l'eau. Le claquement des coups de feu se répercutait sur la mer.

388

— Ennemi par bâbord avant, capitaine ! cria l'homme au haut du mât.

Brand fit volte-face. Joe avait amené la *Duchesse* très près du rivage, assez près pour les mettre à portée de fusil de quatre hommes en uniforme russe, qui étaient sortis des ruines du vieux fort, sur la pointe. Tous étaient armés de carabines Minié. Un unique coup de feu siffla au-dessus du pont du senau.

Brand cria un ordre. Suant et soufflant, les canonniers cherchaient à pointer en direction de la petite caronade.

Boum ! C'était enfin, quelque part au large, le bruit d'un canon anglais.

— C'est le *Cossack* qui vient à la rescousse ! haleta Alexandra. Tout ira bien, maintenant, Mary, tout ira bien !

Mais Mary s'était glissée hors de la cuisine, pour mieux voir les quatre hommes en uniforme russe.

— Alix, c'est Erik Kruse !

Glacée de terreur, Alix reconnut son vieil ennemi. Elle comprit que Brand l'avait reconnu, lui aussi, en le voyant brusquement sortir son revolver. Les deux hommes échangèrent un regard, et déjà Alix avait lâché Mary, qu'elle tenait par la taille. La jeune fille se précipita vers la lisse. Du haut des rochers, deux coups de feu claquèrent.

— Erik ! Oh, Erik, ne tirez pas ! C'est *moi !*

Peut-être Erik ne comprit-il pas ce qu'elle disait. Mais il vit la robe jaune flotter dans le vent et tira sur la femme sans plus de scrupules que n'avaient eu ses amis russes pour tirer sur le drapeau blanc.

La balle ne fit qu'effleurer la tempe de Mary. Mais, sous l'effet du choc et du saisissement, elle s'affaissa sur la lisse. Tandis que son père s'accrochait désespérément aux rayons du gouvernail, elle bascula en avant et tomba la tête la première dans la mer écumante.

Alix se débarrassa de son caban et de ses chaussures et plongea à la suite de Mary dans trois brasses d'eau, tandis que la *Duchesse* raclait le récif, que Brand hurlait : « Feu ! » et que le « canon du diable » touchait l'ennemi, à la pointe de Hangö.

Alix eut d'abord l'impression que tout son corps était contusionné et le côté droit de sa tête engourdi. Elle était sous l'eau, dans un dédale de rochers couverts de bernaches ; elle s'y écorcha les mains en luttant pour revenir à la surface, malgré un contre-courant sous-marin qui la rejetait encore contre les rochers.

Quand elle eut émergé, en secouant sa tête pour se débarrasser de l'eau de mer qui était entrée dans son nez et dans ses yeux, elle aperçut la robe jaune de Mary, à deux mètres. En quelques brasses, elle la rejoignit, attrapa la robe, puis empoigna Mary qui se débattait maladroitement dans l'eau, avec laquelle elle ne s'était jamais familiarisée.

Dès que la jeune fille eut senti l'étreinte d'Alix, elle roula sur elle-même avec la vague et tourna un visage blême vers celle qui tentait de la sauver. La mer avait lavé le sang de sa blessure superficielle, mais une bulle écarlate se formait sans cesse sous les cheveux noirs collés au crâne ; Mary, la bouche grande ouverte, gargouillait des mots que brouillait l'eau salée. Elle jeta ses bras autour du cou d'Alexandra, et les entraîna toutes deux vers le fond.

— Mary, Mary, lâchez-moi !

Alix avait refait surface avec son fardeau, pour découvrir un jour étrange, strié de barres rouges et empuanti de poudre. Elle tira de toutes ses forces sur les mains qui s'agrippaient à elle. Les deux femmes luttèrent ainsi, et, soudain, la tête de Mary retomba en arrière ; une fois de plus, sa bouche se remplit d'eau. Alix, en désespoir de cause, lui passa un bras sous les épaules et se mit à nager debout, cherchant en vain de l'aide.

Elles avaient déjà dérivé à bonne distance de la *Duchesse*. Seule s'élevait au-dessus d'elles la falaise de la pointe de Hangö, qui dérobait à la vue d'Alix l'effroyable scène de carnage qui se déroulait sur le promontoire ; les rochers rouges qui s'avançaient assez loin dans la mer, offraient, pour des nageurs expérimentés, quelques prises pour les mains et les pieds. Alix se mit donc à nager dans cette direction, en se servant de son seul bras libre.

— *Brand !*

Elle ne cria son nom qu'une seule fois. L'eau s'engouffra dans sa bouche, elle se mit à tousser et à cracher. Dès lors, elle serra les lèvres pour consacrer le peu de souffle qui lui restait à la tâche qu'elle devait accomplir. Mais Mary pesait, inerte, sur son bras, et l'ample jupe jaune, qui se gonflait sur l'eau, était un poids supplémentaire, cependant que sa propre jupe, beaucoup plus courte, se plaquait contre ses cuisses et gênait le libre jeu de ses jambes. Le ressac de la pointe de Hangö était, lui aussi dangereux ; il la rejetait en arrière toutes les fois que ses doigts en sang étaient sur le point de se refermer sur un éperon rocheux et cherchait à arracher Mary à son étreinte, de plus en plus faible.

— Mary, oh, Mary ! Essayez de redresser la tête !

Le visage qui s'appuyait contre son épaule était inconscient, bleu, meurtri ; seul, le jaillissement du sang écarlate, qui s'effaçait et reparaissait avec le mouvement des vagues, témoignait encore de la vie qui, quelques instants plus tôt, avait été si éclatante, si pleine d'espoir. Alexandra luttait maintenant pour sa propre vie : la robe jaune, épanouie comme une grande fleur, dérivait loin d'elle avec le courant de la baie de Hangö.

Alix avait perdu la notion du temps : la mer était devenue le ciel, et le ciel, la mer, tandis que les vagues déferlaient au-dessus de sa tête et l'enfermaient dans un univers de grisaille frémissante où le temps cessait d'exister ; elle ne sut s'il s'était écoulé une heure ou une minute quand elle se sentit saisie par-derrière par deux mains vigoureuses, cependant que la voix de Brand lui disait :

— Laisse-toi aller... c'est tout. N'essaie pas de nager. Tout va bien. Ici, Jenkins !

Elle voulut dire à Jenkins que Mary n'était « pas loin », mais ses paroles ne furent qu'un incompréhensible gargouillis. Déjà, le jeune marin la saisissait, pour soulager Brand, et tous deux l'arrachaient au ressac, la ramenaient au senau, à la vie.

— Ça va bien, Jenkins. Je vais pouvoir la hisser à bord. Cherchez...

Aux oreilles d'Alexandra, la voix de Brand devint un grondement et elle n'eut plus conscience de rien, sauf de monter, main après main, le long de la coque. Blythe attendait sur le pont, pour la recevoir. Et le monde disparut sur la vision, cinquante fois agrandie, du visage angoissé de Joe Ryan.

Quand elle reprit connaissance, Alix était étendue sur le plancher de la cabine où on l'avait allongée dans ses vêtements ruisselants ; l'odeur et le goût du cognac étaient partout. Elle avait rejeté de l'eau de mer qui souillait son menton et le col mouillé de sa robe ; quelqu'un lui

mit dans la main une serviette propre et elle se redressa
sur un coude pour tousser et se frotter les lèvres.

— Alix, il faut que tu enlèves immédiatement ces vêtements trempés. Tu m'entends ? Tu veux que je t'aide ?

Elle sentait l'angoisse sous le ton péremptoire de Brand.

— Je me sens... bien, dit-elle. Très bien. Aide-moi seulement à me lever.

Il la remit sur ses pieds et la soutint d'un bras passé
autour de sa taille.

— Déshabille-toi et mets-toi au lit, dit-il. Jenkins a
ramené Mary... il y a une petite chance...

— Oh, *vite !*

Brand la prit au mot et sortit précipitamment. Derrière la porte de la cabine, on entendait parler et, sur
le pont, résonnaient les pas des hommes qui transportaient
un fardeau avec précaution.

Alix se débarrassa de ses vêtements ruisselants. Tous
ses mouvements étaient lents et pénibles. Sur une chaise,
elle trouva des serviettes rugueuses, se sécha du mieux
qu'elle put et, passant dans le cadre, y prit une robe de
lainage léger, qu'elle enfila. Elle était debout, pieds nus,
et tentait de se sécher les cheveux, quand on frappa
bruyamment à la porte de la cabine.

— Madame Endicott !

C'était Gordon, l'un des matelots d'Aberdeen, qui se
trouvait sur le pont au moment où Mary était passée par-
dessus bord.

— V'là une goutte de bouillon pour vous. Vous devriez
l'boire bien chaud.

— Voulez-vous le laisser dans ma cuisine, Gordon ? Merci beaucoup !

Le son de sa propre voix surprit Alix. C'était sa voix
habituelle, un peu enrouée peut-être, et elle n'éprouvait
aucunement le désir de fondre en larmes. Dans l'espèce
de transe, consécutive au violent ébranlement nerveux, elle
ouvrit la porte, tendit le bras pour prendre le bouillon
dans la petite cuisine et vit le caban et les souliers à
boucles, restés là où elle les avait jetés... si peu de temps
auparavant.

Le bouillon était brûlant et très salé, comme tout ce
que préparait l'Ecossais. Elle sentit son gosier se contrac-
ter mais, en même temps, le liquide savoureux répandait
sa chaleur dans tout son corps engourdi. Elle but quelques

gorgées, passa de nouveau une serviette sur ses lèvres et revint au cadre.

C'était peut-être le froid insinuant qui engourdissait ses pensées, qui appesantissait et affaiblissait ses membres. Alix s'étendit sur la couchette, tira le caban sur ses épaules et cacha ses pieds nus dans les plis de l'étoffe. L'oreiller était frais et doux sous sa joue. Elle se laissa aller à la somnolence.

Brusquement, elle ouvrit les yeux et retint son souffle.

Au plus profond d'elle-même, elle sentait naître une crampe.

CHAPITRE XIX

MAGIE LAPONE (II)

Dix MINUTES, OU DEUX HEURES, s'étaient peut-être écoulées quand Alix sortit de son engourdissement : un choc grinçant venait d'ébranler tout le navire, accompagné de cris qui venaient du pont et de l'écho d'un moteur à hélice qui paraissait tout proche. Elle se redressa précautionneusement pour regarder par le hublot ouvert, vit le rivage désert de Hangö sous un nouvel angle et comprit que la *Duchesse* était remise à flot.

Toujours très prudemment, elle fit passer ses pieds pardessus le rebord de la couchette et se leva. Elle se sentait meurtrie et ses mains étaient couvertes de sang séché, mais elle ne ressentait plus les élancements qui l'avaient surprise quand elle s'était allongée. « C'est un muscle froissé, se dit-elle, j'ai dû me tordre ou me froisser quelque chose en me débattant dans l'eau ; c'est tout. » Elle versa de l'eau fraîche dans une cuvette et se lava les mains. Et alors, au premier coup de peigne dans ses cheveux en désordre, la douleur revint... pas tout à fait une crampe, mais la prémonition d'une crampe.

Alix prit conscience que quelqu'un pleurait.

Elle traversa la cabine et ouvrit doucement la porte du cadre opposé. Joe Ryan était à genoux près de la couchette où reposait Mary et ses épaules étaient secouées de sanglots.

MAGIE LAPONE (II)

Il n'y avait jamais eu le moindre espoir de sauver Mary Ryan, malgré les efforts alternés de Joe et de Blythe, pendant plus d'une heure, pour lui rendre le souffle. Elle était déjà morte quand Jenkins l'avait ramenée à bord. On l'avait enveloppée dans une grande couverture sombre que l'eau traversait pour former d'étranges arabesques et des anneaux de sel. Elle avait le visage découvert et, bien que la blessure peu profonde de sa tempe eût cessé de saigner, l'impact de la balle avait tuméfié et noirci ses joues, sous les paupières closes. La seule beauté de Mary qui fût demeurée, c'était sa chevelure qu'une main tendre — celle de son père, sans aucun doute — avait arrangée en boucles gracieuses sur son front et sur son cou. Avec une étrange apparence de vie, les cheveux, en séchant, gonflaient et se disposaient selon les plis familiers.

Alix eut le temps de voir tout cela avant que la main de Brand s'interposât, pour fermer la porte et la détourner doucement de la présence de la mort.

— Pas maintenant, ma chérie, murmura-t-il. Laisse-le seul avec elle pendant une heure. Pauvre diable, il ne se connaît plus...

— Brand, dit-elle d'un ton de reproche, tu ne t'es pas changé, toi.

— Je n'attraperai pas de mal. Le *Cossack* est venu nous dégager du banc de sable et j'ai eu fort à faire... Dieu merci, nous n'avons pas touché un récif !

— Est-ce le *Cossack* qui nous remorque, à présent ?

— Jusque dans la rade, seulement. Fanshawe va débarquer un détachement de marins et de fusiliers, afin de poursuivre les Russes. J'ai deux officiers britanniques à bord, Alix ; veux-tu leur parler ?

Les deux officiers de la Royal Navy qui attendaient sur le pont de la *Duchesse* s'inclinèrent très bas quand Brand les présenta à Mme Endicott. Une beauté aussi sereine, des manières aussi parfaites étaient inattendues à bord d'un corsaire américain. M. Thurston, le plus âgé des deux lieutenants, — l'un des vétérans grisonnants qui avaient trop longtemps attendu pour monter d'un échelon dans la hiérarchie encombrée de la Royal Navy — osa espérer que Mme Endicott n'avait pas pris mal dans sa... euh... très courageuse tentative pour sauver la vie de la malheureuse jeune fille.

— Je voudrais seulement avoir réussi, monsieur, dit Alix.

— Puis-je vous demander très respectueusement si elle vivait encore quand vous l'avez rejointe, madame ?

— Oui. Elle... elle a lié les bras autour de mon cou et s'est accrochée à moi.

— Désolant, et, naturellement, extrêmement dangereux. Donc, à votre avis, la mort est due à la blessure par balle, ou à la noyade ?

Alix joignit les mains pour les empêcher de trembler.

— Seul un médecin pourrait vous répondre, je crois. La blessure saignait énormément.

— Et, pour comble de malheur, notre médecin a été l'une des victimes de la traîtrise russe, déclara le lieutenant. Vous l'ignorez peut-être, madame, mais l'ennemi a disparu vers l'intérieur en emmenant tous les occupants du canot. Le mieux que nous puissions espérer, pour M. Easton, c'est que les Russes en aient fait un prisonnier de guerre... Néanmoins, capitaine Endicott, les assistants du docteur prendront bien soin de votre matelot blessé...

— L'un des hommes a donc été atteint ? s'écria Alix.

— Webster a reçu une balle dans la cuisse... Voyez-vous, monsieur, reprit Brand, Mme Endicott ignorait l'étendue des dommages. Quand Webster a été blessé, elle s'efforçait de sauver une vie... C'est la *seule* personne qui s'y soit risquée, à bord de la *Duchesse de Finlande*.

— Ma vie, à moi, a été sauvée par mon mari, dit Alix.

Le plus jeune des deux lieutenants jeta à Brand un regard de sympathie. Les deux bateaux étaient en mauvaise posture, la *Duchesse* tout comme le *Cossack,* et l'Amirauté allait faire un potin de tous les diables ; mais les embêtements faisaient partie du lot de la Royal Navy. Ce corsaire avait beau avoir l'air d'un gars solide, il semblait un peu trop nerveux pour se tirer rapidement de la mauvaise passe dans laquelle il s'était mis. « Pas drôle, pensait le lieutenant Cheadle — fiancé à la fille d'un capitaine de vaisseau de Chatham — d'être capitaine, quand votre équipage est sous le feu, que votre caronade est prête à rompre ses amarres et que votre bateau s'échoue, tandis que votre femme fait une démonstration de sauvetage ! » Le bateau échoué était maintenant un spectacle courant, dans la Baltique ; le capitaine Sulivan était sans cesse en train de déhaler quelque frégate imprudente... et, un jour, le navire faisant fonction de vaisseau amiral. Le Yankee n'avait pas à se sentir mortifié. Mais cette fille ! Connaître une fille avec cette allure, cette voix, une fille qui aurait pu être aussi froide que l'autre pauvre créature pour peu qu'on se fût soucié cinq minutes de plus de la sécurité du bateau avant de penser à elle.

— J'espère, madame, que vous voudrez bien me pardonner de vous poser quelques questions, dit le lieutenant Thurston. Elles sont pénibles, mais importantes. Quand la commission d'enquête se réunira à propos de cette malheureuse affaire, on voudra certainement savoir si la jeune défunte, qui, d'après son père, était citoyenne américaine, a bien été tuée par une balle russe. Il est avéré, parce qu'on l'a vu à bord du *Cossack,* que les Russes ont ouvert le feu sur un bâtiment battant pavillon américain, et que ce bâtiment américain a tiré sur les Russes — et remarquablement tiré, ajouterai-je ! Un coup direct à trois cents mètres ! Il ne reste aucun survivant pour raconter l'histoire, ha-ha ! Ce fait en liaison avec la mort de miss Ryan, pourrait bien avoir des conséquences internationales.

— Erik Kruse a-t-il été tué, Brand ?

— Oui.

— Dieu soit loué !

— Vous connaissiez donc l'un des Russes, madame Endicott ?

— Ne vous inquiétez pas de cela, intervint brutalement Brand. Il en sera question à la commission d'enquête, quand elle se réunira, si tant est qu'elle se réunisse. Bien que je voie mal pourquoi le gouvernement des Etats-Unis devrait être mêlé à cette affaire. A mon avis, une commission d'enquête britannique s'intéresserait davantage à la raison pour laquelle l'équipage d'un canot, ayant hissé le pavillon blanc, portait également des fusils !

« Ces satanés mousquets », commenta le lieutenant Cheadle en son for intérieur, tandis que le regard grave du lieutenant Thurston se chargeait d'une désapprobation manifeste. « Rien de tel qu'un corsaire américain pour tout chambarder, pensait-il. Ça prend la mer avec des femmes à bord, ça en fait tuer une et à demi noyer l'autre et ça vient ensuite se chamailler avec un officier de la Royal Navy ! »

Il dit d'un ton rogue :

— Votre témoignage sur ce point sera naturellement essentiel, capitaine. Vous et votre équipage êtes les seuls à avoir vu les Russes s'en prendre à notre drapeau blanc. J'ai ordre du capitaine Fanshawe de vous prier de ne pas quitter cette zône jusqu'à ce que toutes les circonstances de l'attaque aient été établies ; il suggère que vous vous rendiez à Tvärminne, où l'*Esk* a reçu par signaux l'ordre d'aller rejoindre deux canonnières.

— Brand, je désire que tu me descendes à terre à Tvärminne.

Alix s'était de nouveau étendue sur sa couchette et Brand passait enfin des vêtements secs. Elle n'avait pu encore parler avec Joe Ryan, car Joe avait repris son sang-froid et était monté sur le pont pour rassembler l'équipage désorganisé et tracer la route vers Tvärminne.

Brand, qui bouclait sa ceinture, se figea.

— Te débarquer ? Bien sûr, si tu le désires, tu pourras aller à terre une heure ou deux, mais ne crois-tu pas que tu devrais rester à bord jusqu'à ce que Joe ait décidé...

Il fit un signe de tête dans la direction du cadre silencieux, de l'autre côté de la chambre.

— Je veux descendre à terre et y rester, Brand. Ce n'est pas loin, par la route, jusqu'à ma maison d'Ekenäs. Je veux être chez moi ce soir.

Il s'assit au bord de la couchette et lui prit la main.

— Ma chérie, dit-il doucement, je sais que tu as subi un choc terrible, mais tu ne sais sûrement pas ce que tu dis. Tu as tout simplement envie de fuir les ennuis, Alix, comme tu le faisais naguère. Te rappelles-tu qu'à Lewes, tu m'as promis de ne jamais recommencer ? Nous ne courrons aucun danger, à Tvärminne, tu passeras une bonne nuit de repos, à l'ancre, et tu te sentiras mieux demain matin...

— Je n'ai pas envie de fuir quoi que ce soit, je veux seulement rentrer chez moi, à Ekenäs.

— Mais tu ne penses tout de même pas que je te laisserais partir pour cet endroit désert, où les Russes n'ont laissé que des ruines, il y a six mois ? A travers des

398

forêts probablement infestées de soudards, semblables à ceux que nous avons vus aujourd'hui ? Ma chérie !

Brand la prit dans ses bras.

— Mais tu trembles ! As-tu pris froid ?

Il tendit le bras pour fermer le hublot.

Elle s'efforçait de ne plus claquer des dents, de maîtriser les frissons qui lui parcouraient tout le corps en longues vagues. Le visage enfoui dans l'épais jersey de Brand, elle murmura :

— Brand, je vais avoir un enfant.

Elle le sentit se raidir. Puis il l'écarta de lui, la contempla d'un air de ravissement, qui transfigurait son visage impassible, et l'embrassa passionnément.

— Oh, Alix ! Oh, mon amour ! Est-ce bien vrai ?

Elle hocha la tête sans rien dire. Oui, c'était vrai, et depuis plusieurs semaines ; mais c'était seulement maintenant, tandis que son tremblement s'accentuait, qu'Alix reconnut que son corps était plus fort que sa volonté.

— Tu vois, Brand, c'est pour cette raison que je dois descendre à terre, pour quelque temps seulement. Je ne me sens pas très bien, depuis plusieurs semaines. Et ce matin...

— Oh, Dieu, ce matin !... cependant que toute joie s'effaçait de son visage. Tu ne penses pas que cela t'ait fait du mal ?

— Oh, non, non, non ; mais... je t'en prie, Brand, je veux passer quelques nuits chez moi, avoir Anna pour s'occuper de moi...

— Ah, oui, Anna. Mais qui d'autre est là-bas?

— Le fermier et sa famille. Ce n'est pas un endroit solitaire, Brand chéri. Ce n'est qu'à trois kilomètres d'Ekenäs et pas très loin non plus de Tvärminne.

— Ecoute-moi...

Brand ne savait pas grand-chose de la grossesse, sinon que les femmes enceintes avaient des « envies », qui concernaient habituellement la nourriture ; il présumait qu'il s'agissait là d'une de ces envies, qui aurait été beaucoup plus facile à satisfaire si Alix avait pu se réfugier auprès de sa mère plutôt qu'auprès de cette folle de Lapone. Mais il était si plein de gratitude, si désireux de lui faire plaisir, qu'en dépit de tout son bon sens, il déclara :

— Si je trouve à terre quelqu'un de Tvärminne qui puisse me garantir que les Russes ont bien évacué Ekenäs,

399

je t'y conduirai moi-même ce soir. Mais n'y compte pas
trop, mon cœur. Je ne ferai pas un pas à moins d'en être
sûr. Il faut que je prenne grand soin de vous deux, à
partir de maintenant.

— Oh, Brand !

— Ne pleure pas, ma chérie. Tout ira bien. Allonge-
toi et repose-toi bien jusqu'à ce que nous arrivions. Il
faut maintenant que je remonte sur le pont. Joe n'en
peut plus.

Il se leva et enfila sa vareuse, sans cesser de la regarder en souriant ; puis il lui effleura la joue de sa
main rude.

— Quand naîtra le bébé, Alix ? En février ?

— Tu as donc compté sur tes doigts, Brand ?

Il sourit.

— Comme toutes les vieilles commères de Portland !
Mon Dieu, Alix ! Je ne peux encore y croire ! Toi et un
enfant ! J'ai toutes les raisons de vivre, à présent.

Alix put continuer à sourire jusqu'à ce que la porte
se fût refermée derrière lui. Alors, elle se laissa aller sur
l'oreiller, affolée et tremblante, sentant, une fois de plus,
au tréfond de ses entrailles, le doigt de la mort cogner
à la porte de la vie.

La longue route sablonneuse courait entre les pins et
le soleil d'après-midi striait de barres de lumière le sol
des vertes forêts où les jacinthes et les langues-de-cerf
coloraient de leur ton délicat le mois de juin finlandais.
C'était une route qu'Alix connaissait depuis toujours et il
était étrange que, dans la *bondkärra* qui cahotait vers
Ekenäs, elle eût parfois l'impression de se trouver entre
la villa Hagasund et Transkända, sur la route si souvent
parcourue avec Aurora Karamsine, les matins de printemps,
avant la guerre. Elle se transformait même en ce lugubre
« no man's land », entre la frontière russe et Terijoki,
qu'elle avait traversé en s'enfuyant de Saint-Pétersbourg ;
une fois — impression plus alarmante encore — la route
devint une rue de Lewes et un valet d'écurie brandit une
motte de terre vers le châle rouge. Et puis ce fut de nouveau la route finlandaise qui traversait la province de
Nyland, une route charretière sablonneuse, bordée de bruyè-
res, où la *bondkärra* s'avançait cahin-caha ; le bras de

son mari soutenait Alix et les Russes étaient partis à des kilomètres.

— Brand !

— Oui, ma chérie.

Il ne lui jeta qu'un coup d'œil. Du regard, Brand scrutait les bois, et gardait son colt à portée de main, comme si un régiment de cosaques allait charger au long de la route.

— Quand nous serons arrivés, j'irai au sauna, prendre un bain de vapeur, et nager ensuite. Sais-tu ce que c'est que le sauna finlandais ?

— Tu iras te coucher en arrivant. Nous essaierons ton sauna un autre jour.

— Très bien.

Ce n'était qu'un effet de son imagination, bien sûr, ce sentiment qu'un long bain de vapeur ferait disparaître les frissons et le froid. Son père avait fait construire une nouvelle cabine de bains au-dessus du lac, deux ans auparavant : Alix croyait sentir la vapeur qui montait, dès que le jet puissant de l'eau frappait les dalles brûlantes et le bouquet de feuilles de bouleau dont la friction effacerait ses meurtrissures.

— Voici le relai, Alice. Veux-tu leur demander s'ils peuvent changer nos chevaux ?

— Il reste moins de cinq kilomètres à faire.

— Ces pauvres haridelles n'en supporteraient pas un de plus.

Ils trouvèrent au relai des visages amis pour sourire à mam'zelle Alix, et un jeune garçon roux tout heureux d'enfourcher un cheval pour aller prévenir au manoir que la jeune maîtresse et son mari arrivaient. Alix accepta la tasse de café offerte en toute amitié ; Brand, pour faire plaisir à l'aubergiste, commanda de la bière et du brännvin. Pendant qu'on changeait les chevaux, Alix se rendit dans une chambre que l'on réservait aux voyageuses ; quand elle revint dans la salle aux murs de rondins, ornée de mauvais chromos de la reine Victoria et du roi de Suède, elle était très pâle.

— Brand, le fourgon postal à destination d'Abo s'arrête ici, demain. Je crois que nous devrions envoyer un message à mam'zelle Josabeth.

— Qui est-ce ?

— La gouvernante de Mlle Agneta, à Degerby. Je

pense que les Mannerheim pourraient se passer de ses services et la laisser venir pour quelque temps à Ekenäs.

— Comme tu voudras, bien sûr.

Brand attendit, pendant qu'Alix demandait du papier et une plume. Il avait oublié la calme Suédoise, dans la maison de bois blottie parmi les bouleaux, à Degerby. La journée de Degerby était bien loin.

Alix écrivit rapidement quelques lignes, cacheta la lettre, l'adressa à Fröken Josabeth Sandström, à Villnäs, près d'Abo, et se leva.

— Tu n'as pas l'impression que tu vas être malade, au moins ? demanda Brand avec inquiétude, en l'aidant à monter dans la *bondkärra*.

— Mais non, certainement pas, dit-elle, les lèvres blanches. Mais ce serait agréable d'avoir auprès de moi mam' zelle Josabeth, si tu dois te présenter devant leur maudite commission d'enquête.

Cela fit dévier la conversation sur le bateau, comme l'avait désiré Alix ; Brand échafauda des suppositions sur le détachement débarqué par le *Cossack* et sur les canonnières qui remontaient à Sveaborg. Ni l'un ni l'autre n'avait encore osé parler de la mort de Mary ni de celle d'Erik Kruse. Le choc les avait enfermés dans une sorte de gangue, aussi hermétique qu'une cloche de plongeur descendant vers le fond de l'océan à travers des algues serpentines.

Pour Alix, cette cloche commençait à se fêler ; peut-être s'était-elle fêlée au cours de leur halte. Ce qu'elle ressentait, à présent, c'était plus que le heurt d'un doigt ; c'était une main qui s'ouvrait et se refermait ; bientôt, ce serait un poing. Son cri muet montait à travers les houppes vertes des mélèzes finlandais : « J'ai vu aujourd'hui, sans faiblir, tant de sang versé. O Dieu, si Tu existes, arrête, arrête tout de suite, taris et guéris ce filet de sang qui s'écoule sans bruit en moi. »

Aux alentours du petit manoir, qui avait appartenu à la famille de la mère d'Alexandra, les forêts de sapins avaient été défrichées et une centaine d'arpents de terre arable s'étendaient entre les grilles du manoir et la ville d'Ekenäs. Quand Brand, dans la lumière du soir, fit quelques pas sur l'allée carrossable envahie d'herbes folles, il vit de paisibles champs d'un vert mouvant où grandissait le seigle, et des vaches blanches et noires dans des prairies de trèfle.

Si le bétail était toujours là, tout le mérite en revenait aux métayers finlandais qui l'avaient caché dans des abris souterrains pendant la durée de l'occupation. Il n'avait pas été possible, malheureusement, de sauver l'ameublement du manoir. De l'extérieur, il faisait un certain effet. Le style en était curieux : le dernier étage n'avait de fenêtres que sur les arrières, tandis que les ardoises grises, en façade, donnaient à son toit un aspect trop lourd. Le rez-de-chaussée était bien proportionné, avec une façade crépie de blanc, percée de trois fenêtres de chaque côté de la porte. Mais, là encore, la demeure prenait une allure massive et maussade, à cause des grands lilas qui poussaient dans une exubérante liberté et de plusieurs hêtres rouges non taillés, qui obscurcissaient les fenêtres latérales. Brand en conclut que le comte Gyllenlöve, usufruitier de la propriété, n'avait pas eu envie de dépenser d'argent pour l'héritage d'Alexandra.

Comme maison, elle supportait difficilement la comparaison avec la vieille maison des Brand, dans State Street, louée maintenant à court terme à l'un des principaux pasteurs de Portland. La demeure que miss Betsy Brand avait léguée à son petit-neveu avait des vestibules harmonieusement proportionnés et un gracieux escalier central, beaucoup plus beau que l'escalier étroit et raide qui s'amorçait à droite de la porte, à Ekenäs.

Anna la Lapone, après avoir jeté un seul regard sur Alix et avoir échangé deux phrases avec elle, l'avait conduite dans une chambre du rez-de-chaussée qui ouvrait sur le grand salon.

Brand savait qu'il y avait un lit, dans cette pièce : il l'avait aperçu par la porte entrebâillée. On avait remplacé les vitres brisées de deux fenêtres du salon et recouvert les autres d'un tissu épais, et les hauts poêles de porcelaine blanche — un à chaque extrémité de la pièce — avaient été fêlés et défoncés par les Russes, si bien qu'ils n'étaient guère réparables. Aux murs, des taches claires indiquaient l'emplacement des tableaux arrachés, des glaces et des girandoles. Le seul meuble encore debout sur le parquet de sapin, auquel Anna avait rendu son brillant satiné, était une épinette d'acajou marqueté. Brand, curieux de savoir

403

pourquoi un objet de cette valeur n'avait pas été saccagé en même temps que le reste, souleva le couvercle. On avait arraché cordes et marteaux et quelques brins de paille accrochés aux quatre angles témoignaient qu'on avait trouvé à utiliser l'épinette. Les Russes en avaient fait une mangeoire pour leurs chevaux.

Il y avait maintenant deux heures qu'Alix avait disparu avec Anna et, depuis, il ne les avait ni vues ni entendues. La femme du fermier l'avait emmené dans une petite pièce latérale, meublée d'une table et d'un tabouret, pour manger l'habituel dîner paysan de poisson fumé et de fromage blanc, en l'occurrence pas très frais ; dans son suédois très limité, elle lui avait fait comprendre qu'il devait renvoyer la *bondkärra*. « La maîtresse malade », avait-elle dit d'un ton décidé. « Vous restez ce soir. » C'est alors qu'il était sorti pour faire les cent pas dans l'allée carrossable et envahie d'herbe. Il allumait cigarette après cigarette pour éloigner les moustiques, sachant que les enfants roux du fermier l'observaient par-dessus la barrière du pré, et pensait à son bateau, confié à Joe, et à la noce carabinée que son équipage faisait, sans aucun doute, à la taverne de Tvärminne.

A un moment donné, alors qu'il faisait demi-tour et passait près des fenêtres de la façade, il entendit pleurer Alix : elle ne criait pas, mais elle gémissait assez fort pour qu'on l'entendît à travers le salon désert. Il se précipita à l'intérieur et frappa impérieusement à la porte de la chambre. Les gémissements ne cessèrent pas pour autant mais Anna sortit aussitôt ; elle portait toujours le costume noir dont il gardait le souvenir, mais sans collier ni bonnet écarlate, et elle était en train de nouer autour de sa taille un tablier propre. Il l'avait toujours considérée comme « une vieille sorcière » ; mais, sans la *hilkka,* il vit combien sa chevelure était encore épaisse et noire et comprit qu'Anna était jeune encore, si l'on ne considérait que le nombre des années.

— Que se passe-t-il, ici ? demanda-t-il. Qu'a donc Mme Endicott ?

Il dut remplacer le nom par « madame Alexandra » pour que la Lapone consentît à répondre.

— Vous n'entrez pas, dit-elle. L'enfant est perdu.

Le regard de Brand se posa sur la porte close. Son cerveau refusait de comprendre. L'expression *enfant perdu* ne signifiait pour lui qu'une seule chose : un enfant qui errait dans les rues d'une ville et demandait peut-être l'aide d'un inconnu... Puis il lui vint à l'esprit que ce qui était perdu, c'était son enfant à lui, cette âme à naître, cette particule d'immortalité, et, de son poing fermé, il frappa le poêle de porcelaine, jusqu'à ce que son sang jaillisse.

Près d'une heure s'était écoulée, quand Anna vint spontanément le retrouver dans le petit salon, où la femme du fermier avait étalé à même le plancher un matelas de balles d'avoine et deux couvertures. Le soleil s'était couché, mais la longue nuit blanche s'étendait sur la région et filtrait au travers des lilas au parfum entêtant, près de la fenêtre ouverte de Brand. Il faisait assez clair pour qu'il pût lire la peur sur le visage de la Lapone.

— Elle a beaucoup de fièvre, dit Anna. Voulez-vous chercher de la glace ?

Il serait allé, et sans rechigner, chercher un iceberg dans les mers polaires. Il prit le petit pic et le seau qu'elle lui tendait et courut jusqu'à la source couverte, près du lac ; il piocha et tailla jusqu'au moment où la femme du fermier accourut pour lui dire d'arrêter, qu'il émiettait toute leur réserve pour l'été. Brand ne savait pas très bien à quoi pourrait servir cette glace ; à sa connaissance, on en faisait sucer quelquefois aux malades qui avaient de la fièvre. Mais Alix n'avait tout de même pas la fièvre, une maladie fébrile, en plus de... Que s'était-il passé ? Il essaya d'interroger la Finlandaise.

— La maîtresse saigne trop, dit-elle. Le bébé était... (Elle eut un geste expressif des deux mains.) Il « poussait » de trois mois.

Brand, enfermé dans sa petite prison, avait trouvé étrange la rapidité avec laquelle la semence de paternité avait jailli, verte et vivace, en son cœur, ce jour-là. « En moins de vingt-quatre heures ! En moins de vingt-quatre heures ! » s'était-il répété tout haut plus d'une fois. En une seule journée d'été, où sévissaient déjà la guerre et la mort, il avait évoqué son fils comme *une personne*. Il avait vu une créature qui avait les yeux d'Alexandra devenir un jeune garçon, le jeune garçon se transformer en un homme qui lui ressemblait, à lui. Et, avant que le soleil fût couché, il avait dit adieu à cet espoir. « Ma pauvre chérie ! » Cela aussi, il l'avait répété à haute voix ;

car elle n'avait sûrement pas attendu beaucoup plus longtemps pour nourrir son rêve de maternité...

Il « poussait » de trois mois.

S'il avait su, si elle le lui avait dit, elle serait à présent à Stockholm, et Mary Ryan aussi. Mary vivante, et son fils... en train de grandir.

Il était plus de minuit, le seul moment obscur du mois de juin finlandais, lorsque Brand entendit grincer une porte, quelque part dans la maison, et un pas furtif traverser l'arrière-cour. En un éclair, il était debout, se glissait jusqu'à la porte d'entrée pour écouter. L'idée que des Russes pouvaient se cacher dans la forêt ne quittait pas Brand Endicott.

Il vit à quelque distance Anna s'éloigner rapidement au long du pré.

Le premier mouvement de Brand fut de rentrer dans la maison : en l'absence de cette farouche gardienne, il pourrait entrer dans la chambre d'Alexandra et, si elle était éveillée, lui dire combien il l'aimait et qu'elle était la seule personne au monde qui comptât à ses yeux. Mais il semblait tellement étrange qu'Anna désertât son poste qu'il eut envie de la suivre. Il le fit, en gardant ses distances, tandis qu'elle quittait les prés pour plonger au cœur de la forêt.

Dans les bois, Anna était une ombre mouvante ; mais Brand, de son côté, savait encore se déplacer aussi silencieusement que du temps où il jouait aux Indiens avec ses camarades d'école, dans les bois de Deering, là-bas, au pays. Pendant plus de vingt minutes, il suivit la Lapone sans se faire voir, sans qu'elle fût une seule fois tentée de se retourner au craquement d'une brindille. Ils arrivèrent enfin dans une clairière où poussaient des épines et où, parmi les arbustes, se dressait une pierre crochue.

Cette pierre était plus grande que la Lapone. Elle n'était pas d'un seul tenant et une longue brèche, dans le milieu, laissait entrevoir le ciel qui pâlissait. En cette nuit chaude et calme, les objets suspendus aux branches des arbres, alentour, ne faisaient aucun bruit. Mais, quand les yeux de Brand s'accoutumèrent à la pénombre des lieux, il découvrit qu'il s'agissait d'anneaux de fer et de cuivre, des offrandes faites à la pierre fée, et il en conclut qu'il se trouvait en face de la *seite* de la Lapone.

Rivé au sol, il la vit s'agenouiller devant la *seite* et

l'entendit, par trois fois, prononcer le nom d'Alexandra.
Puis elle invoqua Jubmel qui est Odin, seigneur de toutes
choses, Frigga, la grande mère, Tiermos, le dieu de la
guerre, et le Tonttu, l'esprit des cimetières, qui avait eu
cette nuit son don de chair pas encore née. Une sueur
froide ruisselait sur le visage de Brand ; il sentit l'invisible passer tout près de lui et entendit murmurer les anciens dieux dans la nuit de Finlande.

Puis Anna se leva. Elle prit, de sous son tablier, un
jeune coq dont la tête était cachée sous l'aile et l'attrapa
par les pattes ; la tête s'en trouva dégagée et ses cris
rauques retentirent dans la clairière aux épines. Anna tira
son *puuko*. D'une voix qui dominait les caquetages de
la bête sacrifiée, Brand l'entendit invoquer le dieu du
vent :

> « *Biegg-Olmai, combien de temps fuiras-tu ?*
> *Je t'attache sous la terre, sous la mer !*
> *Tu seras debout dans la main de Dieu !* »

Le couteau s'abattit. Le sang du jeune coq gicla sur
le tronc de l'arbre, sur les mains d'Anna. Alors, les anneaux
de cuivre et les morceaux de fer accrochés aux arbres
devant la *seite* se mirent à tintinnabuler en même temps,
en un discordant charivari, tandis que le vent se levait
et, dans un hurlement, balayait toute la clairière où Anna
était prostrée devant la pierre fée. Emporté comme une
feuille morte, Brand fut projeté contre une muraille d'épines. Il s'en arracha écorché et saignant, empoigna la Lapone et, de force, la remit sur ses pieds.

Il y avait du sang sur ses mains, qui avaient touché
celles de la femme. Avec un grondement de dégoût, il
lui arracha son couteau et le jeta par terre. Il y eut un
violent coup de tonnerre et Brand crut entendre chanter
le coq immolé.

— Au nom de Jésus-Christ ! haleta-t-il, finissez cette...
sorcellerie !

— Jésus, lui aussi, commandait aux vents et aux vagues, dit la femme.

Elle demeurait immobile sous la poigne de Brand, tandis que le grand vent mourait peu à peu dans les branches au-dessus d'eux. Lentement, avec une sorte de honte, l'Américain relâcha son étreinte. Anna leva les yeux vers lui, des yeux obliques pleins de haine, et cracha :

— La maîtresse Alix brûle de fièvre, étranger. Par ta faute... la tienne... la tienne ! Et je ne connaissais pas d'autre moyen que l'ancien pour rafraîchir son sang et apaiser ses souffrances ! Pense à cela, avant de me donner la mort.

— Garce démente, dit Brand, ne viens pas me parler de mort.

Il la lâcha. Anna s'éloigna en se faufilant à travers la forêt silencieuse, tandis que les plumes du coq immolé frémissaient sous la faible brise de l'aube et que les premiers rayons du soleil venaient caresser les offrandes païennes. Brand sortit en tressaillant de la clairière de la *seite*. Ses genoux fléchirent et il enfouit son visage dans la mousse humide, au pied des arbres.

Au bout d'une heure, il revint au manoir. Les vaches paisibles étaient dans les prés et le toit d'ardoise luisait sous les branches des hêtres. Debout sur le seuil, Anna l'attendait.

— La maîtresse Alix n'a plus de fièvre, elle est reposée, dit-elle respectueusement. Elle attend de voir son mari.

Brand alla voir sa femme sans se changer, marqué par la nuit et par la forêt. Il entra dans une chambre d'où l'on avait fait disparaître toute trace de souffrance. Le vent déchaîné évoqué par la Lapone n'était plus qu'une brise fraîche qui apportait, par la fenêtre ouverte, le parfum des lilas trempés de rosée. Sur le lit, les draps blancs, tissés à la maison, dégageaient une douce senteur de myrte.

La fièvre qui, toute la nuit, avait dévoré Alix, avait cédé. Seuls, ses cheveux mouillés de sueur et répandus en désordre sur l'oreiller et sa voix rauque d'avoir pleuré trahissaient l'agonie qu'elle avait endurée.

— Te rappelles-tu ce qu'avait dit le tambour, Brand ? murmura-t-elle. « Jusque-là seulement. » C'était pour notre... notre...

— Alix, mon amour, ne pense plus à tout ça !

— Ah, mais rappelle-toi ce que je t'ai dit un jour ! lui dit-elle. Anna avait lu l'avenir et prédit qu'un enfant naîtrait qui sauverait la Finlande ? Sa *seite* a de nouveau

prédit mon avenir, ce matin, quand soufflait le grand vent.
Elle a dit : « Il viendra une musique qui chantera le chant
de la Finlande, mais tu ne l'entendras jamais. Et il viendra
un enfant qui sauvera la Finlande, mais ce ne sera pas
ton enfant... »

— Alix, Alix ! éclata Brand. Rappelle-toi, c'était mon
enfant, à moi aussi !

A bout de résistance, il s'écroula près d'elle, la tête
sur sa poitrine douloureuse.

CHAPITRE XX

LA FORTERESSE

L
A CHAMBRE D'ALIX ETAIT toujours baignée du parfum des lilas. On ne fermait jamais la fenêtre et l'odeur de juin, qui faisait partie de la Finlande, l'odeur des lilas et d'herbe mouillée, entrait à flots le jour durant.

Par la fenêtre, il n'y avait pas grand-chose à voir. Allongée sur le dos, Alix n'apercevait que les créatures qui passaient dans son champ de vision à heures fixes : Mikko, le jeune fermier, qui allait atteler ses chevaux ; ou sa petite sœur, qui ramenait à la maison les vaches qu'il allait traire ; et les vaches elles-mêmes, qui se dirigeaient deux par deux vers la cour, dans leur luisante robe blanche et noire, en ruminant paisiblement. Telles étaient les constantes de l'univers d'Alexandra, alors que tout le reste changeait et se déplaçait d'heure en heure.

Parfois, la grande chambre vide devenait aussi vaste que le golfe, à la pointe de Hangö, et elle se retrouvait seule dans l'eau, cherchant indéfiniment à attraper l'ourlet d'une robe jaune qui se changeait en algues dès qu'elle la saisissait. Parfois, tant de visages malfaisants se rassemblaient autour de son lit qu'elle en étouffait et cherchait son souffle : Paul Demidov, avide, aux mains chercheuses ; Napoléon III, au visage terreux ; Nikita au regard de plomb ; et l'homme qui portait une cicatrice en travers de la joue. Mais, le plus souvent, elle savait que ces appari-

410

tions venaient d'un autre temps et que le seul qui fût réel et toujours présent était Brand, son mari. Si elle avait pu se délivrer de son fardeau de remords à cause de son secret trop longtemps et trop bien gardé, Alix eût, peut-être, posé à Brand certaines questions qu'elle posa à Anna et auxquelles la Lapone ne trouva pas de réponses.

Quand naît une âme ? Est-ce au moment où l'enfant arrive, à son terme, qu'il pleure, tète, dort, et qu'on peut l'habiller, le coucher dans son berceau ? Ou bien est-ce au moment de la conception, quand l'invisible s'unit à l'invisible et que se forme ce qui sera visible un jour ? S'il en est ainsi, mon enfant possédait-il cette âme, que l'on nous apprend à croire immortelle ? Et, s'il était immortel, reconnaîtrai-je un jour mon enfant, quand j'aurai à mon tour passé l'eau sombre où chante le Cygne de Tuonela ?

Mam'zelle Josabeth arriva promptement d'Abo, prêta l'oreille à ces questions, secoua la tête et porta son mouchoir à ses yeux. Elle apportait avec elle la malle de vêtements qu'Alix avait laissée à Degerby et qui contenait un coffret à bijoux et la vieille bible du capitaine Sulivan. Alix, adossée à ses oreillers, en tourna patiemment les pages pour trouver un secours. Elle relisait des textes qu'elle se rappelait avoir appris, enfant : à propos de la Maison aux nombreuses demeures et de Celui qui prend même soin des oiseaux ; cela, pensa-t-elle, pouvait jeter quelque lumière sur la demeure et sur l'importance de l'âme envolée. Elle retrouva ces textes dans le Nouveau Testament, et y mit des signets pour les relire souvent. Mais, toutes les fois qu'elle prenait, sur sa table de chevet, la bible de Sulivan, elle s'ouvrait d'elle-même au grand passage de l'Ecclésiaste qui lui commandait d'assumer, tant qu'elle le pouvait, tout ce qu'elle trouverait à entreprendre.

Grâce à sa jeunesse et à sa vigueur, le corps d'Alix se rétablit très vite. Brand amena un médecin de la Marine — celui-là même qui l'avait examiné quand il s'était engagé dans la flotte, à Stockholm — et M. Johnson, tout en reconnaissant qu'il avait rarement à traiter, en mer, les suites d'une fausse couche, déclara qu'Alix était « en bon état » et que les femmes qui s'étaient occupées d'elle s'y étaient fort bien prises. Quand il se retrouva seul avec Brand, il lui déclara aussitôt qu'il interdisait à Alix de reprendre la mer avant plusieurs semaines et lui conseilla de lui épargner les cahots d'une *bondkärra* sur des kilomètres de mauvaises routes, à travers des forêts sauvages la prochaine fois qu'ils attendraient un heureux événement. M. Johnson ne prétendait pas connaître grand-chose aux « nerfs » et personne, autour d'Alice, n'était assez sage ou assez expérimenté pour comprendre la profonde confusion de son esprit. La Nature se vengeait d'elle avec une violence cruelle : parce qu'elle avait trop longtemps refusé d'accepter l'idée de l'enfant à venir, elle désirait maintenant cet enfant perdu avec toute la force de son corps frustré.

C'était encore Brand qui lui témoignait le plus de compréhension, parce qu'il l'aimait. Mais Brand, lui aussi, était en proie au remords. Il aurait dû empêcher ce plongeon insensé pour sauver Mary, il aurait dû — il le reconnaissait trop tard — refuser le voyage jusqu'à Ekenäs. Mais, se disait-il, puisqu'on l'avait tenu dans l'ignorance, comment eût-il pu deviner ? Il se sentait soulevé de dégoût à la pensée des simagrées d'Anna avec le coq et la pierre fée et c'est à peine s'il pouvait regarder la Lapone quand il la rencontrait dans la chambre d'Alexandra. Il informa mam'zelle Josabeth qu'il faudrait ramener Anna chez les Mannerheim, à Abo, et l'y garder. Mais, en attendant, toutes ces luttes secrètes, tous ces dégoûts ne faisaient que surélever l'invisible barrière qui s'édifiait peu à peu entre lui et Alix.

Dès qu'il l'avait pu, Brand était retourné à Tvärminne et il avait remonté l'étroit chenal avec la *Duchesse de Finlande,* pour mouiller dans le *vik* de Pojo, près de la ville d'Ekenäs. Pendant ce temps, deux membres de l'équipage couchèrent chaque nuit au manoir, bien que les recherches les plus poussées n'eussent révélé aucune trace de troupes russes dans le voisinage. On eût dit que le petit groupe rencontré à Hangö était le dernier détachement ennemi dans la province de Nyland.

Alix ne vit aucun membre de l'équipage avant le jour où, pour la première fois, elle put quitter son lit. Ce jour-là, Joe Ryan fut le premier à briser sa carapace de tristesse pour la tirer de ce Tuonela terrestre dans lequel elle errait sans fin. Elle s'entretint avec lui, étendue sur un sofa, dans le salon qui avait un peu perdu de son aspect désolé : quand on avait appris, à Ekenäs, que la jeune dame du manoir était revenue et qu'elle ne se por-

tait pas bien, les gens, qui n'avaient pas voulu pénétrer
dans les lieux tant que la Lapone était seule à tenir la
maison, avaient offert tout aussitôt ravitaillement et prêt
de meubles. En plus du sofa, le salon contenait maintenant un tapis *rya,* une table et trois chaises assorties.

En entrant, Joe prit l'une des inconfortables chaises
de bois, mais, bientôt après, il se retrouva à genoux sur
le tapis devant Alexandra, dont il tenait les mains dans
un paroxysme de chagrin, en lui contant comment le corps
de Mary, arraché à la mer, avait été rendu à jamais à
l'abîme.

— Moi, je tenais à la ramener à Stockholm, pour la
coucher près de sa pauvre mère, dit-il, mais les capitaines
de la flotte m'ont persuadé de l'immerger. Nous avons
emmené la *Duchesse* jusqu'au milieu du golfe, là où Brand
pensait qu'on avait immergé son camarade Lauri et les autres pauvres gars tombés à Ekenäs. Mais la marée montait,
Alix, et, depuis, je me demande toujours s'il peut y avoir
du repos pour les morts dans un endroit pareil.

Pour la première fois, Alix pleurait sur une autre douleur que la sienne. Elle serrait les mains de Joe, en ima-
ginant le corps de la petite Colporteuse de la Mer entraîné
bien loin du golfe de Finlande, et se balançant avec le
diadème de la reine Blanka parmi les îles de la Couronne
d'Or.

— C'est le chapelain de la flotte lui-même qui a cé-
lébré le service, continua Joe, et le capitaine Sulivan
était là, le capitaine de l'*Esk* aussi. Les paroles du service étaient si magnifiques, et le soleil brillait, et je n'arrivais pas à me figurer que c'était ma Mary qu'on avait
allongée là, sur le pont, cachée à mes regards, enveloppée
dans le drapeau américain. C'était justement le drapeau
qu'on avait ramené du *Sealark* et je ne pensais guère,
ce soir-là, que je le reverrais comme ça. Mais ma pauvre
petite fille, ça lui était bien égal, les drapeaux, les combats.
Tout ce qu'elle voulait, c'était chanter comme Jenny Lind.

— Joe, pourrez-vous jamais nous pardonner... à Brand
et à moi ?

— Quoi donc ?

— D'être entrés dans votre vie et... d'avoir détruit ce
qui vous était si cher.

Joe secoua la tête.

— Pas de ça. Je me suis embarqué avec Brand de

413

mon plein gré, et la pauvre Mary a poursuivi sa... son flirt avec cet homme, malgré tous les avertissements... Pour sûr, je n'étais pas assez sévère. Je la gâtais, Alix. J'étais peut-être trop jeune pour faire un bon père. Au début, c'était un joujou adoré, ensuite, mon superbe petit second : je n'arrivais pas à me rendre compte qu'elle était devenue une femme. Non, Alix, s'il y a quelqu'un à blâmer pour la mort de Mary, c'est son pauvre imbécile de père, ni Brand ni vous... Et maintenant, allongez-vous, restez calme, ne vous mettez pas dans cet état ; sinon, votre mam'zelle va me flanquer à la porte. Nous reprendrons notre conversation à mon retour de Nargen.

— Vous levez l'ancre demain matin ?

— Oui, pour aller nous faire interroger par le commandant en chef, pas moins.

Joe se leva.

— Si on n'était pas obligés de vous laisser seule un moment, je serais content de bouger un peu. Je n'ai pas pu attraper Erik Kruse pour l'étrangler de mes propres mains, mais il reste des tas de Russes à combattre et la guerre est encore loin de se terminer.

Sur ces paroles, qui résonnèrent dans son cœur bien longtemps après que la *Duchesse* eut pris la mer pour gagner le mouillage des bâtiments de ligne britanniques, prit fin la première phase du chagrin d'Alexandra. La guerre contre la Russie continuait et elle s'y était vouée tout entière ; il lui incombait à présent de se rétablir pour être en état de lutter et, dans ce but, elle se contraignit à absorber les simples repas, les œufs battus dans du porto et le lait que mam'zelle Josabeth l'engageait sans cesse à avaler ; chaque jour, aussi, elle se promenait plus longuement du seul côté ensoleillé de la maison. Quand Brand revint de l'enquête officielle sur l'affaire de Hangö, elle alla à sa rencontre jusqu'au petit débarcadère du *vik* de Pöjo ; elle avait presque retrouvé son allure passée et portait, avec une robe d'un vert tendre, le collier qu'il avait naguère pris pour de la pacotille et la bague que lui avait envoyée la grand-mère de Brand.

— Alix ! Ma chérie ! Tu as une mine merveilleuse !

Brand l'embrassa et la serra étroitement contre lui. C'était la première fois, depuis ce fatal 6 juin, qu'il osait la toucher sans avoir l'impression qu'elle allait se briser.

414

— Je me sens tout à fait bien, maintenant. Brand comment cela s'est-il passé, à Nargen ? As-tu vu le commandant en chef ?

— Oui, pendant quelques minutes. C'est son capitaine de pavillon qui a procédé en grande partie à l'interrogatoire : Joe et moi, pour commencer, et ensuite, ils ont envoyé chercher Blythe. Le pauvre capitaine Fanshawe est dans de sales draps, Alix. Il a avoué lui-même — ce que nous savions tous, naturellement — qu'il avait omis de hisser le drapeau blanc sur le *Cossack,* avant d'envoyer le canot à Hangö. A présent, les Russes prétendent qu'ils n'ont pas vu le drapeau blanc du canot et ont cru à une attaque. Nous avons tous rendu témoignage que ce drapeau-là, au moins, était parfaitement visible, mais le fait que ses hommes étaient armés de mousquets jouera contre ce vieux Fanshawe, j'en ai bien peur.

— A-t-on pu communiquer avec les Russes ?

— Le capitaine Sulivan a pris toutes dispositions pour un échange de lettres à propos des prisonniers, là-bas, à Sveaborg. D'après ce que je vois, il dirige toujours les opérations à lui seul.

— Ils ne font donc rien, à Nargen ? demanda Alix, inquiète. As-tu vu le capitaine Yelverton ?

— Yelverton est au large de Kronstadt, avec l'escadre qui veille à ce que les Russes n'en sortent pas — non pas qu'il y ait grand danger d'une sortie. Mais Cooper Key a eu une escarmouche avec l'ennemi, à Sveaborg.

— Veux-tu dire qu'il a vraiment tiré sur la forteresse, avec les pièces de son bateau... j'ai oublié le nom...

— L'*Amphion.*

— De l'*Amphion,* comme le capitaine Hall, l'an dernier, sur Bomarsund ?

— Pas sur la forteresse proprement dite. Mais il a effectivement bombardé les batteries de Sandhamn et il s'est suffisamment approché pour effectuer une reconnaissance très complète de Sveaborg. Et écoute bien, Alix, voilà qui était malin : Cooper Key a fait peindre en blanc deux des canots de l'*Amphion* et a fait mettre les équipages tout en blanc — chemises blanches et pantalons de coutil blanc —, de sorte qu'à minuit, alors qu'il faisait à peine sombre, ils étaient pratiquement invisibles. Qu'est-ce que tu penses de cette idée ?

— Excellente.

Ils étaient maintenant dans la maison et entraient dans le frais salon, à demi vide, dont l'atmosphère était imprégnée du parfum des lilas.

— Brand... est-ce que personne ne t'a félicité pour... pour ce que tu as fait à Hangö ?

— Si, l'amiral Dundas, répondit brièvement Brand.

Il n'avait pas l'intention de répéter les louanges que lui avait values sa coûteuse victoire ; il reprit très vite :

— Les journaux britanniques montent l'affaire en épingle, sur un tissu de contre-vérités, naturellement. Ils appellent maintenant ça : « Le massacre de la pointe de Hangö ! » Fanshawe se fait copieusement critiquer... et, aussi bizarre que ça paraisse, moi aussi.

— *Toi,* Brand ?

— Oh, ça ne fait pas de doute ! « Le flibustier yankee » n'est que l'un des surnoms dont ils me gratifient. Ces damnés écrivassiers, qui n'ont jamais vu la Baltique que des cafés autour de la cathédrale Saint-Paul ! Joe va apporter les journaux pour que tu les voies.

— Ça, alors ! fit Alix avec indignation. Tu ne vas pas me dire que les journaux gouvernementaux ont publié de semblables âneries ?

— Pas de danger ! Mais tous les torchons du parti de la paix n'y ont pas manqué. Ils parlent très haut, en ce moment, les partisans d'une paix négociée, et le public sait bien que la guerre en Crimée ne va pas si bien que ça.

— Mais, à Sébastopol, les Français ont bien enlevé le Mamelon ?

— Oui, au début de juin ; mais, le 18, il s'est produit un important recul. La nouvelle en est parvenue à Nargen pendant que nous y étions. Il semble que le général français, Pélissier, avait prévu une attaque sur deux fronts contre Sébastopol, les Britanniques au Redan, les Français à la tour Malakoff, et que les deux opérations aient échoué. De sorte que les journalistes ont maintenant de quoi se lamenter.

— Oh, Brand, c'est horrible !

— Que veux-tu, nous ne pouvons rien y faire.

Brand marqua une hésitation.

— Alix, tout s'est bien passé pendant mon absence, n'est-ce pas ? Tu n'as pas été inquiète, tu ne t'es pas sentie trop seule, rien de tout cela ?

416

LA FORTERESSE

— Tu me manquais, mon chéri. Pourquoi ?

— Parce qu'il va falloir que je parte dès maintenant pour Frederikshavn. J'arriverai en retard au rendez-vous, mais c'est sans importance : j'ai fait parvenir à ma grand-mère un message télégraphique l'informant que... que je devais me rendre à Nargen et elle a très bien compris la chose. Mais il faut maintenant que je convoie ses bateaux.

— Bien sûr, Brand. Nous en avions parlé avant que la pauvre Mary se noie. Je sais qu'il faut que tu partes.

Elle lui souriait et ses magnifiques yeux gris, grands ouverts, regardaient fixement un point situé un tout petit peu plus loin que lui, comme l'avait fait remarquer Flora Tarras. Il dit, en manière de plaisanterie :

— A quoi penses-tu, Alix, en tournant et retournant autour de ton doigt la bague de Waterloo ?

— A Sveaborg.

Il eût dû se sentir heureux en constatant que son chagrin n'occupait plus la première place dans son esprit. Au lieu de cela, l'obsession de sa femme ralluma sa jalousie.

— Sveaborg, comme de juste, dit-il. « *Postérité ! tiens fermement ton propre sol...* et la suite ?

— Je ne porte personnellement aucun intérêt à la postérité.

— Par Dieu ! fit Brand, tu m'en as amplement fourni la preuve.

Elle le dévisageait, pâle et fière, et quelque chose, dans ce regard dédaigneux, irrita Brand si bien qu'il éclata :

— Il y a une question que toi et moi devons régler entre nous, Alix, et peut-être l'instant présent en vaut-il un autre. J'ai eu une longue conversation avec Joe, pendant la nuit que nous avons passée à Nargen, et il m'a dit une chose que j'ignorais. Il m'a raconté que ce dernier matin, avant que nous levions l'ancre, à la Couronne d'Or, Mary s'était trouvée seule avec lui dans la cabine et qu'elle lui avait murmuré que tu allais avoir un bébé et qu'elle t'avait conseillé de descendre à terre. Lui avais-tu confié ton secret de plein gré ?

— Mary l'avait deviné.

— Ah oui, Mary l'avait deviné, hein ? Eh bien, Joe aussi l'avait deviné, avant même que nous allions aux Roches de Kökar. Un soir, à Slite, m'a-t-il dit, il t'a trouvé

417

mauvaise mine et en a tiré la conclusion logique. Je lui
ai demandé pourquoi diable il ne m'en avait rien dit ;
il m'a répondu que, naturellement, il avait cru que j'étais
au courant.

— Joe Ryan a agi comme il convenait. Ce n'était pas
plus son affaire que celle de Mary.

— Mais, par Dieu, c'était *la mienne !*

Brand se leva pour faire les cent pas avec colère dans
la pièce, puis revint vers elle.

— Alix, tu ne peux imaginer, tu ne sauras jamais à quel
point je me suis senti bête à cause de toi ! Pourquoi ne
m'as-tu pas dit que nous allions avoir un enfant ? J'aurais été fou de joie, j'aurais fait tout ce qu'il était humai-
nement possible de faire pour t'épargner. Dis-moi pourquoi
tu me l'as caché ! Et dis-moi la vérité !

— Pendant longtemps, je n'en étais pas vraiment certaine, dit-elle, les lèvres blanches. Et je tenais à rester à
bord de la *Duchesse* le plus longtemps possible.

— Précisément. Maintenant, je tiens enfin la vérité !
Qui plus est, tu m'as épousé pour *être* à bord de la
Duchesse, ou de tout autre bateau qui te ramènerait en
Finlande et te procurerait la sensation merveilleuse que
tu aidais à gagner la guerre contre la Russie ! Tu ne m'as
pas épousé comme l'eût fait une femme normale, pour avoir
un foyer, des enfants...

— Je t'ai épousé parce que je t'aimais, Brand.

Si elle avait fondu en larmes, si elle avait quitté la
pièce précipitamment ou montré quelque autre signe de faiblesse, Brand fût tombé à genoux devant elle en la suppliant de lui pardonner. Mais la vue de ses traits pétri-
fiés, de ses épaules rejetées en arrière le poussait à apaiser
sa propre blessure en la blessant davantage.

— Je crois que tu m'aimais, en effet, à ta manière,
quand nous nous sommes mariés. Mais tu aimais aussi ce
que je pouvais te donner. Partir avec moi sur la *Duchesse,*
c'était l'escapade la plus réussie de toutes, hein, Alix ? Et
tu n'as pas eu à imiter la signature de qui que ce fût pour
conquérir ta liberté !

— C'est monstrueux !

Alix était debout, à présent, les yeux flamboyants. Mais
Brand était allé trop loin pour s'arrêter en chemin. Il

l'attrapa par les épaules, sans se soucier de lui faire mal, et lâcha :

— Tu t'es toujours arrangée jusqu'à ce jour pour tirer profit de l'un et de l'autre parti, n'est-ce pas ? Tu as accepté toutes les bontés d'Aurora Karamsine, tu l'en as remerciée en la trompant, en t'enfuyant, et elle t'a pardonné parce que cette chère Alix est une patriote au noble cœur qu'on ne saurait juger selon les critères habituels ! Tu m'as poussé à entrer dans la Royal Navy et tu t'es ensuite lamentée parce que la Royal Navy avait engagé le combat contre des Finlandais — des Finlandais, et non des Russes — à Gamla Karleby ! Tu m'as raconté quelle bravoure avaient montrée les Finlandais durant la guerre de 1808, mais je veux bien être damné si je les ai vus lever seulement le bout du petit doigt pour nous aider dans cette guerre-ci ! Ils ne se soulèveront pas contre la Russie, et tu pourras faire toutes les citations poétiques que tu voudras, ça n'y changera rien. Mais va, pleure sur le glorieux passé autant qu'il te plaira. Tu es en Finlande, là où tu voulais être. Et même si ce soir un régiment de cosaques encerclait la maison, tu n'aurais encore rien à craindre. Il te suffirait de dire : « Je suis Alyssa Ivanovna, la fille de votre commissaire aux chemins de fer, le comte Gyllenlöve »... et les Russes te témoigneraient la même déférence qu'à la femme du tsar Alexandre !

C'était leur première querelle et, naturellement, ils firent la paix dans les bras l'un de l'autre. Bien avant que le soleil de cette journée de juin se fût couché sur leur colère, ils s'étaient mutuellement demandé pardon : Alix, pour avoir dissimulé à Brand qu'elle attendait un enfant, et Brand, pour tout ce qu'il avait dit en un moment où ses nerfs étaient tendus à se rompre. Alix pleura et Brand effaça ses larmes sous ses baisers en lui jurant qu'il l'aimait encore davantage. Le lendemain, elle monta à bord de la *Duchesse de Finlande,* ancrée au large d'Ekenäs, et s'entretint avec Joe et avec les cinq marins restants ; ce fut une visite qui ranima le pénible souvenir de Mary Ryan, mais il fallait le faire. Et, quand la *Duchesse* s'engagea dans le chenal, en route pour sa longue traversée jusqu'au Jutland, Alix était à l'embarcadère du manoir, pour faire des signes d'adieu.

Alix attendait Brand, comme toute épouse de marin qui se respecte, quand il revint de sa mission. Les bois de chênes autour d'Ekenäs se paraient de l'épais feuillage d'un juillet pluvieux et l'eau s'égouttait de l'avant-toit du manoir, quand elle prit congé de mam'zelle Josabeth, d'Anna et de tous les gens de la ferme. La côte méridionale tout entière de la Finlande semblait faire silence dans l'attente de l'orage menaçant. En effet, l'amiral Dundas, las d'attendre les obus de mortiers et les dernières batteries flottantes, qui n'arrivaient jamais, avait enfin décidé de remonter avec toutes ses forces le golfe de Finlande. Quand Brand, pour la dernière fois, leva l'ancre à Ekenäs, on ignorait encore si l'amiral avait pour objectif la ville d'Helsingfors ou bien la forteresse de Sveaborg. Ils ne purent obtenir aucune information précise à Nargen, mais Brand trouva au moins une cargaison toute prête : en effet, le ravitaillement arrivait si lentement d'Angleterre qu'on déchargeait encore des sacs sur l'île longtemps après le départ de la flotte. Un bâtiment neutre ami représentait un don du ciel pour les gardes-magasin et Brand, cale pleine, ponts encombrés, suivit la flotte jusqu'au fjord de Sibbo.

Comparée à celle de Napier, la flotte que commandait maintenant l'amiral Dundas était énorme. Le total des forces alliées se montait à vingt-cinq vaisseaux de ligne, trente et une frégates et corvettes, vingt canonnières et vapeurs de moindre importance, et dix-huit autres bâtiments. Brand en vit pas mal de chaque classe, sur la longue route à travers le golfe, de Nargen à la rive finlandaise. Les bateaux armés de mortiers roulaient terriblement, leurs mâts, par gros temps, s'aplatissaient presque sur l'eau et, parmi eux, se trouvaient plusieurs bricks d'un type que Brand et Joe ne connaissaient pas. Blythe reconnut en eux des brûlots ou, dans l'argot du pont inférieur, des « pièges à cercueils ». Parmi les canonnières qui dépassaient la *Duchesse,* filant à toute vapeur vers le lieu du rendez-vous, se trouvaient le *Snapper,* le *Biter,* le *Boxer,* le *Clinker,* le *Cracker* et le *Grinder,* et d'autres qui portaient les noms plus poétiques de *Jackdaw, Magpie, Redwing* et *Skylark.* Alix, dans son ciré ruisselant, resta sur le pont pour identifier les navires à l'aide de la longue-vue de Brand, jusqu'à dix heures du soir.

LA FORTERESSE

Brand n'eut pas le courage de l'envoyer se reposer plus tôt, d'autant qu'il n'avait pas l'intention de partager la couchette avec elle, mais pensait coucher de l'autre côté, dans le cadre qui avait été celui de Mary. Brand n'entendait à peu près rien aux femmes et à leurs malaises, mais le médecin de la marine avait bougonné quelques mots d'avertissement assez précis pour qu'il fût averti qu'il ne devait pas avoir de rapports avec Alix avant quelques semaines encore ; et il savait, après avoir vu Alix circuler à bord toute une journée, ravissante, animée, redevenue elle-même, qu'il n'aurait pas la force de tenir compte de cet avertissement s'ils se retrouvaient ensemble dans l'étroite couchette où le rythme de leur passion s'était si souvent accordé à celui des vagues. Il était deux heures du matin quand Brand alla se coucher, après que la tempête se fut apaisée. Il ouvrit alors doucement la porte et vit sa femme endormie dans la pâle lumière de l'aube naissante. Il remarqua à son doigt, au-dessus des deux anneaux d'or, les diamants de Waterloo et comprit qu'elle les avait mis, une fois dévêtue, comme une sorte de talisman pour une victoire britannique.

Si Alix était excitée quand ils commencèrent à suivre la flotte, d'abord jusqu'au détroit de Barö, ensuite jusqu'à Sibbo, ce n'était encore rien, comparé à son agitation, une fois la cargaison livrée, quand Brand leva l'ancre. En effet, dans le fjord de Sibbo, ils se trouvaient à peine à seize kilomètres d'Helsingfors et les navires de la Royal Navy, pourvus maintenant comme il convenait d'argent russe, commençaient à faire du commerce avec les pêcheurs des îles, qui apportaient de la ville viande et volailles ; et, en même temps que les vivres, bien entendu, toute une cargaison de rumeurs sur l'immense concentration de troupes russes à Helsingfors et sur l'exode général de la population civile. En un rien de temps, semblait-il, la *Duchesse* fut en vue de la ville. Seuls, le brouillard et la pluie avaient empêché son équipage de voir, la veille, la coupole bleue de la Nicholas Kirk, car ce magnifique point de repère était visible de plus de trente kilomètres au large. A présent, au soleil, Alix distinguait les étoiles d'or qui étincelaient sur le fond bleu et qui se retrouvaient sur l'autre coupole, moins imposante, de l'église grecque orthodoxe, sur la Grande Svartö Est sur les trois tours de l'observatoire municipal, dans Ulrikasborg.

LA FORTERESSE

C'était sur l'église et sur les tours que les marins prenaient leurs relevés pour l'atterrage d'Helsingfors. Le chenal de Grähara était naturellement bloqué par le vieux trois-ponts qu'Alix avait vu amener en place l'année précédente et, au moment où ils arrivaient à moins de quatre mille mètres des canons de Gustafssvärd, Brand s'aperçut que l'autre chenal principal, celui qui séparait Langörn de Svartö Ouest et menait au fjord de Kronborg, avait été bloqué par un autre bâtiment russe déclassé.

— Ils l'ont fait, mon père l'avait bien dit ! s'écria Alix.

— Fait quoi ?

— Ils ont bloqué le chenal de Langörn. A présent, les alliés ne pourront parvenir jusqu'à Helsingfors qu'en faisant sauter les deux navires de bâclage.

— Ça ne m'inquiète pas pour l'instant, dit Brand.

— Où vas-tu accoster, alors ?

Seul, un regard aimant aurait pu distinguer, à cette distance, les magnifiques façades sur les quais d'Engel, sinon la noble inscription gravée sur la Porte Royale, à Sveaborg ; mais Alix, au fond de son cœur, se sentait de retour chez elle et brûlait du désir d'être à terre. Brand répondit raisonnablement :

— Pas à Sandvik, en tout cas. Seigneur, regarde-moi ces nouvelles batteries ! Les Russkis doivent avoir fortifié toutes les îles de la baie, depuis l'an dernier, et pour peu que leurs canonniers s'énervent, ils seraient bien capables de lâcher un obus ou deux sur un navire inconnu, même battant pavillon américain. Joe, vous qui avez été à Helsingfors...

Joe fut d'avis que l'une des criques du nord constituerait un mouillage sûr... Lappvik, ou Edesvik, ou même, plus loin encore, Munkesnäs. Alix, devant la carte déployée, supplia Brand de se décider pour Edesvik.

— Regarde, dit-elle, c'est pour ainsi dire à l'est de la villa Hagasund et je sais qu'il y a une espèce de route qui va du côté de Tölö. Nous pouvons facilement faire le trajet à pied et, si le sénateur Walleen est chez lui, il nous dira ce qui se passe...

— Pourvu que nous parvenions à destination, fit Brand avec ironie. Alix, personne ne descendra à terre jusqu'à ce que je sois assuré qu'il n'y a pas de danger. Je ne veux pas subir un autre interrogatoire du Troisième Bureau ou de tout autre service de leur damnée police spéciale.

— Moi, je courrai le risque, dit Joe, d'un ton bref.

Il parlait rarement, depuis quelque temps, et toujours au sujet d'un point précis, comme si la mort de Mary avait tari en lui la source d'humour et de gaieté irlandais. Lors de leur voyage jusqu'au Jutland, il avait prouvé à Brand qu'il ne redoutait plus le danger personnel. Ce fut Joe qui prit la barre quand ils laissèrent Sveaborg par tribord et se mirent à tirer des bordées pour contourner l'extrémité sud des presqu'îles peuplées qui formaient la ville d'Helsingfors. Juste avant la nuit, ils jetèrent l'ancre dans la baie appelée Edesviken. Sur le rivage verdoyant, aucune lumière, aucun signe de vie.

Le lendemain, Brand se laissa fléchir par Alexandra qui insistait pour aller à Hagasund. On eût dit qu'en arrivant en vue de la forteresse, si près de l'endroit où par amour Brand était venu rechercher la jeune fille et où celle-ci, en proie à son obsession, l'avait poussé à s'engager dans la Royal Navy, le pouvoir d'Alix sur son mari se réaffirmait de nouveau. Elle n'avait pas besoin du tambour magique, pensa-t-il, tout en l'aidant à débarquer. Ils s'engagèrent dans ce qui n'était guère plus qu'un chemin de terre. Non, elle n'avait pas besoin de l'*arba*, courant autour des petits dessins rouges, ni de Bieka-Gallos, dieu du vent, pour le forcer à la suivre comme feuille dans la brise. Il lui prit la main, en mettant cap à l'est, et la garda étroitement serrée jusqu'au carrefour avec la grand-route d'Abo.

— Regarde tous ces gens ! s'exclama Alix. C'est vrai qu'ils s'en vont !

L'exode d'Helsingfors ne faisait pas de doute. Dans cette région qui bordait la ville, il n'y avait pas de maisons, à part deux ou trois fermes au toit de tourbe, et la procession des réfugiés se voyait de très loin : en *bondkärras,* en traîneaux montés sur roues, ou bien à pied, poussant des voitures à bras, les habitants d'Helsingfors fuyaient la menace d'une invasion alliée.

— Nous allons peut-être découvrir que M. Walleen est parti, lui aussi, dit Brand.

Ils ne repérèrent aucun signe de vie à la villa, en débouchant de l'allée carrossable, où le thym, les pensées et les aubrietias débordaient des rocailles, cependant que

423

de grosses touffes de delphiniums et de phlox poussaient de chaque côté de la porte d'entrée ouverte. Il ne restait personne, pas même un gardien, dans les communs, et on ne voyait ni voitures ni chevaux dans les écuries.

— Oui, ils sont tous partis, constata Alix d'une voix lasse. Viens, Brand, allons à Helsingfors.

— Ça peut être dangereux.

— Je ne pense pas qu'on nous arrête, dit Alix.

Et, de fait, ils suivirent la route d'Abo, encombrée de réfugiés, sans être inquiétés par les soldats russes. Dans sa tenue de marin, grand et blond comme un vrai Finlandais, Brand n'offrait rien de remarquable dans les rues de la capitale, cependant qu'Alix, un mouchoir noué sur la tête, chaussée de hautes bottes, avait l'air d'une paysanne, en route pour le marché. Ils achetèrent des œufs et du beurre, ainsi qu'un panier pour les porter. Mais Brand remarqua :

— Nous ne pourrons pas faire cela bien souvent, Alix. Si on me parle, je me trahirai, et je suis responsable du bateau et de son équipage. Il faudra que nous nous ravitaillions à Edesvik, ou que nous envoyions Joe en ville, s'il nous faut d'autres provisions.

— Ne rentrons pas tout de suite !

Elle voulait tout voir de sa capitale, admirer sa perfection de miniature, son harmonie de lignes et de couleurs. Crème et ocre, bleu et or, Helsingfors s'étendait sous des cieux pâlissants où les nuages opalins de la fin de l'été flottaient au-dessus de la bande turquoise qui marquait toujours la rencontre de la mer et du ciel. Brand, aux côtés d'Alix, traversa la place du Sénat, transformée en bivouac pour les soldats russes, et remonta par les jardins de l'Esplanade jusqu'à l'endroit où des gardes du corps finlandais, en uniforme d'été de grosse toile grise, étaient en faction, l'air maussade, devant le magnifique théâtre d'Engel, où se tenait un conseil de guerre russe.

— Tout le monde se dirige vers Brunnsparken, dit Alix. Ne pourrions-nous y aller, nous aussi, pour voir les navires britanniques ?

— C'est trop loin pour toi, aujourd'hui, ma chérie. Rappelle-toi : nous avons encore tout le chemin du retour jusqu'à Edesvik. Nous essaierons d'aller jusqu'au parc demain, puisque nous n'aurons pas à traverser la ville.

— Peut-être Dundas attaquera-t-il demain, fit Alix.

LA FORTERESSE

Mais il n'était que trop évident que Dundas n'était pas prêt à se lancer dans un assaut spectaculaire contre Helsingfors. Il avait en vue un bombardement en règle de la grande forteresse et, lentement, les navires alliés prirent position devant Sveaborg : il était clair que la volonté des Britanniques avait prévalu sur celle de Napoléon III et qu'Helsingfors ne serait pas détruite. A mesure que la tension s'apaisait, ce devint presque un passe-temps, pour les habitants, que de grimper au haut de la colline de l'Observatoire ou d'aller au Brunnspark pour observer la disposition des navires britanniques.

Joe, pour qui le suédois, qu'il parlait couramment, était une couverture presque aussi satisfaisante que l'aspect physique de Brand, circulait librement de taverne en taverne et rapportait les renseignements qu'il pouvait recueillir. Ils ne pouvaient, évidemment, descendre à terre en même temps. Il fallait que, soit le capitaine, soit le second fût à bord de la *Duchesse de Finlande,* en cas d'attaque brusquée des Russes : en effet, l'Ecossais et les quatre Anglais qui constituaient l'équipage pouvaient être arrêtés et faits prisonniers de guerre et, à mesure que s'écoulaient les jours, Brand se prit à redouter que semblable mésaventure ne se produisît. Ses cinq matelots étaient paisibles et raisonnablement patients. Ils avaient dépensé toute leur paie et s'étaient offert de l'alcool et des femmes à satiété, pendant qu'ils convoyaient les bateaux de la Tarras Line à travers la Baltique, mais la conscience puritaine de Brand commençait à le tracasser, à l'idée qu'il ne travaillait ni pour la Royal Navy ni pour Tarras & Cº.

L'inaction à Sveaborg devenait d'autant plus difficile à supporter que des informations continuaient d'arriver à Helsingfors, à propos des exploits du capitaine Yelverton, l'officier que Brand avait tout d'abord détesté, pour enfin l'admirer entre tous. Les escadres britanniques des golfes de Botnie et de Riga avaient bien joué leur rôle en assurant le maintien du blocus, mais, par son audace et son initiative, Yelverton se rangeait maintenant avec Cooper Key comme le capitaine le plus actif de toute la flotte de la Baltique. Au début de juillet, il avait engagé le combat avec les Russes à Lovisa et à Viborg. Le 21 juillet, l'*Arrogant* étant à la tête d'une escadre qui comprenait le *Cossack,* la *Magicienne* et le *Ruby,* il engagea les nouvelles batteries russes de Fredrikshamn, à l'est d'Helsingfors, et contraignit l'ennemi à abandonner ses canons. Et, le 26 juillet, avec quatre bâtiments armés de mortiers, quatre canonnières et un détachement de fusiliers marins, Yelverton s'emparait de l'île de Kotka, que tenaient les Russes.

— Plût à Dieu que j'aie été à bord, dit Brand, quand la nouvelle de la prise de Kotka parvint en ville... Allons, Alix, ne prends pas cet air-là ! Tu sais bien que ce que j'ai dit n'a rien à voir avec toi ; nous sommes ensemble et c'est là le plus important. Mais les bricoles que nous avons réalisées avec la *Duchesse* au début de l'été paraissent bien insignifiantes auprès des batailles rangées de Yelverton, à Fredrikshamn et à Kotka. Je parierais qu'on a touché double ration de rhum dans le pont inférieur, hier soir.

— Tu penses donc avoir perdu ton temps en prenant le commandement de la *Duchesse de Finlande ?* demanda Alix.

— Non, je n'ai pas perdu mon temps, ne fais pas la sotte ! Ça paraissait la meilleure solution, quand la flotte a été congédiée, l'hiver dernier, et je ne le regrette pas. Mais, Alix, ma chère, douce, obstinée Alix, te rends-tu compte que, depuis le jour où, pour la première fois, nous nous sommes promenés dans Brunnsparken et que tu m'as convaincu que tout homme qui se respectait avait le devoir de combattre la Russie, j'ai donné dix-huit mois de mon existence, tu as enduré les rigueurs de la prison et j'ai été victime du choléra, et tout ce qui s'ensuit, à seule fin de continuer le combat ? Peux-tu t'étonner que j'aie envie de faire autre chose que de regarder le capitaine Sulivan placer des balises devant Sveaborg, comme si nous revenions à l'an dernier, à la même saison, et que nous soyons toujours devant Bomarsund ?

— Et ne crois-tu pas que, moi aussi, j'aimerais faire autre chose que de déambuler dans Brunnsparken pour regarder les navires britanniques qui ne bougent pas, éclata Alix. Je suis lasse d'être spectatrice de la guerre.

— Il me semble, fit son mari avec ironie, qu'en plus d'une occasion de revoir le pays, tu as songé à des initiatives plus énergiques ; mais voudrais-tu me dire ce que je pourrais faire de plus que ce que je fais actuellement ? J'ai passé toute la semaine dernière à sortir avec les pêcheurs, pour voir ce que je pourrais découvrir à propos de l'histoire de Joe, selon laquelle les Russes auraient posé des « infernales », contrôlées à distance depuis la ville. J'ai quatre cordeaux Bickford dans ma cale et la poudre nécessaire. Je pensais que, si je parvenais à m'approcher suffisamment des fils, je pourrais les atteindre à la nage et les faire sauter avec un cordeau et une charge légère. Tu sais ce que j'ai découvert : chacune des îles de la baie est un Sveaborg en miniature. J'aurais eu la tête emportée si je m'étais approché à moins de cinq cents mètres. Alix, j'en ai tellement assez de cette guerre et de tout ce que la Russie a fait pour gâcher nos existences, que je risquerais volontiers ma vie si je ne devais pas te laisser seule ici...

— Veux-tu dire que tu ferais *n'importe quoi* pour porter un coup à la Russie ?

— N'importe quoi ! affirma imprudemment Brand.

— Un jour, bientôt peut-être, je pourrai te prendre au mot.

Le lundi 6 août, l'amiral Dundas arriva sur les lieux, à Sveaborg, à la tête de sa formidable flotte, sur le vaisseau-amiral *Duke of Wellington,* et avant le lendemain matin, il fut rejoint par une escadre française non moins impressionnante, sous le commandement de l'amiral Penaud. Les deux jours suivants furent tout entiers occupés à monter une batterie française de quatre mortiers de 250 m/m sur la petite île d'Abrahamsholm, au sud-ouest de Sveaborg, et à placer vingt et un vaisseaux armés de mortiers à trois mille cinq cents mètres des batteries russes. Chaque mouvement était observé, à l'œil nu, ou avec des longues-vues, par les habitants d'Helsingfors, assemblés en foule sur les pentes du Brunnsparken et sur les hauteurs d'Ulrikasborg.

La victoire escomptée dépendait en grande partie des bâtiments armés de mortiers. On les forma en demi-cercle derrière la batterie d'Abrahamsholm, cependant que les canonnières, opérant en quatre groupes distincts, à tribord et à bâbord des mortiers, avaient pour rôle d'attirer sur elles les batteries et les troupes russes des îles situées derrière la forteresse proprement dite. Ces deux armes de la Flotte, par suite de leur faible tirant d'eau, avaient à supporter l'essentiel du poids de la bataille. Les vieux bâtiments de ligne, dans toute leur inutile splendeur, demeurèrent à l'ancre derrière la barrière des frégates, protégés par les îles Skogsholm et Skogskär.

Mais les vaisseaux à mortiers, en raison d'erreurs dans les plans de l'Amirauté et de la négligence des fournisseurs, responsables de presque toutes les souffrances de la guerre russe sur les deux théâtres d'opérations, portaient en eux-mêmes la cause d'une victoire incomplète. Le fer des mortiers de la Baltique était défectueux, et les pièces que l'on croyait capables de tirer trois cent cinquante coups, comme celles utilisées pendant les guerres napoléoniennes, étaient ou bien totalement inutilisables, ou explosaient au bout de deux cents coups, mettant en danger la vie de leurs servants et celle de tout l'équipage. Aucun élément de remplacement n'avait été envoyé d'Angleterre pour les canons qui, pour une raison quelconque, pour avoir subi le feu de l'ennemi, notamment, avaient été mis hors d'état. Pis encore : on n'avait pas en réserve un seul des gros obus de deux cents livres et d'une puissance de soixante tonnes, qui devaient réduire la forteresse de Sveaborg.

Cette terrible déficience était dissimulée, aux yeux des observateurs de la colline, par l'épaisse fumée qui s'éleva aussitôt après le début du bombardement, tout au début de la matinée du 9 août. Il n'était guère possible de distinguer ce qui se passait à bord des vaisseaux à mortiers, bien qu'on vît nettement leurs projectiles filer au-dessus de l'eau pour éclater sur les deux îles les plus puissamment défendues de la forteresse, Vargön et Gustafssvärd. Quand Brand et Alix arrivèrent sur les lieux, peu après neuf heures, les frégates qui opéraient vers l'ouest étaient clairement en vue et Brand eut la satisfaction de voir l'*Arrogant,* accompagné du *Cossack* et du *Cruiser,* s'avancer pour engager le combat avec la garnison russe de l'île Drumsiö. À ce moment-là, des incendies faisaient rage à Sveaborg et, à dix heures, une formidable explosion sur Gustafssvärd incita les observateurs à penser que la principale poudrière de la forteresse avait sauté.

Le feu des Russes, par contraste, était loin d'être efficace. Bien que leurs grosses pièces eussent une portée plus que suffisante pour atteindre les vaisseaux à mortiers, ils ne parvinrent à en détruire aucun, sur les vingt et un, et l'artillerie russe n'était pas à même de se mesurer avec les canonnières alliées qui, tels des protagonistes d'un ballet mortel, franchissaient sans dommage la ligne de bataille. En ce premier jour de bombardement, ce furent les petites escadres britanniques qui souffrirent le plus, et, particulièrement, le redoutable capitaine Cooper Key, sur son *Amphion,* qui avait attaqué les batteries casematées de Sandhamn.

— Ils sont en train de trouer le vieux trois-ponts ! s'écria Alix.

Le vent qui s'était levé dans l'après-midi avait balayé l'écran de fumée et laissait voir le navire de blocage, placé entre Gustafssvärd et Bakholm, qu'on remorquait plus haut dans le chenal. Toute la matinée, il avait essuyé le feu du *Stork* et du *Snapper,* armés des nouveaux canons Lancaster.

— Je me demande, dit Brand, pourquoi ils n'essaient pas d'atteindre l'autre bateau. Trop près des batteries de Längörn, peut-être ?

Le second navire de blocage, un grand bâtiment russe à la haute dunette, se trouvait au nord-ouest de Svartö, dans la passe gardée par l'île Längörn et la grande batterie de Saint-Nicolas, sur Stora Rentan, et il était toujours armé de ses pièces à longue portée.

— C'est l'*Ezechiel,* dit un badaud bien renseigné, qui avait surpris la remarque de Brand. Son dernier engagement s'est déroulé lors de la bataille de Navarin, il y a vingt-huit ans. Mais il peut encore faire des dégâts, malheureusement !

Brand acquiesça en un murmure et baissa sa longue-vue. Il se rappelait qu'à Navarin, les Russes se battaient au côté des Anglais et des Français. Et toute son ancienne exaspération contre l'Europe et les terribles chassés-croisés des puissances européennes lui revint à l'esprit : il pensait aux alliés de 1827 devenus les ennemis d'aujourd'hui et il envisageait la possibilité qu'après l'effusion de sang de 1855, ils pussent se retrouver, dans une guerre future, alliés contre quelque autre ennemi. Il jeta un coup d'œil sur les Finlandais qui garnissaient la pente de la colline. Beaucoup d'entre eux, comme Alix, étaient terriblement tendus, comme s'ils sentaient que le sort du grand-duché se jouait en cette journée ; pour d'autres, il s'agissait d'un formidable spectacle qu'on pouvait suivre sans grand danger. Dans les allées du Brunnspark, les tilleuls étaient encore en fleur, après cet été humide, et leur délicat parfum persistait, malgré l'odeur de la poudre.

Il était tard quand il persuada enfin Alix de quitter la colline. A dix heures et demie du soir, les bâtiments de la flotte britannique, au nombre d'une trentaine, vinrent prendre position en avant des vaisseaux à mortiers et commencèrent une attaque par fusées sur la forteresse. L'effet de ce bombardement, au cours duquel les explosions formaient, dans l'obscurité, un cercle de flammes parfait, suivi d'un nuage en forme de champignon, était particulièrement spectaculaire. Au retour à Edesvik, ils trouvèrent tout l'équipage sur le pont, à observer la lueur rouge qui teintait le ciel.

Le lendemain matin, Joe Ryan se rendit à Helsingfors et rapporta qu'un défilé ininterrompu de bateaux russes amenait dans la ville des blessés de la forteresse. Les pertes humaines de l'ennemi avaient été considérables ; les dégâts matériels n'étaient pas moindres. Sur toutes les îles de l'ouest de Sveaborg, des poudrières, des casernes, des hôpitaux, des magasins avaient été touchés et, apparemment, sans représailles efficaces du côté russe. Quand Brand et Alix, dans le courant de l'après-midi, revinrent dans le parc, ils constatèrent que la forteresse tout entière, du nord au sud, n'était qu'une vaste nappe de flammes.

Mais le Gibraltar du Nord demeurait imprenable. Au matin du 11 août, alors que presque toutes les batteries de Sveaborg avaient été mises hors de combat et que la forteresse ne tirait plus un seul coup de canon, les mortiers britanniques avaient soit explosé sous l'effet de la pression, soit cessé de tirer par manque de munitions. Le bombardement allié durait depuis deux jours et deux nuits consécutifs et les Britanniques, à eux seuls, avaient lancé cent tonnes de projectiles. La coupole de l'église grecque, qui servait depuis si longtemps de point de repère, s'était écroulée ; les blessés russes emplissaient les hôpitaux d'Helsingfors et les édifices publics ; des incendies faisaient rage dans les batterie de l'île et, sur Värgön et Gustafssvärd, on ne voyait plus que les squelettes noircis des bâtiments. Cependant, les alliés se trouvaient dans l'impossibilité de poursuivre leur indiscutable avantage. Ils ne pouvaient escalader les murailles de granit de la forteresse de Sveaborg. Tous les ouvrages russes étaient détruits, mais demeuraient. Aucun amiral britannique n'allait entrer par la Porte Royale, ne lirait les grandes paroles d'Ehrensvärd inscrites de chaque côté.

— « *Postérité ! tiens fermement ton propre sol !* »

Brand cita la phrase à Alix, cet après-midi du samedi, quand les amiraux alliés annoncèrent que « les opérations étaient terminées » et se préparèrent à se retirer dans le détroit de Barö.

— Avoue-le, Alix : au fond de ton cœur, tu n'es pas fâchée que la forteresse n'ait pas été enlevée et ne puisse jamais l'être !

— Moi, pas fâchée ? riposta-t-elle avec indignation. Pas fâchée que les Russes tiennent encore Sveaborg et que les alliés aient dû se retirer sur une victoire incomplète ?

— Les Russes prétendent déjà que la victoire est à eux, dit Joe.

— Est-ce là ce qu'on disait au marché, Joe ?

— C'est demain dimanche. Ils vont chanter un Te Deum à l'église russe, près de la Nicholas Kirk, pour rendre grâces de leur victoire...

— Eh bien, fit Brand, nous n'y pouvons rien. Les Britanniques ont fait tout leur possible et Sveaborg est toujours debout. Il faut à présent que je pense à mes devoirs envers mon équipage et envers mes armateurs. Nous sommes ici, à Edesvik, depuis deux semaines, et nous n'avons pas vu un seul Russe. Mais ça ne va pas durer : une fois les Anglais partis, ils ne vont pas tarder à sortir de la ville pour se déployer au long de la route d'Abö et nous aurons des ennuis si nous attendons beaucoup plus longtemps. J'ai l'intention de lever l'ancre demain matin pour descendre à Barö avec la flotte.

— Attendez un peu, dit Joe. Le Te Deum de demain ne doit pas être la seule réjouissance. Il y en aura une autre ce soir que, peut-être, vous aimeriez... interrompre.

Joe ne s'était pas rasé, ce matin-là. Brand remarqua que, si les cheveux bouclés de l'Irlandais étaient toujours aussi noirs, la barbe qui lui repoussait au menton était grise.

— Que voulez-vous dire, Joe ?

— Voici ce qui se disait au marché : le général Sorokine et ses officiers n'ont pas cessé de toute la matinée d'expédier des dépêches à Saint-Pétersbourg, pour annoncer, naturellement, la victoire des Russes. Ce soir, ils vont la célébrer par un grand dîner, où vodka et champagne couleront à flots. Et, comme la résidence du gouverneur a été détruite, comme la plupart des bâtiments militaires, le festin se déroulera sur l'*Ezechiel.*

— A bord du navire de blocage, dans la passe, dit Brand, lentement. Et vous pensez...

— Ça dépend de vous.

— Avec un cordeau Bickford, souffla Alix. Brand, tu m'as dit que tu ferais n'importe quoi !

Elle ajouta :

— Ce serait la fin du haut commandement russe à Sveaborg.

— Si je savais nager, reprit Joe, je ne demanderais pas mieux que de risquer le coup. Mais je peux toujours prendre les avirons du canot et tenir la corde de gutta-percha.

— Si j'avais Campbell, mon vieux compagnon, remarqua Brand, je crois que ça aurait pu se faire. Mais il faut deux bons nageurs, habitués à parcourir plusieurs mètres sous l'eau et assez forts pour porter une charge de poudre...

— Jenkins est bon nageur.

— Jenkins n'est pas assez bon, Joe. Je suis navré d'avoir à vous le dire, mais, ce jour-là, nous avons bien failli aussi perdre Jenkins.

Les deux hommes gardaient un souvenir cruel du jeune matelot, perdant le souffle et suffoquant, au flanc de la *Duchesse,* le corps de Mary Ryan entre les bras.

— Moi, je nage beaucoup mieux que Jenkins, déclara Alix, tout uniment.

— *Toi,* Alix ? Mais tu es folle ! Tu ne sais absolument pas ce que c'est ! Ecoute-moi : je me suis entraîné, avec un partenaire aguerri, quinze fois exactement. Nous nagions par une mer relativement calme, hors de la présence ennemie, et nous faisions sauter de vieux rafiots, des épaves — du bois, comprends-tu ? rien que du bois. L'*Ezechiel* est armé de pièces à longue portée, contient par conséquent un magasin à poudres. Si nous le faisons sauter, nous n'avons pas une foutue chance de nous éloigner suffisamment du lieu de l'explosion, même si nous devions mettre bout à bout toute la gutta-percha que j'ai dans la cale. Je ne crois même pas que nous réussirions à franchir la ligne de batteries de l'île, en nageant vers notre objectif ; mais, quand bien même nous y parviendrions, nous aurions mille chances contre une de ne pas nous en sortir vivants.

— Nous pourrions franchir la ligne des batteries, dit Alix, en nous habillant en blanc, comme l'équipage du capitaine Cooper Key, en juin.

Joe ne parut pas l'entendre. Il avait les yeux fixés sur Brand.

— Capitaine, si c'est là votre avis, alors, ne comptez plus sur moi : je débarque cette nuit, je vous préviens, et je me cache à Helsingfors jusqu'à demain matin. Alors, je tâcherai de descendre Sorokine, quand il se rendra à l'église pour le Te Deum. Je ne tire pas mal et je ferai en sorte de le tuer. Je dois une mort aux Russes et, par Dieu, il faudra bien que je paie ma dette. Ce qui m'arrivera ensuite est sans importance. Depuis que Mary est morte, je me soucie comme d'une guigne de ma propre vie.

— Et depuis ce qui s'est passé à Ekenäs, dit Alix, je me soucie comme d'une guigne de la mienne.

Le regard de Brand alla de son visage pâle et décidé à celui de Joe.

— Une chance sur mille, répéta-t-il. Très bien, je suis prêt à la tenter. M. Ryan, la voix à Blythe.

A minuit, alors que la flotte alliée était à quelques kilomètres à l'ouest de Sveaborg, en route vers le Détroit de Barö, la *Duchesse de Finlande* se glissa hors du port d'Edesvik et doubla le cap Sand et Sundholm pour se diriger vers le fjord de Porkkala. A Helsingfors, toutes les lumières étaient éteintes. Les villas aux volets clos de Brunnsparken, autour desquelles, au début de la semaine, s'agglutinait la foule, étaient silencieuses, vidées de leurs locataires russes. De Sveaborg arrivait une forte odeur de bois brûlé et les incendies n'étaient pas encore éteintes.

— Mettez en panne, dit Brand. C'est exact : on célèbre la victoire.

Durant tout le trajet, il avait pensé que le bruit qui avait couru au sujet du dîner de gala, à bord de l'*Ezechiel*, pouvait bien être sans fondement. Mais des rais de lumière soulignaient les contours de tous les mantelets de sabord et une vive lumière s'échappait de la fenêtre de la grande chambre de l'arrière, d'où s'échappaient des accords musicaux.

— Voyons, Blythe, dit à voix basse Brand au maître d'équipage, vous savez exactement ce que vous avez à faire. Prenez votre poste à l'est de Ronnskär et attendez le retour du canot. Si nous ne sommes pas là au bout d'une heure, alors, rejoignez les frégates. L'*Arrogant* a été parmi les dernières à partir, et ne peut être bien loin. Demandez qu'on vous mette un lieutenant à bord, si c'est possible, pour tenir le rôle de capitaine jusqu'à Londres. Si c'est impossible, prenez le commandement, Blythe. Je vous ai préparé des ordres par écrit et je les ai recopiés tout au long dans le journal de bord.

— Oui, monsieur, fit Blythe en touchant d'un doigt son front soucieux. Monsieur ?

— Oui ?

— Monsieur, Jenkins a *redemandé* la permission d'y aller à la place de Madame.

— Remerciez Jenkins, dit Alix avec un sourire. Dites-lui que j'y vais de mon plein gré.

Elle frissonnait un peu, dans sa robe blanche, car la nuit était froide et, pour avoir plus de liberté de mouvement dans l'eau, elle avait coupé les manches du corsage et raccourci la jupe à hauteur des genoux. Les deux hommes étaient en chemise blanche et pantalon de coutil blanc et le canot dans lequel ils prirent place sentait fortement la peinture blanche toute fraîche. Brand tenait dans ses bras le cordeau Bickford. Dans la cale de la *Duchesse*, il l'avait fixé à la cheville de bois et à la cartouche et il avait réparti la poudre dans deux boîtes de fer blanc : vingt livres pour lui, dix pour Alix. C'était assez peu pour faire sauter un navire de la taille de l'*Ezechiel* mais il songea lugubrement que le magasin aux poudres achèverait le travail.

Dans la cabine, ils avaient fait des essais en accrochant la boîte au cou d'Alix, qui avait assuré Brand que ce n'était pas trop lourd. Mais, quand ils se laissèrent glisser dans l'eau, Brand l'entendit réprimer un cri de surprise en se sentant entraînée vers le fond par son fardeau. Il avait beau savoir quelle magnifique nageuse elle était, il s'inquiétait de ce lest inhabituel et guetta avec angoisse le moment où elle allait reparaître à la surface, après le long et lent glissement entre deux eaux qui devait être effectué au début de l'opération. Elle fit surface non loin de lui et, presque aussitôt, plongea de nouveau, en se propulsant d'une brasse puissante et silencieuse, qui égalait celle de Brand. Ils arrivèrent, avec leur fardeau de mort, près du flanc noir de l'*Ezechiel*.

Les Russes, dans leur vanité, n'avaient pas posté de sentinelles. La bamboche allait bon train, tant à l'avant qu'à l'arrière. Le grand danger — Brand se demandait si Alix s'en rendait compte — c'était que l'un des convives ouvrît brusquement la fenêtre de la chambre de l'arrière et entendît le bruit des boîtes qu'on plaçait sous les chaînes. Mais, au-dessus de leurs têtes, les chants continuaient sans interruption. Brand commença par débarrasser Alix de sa charge et mit la boîte en place d'une main ferme. Alix nageait debout près de lui, accrochée d'une main à la chaîne, tandis que Brand plaçait sa propre charge de poudre sous la première, et la cartouche amorcée au-dessous des boîtes. Puis, bien que chaque seconde comptât, il ne résista pas à la tentation d'embrasser Alix dans l'eau, il la prit dans ses bras, sentit ses membres mouillés qui se collaient, s'enlaçaient aux siens, son froid visage ruisselant et ses lèvres brûlantes qui se pressèrent contre les siennes dans un élan fiévreux qui le laissa pantelant. Enfin Brand relâcha Alix et lui désigna du doigt le canot.

Quelques instants plus tard, Joe les aidait à remonter dans l'embarcation. Il tenait le bout de la corde de gutta-percha reliée au cordeau Bickford et avait aussi l'allumette toute prête. Sur un signe de Brand, la petite flamme s'accrocha au cordeau et commença sa course sous-marine vers le navire.

— Combien de temps ? murmura Joe tandis que Brand débordait ses avirons.

— Un quart d'heure... moins. Allez-y, mon vieux, pour nos vies !

Ils se mirent à tirer sur les avirons, tandis qu'Alix, sur l'ordre de Brand, s'accroupissait au fond du canot. Elle gisait à ses pieds, pareille à une noyée, le mouchoir de tête blanc dénoué, ses cheveux mouillés défaits, et le regard de Brand allait de l'*Ezechiel* à sa femme ; il comptait, et il savait que Joe devait compter, lui aussi.

— ... Treize minutes ! souffla Joe. Nous allons y arriver, Brand !

Une énorme flamme jaune jaillit vers le ciel. Dans

435

une unique et terrifiante explosion, le magasin aux poudres de l'*Ezechiel* fit éclater le vieux deux-ponts et le transforma en un tombeau brûlant pour tous les hommes qui se trouvaient à bord. Les grands canons, projetés à des hauteurs vertigineuses et qui retombaient lourdement dans la mer... les mâts déchiquetés comme de jeunes arbres atteints par la foudre... la coque fendue en deux... tout, depuis les vitres de la fenêtre de la chambre arrière jusqu'au pavillon russe à l'aigle bicéphale, sauta dans la formidable déflagration que l'on put entendre de l'autre côté de l'eau, dans chaque maison d'Helsingfors.

— *Nage !*

Une minute plus tard, Brand se rendait compte qu'il était trop tard. Le canot oscillait violemment dans le terrible remous produit par l'explosion et, dans les îles, les canonniers russes couraient vers leurs batteries.

— Peuvent-ils nous voir, Brand ? demanda Alix en levant la tête.

— Reste couchée !

Oui, on pouvait les voir : les vêtements et le canot blancs ne les préservaient plus, à présent : les flammes qui montaient de l'*Ezechiel* illuminaient le fjord tout entier. Le premier canon de la batterie Nicholas, sur Stora Rentan, tira un projectile qui passa juste au-dessus de leurs têtes.

— *Nage !*

Et ce fut le coup de tonnerre, le choc violent dans les côtes, produit par un éclat de métal, qui fit basculer Brand par-dessus le banc, lui arracha des mains les avirons et transforma l'univers en un chaos de lumière tourbillonnante. De très loin, il entendit la voix de Joe Ryan :

— Alix ! Brand, pour l'amour du ciel, aidez-la !

Il se rendit compte que Joe, resté seul aux avirons, ramait comme un possédé pour les mettre hors de portée des canons. Alix était toujours allongée au fond du canot, mais son visage était maintenant tourné vers le ciel nocturne, son cou et son épaule étaient tachés de sang.

Brand parvint à s'agenouiller près d'elle. Quelque chose, dans ses côtes, l'empêchait de respirer et, quand il parvint à prendre péniblement une inspiration, un filet de sang lui monta aux lèvres. Mais il se saisit du mouchoir trempé, au fond du canot, et le pressa contre la gorge d'Alexandra.

— Elle... vit... Joe. *Nage !*

436

LA FORTERESSE

— Je m'écarte de la route, fit Joe, hors d'haleine. Nous dérivons sur Skogsholm.

Il luttait pour passer à l'ouest, pour rejoindre la *Duchesse* à son poste, au large de Ronnskär. Et Brand, de sa seule main valide, pressait toujours le mouchoir sur la gorge d'Alexandra.

— Une frégate sur l'avant.

Brand leva péniblement la tête. Lentement, toutes voiles dehors, battant pavillon de la Royal Navy, la dernière et la plus valeureuse des frégates à avoir quitté Sveabord glissait, tel le Cygne de Tuonela, vers le fjord de Porkkala.

— L'*Arrogant* ! souffla-t-il.

Joe perçut le faible murmure, rentra ses avirons et mit les deux mains en porte-voix pour lancer un cri qui retentit sur la mer :

— Ho ! de l'*Arrogant* ! Ho !

CHAPITRE XXI

LE RESSAC SE BRISE SUR LES DEUX RIVAGES

TRENTE-TROIS JOURS APRES la destruction de l'*Ezechiel,* Brand Endicott descendait à terre d'une barque de pêche danoise, dans le petit port de Skagen, au Jutland, et se dirigeait vers une maisonnette située à la limite de la ville.

— Bonjour, monsieur le capitaine ! s'écria la femme aux joues rondes comme des pommes qui vint lui ouvrir la porte. Votre bonne dame ne vous attendait pas avant demain !

— Les Christiansen m'ont ramené de Fredrikshavn, dit Brand. Où est Mme Endicott ?

— Partie se promener, monsieur, une heure à peu près avant qu'on apprenne la bonne nouvelle.

— Elle ne sait donc rien ?

— Non, à moins qu'on ne l'ait sue au phare avant tout le monde, et c'est peu probable. Elle est allée vers la pointe, monsieur ; c'est sa promenade favorite.

— Oui, je sais. Je vais faire un bout de toilette et j'irai la rejoindre.

La femme s'écarta pour le laisser passer. Brand monta un escalier presque aussi raide qu'une échelle, et entra dans la chambre qu'il partageait avec Alix depuis deux semaines. Sous le toit incliné, elle était meublée d'un grand lit couvert d'un édredon danois, blanc et gonflé, d'une table de bois peint, surmontée d'une petite glace encadrée

438

LE RESSAC SE BRISE SUR LES DEUX RIVAGES

de coquillages. La bible du capitaine Sulivan était posée sous la glace.

Brand se débarrassa d'un fardeau de journaux, de lettres et de paquets, versa de l'eau dans la cuvette et fit disparaître le sel et l'écume de son visage et de ses cheveux. Tout en changeant de redingote, il jetait des regards affectueux sur la petite chambre blanche. Plus d'une fois, il avait déclaré à Alix qu'elle lui rappelait la chambre de son enfance, dans la « cabane » blanche qui se dressait, comme cette maison de pêcheur, à proximité de la mer. Mieux encore, c'était là qu'Alix et lui s'étaient retrouvés de nouveau unis.

Il s'assit, pour se reposer un instant, sur le lit où ils s'étaient étendus ensemble, dans le renouveau de leur passion, vivant leur bonheur heure après heure, au cours des jours qui avaient suivi leur sortie de l'hôpital de Copenhague. Là, sous l'imposte du toit en pente, il avait vu ses yeux gris se fixer sur son seul visage, comme si cette vision de l'ennemi qui l'obsédait naguère avait disparu pour toujours sous les canons de Stora Rentan. Dans l'explosion et l'embrasement du navire de blocage russe, qui avaient apporté la mort à tous les hommes à son bord, Alix s'était libérée de sa longue obsession de haine. Les barreaux qui enfermaient son esprit étaient déjà tombés ; et la nouvelle que Brand avait apportée à Skagen allait, peut-être, libérer deux prisonniers de guerre, blessés et recrus de fatigue.

La pensée de ce qu'il avait à lui apprendre et son anxiété quant à la façon dont elle l'accueillerait poussa Brand à quitter la maison pour suivre clopin-clopant la route de la pointe Grenen. Quand il était fatigué, comme ce jour-là, sa démarche était encore lente et maladroite, car il avait toujours les côtes bandées très serré, malgré l'amélioration sensible de son état. Les blessures superficielles avaient guéri d'elles-mêmes, une fois que le médecin de l'*Arrogant* (tout en se récriant devant la présomption d'un matelot-canonnier monté en grade, qui s'était attaqué tout seul à un deux-ponts russe) eut enlevé les éclats de métal qui provenaient de la pièce de Stora Rentan. Lentement, mais d'un pas ferme, Brand continua sa route ; il s'arrêta une fois ou deux, quand le chemin ne fut plus qu'une piste dans le sable. Inutile à présent de se presser : il savait précisément où retrouver Alexandra — dans les dunes, à l'extrémité de la pointe.

Là, tout au bout du Skaw, comme les marins britanniques appellent Skagen, on voyait un spectacle qui passionnait Alix : les eaux de la mer du Nord se brisaient sur la côte occidentale de la péninsule et à l'est se mêlaient aux eaux du Kattegat, la porte de la Baltique. Même par les jours les plus calmes, il y avait toujours un bouillonnement, une tempête en miniature, à l'endroit où se rencontraient les deux mers, et à la pointe de la dernière langue de sable c'était le murmure continuel. Alix, Brand le savait, était capable de regarder pendant des heures ce spectacle et ces rumeurs.

Elle était assise là où il pensait la trouver, adossée à une barque retournée qu'on avait traînée à l'abri des dunes, et les tons pâlis du sable, de l'herbe, de la peinture délavée de la vieille barque se fondaient avec sa mante couleur crème et le voile fin qui recouvrait ses cheveux et son cou. Les bras noués autour des genoux, elle regardait vers la mer, vers l'endroit où, par-delà le bief du moulin du Kattegat et de la mer du Nord, venait d'apparaître à l'horizon une frégate britannique.

— Alix !

Il l'appela de loin de manière à ne pas lui faire peur, sur ce rivage désert. Il eut la joie de la voir se relever précipitamment pour venir à sa rencontre dans le sable et les herbes dures qui formaient sous leurs pieds une piste ferme. Il la saisit, toute riante, dans ses bras, tandis que le vent du Nord faisait voltiger son manteau et arrachait le voile de ses cheveux blonds. Il vit la blessure, encore rouge et enflammée, qui partait de derrière l'oreille pour se perdre sous le col de la robe. Mais il ne trouva plus, dans ses yeux, cette expression lointaine qu'ils avaient autrefois.

— Mon chéri ! dit Alix, la joue contre celle de Brand. Déjà de retour ? Si j'avais su, je serais restée à Skagen... je serais descendue au port.

— Tu n'as pas fait une trop longue promenade ?

— Oh, non. J'aime cet endroit. Mais toi ?

— Je vais bien. Joe aussi. Il t'envoie ses amitiés, et les matelots leurs respects, tu peux m'en croire. Ils passeront nous prendre jeudi, en allant à Aberdeen.

440

LE RESSAC SE BRISE SUR LES DEUX RIVAGES

— Ainsi, je vais donc vraiment rencontrer ta formidable grand-mère ?

— J'ai eu une lettre d'elle. Elle dit qu'elle « pense beaucoup à sa rencontre avec Alice ». Il semble qu'elle ait décidé une fois pour toutes de t'appeler Alice.

— Ça me plaît, dit Alexandra en souriant. Beaucoup, beaucoup plus qu'Alyssa Ivanovna. Pas d'autres nouvelles ?

— Eh bien, justement, voilà, Alix. Il y a... une nouvelle phénoménale. C'est pour cela que je suis rentré un jour plus tôt, avec Mats Christiansen. Je voulais être le premier à te l'annoncer.

— Oh... de quoi s'agit-il ?

— Sébastopol est tombé.

— Tu veux dire... qu'il s'est rendu aux Alliés ? Mais quand ?

— Le 10. Deux jours plus tôt, les Britanniques avaient attaqué au Redan, sans grand succès. Mais, le 9, les Français ont enlevé la tour Malakoff et Sébastopol est tombé le lendemain. Les alliés sont entrés dans la forteresse un an tout juste après le début du siège.

— Les alliés à Sébastopol, répéta Alix d'un ton bizarre. Quel triomphe ! Quelles réjouissances il va y avoir chez les Occidentaux !

— C'est une terrible défaite pour la Russie.

— Je voudrais seulement que Nikita ait vécu assez longtemps pour la voir. L'unique défaite qui importait aux alliés, l'unique forteresse qui eût de l'importance dans la guerre ! Qu'était-ce que Bomarsund, que Sveaborg, auprès du grand Sébastopol ?

— Par Dieu ! protesta Brand. Toi et moi, nous y avons mis du nôtre, à Sveaborg ! Te rappelles-tu le jour où nous sommes descendus de l'*Arrogant,* à Copenhague, et que le capitaine Yelverton t'a fait rendre les honneurs, avec les coups de sifflet des maîtres d'équipage, les hommes de coupée et tous les autres qui t'acclamaient, comme si tu avais été la reine Victoria ?

— Oui, répondit-elle, sans sourire. C'était comme le verset de la bible du capitaine Sulivan : « Le temps de l'occasion vient pour tous. » Nous avons saisi l'occasion, à Sveaborg, mon chéri. Nous avons fait tout ce que nous pouvions... Sais-tu quel est ce navire, là-bas ?

LA FORTERESSE

— L'*Impérieuse,* dit Brand. Elle vient d'Angleterre, avec le courrier de la flotte.

— Elle apportera sans doute bientôt des lettres de rappel ?

— Après Sébastopol ? Oui, je suppose.

Ils gardèrent le silence, en suivant du regard la frégate qui, toutes voiles dehors, s'approchait, dans la majesté d'un monde en voie de disparition.

— Ils peuvent bien tous s'enrouer à force de chanter victoire pour Sébastopol, dit enfin Brand. Nous savons, nous, que, sans l'*Impérieuse* et les autres... Sans Sulivan, et Yelverton, et Cooper Key, et Hall, et tous les braves matelots des ponts inférieurs, la guerre russe se serait peut-être terminée d'une manière toute différente. On aurait vu des bâtiments de ligne russes mouiller au large de Newcastle et de Gravesend et croiser dans l'Atlantique ; on aurait vu des troupes russes débarquer sur les plages, à Cherbourg. En bloquant les Russes dans le golfe de Finlande, c'est la flotte anglaise de la Baltique qui a sauvé l'Ouest.

— Tu dis : « terminée d'une manière différente », répéta Alix en un murmure. Crois-tu donc vraiment que la guerre russe soit maintenant sur le point de se terminer ?

— Je crois que les Russes vont être contraints de participer, très vite, à un Congrès de la Paix. Ils ont perdu leur seule grande bataille ; ils devront accepter les conditions de paix et abandonner la mer Noire et les principautés du Danube. Je pense qu'avec ça, les Alliés seront satisfaits.

— Et la Finlande restera grand-duché russe, dit Alix.

Il s'y était attendu, naturellement. C'est pour cette raison qu'il avait hâté son retour de Fredrikshavn, dès qu'il avait appris la nouvelle, et qu'il étreignait les mains d'Alix, en les couvrant de baisers, tandis que le vent soulevait encore son voile, en découvrant la blessure qu'elle avait rapportée de la forteresse, de Sveaborg.

> « O, Finlande, qui peut prévoir ton destin ?
> Au livre de l'avenir, caché à nos yeux,
> Un jour t'attend, heureux ou malheureux... »

442

LE RESSAC SE BRISE SUR LES DEUX RIVAGES

— Je disais ce poème aux prisonniers de Lewes, dit-elle. Ils pourront bientôt rentrer chez eux, à présent... pauvres gens ! Si nous marchions un peu sur le sable ?

Brand lui passa un bras autour de la taille et ils se mirent à marcher lentement vers la langue de sable où se rejoignaient les deux mers.

— Tout à l'heure, dans les dunes, dit Alix d'un air sombre, je pensais que cela devait finir ainsi. Je sais maintenant que ce qu'a dit le tambour, à Degerby, ne nous concernait en rien, toi et moi. Jusque-là seulement... Le message était pour la Finlande, pas pour nous. Cette guerre contre la Russie ne délivrera pas la Finlande.

— Tu crois donc que tout ce que nous avons essayé de faire, ce que tu as fait à Sveaborg... que tout cela était vain ?

— Ce que nous avons accompli à Sveaborg était un bel exploit, dit-elle avec orgueil. Mais... cela aussi fait partie du texte de Sulivan... « La course ne revient pas aux plus rapides, ni la lutte aux plus forts » ! Peut-être les *mots,* ces mots qui faisaient tellement peur à Nikita, finiront-ils par remporter la victoire. Certains des jeunes Finlandais de Lewes se souviendront de « Döbeln à Juntas ». Entre autres, je crois, le petit Henry Kivi. Et ce sont eux qui feront une nouvelle tentative pour reconquérir l'indépendance de la Finlande, et qui gagneront !

— Tu le crois toujours, hein ?

— De tout mon cœur, dit Alexandra. Mais je sais maintenant, je suis sûre que ce ne sera pas de mon vivant.

Brand ne répondit pas. Ils approchaient maintenant de l'extrémité du Skaw et, sous leurs pieds, le sable était mouillé.

— Qu'as-tu décidé, pour l'avenir, Brand ? Qu'a décidé Joe ?

— Joe retourne à Boston, ma chérie.

— Je le pensais bien.

— Il dit qu'il ne peut supporter l'idée de vivre seul à Stockholm ni de naviguer sans Mary sur la *Molly-O.* Et il a une famille qui l'attend, à Boston. Des frères, des sœurs... tout un clan. Ils paraissent tous très désireux de le retrouver.

— Et Joe n'a pas encore trente-huit ans. Il pourra se remarier. Avoir un autre enfant, ou plusieurs. La vie continue.

443

— Oui, dit Brand. Pour toi et moi aussi, Alix.

— As-tu... repensé à Londres ?

— Mon oncle me renouvelle son offre d'association. Je travaillerais à terre, naturellement.

— Ça ne te plairait pas, Brand !

— Ce serait peut-être très bien, tu sais. Tu serais près de ta sœur et tu te ferais de nouveaux amis... et... quand tout ceci sera terminé, ma chérie, tu pourrais certainement retourner en Finlande, sans histoires...

— *Non !*

Plus jamais, les forêts mouillées d'Ekenäs, la chambre vide qui s'emplissait de souffrance, le parfum des lilas...

— Je n'y retournerai jamais, dit Alix... Et toi, mon chéri, n'as-tu pas encore fait suffisamment de sacrifices pour moi ?

— Je n'ai fait que t'aimer.

— J'ai été très égoïste, Brand. Je t'ai entraîné à ma suite dans la maladie et le danger, la prison et la souffrance, pour la cause à laquelle je croyais. Le temps est venu, maintenant, de penser à toi. Tu es américain et marin. Tu n'as pas envie d'user ta vie dans un bureau de Londres.

— Mais si je croyais que tu...

Par-dessus la barre de sable, les eaux se soulevaient et luttaient de vitesse.

— Nous pouvons voir, d'ici, le ressac se briser sur les deux rivages, dit Alix. Ton rivage et le mien ! L'une des mers retourne au golfe de Finlande, sur lequel la Russie régnera encore quelque temps. L'autre s'en va vers l'ouest, vers un monde nouveau. Je crois que c'est ce rivage-là que j'ai choisi, mon chéri, la nuit où nous nous sommes rencontrés pour la première fois, à Marstrand, et où tu m'as promis de veiller à ce que je voyage au bout de mon chemin...

Brand se pencha vers elle pour l'embrasser.

— Et où vas-tu, maintenant, Alexandra ?

— Parle-moi encore de tes îles à toi, dit-elle humblement. Parle-moi de notre foyer d'Amérique.

FIN

TABLE DES MATIERES

ACHEVÉ D'IMPRIMER
SUR LES PRESSES
DE
L'IMPRIMERIE COMMERCIALE
D'YVETOT

16.073

Dépôt légal Nᵒ 498
2ᵉ trimestre 1966
Nᵒ d'éditeur : 2.046